상속 · 증여
세무리스크 관리노하우

신방수(세무사) 저

개정증보판

SAMIL | 삼일인포마인

머리말

　최근 상속·증여에 대한 세무리스크가 증가하고 있습니다. 부동산 가격이 급등하고 상속·증여재산에 대한 평가방법이 대폭 강화되는 등 세무환경이 급변했기 때문입니다. 이에 더해 재산을 보유하고 있는 1세대가 고령화되어 가면서 상속개시가 임박한 한편, 상속분쟁 등의 리스크도 증가하고 있습니다. 그리고 이에 대한 대비책으로 재산을 미리 이전하게 되는데, 이때 편법이 등장해 세무조사의 가능성마저 커지고 있습니다. 그런데 이러한 우려는 비단 재산가 집안뿐만 아니라 일반 가정에서도 발생한다는 것입니다. 재산이 많든 적든 어느 가정에서나 상속이 발생하기 때문입니다. 이런 맥락에서 보면 현재의 대한민국은 상속 전쟁 중에 있다고 해도 과언이 아닐 것 같습니다.

　이 책은 이러한 배경 아래 재산가 집안은 물론이고 일반 가정들의 상속·증여와 관련된 다양한 세무리스크를 진단하고, 그에 대한 해결책을 제시하기 위해 태어났습니다.

　그럼 이 책의 특징들을 알아보겠습니다.

　첫째, 국내 최초로 상속·증여와 관련된 세무리스크 관리법을 다루었습니다.

　대한민국의 모든 가정들은 세무리스크를 스스로 관리할 수 있어야 합니다. 남이 자신의 일을 대신할 수 없기 때문입니다. 이 책은 이러한 관점에서 세무리스크가 어떤 식으로 발생하는지 그리고 이에 대한 해법은 무엇인지를 다각도로 분석했습니다. 물론 최근의 개정세법이나 민법 등의 관련 법률도 최대한 포함시키도록 노력했습니다. 자세한 내용은 책의 본문을 통해서 확인해보시기 바랍니다. 이 책은 총 5편, 12장으로 구성되었습니다. 주요 목차는 아래와 같습니다.

- 제1편 : 기본적인 상속·증여 세무리스크 관리법
- 제2편 : 상속세 세무리스크 관리법
- 제3편 : 증여세 세무리스크 관리법
- 제4편 : 개인사업자의 상속·증여 세무리스크 관리법
- 제5편 : 법인(주주포함)의 상속·증여 세무리스크 관리법

　둘째, 개인과 개인사업자, 법인(주주포함), 비거주자 등이 맞닥뜨릴 수 있는 상속·증여에 대한 모든 내용을 다루고 있습니다.

　지금까지 상속·증여를 다룬 책들은 법조문을 그대로 실은 것이 대부분이었습니다. 또한

수박 겉핥기식의 내용이 많아 정보의 깊이가 없는 경우도 많았습니다. 이 책은 이러한 현실을 인지하여 어떻게 하면 한정된 지면에 최적의 정보를 실을까 고민을 거듭했습니다. 그 결과 정보가 필요한 층을 개인과 개인사업자, 빌딩임대사업자, 영리법인, 비영리법인, 비거주자 등으로 세분화하고 그들에 맞는 정보를 선별해 편집했습니다. 이 책의 특징이 가장 잘 나타난 것으로 다른 책들이 절대 흉내낼 수 없는 대목이기도 합니다.

셋째, 업무활용도 제고를 위해 실전 사례를 많이 들었습니다.

모름지기 책은 독자들이 편리하게 읽고 실무에서의 활용도 역시 높아야 합니다. 특히 법을 다루는 책은 더더욱 그렇습니다. 이 책은 이러한 추세에 맞춰 독자들의 눈높이에 맞추고 실무에서의 활용도를 높이기 위해 상속과 증여의 모든 주제에 대한 세무리스크 발생 사례를 보물 캐듯이 발굴했습니다. 물론 저자의 20여 년 간 실무 및 집필 경험이 밑바탕이 되었습니다. 독자들은 본인이 처한 상황들과 이 책에서 언급된 사례들을 비교하다 보면 리스크를 예방할 수 있는 이점을 누릴 수 있게 될 것입니다.

이 책은 개인부터 법인까지 당면하고 있는 상속 · 증여의 세무리스크 등에 관한 해법을 제시한 실무도서에 해당합니다. 따라서 곁에 두고 업무를 처리할 때마다 꺼내 봐도 손색이 없을 것으로 확신합니다. 혹시 책을 읽다가 미흡한 부분이 있다면 언제든지 저자의 카페나 메일 등을 활용해 궁금증을 해결하시기 바랍니다. 저자가 운영하고 있는 카페(네이버 신방수세무아카데미)에서는 실시간 세무상담도 가능합니다.

끝으로 이 책이 세상에 나올 수 있도록 출간을 허락해준 삼일인포마인의 이희태 대표이사님과 조원오 전무님께 감사의 말씀을 드립니다. 이 책을 깔끔하게 편집해주신 임연혁 차장님께도 감사의 말씀을 드립니다.

또한 항상 저자를 응원해주는 카페 회원들에게 무한한 감사의 말씀을 드립니다. 이외 대학교에 다니고 있는 두 딸 하영과 주영 그리고 가정의 안녕을 위해 노력하는 아내 배순자에게도 감사의 마음을 전합니다.

아무쪼록 이 책이 대한민국의 상속 · 증여와 관련된 다양한 리스크를 줄이는 데 조금이라도 도움이 되었으면 합니다.

2021년 9월
역삼동 사무실에서
저자 신방수

차 례

제2편 상속세 세무리스크 관리법

제4장 상속세 계산구조관련 세무리스크 관리법 / 103

제3편　증여세 세무리스크 관리법

제6장　증여세관련 기본적인 세무리스크 관리법 / 209

제7장　실전 증여세 세무리스크 관리법 / 236

제8장   비거주자의 상속 · 증여관련 세무리스크 관리법 / 292

제5편

법인(주주포함)의 상속·증여 세무리스크 관리법

제**11**장 영리법인의 상속·증여 세무리스크 관리법 / 377

제**12**장 　비영리법인의 상속·증여 세무리스크 관리법 / 432

제 **1** 편

기본적인 상속·증여
세무리스크 관리법

이 편에서는 상속·증여와 관련된 세무관리를 체계적으로 하기 위해 기본 지식을 쌓는 것을 목표로 한다. 먼저 상속관련 세무리스크가 점증하는 이유를 구체적으로 살펴보고, 상속세와 증여세에 대한 기본적인 과세구조 등을 분석한다. 그리고 상속이나 증여재산에 대한 평가방법도 아울러 살펴본다.

제**1**장

상속 · 증여관련 세무리스크의
원천 이해하기

　최근 상속 또는 증여와 관련된 다양한 쟁점들이 발생하고 있다. 부동산가격이 급등하면서 상속세를 내는 부류들이 많아지고, 그에 따라 상속분쟁이 늘어나는 추세이다. 따라서 이것만 보면 미리 대비를 해 손실을 최소화해야 하는데 현실에서는 정작 손을 놓고 있는 경우가 많다. 이 장에서는 이러한 관점에서 상속 · 증여관련 세무리스크가 무엇인지, 지금 당장 상속준비 등을 해야 하는 이유 등을 살펴본다.

　본 장에서 살펴볼 주요 내용들은 아래와 같다.

- 상속 세무리스크가 급증하는 이유
- 10년 누적합산과세관련 세무리스크 관리법
- 상속 · 증여재산평가관련 세무리스크 관리법
- 상속분쟁관련 리스크 관리법
- 가족 간에 재산을 이전하는 방법

제1절 상속 세무리스크가 급증하는 이유

실무현장에서 보면 상속세에 대비하지 못한 채 상속이 발생하는 경우가 많다. 이렇게 되면 예상치 못한 세금으로 소중한 재산을 날릴 가능성이 높아진다. 따라서 누구든지 지금 당장 상속문제를 검토하고 이에 대비할 필요가 있다. 상속관련 세무리스크가 점증하는 이유 등을 알아보자.

1 상속관련 세무리스크 발생 사례

서울에서 살고 있는 이〇〇씨가 갑작스런 사고를 당해 운명했다. 이씨는 서울의 노른자위 땅에 공장과 상가 등을 가지고 있었는데, 어림잡더라도 100억 원은 족히 넘어 보였다. 그런데 재산분할에 대한 사전준비가 없었다.

- 상황1 : 이런 상황에서 어떤 문제점들이 있는가?
- 상황2 : 이에 대한 대책은 무엇인가?

이 사례는 상속을 미리 준비하지 못해 많은 세금을 내야 하는 전형적인 사례에 해당한다.

(상황1) 이런 상황에서 어떤 문제점들이 있는가?

- 상속이 개시되었으므로 상속세가 발생한다.

  상속세는 상속재산가액에서 상속공제액을 차감한 과세표준에 10~50%의 세율로, 과세된다. 상속공제액이 10억 원이라면 상속세 예상액은 다음과 같다.

상속재산가액	상속공제액	과세표준	세율	산출세액
100억 원	10억 원	90억 원	10~50%[1]	40억 4천만 원
가정	가정	상속재산가액 -상속공제액	-	(과세표준 × 50% - 4억 6천만 원)

---

[1] 자세한 세율은 제2장 등을 참조하자.

- 상속재산 분할과 관련하여 상속분쟁이 예상된다.

  상속재산의 분할에 대해 미리 정해진 것이 없는 경우에 종종 발생한다.
- 사업체 정리와 관련하여 다양한 문제가 파생한다.

  누가 사업을 영위할 것인가 등을 결정해야 한다.

(상황2) 이에 대한 대책은 무엇인가?

- 상속세가 예측되었다면 절세대안을 찾도록 한다.

  상속세는 재산가액을 어떻게 평가하느냐, 공제를 얼마나 받느냐에 따라 그 크기가 달라진다. 이중 상속재산의 평가방법은 매우 중요하다. 최근에 세법이 많이 바뀌었기 때문이다. 반드시 상속전문세무사를 찾아 상담을 받은 후 도움을 받도록 한다.
- 재산분할 시 상속분쟁이 발생하지 않도록 한다.

  재산분할절차의 전반적인 내용을 이해하고 협의가 힘들면 제3자 등을 통해 진행하도록 한다. 재산분할을 어떤 식으로 하는지에 따라 세금의 편차가 달라질 수 있음에 유의해야 한다.
- 사후관리에 만전을 기해야 한다.

  상속세 신고 후에 재산가액이 변동하면 탈루혐의를 적용하여 추가로 과세할 수 있다. 특히 상속세 신고가액이 30억 원이 넘는 경우 5년 내에 증가한 재산에 대한 세무조사 등이 발생할 수 있음에 유의해야 한다.

2 상속 세무리스크에 대비가 필요한 이유

지금 당장 상속에 대비해야 하는 이유를 정리하면 다음과 같다.

첫째, 사전 증여분에 대해 10년 누적합산과세제도가 적용된다.

상속세는 상속개시일 현재의 재산에 대해 과세되는 것이 원칙이다. 하지만 세법은 사전 증여를 통해 상속재산이 축소되면 상속세가 줄어들 수 있으므로 상속개시일 전 10년(상속인 외의 자는 5년) 이내에 증여한 금액을 상속재산가액에 합산하도록 하고 있다.

여기서 팁은 사전 증여 시점을 늦추면 늦출수록 사전 증여의 효과가 떨어진다는 점이다. 따라서 지금 당장 상속에 대비해야 한다.

둘째, 일반적으로 부동산가격은 상승한다.

부동산가격이 상승하면 상속세도 덩달아 증가될 가능성이 높다. 따라서 가격이 상승하기 전에 미리 증여 등을 통해 상속을 대비할 필요가 있다.

이때 저평가된 자산(상가나 주식 등)을 우선 증여하는 것이 좋다. 당장의 증여세를 줄일 수 있고 합산과세가 되더라도 가치 상승분은 합산에서 배제되기 때문이다. 다만, 최근 상가 등 비주거용 건물에 대한 재산평가방법이 바뀌었으므로 이에 유의할 필요가 있다.

셋째, 재산분쟁이 심화되고 있다.

사전에 재산분할에 대한 방법이 결정되지 않으면 사후에 가족 간에 재산분쟁이 일어날 수 있다. 따라서 미리 상속분할방법에 대한 결정이 있어야 한다. 실무적으로는 상속분쟁을 예방하는 관점에서 다양한 방안들을 수립할 수 있어야 한다.

3 상속관련 세무리스크 심화 사례

다음 자료에 따라 상속세를 추산해 보자. 단, 상속공제액은 배우자가 살아 있다면 배우자 상속공제 5억 원과 일괄공제 5억 원 등 10억 원을, 배우자가 없는 경우에는 일괄공제 5억 원만 받을 수 있다고 하자. 그리고 먼저 남편이 운명하여 상속재산은 자녀가 받는다고 하자.

자료

구분	① Case1	② Case2
남편	20억 원	10억 원
부인	0원	10억 원
계	20억 원	20억 원

① Case1의 경우

구분	금액	계산근거
남편 운명 시	2억 4천만 원	(상속재산가액 − 상속공제) × 10~50% = (20억 원 − 10억 원) × 30% − 6천만 원(누진공제) = 2억 4천만 원
부인 운명 시	0원	과세 미달
계	2억 4천만 원	

② Case2의 경우

구분	금액	계산근거
남편 운명 시	0원	(상속재산가액 − 상속공제)×10~50% =(10억 원−10억 원)×세율=0원
부인 운명 시	9천만 원	(상속재산가액 − 상속공제)×10~50% =(10억 원−5억 원)×20%−1천만 원(누진공제)=9천만 원
계	9천만 원	

③ 차이

①−②=1억 5천만 원(=2억 4천만 원−9천만 원)

이 사례에서 알 수 있듯이 상속에서는 사전 증여가 매우 중요함을 알 수 있다.

사례

평소에는 Case1처럼 재산을 보유하다가 남편이 운명하기 전에 Case2처럼 재산을 보유하면 상속세는 줄어들까?

그렇지 않다. 상속개시일 전 10년(상속인 외의 자는 5년) 이내의 증여한 재산가액은 상속재산가액에 합산되기 때문이다.

상속세 절세를 위해서는 상속인과 상속인 외의 자를 구분할 수 있어야 하고, 사전 증여시점을 잘 잡는 것도 중요하다.

 Tip

■ 상속세 세무리스크가 높은 상황

• 재산규모가 크다. → 재산가액이 10억 원을 넘어서면 상속세가 나오는 것이 일반적이기 때문이다.
• 보유한 부동산이 많다. → 부동산은 유동성이 떨어져 대처능력이 떨어지기 때문이다.
• 나이가 70세가 넘었다. → 사전 증여를 하더라도 10년 합산과세로 효과가 반감되기 때문이다.
• 가족관계가 복잡하다. → 상속분쟁의 위험성이 높고 그 결과 상속세 신고에 많은 영향을 주기 때문이다.

10년 누적합산과세관련 세무리스크 관리법

지금 대한민국에서는 예상되는 상속세를 줄이기 위해 이런저런 시도들을 많이 하고 있다. 그런데 여러 시도 중 사전에 증여를 선택한 경우가 있는데 이 행위가 때론 무용지물이 되곤 한다. 상속세와 증여세는 원칙적으로 10년 누적합산과세를 적용하고 있기 때문이다. 이는 사전에 증여를 통해 재산가액을 분산시키게 되면 누진세율을 채택하고 있는 상속세와 증여세의 세부담을 줄일 수 있는 바 이를 억제하기 위해 도입된 제도를 말한다. 사전 증여에 따른 합산과세관련 세무리스크 관리법에 대해 알아보자.

1 10년 누적합산과세관련 세무리스크 발생 사례

서울에서 거주하고 있는 김기팔씨는 75세이다. 그는 아래와 같이 재산을 보유하고 있다.

> **자료**
>
> • 현재 보유한 재산 : 10억 원
> • 5년 전에 배우자 명의로 산 주택 : 7억 원(현재 시세는 10억 원)
> • 이외 배우자 명의로 가입한 예금 등 : 1억 원
> • 기타 내용은 무시하기로 함.

• 상황1 : 만약 김씨가 앞으로 5년 내에 사망한 경우 상속재산가액은 얼마인가?
• 상황2 : 배우자 명의로 가입한 예금 등은 생활비로 받은 금액을 적금한 것이다. 그래도 증여에 해당하는가?
• 상황3 : 사전에 증여한 재산에 대해서는 증여세가 나올 수 있는가?

위의 상황에 대해 순차적으로 답을 찾아보면 다음과 같다.

(상황1) 만약 김씨가 앞으로 5년 내에 사망한 경우 상속재산가액은 얼마인가?
상속개시일 현재의 10억 원과 사전에 증여한 재산 8억 원 등 총 18억 원이 된다. 상속재산에 합산되는 증여재산가액은 증여일 현재의 시가로 한다.[2]

---

2) 사전 증여의 중요성을 말해준다.

(상황2) 배우자 명의로 가입한 예금 등은 생활비로 받은 금액을 적금한 것이다. 그래도 증여에 해당하는가?

생활비로 사용한 것들은 증여에 해당하지 않지만 부동산이나 금융재산에 투자한 것들은 증여에 해당하는 것이 원칙이다.

(상황3) 사전에 증여한 재산에 대해서는 증여세가 나올 수 있는가?

증여세와 상속세는 별개의 세목에 해당한다. 따라서 증여는 무신고를 했으므로 이에 대해서는 증여세가 추징될 수 있다. 이때 본세 및 가산세 등이 추징된다.

2 10년 누적합산과세관련 세무리스크 관리법

사전 증여에 대한 합산과세는 상속세와 증여세에서 각각 적용되고 있다.

(1) 상속세 합산과세

상속개시일을 기준으로 소급하여 10년(5년) 이전에 발생한 증여재산가액은 상속재산가액에 합산하여 과세된다.[3]

구분	합산기간	비고
상속인	10년	10년 전의 것은 합산 제외
상속인 외의 자	5년	5년 전의 것은 합산 제외

위에서 상속인 등에 대해서는 이 장의 제4절에서 살펴본다.

---

[3] 합산기간에 제한이 없는 경우와 합산과세를 아예 하지 않는 경우
  ① 합산기간에 제한이 없는 경우
    • 창업자금에 대한 증여세과세특례를 받은 경우(「조특법」 제30조의5)
    • 가업승계에 대한 증여세과세특례를 받은 경우(「조특법」 제30조의6)
  ② 합산과세를 아예 하지 않는 경우
    • 공익법인등에 출연한 재산
    • 장애인이 증여받은 재산
    • 전환사채 등의 주식전환이익, 주식상장 및 합병에 따른 증여이익, 타인의 기여에 의한 재산가치 증가, 특수관계법인간의 거래를 통한 이익의 증여의제 등
    • 영농자녀 등이 증여받은 농지 등

(2) 증여세 합산과세

현행 세법은 증여세의 경우에도 최종 증여일로부터 10년 이내에 동일인(부부는 동일인으로 봄)으로부터 받는 금액을 합산하여 증여세를 과세한다. 예를 들어 5년 전에 아버지로부터 5천만 원을 증여받고 금일 어머니로부터 5천만 원을 증여받은 경우 이를 합산한다는 것이다. 아버지와 어머니는 「상증법」상 동일인으로 본다.

3 10년 누적합산과세관련 세무리스크 심화 사례

경기도 부천시에서 거주하고 있는 김기풍씨는 7년 전에 부친으로부터 5억 원을 증여받았다. 한편 김씨의 자녀 2명은 6년 전에 1인당 2천만 원씩 총 4천만 원을 증여받았다. 2021년에 부친이 돌아가셔서 어머니와 김씨가 모두 10억 원을 상속받았다.

- 상황1 : 김씨와 그의 자녀들이 받은 사전 증여재산가액은 상속재산가액에 합산되는가?
- 상황2 : 7년 전에 납부한 증여세는 전액 공제를 받는가?

위의 상황에 대해 순차적으로 답을 찾아보면 다음과 같다.

(상황1) 김씨와 그의 자녀들이 받은 사전 증여재산가액은 상속재산가액에 합산되는가?

상속개시일 전에 증여받은 재산은 상속재산가액에 포함된다. 이때 합산기간은 상속인은 10년, 상속인이 아닌 자는 5년이 된다. 따라서 사례의 경우 김씨가 증여받은 가액 5억 원만 합산해야 할 증여재산가액이 된다. 상속인 외의 자는 합산기간이 5년이기 때문이다.

(상황2) 7년 전에 납부한 증여세는 전액 공제를 받는가?

사전에 증여한 재산에 대한 증여세는 상속세 산출세액에서 다음과 같이 공제한다. 따라서 전액 공제가 안될 수도 있다. 참고로 이 공제제도는 증여세와 상속세의 이중과세 방지를 위해 마련되었다.

🌐 **수증자가 상속인인 경우의 증여세액공제 적용법**

Min(①, ②)	① 증여당시의 증여세 산출세액
	② 공제의 한도액[4]

---

4) 각 상속인이 납부할 상속세 산출세액 × 각 상속인의 증여세 과세표준 ÷ [각 상속인이 받았거나 받을 상속

Tip

■ 상속대비는 10년이 중요하다

상속세는 10년 전에 사전 증여한 재산가액을 합산하므로 10년 후를 내다보고 증여 등을 실행해야 한다. 기대수명 80세를 기준으로 한다면 적어도 70세 이전에는 상속대비가 완료되어야한다.

제3절 상속·증여재산평가관련 세무리스크 관리법

상속세와 증여세의 과세대상은 유형의 재산에 대해 과세되는 경우가 일반적이다. 대표적인 재산이 바로 부동산이다. 그런데 이러한 과세대상이 확정되었다고 하더라도 그 다음으로 해결해야 할 문제는 바로 재산가액을 결정하는 일이다. 재산의 가격에는 시장에서 거래되는 가격부터 정부가 정한 가격 등 다양하기 때문이다.

1 상속·증여재산평가관련 세무리스크 발생 사례

아래 자료는 K씨의 아버지가 보유하고 있는 재산보유현황이다.

> **자료**
>
> • 주택 1채 : 시가 10억 원(기준시가 7억 원, 세법상의 시가는 확인할 수 없음)
> • 상가 : 시가 20억 원(기준시가 10억 원, 임대료 환산가액 12억 원)
> • 현금 : 3억 원
> • 3년 전에 배우자에게 증여한 토지의 증여재산가액 : 5억 원(현재 시가 10억 원)

재산(증여재산 포함)에 대한 상속세 과세표준]을 말한다(구체적인 계산 예는 제6장을 참조할 것).

- 상황1 : K씨 아버지의 재산은 시가로 얼마인가?
- 상황2 : K씨 아버지의 상속세 계산을 위한 재산가액은 얼마인가?
- 상황3 : 상속공제액이 10억 원이라면 상속세는 얼마나 예상되는가? 단, 상속세율은 10~50%이다.

위의 상황에 대해 순차적으로 답을 찾아보면 다음과 같다.

(상황1) K씨 아버지의 재산은 시가로 얼마인가?

현재 시점에서 주택과 상가 그리고 현금보유액을 더하면 33억 원이 된다.

(상황2) K씨 아버지의 상속세 계산을 위한 재산가액은 얼마인가?

상속세(또는 증여세)는 시가과세를 원칙으로 하며 시가가 없는 경우에는 다양한 방법으로 시가를 산정하되 그래도 없는 경우에는 기준시가를 대용으로 사용한다. 참고로 상속 전에 증여한 재산은 상속인들은 10년, 상속인이 아닌 자는 5년 내의 것을 합산한다.

① 현존한 재산의 평가액 : 22억 원
- 주택 → 시가를 확인할 수 없으므로 기준시가를 사용한다. 따라서 7억 원이 평가액이 된다.
- 상가 → 상가는 다음과 같은 방법으로 평가한다.
  - 근저당 설정이 안되어 있는 경우 : Max(시가, 임대료 환산가액, 기준시가)
  - 근저당 설정이 되어 있는 경우 : Max(시가, 임대료 환산가액, 담보채권액, 기준시가)

    사례의 경우 근저당 설정이 안되어 있으므로 7억 원과 12억 원 중 큰 금액인 12억 원이 평가액이 된다.
- 현금 → 보유한 금액으로 평가한다. 따라서 3억 원이 된다.

② 사전에 증여한 재산가액

상속개시일로부터 소급하여 10년 내 배우자에게 증여한 재산가액은 상속재산가액에 포함시킨다. 다만, 이때 합산되는 가액은 '증여일 현재'의 평가액으로 한다. 따라서 5억 원이 평가액이 된다.

③ 총 상속재산가액

위의 ①과 ②를 더하면 27억 원이 된다.

(상황3) 상속공제액이 10억 원이라면 상속세는 얼마나 예상되는가? 단, 상속세율은
　　　10~50%이다.

상속재산가액 27억 원에서 10억 원의 상속공제를 차감한 과세표준에 10~50%의 세율을 곱해 상속세를 계산할 수 있다.

구분	금액	비고
상속재산가액	27억 원	
−상속공제	10억 원	가정
=과세표준	17억 원	
×세율	40%[5]	
−누진공제	1억 6천만 원	
=산출세액	5억 2천만 원	

2 상속 · 증여재산평가관련 세무리스크 관리법

상속이나 증여재산에 대한 평가와 관련해 다양한 세무리스크들이 발생하고 있다. 다양한 제도들이 최근에 많이 등장했기 때문이다. 실무적으로 상속 · 증여재산에 대한 평가 시에는 아래와 같은 점에 주의할 필요가 있다. 자세한 내용들은 뒤에서 살펴보자.

첫째, 상속세와 증여세는 시가로 과세된다는 점에 주의해야 한다.

상속세와 증여세는 시가로 과세되는 것이 원칙이다. 여기서 시가는 원래 시장에서 거래되는 가액을 말한다. 그런데 세법은 이를 확대하여 매매사례가액이나 감정가액 같은 간주시가제도를 운영하고 있다. 따라서 간주시가의 범위를 잘 점검하는 것도 중요하다. 만일 이러한 시가가 없다면 보충적 평가방법(기준시가 등)에 의해 평가를 해야 한다.

둘째, 사전 증여분은 증여 당시의 평가액이 합산된다.

상속재산가액에 합산되는 증여재산가액은 증여 당시의 평가액이 합산된다. 따라서 사전에 증여한 재산가액이 향후 상승하더라도 상승분이 합산과세에서 제외되는 이점을 누릴 수 있게 된다.

---

5) 상속세와 증여세의 세율은 10~50%의 5단계 누진세율로 되어 있다. 과세표준이 1억 원 이하는 10%, 1~5억 원 이하는 20%(누진공제 1천만 원), 5~10억 원 이하는 30%(누진공제 6천만 원), 10~30억 원 이하는 40%(누진공제 1억 6천만 원), 30억 원 초과는 50%(누진공제 4억 6천만 원)이다.

셋째, 최근 변경된 재산평가방법에 주의해야 한다.

최근 상속세(증여세) 신고기한 이후 과세관청의 결정기한(상속세는 9개월, 증여세는 6개월) 내에 유사한 매매가액 등이 발견되면 이 금액으로도 상속세 등을 과세할 수 있게 법이 개정되었다. 이외에도 상가나 소규모 빌딩 등에 대해서는 평가심의위원회를 통해 감정평가액으로 과세할 수 있도록 관련 규정이 신설되었다. 상당히 파괴력이 큰 제도가 들어왔다.

제4절 상속분쟁관련 리스크 관리법

상속이 발생한 경우 상속세를 예측하고, 순차적으로 상속재산 분할방법 등을 검토하게 된다. 그런데 이 중 상속재산에 대한 분할방법이 말끔하게 결정되지 않으면 상속인들 간에 분쟁이 발생할 소지가 높다. 그렇다면 상속재산은 어떻게 분할하는 것이 좋을까?

1 상속분쟁관련 리스크 발생 사례

서울 마포구 신수동에서 오랫동안 거주한 K씨가 운명했다. 그가 남긴 재산에는 주택 1채(시가 6억 원 상당)와 현금 1억 원 정도가 있었다. 유족에는 배우자와 자녀 2명, 손자·손녀 4명 등이 있다.

- 상황1 : 사례의 경우 상속인은 누구인가?
- 상황2 : 「민법」상 상속재산은 어떻게 분할되는가?
- 상황3 : 피상속인인 K씨가 남긴 유산은 어떤 식으로 분할이 될까?

위 상황에 맞게 답을 찾아보면 아래와 같다.

(상황1) 사례의 경우 상속인은 누구인가?

「민법」에서 정하고 있는 상속순위는 다음과 같다.

순위	상속인	비고
1순위	직계비속, 배우자	항상 상속인이 된다.
2순위	직계존속, 배우자	직계비속이 없는 경우 상속인이 된다.
3순위	형제자매	1, 2순위가 없는 경우 상속인이 된다.
4순위	4촌 이내의 방계혈족	1, 2, 3순위가 없는 경우 상속인이 된다.

사례의 경우 1순위 상속인은 배우자와 자녀 2명이 해당된다.

(상황2) 「민법」상 상속재산은 어떻게 분할되는가?

상속재산은 원칙적으로 다음과 같은 순서에 따라 분할된다.

> ① 유언에 의한 분할 → ② 협의에 의한 분할 → ③ 법원의 조정 또는 심판에 의한 분할

참고로 법정상속지분으로 상속재산이 분할되면 직계비속은 1, 배우자는 1.5의 지분을 가진다.

(상황3) 피상속인인 K씨가 남긴 유산은 어떤 식으로 분할이 될까?

유언이 없다면 상속인들 간에 협의분할을 통해 상속재산을 분할할 수 있다. 그리고 협의분할이 안되는 경우에는 법원의 조정이나 심판에 따라 분할할 수 있다. 여기서 법원의 조정 등에 의해 법정상속지분으로 재산분할이 결정되면 다음과 같이 각자의 몫이 결정된다. 총 상속재산가액은 7억 원이다.

상속인	상속분	비율	법정상속가액
자녀1	자녀1 – 1	2/7	2억 원
자녀2	자녀2 – 1	2/7	2억 원
배우자	배우자 – 1.5	3/7	3억 원
계	3.5	100%	7억 원

상속재산을 어떤 식으로 분할하느냐에 따라 배우자상속공제액이 달라지고 그에 따라 상속세의 크기가 달라진다. 따라서 무턱대고 재산분할을 하지 않도록 하자. 참고로 저자의 카페에서는 상속재산의 분할에 따른 상속세를 시뮬레이션할 수 있는 툴을 제공하고 있다.

2 상속분쟁관련 리스크 관리법

(1) 상속순위

상속순위는 아래 「민법」 1000조에서 규정하고 있다. 상속재산은 이러한 상속순위에 따라 분할이 된다.

---

① 상속에 있어서는 다음 순위로 상속인이 된다.
  1. 피상속인의 직계비속
  2. 피상속인의 직계존속
  3. 피상속인의 형제자매
  4. 피상속인의 4촌 이내의 방계혈족
② 전항의 경우에 동순위의 상속인이 수인인 때에는 최근친을 선순위로 하고 동친등의 상속인이 수인인 때에는 공동상속인이 된다.
③ 태아는 상속순위에 관하여는 이미 출생한 것으로 본다.

상속순위 결정 시에는 아래와 같은 내용들도 점검해야 한다.
• 법정상속인의 결정에 있어서 같은 순위의 상속인이 여러 명인 경우에는 촌수가 가장 가까운 상속인을 우선순위로 한다. 촌수가 같은 상속인이 여러 명인 경우에는 공동상속인이 된다.
  예 피상속인의 직계비속으로 자녀 2인과 손자·손녀 2인이 있는 경우 자녀 2인이 공동상속인이 되며 손자·손녀는 법정상속인이 되지 못한다.
• 상속순위를 결정할 때 태아는 이미 출생한 것으로 본다.
• 배우자는 1순위인 직계비속과 같은 순위로 공동상속인이 되며, 직계비속이 없는 경우에는 2순위인 직계존속과 공동상속인이 된다.
• 부모가 이혼한 상태에서 부모 운명 시 직계비속인 자녀는 1순위 상속인에 해당한다.
• 입양자녀는 양부모 및 친부모의 1순위 상속인에 해당한다. 입양자녀는 친부모가 운명한 경우에도 상속을 받을 수 있다.

(2) 상속재산의 분할방법

상속재산은 '유언에 의한 협의분할 → 협의에 의한 분할' 순으로 분할할 수 있다. 아래는

「민법」에 따른 규정이다.

> **제1012조(유언에 의한 분할방법의 지정, 분할금지)**
> 피상속인은 유언으로 상속재산의 분할방법을 정하거나 이를 정할 것을 제삼자에게 위탁할 수 있고 상속개시의 날로부터 5년을 초과하지 아니하는 기간내의 그 분할을 금지할 수 있다.
>
> **제1013조(협의에 의한 분할)**
> ① 전조의 경우외에는 공동상속인은 언제든지[6] 그 협의에 의하여 상속재산을 분할할 수 있다.
> ② 생략

(3) 주요 상속분쟁사례들과 그에 대한 대응법

가족 간 상속분쟁을 예방하기 위해서는 생전이나 사후에 재산이 공평하게 분할되는 것이 좋다. 다만, 상황에 따라서는 이 부분이 잘 정리되지 않으면 분쟁이 일어날 가능성이 높다. 이런 상황에서는 아래와 같이 소송 등을 통해 해결할 수 있다.

- 특정인이 상속재산을 독차지하는 경우 → 유류분 반환 청구소송으로 대응
- 상속재산 분할협의서가 사실과 다르게 작성된 경우 → 상속회복 청구소송으로 대응
- 기여분 등으로 상속인간 협의가 잘 안된 경우 → 상속재산 분할 조정 및 심판청구, 기여분결정심판청구
- 사전에 증여를 받은 사람이 상속재산 분할에 참여하는 경우 → 상속분할 청구소송 등으로 대응
- 특정인이 유증으로 상속재산을 독차지하는 경우 → 유언장이 정당한 경우에는 유류분 반환 청구소송, 유언장이 무효인 경우에는 상속재산 분할 청구소송
- 혼외자가 상속을 청구하는 경우 → 상속분할 청구소송 등으로 대응(단, 호적에 없는 경우 사전에 친생자 확인이 필수)

---

6) 상속세가 신고된 이후에도 재협의를 거쳐 분할을 할 수도 있다. 다만, 이때에는 증여세 과세문제 등이 발생할 수 있으므로 주의해야 한다.

3 상속분쟁관련 리스크 심화 사례

부산광역시에서 한평생을 살아온 김○○씨가 운명했다. 그는 슬하에 4남매를 두고 있는데 그 중 둘째가 부모에게 불효하는 등 상당한 문제를 일으켰다. 그래서 김씨의 배우자와 둘째를 뺀 상속인들이 모여 둘째에게는 상속재산을 분할하지 않으려고 있다. 그게 가능할까?

일단 패륜자식이라고 하더라도 상속인에 해당하면 일정액의 상속지분이 주어진다. 이를 유류분이라고 한다.

> ※ 유류분 : 법정상속지분의 1/2(형제자매는 1/3)

그렇다면 둘째에게 상속지분을 주지 않으려면 어떻게 하면 될까?

첫째, 유언장을 통해 상속지분을 배제할 수 있다.

다만, 이러한 경우에도 최소한 유류분만큼 지분을 보장하고 있으므로 이를 감안해야 한다.[7]

둘째, 사전에 증여하는 경우를 보자.

상속인의 경우 사전에 증여한 재산에 대해서도 유류분을 청구할 수 있다. 참고로 제3자의 경우 상속개시일 전 1년 이내의 것만 유류분 청구 대상이 된다. 다만, 유류분권리자의 권리를 박탈한 증여에 해당하면 그 이전의 증여에 대해서도 청구대상이 될 수 있다.

결국 이런 상황에서는 본인이 스스로 상속포기를 하지 않는 이상 현실적으로 상속지분을 박탈하기가 상당히 힘들 수 있다.[8]

---

7) 유류분제도가 폐지될 가능성도 있다. 조만간 나올 헌법재판소의 결정문을 확인하기 바란다.
8) 2020년 3월 22일 수원지방법원 성남지원 민사3부는 "유언대용신탁 자산은 유류분 대상 아니다."라는 취지의 판결을 내렸다. 이 판결이 확정되면 향후 상속관행에 많은 변화가 올 것으로 보인다. 대법원 확정판결에 관심을 두기 바란다(저자의 카페에 문의).

 **필수 세무상식**

가족 간에 재산을 이전하는 방법

가족 간에 재산(특히 부동산)을 이전하는 방법은 다음과 같이 다양하다. 실무에서는 세부담의 크기를 고려한 후 어떤 규제 등이 있는지도 아울러 고려하는 것이 좋다.

구분	양도	증여		상속
		순수	부담부	
거래방식	유상이전	무상이전	유상이전＋무상이전	무상이전
과세표준	양도가액 – 취득가액 – 각종 공제	증여재산가액 – 증여재산공제	양도소득세 과세표준＋증여세 과세표준	상속재산가액 – 상속공제
세무상 유의할 점	• 대가관계가 명백해야 함. • 저가 또는 고가 양도 시 규제	• 증여재산가액 평가에 유의 • 사전 증여 시 합산과세에 유의	• 부채의 적격성에 유의	• 상속재산가액 평가에 유의 • 사전 증여 시 합산과세에 유의
유류분과의 관계	정상가로 매입 시 해당사항 없음.	유류분 청구 가능	증여분은 유류분 청구 가능	–

사례

어떤 사람이 상속으로 재산을 이전할까 아니면 증여로 재산을 이전할까 고민하고 있다고 하자. 그의 총 재산은 15억 원이다. 물론 재산을 물려받을 사람은 성년인 자녀라고 할 때 세금은 얼마나 될까? 그리고 의사결정기준은? 단, 상속공제액은 10억 원이라고 하자.

먼저 위의 자료를 기준으로 산출세액을 계산하면 다음과 같다.

상속세		증여세	
구분	금액	구분	금액
상속재산가액	15억 원	증여재산가액	15억 원
– 상속공제	10억 원	– 증여재산공제	5천만 원
＝과세표준	5억 원	＝과세표준	14억 5천만 원
×세율(10~50%)	20%	×세율(10~50%)	40%
– 누진공제	1천만 원	– 누진공제	1억 6천만 원
＝산출세액	9천만 원	＝산출세액	4억 2천만 원

제1장 상속·증여관련 세무리스크의 원천 이해하기 33

다음으로 의사결정을 내려 보자.

일단 자녀에게 증여하는 경우에는 과도하게 증여세가 발생하므로 이를 부담하고 증여하는 경우는 별로 없다. 따라서 상속을 선택하되 상속세가 나올 수 있는 부분의 재산가액만을 일부 증여하는 식으로 의사결정을 내릴 수 있다. 만일 상속공제액이 10억 원인 경우 5억 원을 사전 증여하면 다음과 같이 세금관계가 형성된다.

상속세		증여세	
구분	금액	구분	금액
상속재산가액	10억 원	증여재산가액	5억 원
−상속공제	10억 원	−증여재산공제	5천만 원
=과세표준	0원	=과세표준	4억 5천만 원
×세율(10~50%)		×세율(10~50%)	20%
−누진공제		−누진공제	1천만 원
=산출세액	0원	=산출세액	8천만 원

이렇게 재산을 적절하게 분산하면 상속세와 증여세를 동시에 줄일 수 있다.

🔵 사례에서 증여세를 줄이는 방법

- 수증자 수를 늘리면 증여재산공제액이 늘어나고 과세표준이 분산되어 전체적으로 증여세의 부담이 줄어든다.
- 배우자를 수증자로 하는 경우에는 6억 원까지 증여세가 없다.
- 부동산은 지분으로 이전하는 방식도 있다.

⁘ 저자 주

상속세와 증여세 등 각종 세금에 대한 자동계산기는 저자가 운영하고 있는 카페(네이버 신방수세무아카데미)에서 무료로 이용할 수 있다.

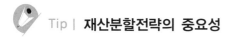
Tip | **재산분할전략의 중요성**

다음의 예는 상속과 증여를 통한 재산분할전략의 중요성을 보여주고 있다.

자료

(단위 : 원)

재산규모	상속공제액	상속세 과세표준	상속세예상액	한계세율
5억 원	10억 원	0 원	0 원	–
10억 원	10억 원	0 원	0 원	–
15억 원	10억 원	5억 원	9,000만 원	20%
20억 원	10억 원	10억 원	2억 4,000만 원	30%
30억 원	10억 원	20억 원	6억 4,000만 원	40%
50억 원	10억 원	40억 원	15억 4,000만 원	50%
100억 원	10억 원	90억 원	40억 4,000만 원	50%

이 자료를 통해 얼마까지 사전 증여하면 좋을지 분석해 보자. 단, 아래의 재산분산 가능액은 한계세율을 10%씩 인하하는 식으로 하여 산출하기로 한다.

(단위 : 원)

재산규모	상속세 과세표준	한계세율 조정	한계세율 적용 시	
			재산분산 가능액	감소하는 세금
5억 원	0 원	–	–	–
10억 원	0 원	–	–	–
15억 원	5억 원	20% → 10%	4억 원	8천만 원
20억 원	10억 원	30% → 20%	5억 원	1억 5천만 원
30억 원	20어 원	40% → 30%	10억 원	4억 원
50억 원	40억 원	50% → 40%	10억 원	5억 원
100억 원	90억 원	50% → 40%	60억 원	30억 원

위에서 재산규모가 15억 원인 경우와 20억 원인 경우로 앞의 내용들을 이해해 보자.

- 상속재산가액이 15억 원인 경우

  상속재산가액이 15억 원인 경우 상속세의 과세표준은 5억 원(15억 원 - 상속공제 10억 원)이므로 상속세는 다음과 같이 계산된다.

> 1억 원×10% + (5억 원 - 1억 원)×20%
> = 9천만 원(또는 '5억 원×20% - 1천만 원(누진공제) = 9천만 원'으로 계산해도 됨)

이 경우 한계세율은 20%이며 이 한계세율이 거쳐 있는 과세표준구간은 4억 원(5억 원 - 1억 원)이다. 따라서 4억 원을 사전 증여로 분산시키면 이 과세표준에 20%를 곱한 금액인 8천만 원 만큼의 세금이 감소한다.

- 상속재산가액이 20억 원인 경우

  상속재산가액이 20억 원인 경우 상속세의 과세표준은 10억 원이므로 한계세율을 30%에서 20%로 이동시키기 위해서는 5억 원을 사전 증여하면 된다. 그 결과 1억 5천만 원의 상속세가 줄어든다.

 Tip

■ 사전 증여 시 주의할 점

상속세 절세를 위해서는 사전 증여가 필요하지만 이에 대한 증여세 과세, 사전 증여에 따른 상속공제한도 축소 등의 문제가 발생한다. 사전 증여 시에는 이러한 문제도 검토해야 한다.

상속 · 증여세의 기본적인
세무리스크 관리법

사람이 태어나 죽을 때까지 보유하고 있는 재산에 대해서는 온갖 세금이 부과된다. 보유하면 보유세, 양도하면 양도소득세, 사망하면 상속세 등이 부과되는 것이다. 이 중 상속세는 일생동안 축적한 재산에 대해 마지막으로 부과되는 세금에 해당한다. 본 장에서는 주로 상속세와 증여세의 기본적인 내용에 대해 알아본다.

본 장에서 살펴볼 주요 내용들은 아래와 같다.

- 개인의 재산관련 세무리스크 종합관리법
- 상속 · 증여세 과세대상과 세무리스크 관리법
- 상속 · 증여세 과세구조와 세무리스크 관리법
- 상속 · 증여세 결정과 세무리스크 관리법
- 상속 · 증여세 등 관련 세무조사 시 입증책임
- 상속 · 증여세 신고절차 등과 세무리스크 관리법
- 상속 · 증여와 취득세 과세기준
- 상속 · 증여등기관련 세무리스크 관리법

제1절 개인의 재산관련 세무리스크 종합관리법

일반개인이나 사업자 또는 법인 등을 둘러싸고 다양한 재산관계가 형성된다. 이 과정에서 재산이 움직이면 다양한 세금이 발생하는 것은 당연하다. 특히 상속이 발생하면 상속세가 상당히 많을 수 있다. 재산에 대한 세금은 어떤 식으로 관리할 것인지 종합적으로 알아보자.

1 개인의 재산관련 세무리스크 발생 사례

서울 강동구에서 거주하고 있는 심경식씨가 보유하고 있는 재산의 종류가 다음과 같다고 하자.

자료

재산		부채
부동산	• 거주용 주택 • 토지 • 상가	• 임대보증금 등
금융재산	• 예금 • 주식 • 보험 등	
사업자산	• 임차보증금 • 자동차 등	• 차입금 등

- 상황1 : 만일 위의 부동산 중 투자목적으로 가지고 있는 토지를 양도하면 어떤 세금을 내야 하는가?
- 상황2 : 만일 위의 자산에서 부채를 차감한 금액이 20억 원인 상태에서 상속이 개시되는 경우 어떤 세금문제가 있는가?
- 상황3 : 위의 상가 중 일부를 자녀에게 무상임대를 하고 있다면 어떤 세금문제가 있는가?

위의 상황에 맞춰 답을 찾아보면 다음과 같다.

(상황1) 만일 위의 부동산 중 투자목적으로 가지고 있는 토지를 양도하면 어떤 세금을 내야 하는가?

토지를 양도하면 양도소득세라는 것을 낸다. 그런데 사례의 경우 투자목적용으로 토지를 보유하고 있기 때문에 비사업용 토지에 해당되어 세금이 과중될 수 있다.

→ 다만, 최근에 이러한 토지에 대한 과세방식이 많이 달라졌기 때문에 사전에 정보를 입수하여 대응책을 찾아야 한다.

(상황2) 만일 위의 자산에서 부채를 차감한 금액이 20억 원인 상태에서 상속이 개시되는 경우 어떤 세금문제가 있는가?

상속이 개시되면 상속세가 부과된다. 일반적으로 상속세는 상속재산가액이 10억 원을 초과하는 경우에 과세된다.

→ 사례의 경우에는 상속세가 예상되므로 이에 대한 대책을 미리 마련해둘 필요가 있다.

(상황3) 위의 상가 중 일부를 자녀에게 무상임대를 하고 있다면 어떤 세금문제가 있는가?

상가를 특수관계인에게 무상임대하면 이에 대해서도 부가가치세를 부과하는 식으로 세법이 개정되었다. 한편 자녀는 무상으로 사업장을 사용하므로 이에 대한 증여세 문제 등을 검토해야 한다.

→ 사업장의 무상임대는 소득세와 증여세 등에 대한 탈세조사로 이어질 수 있다.

2 개인의 재산관련 세무리스크 관리법

개인들이 보유하고 있는 재산은 예기치 못한 다양한 세무리스크에 직면할 수 있다. 다음 그림을 통해 일반적인 경우와 사업을 하는 경우에 발생할 수 있는 세무문제들을 살펴보자.

(1) 일반적인 경우

일반적으로 개인이 보유한 재산은 다음과 같은 과정을 통해 소멸한다.

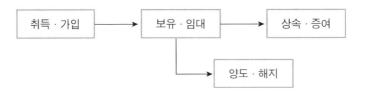

부동산이나 금융재산은 보유과정을 거쳐 처분이 되거나 상속이나 증여 등을 통해 제3자에게 이전이 되면서 소멸하게 된다. 이러한 과정에서 취득세나 임대소득세(금융소득 종합과세), 양도소득세, 상속세나 증여세 같은 다양한 세금항목들을 만나게 된다.

(2) 사업을 하는 경우

사업(개인 또는 법인)을 하는 경우에는 다음과 같은 과정을 별도로 거치게 된다.

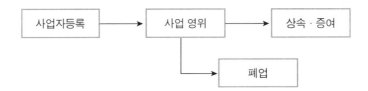

사업도 하나의 자산 군을 형성하며, 사업자등록 이후 사업이 시작되어 자발적 폐업이나 상속 또는 증여를 통해 소멸한다. 사업자들은 사업과 관련한 소득세·부가가치세와 같은 다양한 세금항목들을 만나게 된다. 법인의 경우에는 주주와 관련되어 다양한 세금문제가 발생한다.

③ 개인의 재산관련 세무리스크 심화 사례

K씨는 현재 본인이 가지고 있는 4층짜리 건물의 1층을 다음과 같이 활용하고 있다. 세무상 어떤 문제가 있는가? 그리고 대책은 무엇인가?

> **자료**
> • 1층 커피전문점으로 운영
> • 사업자등록 명의 : 배우자
> • 임차보증금과 임대료 : 없음(부가가치세 신고는 하지 않고 있음).

위는 재산가들이 쉽게 지나치기 쉬운 사례유형에 해당한다. 어떤 유형의 세무리스크가 있는지 그리고 대책은 무엇인지 살펴보자.

(1) 세무리스크 찾기

위의 상황에서 대두되는 세무리스크는 다음과 같다

- 무상임대에 대한 부가가치세 및 소득세과세 → 상가를 무상으로 임대하더라도 시가기준인 월세의 10%만큼 부가가치세를 내야 하고, 무상임대소득에 대해서는 소득세를 내야 한다(최근에 세법이 개정됨). 따라서 K씨는 이러한 부분을 대비하지 못해 이에 대한 세금추징이 발생할 수 있다.
- 무상임차에 대한 증여세 과세 → 배우자는 남편 K씨의 사업장을 무상으로 사용하므로 일정한 이익을 증여받은 것으로 본다. 다만, 배우자간의 증여재산공제는 6억 원까지 가능하므로 무상이익에 따른 증여세 문제는 거의 없다. 한편 사업소득에 대한 탈루가 있었는지에 대해서 별도로 세무조사가 이루어질 수 있다.

(2) 대책 찾기

특수관계인 간에 무상임대를 하면 위와 같은 문제가 발생하므로 시세를 감안하여 임대료를 정할 필요가 있다. 다음의 내용들을 참조하자.

- 임대차계약 시에는 보증금과 월세를 가지고 조정한다. 한쪽은 매출 한쪽은 비용이 되므로 최적의 조합을 찾도록 한다.
- 계약대로 정확히 세금계산서를 수수하고 정확하게 월세 등을 지급하고 수령해야 한다 (통장거래를 원칙으로 함).
- 임대차계약은 공인중개사를 통해 하도록 한다.

 Tip

■ 이제는 종합세무관리시대!

재산이 많은 경우 세금문제가 상당히 복잡하게 등장한다. 따라서 재산보유자나 자산관리자들은 개인을 둘러싼 세금을 복합적으로 관리해야 한다.

① 재산취득 시 → 재산취득 시부터 상속세와의 관계를 고려한다. 한편 재산취득 시에는 자금출처조사 및 양도소득세 등의 관계도 파악해야 한다.

② 재산보유 시 → 재산세나 종합부동산세의 고려, 금융재산은 금융소득 종합과세 등을 고려한다.

③ 재산처분 시 → 양도소득세 절세대안을 찾도록 한다.

④ 재산증여 시 → 누구를 대상으로 어떤 재산을 어떻게 증여할 것인가 등을 결정한다. 증여는 다각적인 시각에서 일처리를 해야 한다.

⑤ 재산상속 시 → 상속이 발생하면 상속세를 예측하고, 재산을 어떤 식으로 분할할 것인지도 아울러 고려한다. 특히 재산을 어떤 식으로 분할하느냐에 따라 세금의 크기가 달라지므로 이에 대한 감각을 키워둬야 한다.

 상속 · 증여세 과세대상과 세무리스크 관리법

앞에서 본 상속세와 증여세는 앞으로 공부해야 할 세목에 해당한다. 이하에서는 이들 세목의 과세대상과 과세방식 등을 정리해 보자. 특히 상속세와 증여세의 과세방식은 비슷한 면이 있으면서도 차이점이 있다. 그리고 둘은 연결되어 있다. 이러한 점에 유의해 아래의 내용을 보면 좋을 것으로 보인다. 물론 자세한 것들은 장을 달리해 살펴볼 것이다.

1 상속세와 증여세의 과세대상

상속세와 증여세의 과세대상은 아래와 같다.

(1) 상속세의 과세대상

일단 상속세 과세대상이 되는 상속재산의 범위는 피상속인(사망자)이 거주자인가, 비거주자인가에 따라 달라진다. 여기서 거주자는 국적을 불문하고 국내에 주소를 두거나 183일 이상 거소를 둔 사람을 말하며, 그렇지 않은 사람을 비거주자라고 한다.[9]

---

[9] 비거주자의 판정 및 비거주자의 상속세와 증여세 그리고 양도소득세 과세방식에 대해서는 제8장에서 자세히 다루고 있다.

구분	상속재산의 범위
• 거주자가 피상속인인 경우 • 비거주자가 피상속인인 경우	• 거주자의 국내·외 모든 상속재산 • 국내에 소재한 비거주자의 모든 상속재산

(2) 증여세의 과세대상

증여세는 수증자가 거주자인지 아닌지에 따라 다음과 같이 납세의무의 범위가 결정된다.

구분	증여재산의 범위
• 거주자가 수증자인 경우 • 비거주자가 수증자인 경우	• 거주자가 증여받은 국내·외의 재산 • 비거주자가 증여받은 재산 중 국내에 소재한 모든 재산

2 상속세와 증여세의 과세방식

상속세와 증여세의 과세방식을 대략적으로 알아보면 다음과 같다.

(1) 상속세

상속세는 상속개시일 현재를 기준으로 현존하는 재산과 사전(10년, 5년)에 증여한 재산을 합한 상속재산가액에서 상속공제 등을 적용한 과세표준에 10~50%의 세율을 곱해 과세하는 세목이다. 상속세는 개인이 받은 상속재산이 아닌 전체 유산에 대해 상속세를 계산한다. 이를 유산취득형 과세방식이라고 한다. 상속세는 상속지분별로 납세의무를 이행하는 것이 원칙이다.

(2) 증여세

증여세는 증여일 현재의 재산과 사전(10년)에 증여한 재산을 합한 증여재산가액에서 증여재산공제를 적용한 과세표준에 10~50%의 세율을 곱해 과세하는 세목이다. 증여세는 개인이 수증한 증여재산에 대해 과세된다. 이를 재산취득형 과세방식이라고 한다. 증여세는 수증자가 납부하는 것이 원칙이다.

(3) 둘의 관계

상속이 발생하기 전에 증여가 수회 일어나면 상속세가 줄어들 수 있다. 이에 세법은 상속 개시일 기준으로 소급하여 10년(상속인 외의 자는 5년) 이내의 증여재산가액을 상속재산 가액에 합산한다. 이를 누적합산과세제도라고 한다. 한편 이와는 별도로 동일인으로부터 증여를 수회 받은 경우에는 10년 누적합산과세제도를 적용한다.

구분	상속	증여
사전 증여재산에 대한 누적합산과세기간	• 상속인 : 10년 • 상속인 외의 자 : 5년	• 동일인 : 10년

3 적용 사례

K씨가 사망할 때 보유한 재산은 아래와 같다.

> **자료**
>
> • 상속개시일 현재의 재산평가액 : 10억 원
> • 5년 전에 배우자한테 증여한 재산 : 5억 원
> • 11년 전에 배우자한테 증여한 재산 : 5억 원

• 상황1 : 사전에 증여한 재산은 상속재산가액에 포함될까?
• 상황2 : 상속세 계산을 위한 상속재산가액은 얼마일까?
• 상황3 : 11년 전의 증여재산은 상속재산가액에는 제외되나 5년 전에 증여한 재산과 합산되어 과세될까?

위 상황에 맞게 답을 찾아보면 아래와 같다.

(상황1) 사전에 증여한 재산은 상속재산가액에 포함될까?

그렇다. 상속개시일 전 10년(상속인 외의 자는 5년) 이내에 증여한 재산가액은 상속재산 가액에 합산된다.

(상황2) 상속세 계산을 위한 상속재산가액은 얼마일까?

사례의 경우 15억 원이 상속재산가액이 된다.

(상황3) 11년 전의 증여재산은 상속재산가액에는 제외되나 5년 전에 증여한 재산과 합산
되어 과세될까?

11년 전에 배우자한테 증여한 재산은 상속재산과는 무관하다. 상속세 누적합산과세는 10년을 기준으로 하기 때문이다. 하지만 증여세의 경우에도 10년 누적합산과세를 하므로 5년 전의 증여재산가액을 기준으로 10년 이내에 증여받은 재산가액 5억 원을 더하면 총 10억 원을 증여받은 것으로 보게 된다. 따라서 이 금액에서 배우자 간 증여재산공제 6억 원을 차감하면 4억 원에 대해서는 증여세가 부과될 수 있다(가산세는 별도로 있음).[10]

 Tip

■ 상속세와 증여세의 비교

구분	상속세	증여세
개념	사망에 의해 유산이 무상으로 이전 시 과세	생전에 재산이 무상으로 이전 시 과세
과세대상	상속개시일 현재 피상속인의 모든 재산(부채 포함)	증여일 현재의 증여재산
과세방식	유산취득형 과세	재산취득형 과세
누적합산과세	10년, 5년간 있음.	10년간 있음.
납세의무 성립시기	상속개시일(사망일)	증여일
납세의무자	상속인	수증인
과세표준	상속재산가액 －상속공제 ＝과세표준	증여재산가액 －증여재산공제 ＝과세표준
세율	10~50%(5단계 누진세율)	좌동
면세점	다음 금액 이하 시는 세금 없음. • 배우자 생존 시 : 10억 원 • 배우자 부존 시 : 5억 원	다음 금액 이하 시는 세금 없음. • 배우자 간 증여 : 6억 원 • 직계존비속 간 증여 : 5천만 원(미성년자 2천만 원)

---

10) 상속세 사후검증 시 이러한 부분이 문제가 될 수 있다.

제3절 상속 · 증여세 과세구조와 세무리스크 관리법

상속세는 상속순재산이 10억 원 이하이면, 증여세는 수증자(증여를 받은 자)에 따라 배우자 6억 원, 성년자 5천만 원 이하이면 세금이 부과되지 않는다. 아주 기본적인 내용들에 해당하므로 가볍게 살펴봐도 된다. 일단 이 둘의 과세구조를 비교해 보자.

1 상속 · 증여세 과세구조와 세무리스크 발생 사례

상속 · 증여세관련 자료가 다음과 같다고 하자.

상속세	증여세
• 상속재산가액 14억 원 • 상속공제 10억 원 • 상속인은 4명으로 각각 25%씩 분할됨. • 세율 : 10~50%	• 증여재산가액 - 수증자1 : 1억 원 - 수증자2 : 1억 원 • 모두 부친으로부터 증여를 받음. • 수증자는 모두 성년자에 해당함. • 세율 : 10~50%

- 상황1 : 상속세와 증여세를 계산하면?
- 상황2 : 상속세와 증여세의 계산방식이 차이가 난다. 왜 그럴까?
- 상황3 : 상속세와 증여세 중 어떤 계산방식이 유리할까?

위의 자료에 맞춰 답을 찾아보면 아래와 같다.

(상황1) 상속세와 증여세를 계산하면?

상속세와 증여세를 계산하면 다음과 같다.

참고로 상속세와 증여세를 계산할 때에는 과세대상의 파악과 평가액을 정확히 계산하는 것이 중요하다. 이때 사전에 증여한 재산이 있는 경우에는 이를 합산하여 상속세나 증여세가 정산된다는 점에 늘 유의해야 한다.

상속세		증여세			
		수증자1		수증자2	
상속재산가액	14억 원	증여재산가액	1억 원	증여재산가액	1억 원
− 상속공제	10억 원	− 증여공제	5천만 원	− 증여공제	5천만 원
= 과세표준	4억 원	= 과세표준	5천만 원	= 과세표준	5천만 원
× 세율	20%	× 세율	10%	× 세율	10%
− 누진공제	1천만 원	− 누진공제	0원	− 누진공제	0원
= 산출세액	7천만 원	= 산출세액	500만 원	= 산출세액	500만 원

(상황2) 상속세와 증여세의 계산방식이 차이가 난다. 왜 그럴까?

상속세는 피상속인(사망자)의 유산 전체에 대해 과세하고, 증여세는 수증자가 받은 재산가액을 기준으로 과세하기 때문이다. 전자의 과세방식을 "유산취득형 과세", 후자의 과세방식을 "재산취득형 과세"라고 한다.

(상황3) 상속세와 증여세 중 어떤 계산방식이 유리할까?

일반적으로 증여세 계산방식이 유리한다. 증여받은 사람의 숫자를 늘리게 되면 과세표준이 분산되고 그에 따라 적용세율이 낮아지기 때문이다. 이러한 분산의 원리는 증여세 과세에 있어 매우 중요한 역할을 한다.[11]

2 상속세와 증여세의 과세구조 비교

상속세와 증여세의 과세구조는 유사하다. 다만, 공제제도 등에서는 차이가 있는데 이하에서 주요 항목을 비교해 보자.

(1) 재산가액

상속세나 증여세의 경우 모두 상속개시일이나 증여일 현재의 시가를 기준으로 과세한다. 다만, 사전에 증여한 재산을 상속재산가액에 합산하는 경우의 가액은 '증여일 현재'의 시가로 한다.

---

11) 증여세의 전 규정에 걸쳐 이러한 원리가 적용된다. 예를 들어 저가 양수에 따른 증여세 과세 시 일부 금액은 차감해 주는데 이때 수증자 수를 늘리면 그 효과를 배가시킬 수 있다. 자세한 내용은 제7장에서 살펴보자.

(2) 공제제도

상속세	증여세
• 배우자 생존 시 : 10억 원 이상 • 배우자 부생존 시 : 5억 원 이상	• 배우자로부터 증여 : 6억 원 • 직계존속으로부터 증여 : 5천만 원(미성년자는 2천만 원) • 직계비속으로부터 증여 : 5천만 원 • 위 직계존비속 외에 6촌 이내의 혈족, 4촌 이내의 인척으로부터 증여 : 1천만 원

(3) 세율

상속세와 증여세율은 아래와 같이 5단계 누진세율이 적용된다.

과세표준	세율	누진공제액
1억 원 이하	10%	−
1억~5억 원 이하	20%	1천만 원
5억~10억 원 이하	30%	6천만 원
10억~30억 원 이하	40%	1억 6천만 원
30억 원 초과	50%	4억 6천만 원

3 상속세와 증여세의 납부의무 비교

(1) 상속세

첫째, 상속세는 자신이 받은 상속재산에 해당하는 상속세를 부담하는 것이 원칙이다. 이때 상속재산에는 상속인 등이 사전에 증여받은 재산도 포함한다.

둘째, 상속세는 상속인 또는 수유자 각자가 받았거나 받을 재산을 한도로 연대하여 납부할 의무를 진다.

셋째, 상속세는 상속인들 간에 연대납부의무가 있다. 따라서 자신의 법정상속지분 이내에서 다른 상속인의 상속세를 부담해도 증여세 과세 등의 문제가 없다.

넷째, 상속추정에 의한 납세의무는 각자의 지분에 해당하는 만큼 주어진다.

다섯째, 상속포기자는 상속세를 납부하지 않아도 된다. 다만, 상속포기자가 사전에 증여받은 재산이 있거나 상속추정에 의해 가산된 금액에 의해 발생한 상속세에 대해서는 상속포기자도 납세의무가 있다.

(2) 증여세

첫째, 수증자가 거주자이면 국내외 모든 증여재산에 대해, 비거주자에 해당하면 국내의 증여재산에 대해서 납부의무가 있다.

둘째, 아래와 같은 사유가 발생하면 증여자도 연대납세의무가 있다. 이러한 사유에 의해 증여자가 증여세를 대납하더라도 증여세가 부과되지 않는다. 다만, 이러한 사유 외에 증여세를 대납해주면 그 대납금액도 증여로 보아 증여세가 과세됨에 유의해야 한다.

- 수증자의 주소나 거소가 분명하지 아니한 경우로써 증여세에 대한 조세채권을 확보하기 곤란한 경우
- 수증자가 증여세를 납부할 능력이 없다고 인정되는 경우로써 체납처분을 하여도 증여세에 대한 조세채권을 확보하기 곤란한 경우
- 수증자가 비거주자인 경우

4 적용 사례

아래와 같은 상황에서는 어떤 문제가 있을까?

자료

- A씨가 사망을 하여 유산 20억 원을 남김.
- 유산은 법정상속지분별로 분할되었음.
- 상속세는 전액 A씨의 배우자가 납부하기로 하였음.

원래 상속세는 상속을 받은 사람이 내는 것이 원칙이다. 하지만 사례처럼 다른 상속인을 대신해서 한 사람이 이를 내는 경우에는 어떤 문제가 있을까? 이에 대해 「상증법」은 상속인들 간에 연대납세의무를 두어 상속세를 한 사람이 내도 증여로 보지 않는 특례를 두고 있다. 다만, 본인의 상속지분 내에서만 납부가 되어야 문제가 없다. 이를 초과하는 경우에는 증여세 과세문제가 발생하기 때문이다.

제4절 상속·증여세 결정과 세무리스크 관리법

상속·증여세 신고는 납세의무자가 하는 것이 원칙이지만, 확정의 효력이 없다. 상속세와 증여세는 정부가 결정을 해야 비로소 효력이 발생하기 때문이다. 따라서 납세의무자가 신고한 내용에 대해서는 이를 검증하는 절차가 반드시 뒤따르게 된다. 이 과정에서 다양한 문제점이 파생하는 것은 당연하다.

1 상속·증여세 결정관련 세무리스크 발생 사례

K씨는 상속세와 증여세를 다음과 같이 신고하였다.

> **자료**
>
> ① 상속세
>   • 상속재산가액 : 11억 원
>   • 상속공제액 : 10억 원
> ② 증여세
>   • 증여대상 주택 : 아파트(시가 4.5~5억 원, 기준시가 4억 원)
>   • 증여재산가액 : 5억 원(유사한 아파트의 거래금액으로 신고)
>   • 수증자 : 배우자

• 상황1 : 상속세를 법정신고기한 내에 신고하였으나 상속세 결정기한인 9개월 안에 이에 대한 결정통지가 오지 않았다. 이 경우 과세관청의 결정이 있었다고 볼 수 있을까?
• 상황2 : 상속개시일 전 5년 전에 피상속인(돌아가신 분)의 계좌에서 3억 원이 인출되었는데 이 금액은 상속재산가액에 포함되지 않았다. 이에 대해 상속세가 나올까?
• 상황3 : 관할 세무서에서는 수증자가 신고한 ②증여재산가액을 인정하지 않았다. 그렇다면 얼마가 증여재산가액이 될까?

위의 상황에 대해 답을 찾아보면 다음과 같다.

(상황1) 상속세를 법정신고기한 내에 신고하였으나 상속세 결정기한인 9개월 안에 이에 대한 결정통지가 오지 않았다. 이 경우 과세관청의 결정이 있었다고 볼 수 있을까?

아니다. 상속세 법정결정기한에 관한 규정은 훈시규정에 해당하므로 9개월을 경과한 후에 결정을 하더라도 위법은 아니라고 한다. 따라서 뒤늦게 과세관청이 결정을 하면서 가산세를 부과하는 경우 이는 위법한 부과결정이 아니다(감심 2012-65, 2012.5.17 등).

실무에서 보면 신고는 기한 내에 했지만 과세관청의 대응이 늦어 수년 후에 과세가 되는 경우가 종종 있다. 그런데 이 과정에서 조기에 신고가 확정되었다면 피할 수 있었던 고율(9.13%)의 납부지연가산세가 뒤따르는 불합리한 점이 발생한다. 그 결과 납세자로서는 가산세를 줄일 수 있는 기회가 박탈되어 예기치 않은 재산상의 손해를 보게 된다. 따라서 법정결정기한을 넘겨 결정한 경우에는 납부지연가산세를 경감하는 식의 입법적인 개선이 있어야 하지 않을까 싶다.

사례

법정결정기한이 초과하였으나 상속인 등이 관할 세무서로부터 어떠한 통지서도 받지 못한 경우 그 이후 세무조사가 가능한가?

가능하다. 세무서장 등이 법정결정기한(9개월) 내에 결정하지 않고 부득이한 사유를 통지하지 않았다 하여 법정결정기한의 종료일에 과세표준과 세액이 결정된 것으로 보는 것은 아니기 때문이다(재산-527, 2010.7.19).

사례

법정결정기한이 초과된 이후에 세무조사가 진행되어 세금이 추징된 경우 납부지연가산세 적용 여부는?

납부지연가산세는 납부기한 내 납부한 자와의 형평을 고려하여 미납부한 세액에 대한 지연이자적 성격을 갖고 있다. 따라서 청구인들이 상속세 신고·납부기한까지 납부할 세액을 미달 납부한 사실이 명백하므로 결정기한을 초과하였다고 하더라도 이를 부과하는 것이 당연하다(조심 2009중1979, 2009.6.23.).

(상황2) 상속개시일 전 5년 전에 피상속인(돌아가신 분)의 계좌에서 3억 원이 인출되었는데 이 금액은 상속재산가액에 포함되지 않았다. 이에 대해 상속세가 나올까?

3억 원에 대해 과세하기 위해서는 과세관청이 조사 등을 통해 상속재산가액에 포함됨을 입증해야 한다.

(상황3) 관할 세무서에서는 수증자가 신고한 ② 증여재산가액을 인정하지 않았다. 그렇다면 얼마가 증여재산가액이 될까?

세법상 평가액은 ① 증여일 당시의 시가, ② 증여일 전 6개월~증여일 후 3개월까지의 해당 재산의 매매사례가액(감정평가액 등 포함), ③ 증여일 전 6개월~증여세 신고일까지의 유사한 재산에 대한 매매사례가액 등을 말한다. 그런데 관할 세무서에서 조사를 해보니 이러한 가액과 관계가 없다고 밝혀진 이상 신고한 가액 5억 원을 부인하게 된다. 결국 기준시가 4억 원으로 경정될 가능성이 높다. 이를 부인하는 이유는 향후 양도 시 취득가액의 적정성을 확보하기 위한 취지가 있다.

2 상속 · 증여세 결정관련 세무리스크 관리법

상속세나 증여세의 신고기한과 결정기한 그리고 신고 후 세무상 쟁점들을 알아보면 다음과 같다.

(1) 신고기한

- 상속세는 상속개시일이 속한 달의 말일로부터 6개월 내에 신고 및 납부를 해야 한다.
- 증여세는 증여일이 속하는 달의 말일로부터 3개월 내에 신고 및 납부를 해야 한다.

(2) 결정기한

- 상속세는 법정신고기한 후 9개월 내에 관할 세무서장이 결정하여 이를 통보해야 한다.
- 증여세는 법정신고기한 후 6개월 내에 관할 세무서장이 결정하여 이를 통보해야 한다.

(3) 신고 후 사후관리

- 신고 후에는 상속세와 증여세 신고를 확정하기 위한 조사가 진행된다(상속세와 증여세는 정부부과세목에 해당한다).

- 상속이나 증여로 받은 부동산을 처분 시 취득가액은 상속·증여 당시의 취득가액으로 한다. 따라서 양도소득세를 절세하기 위해서는 미리 시가(감정평가)로 신고가 되어 있어야 한다.
- 상속세를 고액(30억 원 이상)으로 신고한 상속인에 대한 사후관리가 5년간 지속된다.[12]

⊕ 상속·증여세 종결과정

일반적으로 상속·증여세는 다음과 같은 절차로 종결처리된다.

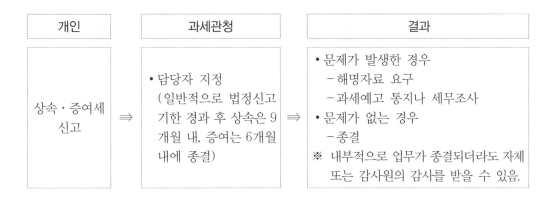

개인		과세관청		결과

상속·증여세
신고
	⇒	• 담당자 지정
		(일반적으로 법정신고
		기한 경과 후 상속은 9
		개월 내, 증여는 6개월
		내에 종결)
			⇒	• 문제가 발생한 경우
				  − 해명자료 요구
				  − 과세예고 통지나 세무조사
				• 문제가 없는 경우
				  − 종결
				※ 내부적으로 업무가 종결되더라도 자체
				  또는 감사원의 감사를 받을 수 있음.

3 상속·증여세 결정관련 세무리스크 심화 사례

앞의 절에서 본 K씨 아버지가 사망하여 상속이 발생해 상속세를 신고했다고 하자. 관할 세무서에는 상속세 신고서에 대해 조사를 진행한 끝에 주택에 대해서는 7억 원이 아닌 11억 원으로 고쳐서(경정) 과세하겠다고 한다.

- 상황1 : 왜 신고된 주택가격이 7억 원에서 11억 원으로 수정되는가?
- 상황2 : 과세표준 4억 원이 추가되는데 이에 대해 가산세를 제외한 상속세는 얼마나 나올까?
- 상황3 : 이 경우 신고불성실가산세는 얼마나 될까?

위의 상황에 대해 답을 순차적으로 찾아보자.

---

12) 상속재산가액이 30억 원이 넘는 경우 상속인들의 재산변동 내역을 추적하여 상속세 신고 시 탈루한 재산가액이 있었는지를 사후관리하므로 이에 유의해야 한다.

(상황1) 왜 신고된 주택가격이 7억 원에서 11억 원으로 수정되는가?

이 주택에 대한 시가가 확인되었기 때문이다. 세법은 상속개시일 전후 6개월(1년간, 유사한 재산은 6개월 전부터 상속세 신고 시까지의 기간) 내에 해당 재산이나 유사한 재산에 대한 매매사례가액이 밝혀진 경우 이를 시가로 보게 된다.

(상황2) 과세표준 4억 원이 추가되는데 이에 대해 가산세를 제외한 상속세는 얼마나 나올까?

가산세를 제외한 상속세를 계산하면 다음과 같다.

구분	금액	비고
상속재산가액	31억 원	27억 원+4억 원
-상속공제	10억 원	가정
=과세표준	21억 원	
×세율	40%	
-누진공제	1억 6천만 원	
=산출세액	6억 8천만 원	

(상황3) 이 경우 신고불성실가산세는 얼마나 될까?

위와 같이 재산평가방법의 차이에 의해 세금이 증가하는 경우에는 신고불성실가산세는 부과하지 않는다. 다만, 납부지연가산세는 부과한다. 이렇게 신고불성실가산세를 부과하지 않는 이유는 재산평가방법 등이 다양해 신고 시 이를 정확히 산정하는 것이 힘들기 때문이다. 참고로 2021년 이후부터는 평가심의위원회에서 감정가액으로 재산가액이 결정된 경우 납부지연가산세도 면제된다. 한편 부담부 증여의 경우 증여재산가액이 수정되면 증여세관련 신고불성실가산세는 면제되지만, 양도소득세관련 신고불성실가산세는 부과된다.

🔵 상속·증여세 신고와 관련하여 신고불성실가산세가 없는 경우

- 신고한 재산에 대한 평가가액의 적용방법 차이(예 기준시가로 신고했으나 매매사례가액으로 고지한 경우 등)로 미달 신고한 경우
- 신고한 재산으로서 소유권에 관한 소송 등의 사유로 인하여 상속 또는 증여재산으로 확정되지 아니한 금액
- 상속공제나 증여공제의 적용착오로 미달 신고한 금액

상속·증여세 등 관련 세무조사 시 입증책임

상속이나 증여세 등과 관련된 세무조사나 조세소송 시 입증책임이 납세자에게 있는지 과세관청에 있는지 이를 구분하는 것이 상당히 중요하다. 입증책임에 대해서는 명문규정이 없어 부득이 판례 등에 의존해 이를 구분할 수밖에 없는 실정이다. 주요 내용을 알아보면 다음과 같다.

1. 과세관청에 입증책임이 있는 경우

① 과세절차상 과세요건 등에 대한 입증책임

과세원인이나 과세요건이 되는 사실 등에 대한 입증책임은 과세관청에 있다. 이처럼 과세요건사실의 존재에 대해서는 원칙적으로 과세관청에 입증책임이 있으므로 과세요건이 입증되지 않으면 과세를 할 수 없게 된다. 이러한 입증책임의 분배는 부실과세를 관리하여 국민의 재산권을 보호하는 역할을 한다.

② 부당행위에 대한 입증책임

부당행위계산의 부인규정을 적용할 때 사회적 통념과 거래의 관행상 정당한 사유가 없는 것으로 보아 과세하는 경우 이에 대한 입증은 과세관청이 해야 한다. 이 규정이 적용되는 경우 과세의 불이익이 예상되므로 이에 대한 입증책임을 과세관청에게 지우는 것이 합당하다. 실무상 가장 논란이 많은 대목이다.

③ 시가에 대한 입증책임

납세자의 입장에서는 시가를 알기가 대단히 어렵다. 따라서 납세자가 선택한 기준시가 등을 시가로 경정하기 위해서는 과세관청이 시가에 대해 입증해야 한다. 실무에서 보면 상속이나 증여 시 과세관청이 매매사례가액 등을 찾아 기준시가를 부인하고 과세하는 것도 이와 관련이 있다.

2. 납세자에게 입증책임이 있는 경우

① 증여추정에 대한 입증책임

실무에서 무능력자가 재산을 취득하는 경우 증여추정(자금출처조사) 규정을 적용하는데 이때 증여가 아니라는 점에 대해서는 납세자가 입증해야 한다. 이때 납세자는 보통 유상대가로 거래되었음을 입증하면 될 것이다. 참고로 증여추정 시 수증자에게 일정한 직업이나 소득이 없다는 것은 과세관청이 입증해야 한다(대법원 2003두10732, 2004.4.16.).

② 상속추정에 대한 입증책임

상속개시 전 1~2년 내에 자금을 인출하여 상속추정규정이 적용되는 경우 이에 대한 입증은 납세자에게 있다. 즉 납세자는 피상속인이 인출한 자금 등에 대한 사용처를 객관적으로 소명해야 한다. 만일 이를 입증하지 못하면 인출된 금액 등이 상속재산가액에 포함된다.

③ 명의신탁에 대한 입증책임

명의신탁에 의한 조세회피사실이 없었다는 것에 대해서는 납세자에게 입증책임이 있다.

④ 정당한 사유에 대한 입증책임

예를 들어 과세관청이 8년 자경농지에 대한 자경사실을 부인한 경우 자경사실에 대한 입증책임은 납세자에게 있다. 이외 매출누락 시 매입원가도 누락되었다는 사실에 대한 입증도 납세자가 해야 한다(대법원 2010두28076, 2011.4.28.). 이러한 유형에 대해서는 과세관청이 입증하는 것이 기본적으로 힘들기 때문에 납세자에게 입증책임을 지운다. 납세자만 알 수 있는 사실에 대해 과세관청이 입증하는 것은 불가능할 수 있기 때문이다.

 **필수 세무상식**

상속 · 증여세 신고절차 등과 세무리스크 관리법

상속 · 증여세 신고절차 등과 관련된 세무리스크 관리법을 알아보자.

1. 상속세와 증여세 신고절차

상속세와 증여세 신고절차를 알아보자.

세목	신고절차
상속세	• 신고 및 납부기한 : 상속개시일이 속하는 달의 말일부터 6개월 이내 • 관할세무서 : 대표상속인 주소지 소재 관할세무서 • 세액결정 : 관할세무서장은 과세표준 신고기한으로부터 9개월 이내에 상속세의 과세표준과 세액을 결정하여 상속인에게 통지 • 고액상속인에 대한 사후관리 : 상속재산가액이 30억 원 이상인 경우로써 상속개시일부터 5년 이내에 상속인이 보유한 재산가액이 상속개시 당시보다 현저히 증가한 경우 ※ 신고서류(제5장 참조) • 상속세 신고서 • 채무/장례비 등 입증서류
증여세	• 신고기한 : 증여받은 날이 속하는 달의 말일부터 3개월 이내 • 관할세무서 : 수증자 주소지 소재 관할세무서 • 세액결정 : 관할세무서장은 과세표준 신고기한으로부터 6개월 이내에 증여세의 과세표준과 세액을 결정하여 수증인에게 통지 ※ 신고서류 • 증여세 신고서 등

※ 세법상 상속시기는 상속이 개시된 날(사망일)이 되며, 증여시기는 부동산은 소유권이전등기신청서 접수일, 동산은 인도한 날, 보험은 보험사고가 발생한 날이 된다.

2. 국세부과 제척기간

상속세와 증여세 등에 대한 국세부과 제척기간은 보통 10년 또는 15년이 된다. 탈세나 무신고 또는 허위신고는 15년 간 세금을 추징할 수 있으나 기타의 경우는 10년이다. 다만, 탈세목적으로 은닉한 재산가액이 50억 원을 초과하는 경우에는 과세관청이 그 사실을 안 날로부터 1년 이내에 추징할 수 있다. 이를 정리하면 다음과 같다.

세목	원칙	특례
상속·증여세	- 15년 간(탈세·무신고·허위신고 등) - 10년 간(이외의 사유)	• 상속 또는 증여가 있음을 안 날로부터 1년(탈세로서 제3자 명의보유 등으로 은닉재산이 50억 원 초과 시 적용)
이외의 세목	- 10년 간(탈세) - 7년 간(무신고) - 5년 간(이외의 사유)	• 조세쟁송에 대한 결정 또는 판결이 있는 경우, 그 결정(또는 판결)이 확정된 날로부터 1년이 경과하기 전까지는 세금부과가 가능함.

3. 경정 등의 청구 특례

상속세나 증여세를 신고한 뒤에 다음과 같은 사유가 발생하면 경정청구 등을 통해 환급을 신청할 수 있다(「상증법」 집행기준 79-81-1).

구분	청구기간	청구사유
상속세	사유발생일부터 6개월 이내	① 제3자와의 분쟁으로 인한 상속회복 청구소송의 확정판결이 있어 상속개시일 현재 상속인간에 상속재산가액이 변동된 경우 ② 상속개시 후 1년이 되는 날까지 상속재산이 수용·경매·공매되어 그 가액이 상속세 과세가액보다 하락한 경우 ③ 상속개시 후 1년이 되는 날까지 할증평가한 주식을 일괄하여 매각함으로써 최대주주 등의 주식 등에 해당되지 아니하는 경우
증여세	사유발생일부터 3개월 이내	• 5년의 부동산 무상사용기간 중 다음의 사유로 해당 부동산을 사용하지 않게 된 경우 - 부동산소유자로부터 해당 부동산을 상속·증여받은 경우 - 부동산 소유자가 운명하거나 당해 토지를 양도한 경우 - 부동산소유자가 당해 부동산을 무상으로 사용하지 않게 된 경우

상속 · 증여와 취득세(농어촌특별세 등 포함) 과세기준

상속과 증여 시 취득세의 과세표준과 취득세율은 다음과 같다.

1. 과세표준

구분	개인간의 유상거래의 경우	무상이전의 경우	객관적인 금액이 별도로 확인되는 경우
과세표준	• 취득당시의 거래가액(실제 거래금액)	• 시가표준액(기준시가, 시가의 30~70% 선)	• 사실상의 취득가액(객관적인 장부 등에 의해 확인되는 가액)
적용 례	• 유상매매 • 분양 • 경매	• 상속 • 증여 • 기부 등	• 국가 등과의 거래 • 수입에 의한 취득 • 판결문에서 정하는 방법에 따른 취득 • 법인장부에 의해 검증된 취득 • 공매 등

상속과 증여는 무상이전에 해당한다. 따라서 시가표준액 즉 기준시가가 과세표준이 된다(단, 2023년부터는 시가를 기준으로 과세될 것으로 보인다).

2. 취득세율

취득 종류		구분	취득세	농어촌특별세	지방교육세	합계
주택 (유상취득)	6억 원 이하	85㎡ 이하	1.0%	비과세	0.1%	1.1%
		85㎡ 초과	1.0%	0.2%	0.1%	1.3%
	6억~9억 원 이하[13]	85㎡ 이하	–	비과세	–	–
		85㎡ 초과	–	–0.2%	–	–
	9억 원 초과	85㎡ 이하	3.0%	비과세	0.3%	3.3%
		85㎡ 초과	3.0%	0.2%	0.3%	3.5%
주택 외 유상취득 (토지, 건물 등)		–	4.0%	0.2%	0.4%	4.6%

취득 종류	구분	취득세	농어촌특별세	지방교육세	합계
농지의 유상취득	신규	3.0%	0.2%	0.2%	3.40%
	2년 이상 자경	1.5%	비과세	0.1%	1.6%
원시취득(신축)	–	2.8%	0.2%	0.16%	3.16%
상속 취득	농지	2.3%	0.2%	0.06%	2.56%
	농지 외	2.8%	0.2% (국민주택 0%)	0.16%	3.16%
증여 취득	–	3.5%	0.2% (국민주택 0%)	0.3%	4.0%

사례

K씨는 이번에 부동산을 감정평가 받은 후 상속세를 신고했다. 다음 자료를 보고 취득세를 계산하면? 단, 취득세율은 2.8%로 한다.

> **자료**
>
> • 시가 : 5억 원
> • 감정가 : 4억 원
> • 기준시가 : 2억 원

상속과 증여 등 무상이전에 관련된 과세표준은 시가표준액, 즉 기준시가가 된다. 따라서 사례의 경우 취득세는 다음과 같다.

• 취득세 = 2억 원 × 2.8% = 560만 원

한편 2020년 8월 12일부터 다주택자 및 법인이 유상이나 무상(상속은 제외)으로 주택을 취득하면 취득세율이 최대 12%까지 부과되고 있다. 사례를 통해 알아보자. 최근 개정된 주택 취득세 등에 대한 자세한 내용은 저자의 「법인부동산 세무리스크 관리노하우」를 참조하기 바란다.

---

13) 최근 6~9억 원 사이의 주택 취득세율이 단일세율이 아래처럼 아닌 변동세율로 바뀌었다.
취득당시가액이 6억 원을 초과하고 9억 원 이하인 주택: 다음 계산식에 따라 산출한 세율. 이 경우 소수점이하 다섯째자리에서 반올림하여 소수점 넷째자리까지 계산한다(2019.12.31. 개정).

$$\left(\text{해당 주택의 취득당시가액} \times \frac{2}{3억 \ 원} - 3\right) \times \frac{1}{100}$$

L씨는 아버지로부터 증여를 받고자 한다. 다음 자료상의 증여에 따른 취득세율은 얼마가 적용될까?

- 증여대상 주택 : 서울에 소재하며, 기준시가가 2억 9천만 원임.
- 아버지의 주택 수 : 총 3채

2020년 8월 12일 이후부터 조정대상지역 내의 기준시가 3억 원 이상의 주택을 증여받으면 취득세가 3.5%가 아닌 12%가 적용된다. 다만, 배우자나 직계존비속으로부터 증여받은 경우에는 증여자가 1세대 2주택 이상 보유를 해야 한다. 따라서 사례의 해당 주택은 기준시가가 3억 원에 미달하므로 취득세율은 3.5%가 된다.

참고로 부채를 포함해 증여하는 부담부 증여의 경우 부채가 시가표준액보다 더 크면 부채에 대해서만 유상취득세율이, 부채가 시가표준액보다 더 작으면 부채에 대해서는 유상취득세율, 시가표준액에서 부채를 차감한 잔액에 대해서는 증여취득세율이 적용된다. 아래 사례를 통해 이를 확인해 보자.

P씨는 아버지로부터 시가표준액이 3억 원인 주택을 대출금 1억 원과 함께 증여를 받았다. 이러한 증여방식을 부담부 증여라고 하는데 취득세는 얼마나 되는가? 단, 취득세율은 유상의 경우 1%, 증여의 경우 3.5%라고 가정한다.

현행 지방세법에서는 부담부 증여 시 유상취득분에 대해서는 유상취득관련 취득세율을, 무상취득분에 대해서는 무상취득관련 취득세율을 적용하고 있다. 따라서 다음과 같이 과세표준과 취득세율이 적용된다.

🌐 부담부 증여 시의 취득세 과세[14)

구분	유상이전분	무상이전분
과세표준	1억 원	2억 원
세율	1%	3.5%
취득세	100만 원	700만 원

---

14) 단, 부담부 수증자가 소득능력이 없는 경우에는 무상취득으로 볼 수 있음에 유의해야 한다.

상속·증여등기관련 세무리스크 관리법

등기를 할 때 형식과 실질이 일치하지 않는 경우가 종종 있다. 예를 들어 상속등기를 증여등기로 하거나 증여를 양도 또는 양도를 증여등기로 하는 경우가 있다. 이런 상황에서는 어떤 식으로 세법을 적용할지 알아보자.

1. 등기관련 세무리스크 발생 사례

서울에 거주하고 있는 심용기씨는 과거 「부동산특별조치법」에 따라 1984년 2월 등기원인을 증여로 하여 1994년 5월경 등기를 마쳤다. 그런데 이 부동산은 부친의 상속에 따라 등기이전한 것에 해당한다.

- 상황1 : 이 물건은 증여재산으로 봐야 하는가, 상속재산으로 봐야 하는가?
- 상황2 : 이 물건의 취득일은 언제인가?
- 상황3 : 이렇게 등기된 것을 다른 상속인의 명의로 바꿀 수는 없는가?

위의 상황에 순차적으로 답을 찾아보자.

(상황1) 이 물건은 증여재산으로 봐야 하는가, 상속재산으로 봐야 하는가?

「부동산소유권 이전등기 등에 관한 특별조치법(부동산특별조치법)」에 의해 부동산에 대한 소유권이전등기를 하는 경우에는 사실상 취득 원인에 따라 상속이나 증여 또는 매매로 구분한다.

🌐 **관련 규정 : 부동산거래관리과-121, 2011.2.10.**

양도하는 토지의 보유기간 산정, 세율적용, 공익사업용 토지 등에 대한 양도소득세의 감면을 적용함에 있어 「부동산소유권 이전등기 등에 관한 특별조치법」에 의하여 부동산소유권 이전등기를 하는 경우에 그 취득시기는 사실내용에 따라 매매재산은 대금청산일(대금청산일이 확인되지 아니하거나 불분명한 경우는 등기접수일), 상속재산은 상속개시일, 증여재산은 등기접수일로 하는 것으로서, 귀 질의의 경우 소유권 이전의 원인이 어느 것에 해당하는지는 사실관계를 종합하여 판단하는 것임.

(상황2) 이 물건의 취득일은 언제인가?

사례의 경우 소유권 이전등기의 원인이 '상속'이므로 '상속개시일(사망일)'인 1984년 2월이 취득시기가 된다. 만일 해당물건의 등기원인이 증여에 해당되면 '등기접수일'이 되므로 1994년 5월이 취득시기가 된다.

(상황3) 이렇게 등기된 것을 다른 상속인의 명의로 바꿀 수는 없는가?

당초 정당하게 확정된 상속인의 명의를 상속세 신고기한 이후에 다른 상속인으로 바꾸는 방법은 재협의분할 정도밖에 없다. 그런데 이 과정에서 당초 지분을 초과해 분할을 받은 경우 세법은 이를 증여로 보아 증여세를 부과한다.

2. 등기관련 세무리스크 관리법

등기는 누구에게 소유권이 있느냐를 공시하는 제도이다. 따라서 원칙적으로 등기상의 권리자에게 소유권이 있다고 할 수 있다. 그런데 등기부등본상의 내용이 실질과 다른 경우가 있다. 이럴 때에는 어떻게 해야 하는지 정리해 보자.

(1) 상속을 증여로 등기한 경우

• 세법은 실질내용을 우선하므로 이 경우에는 증여 대신 상속으로 보게 된다.
• 일반적으로 상속이 증여보다 세법상 유리하므로 상속임을 입증하여 세법을 적용받도록 한다.

(2) 증여를 양도로 등기한 경우

• 증여를 양도로 등기하는 경우는 양도로 했을 때 세금이 저렴한 경우이다.
• 증여를 양도로 등기한 경우에도 실질과세원칙을 우선하여 적용한다.[15]

(3) 양도를 증여로 등기한 경우

• 양도보다 증여로 하는 경우는 증여로 했을 때 세금이 저렴한 경우이다. 이러한 상황은 잘 발생하지 않는다.
• 양도를 증여로 등기한 경우에도 실질과세원칙을 우선하여 적용한다.

---

15) 실무적으로 자주 문제가 발생하는 유형에 해당한다. 사실상 증여임에도 불구하고 가장매매를 통해 양도소득세로 신고하는 경우가 많기 때문이다. 세법상의 불이익에 상당히 주의해야 한다.

(4) 통정하여 허위로 등기한 경우

• 공동상속을 받을 것을 한 사람이 상속받은 것으로 짜고 등기를 하는 경우 등을 말한다.
• 이런 상황에서는 통정허위표시를 원인으로 하여 상속재산 분할협의의 무효를 주장하여 다시 분할협의하도록 한다.

 Tip

■ 부동산 등기절차

부동산 등기절차에 대해 알아보자.

절차	내용
등기원인 사유발생	• 매매, 상속, 증여, 임대차, 지상권 설정, 근저당권 설정, 가등기 등
필요서류 작성 및 신청서 작성	• 등기신청서 양식(대법원인터넷등기소 사이트) ※ 등기신청 시 필요서류 • 등기신청서 • 등기 원인을 증명하는 서류(매매계약서 등) • 등기의무자의 권리에 관한 등기필증 또는 확인서 • 당사자(등기권리자인 매수인과 등기의무자인 매도인)들의 인감증명서 • 토지 또는 건축물대장등본 • 취득세 영수필 확인서 및 통지서 • 국민주택채권 매입증 • 위임장(대리인 신청 시) • 주민등록등본 등
등기소 방문 및 수입증지 첩부	• 필요서류를 구비하여 관할등기소 방문 • 대법원 등기수입증지 구입(주변 은행 등) 및 첩용
등기신청서 제출	• 관할등기소 서무계에 제출(신분증 지참)
등기필정보통지서 수령	• 등기필정보통지서 또는 등기완료통지서 수령(관할등기소)
등기사항증명서 발급 및 확인	• 등기사항증명서 발급받아 정확히 등기되었는지 여부 확인

제3장

상속 · 증여재산평가관련
세무리스크 관리법

상속세와 증여세 신고에 있어서 가장 중요한 것 중의 하나는 상속이나 증여재산을 어떤 식으로 평가할 것인지의 여부이다. 이의 금액이 시가로 평가되면 아무래도 이들 세금이 증가될 가능성이 높다. 본 장에서는 최근의 개정된 법률에 맞춰 상속이나 증여재산의 가액을 어떤 식으로 평가하는지 이에 대한 내용을 알아본다.

본 장에서 살펴볼 주요 내용들은 아래와 같다.

- 「상증법」상의 시가관련 세무리스크 관리법
- 최근의 평가규정 개정관련 세무리스크 관리법
- 상속 · 증여재산평가관련 세무리스크 관리법
- 매매사례가액관련 세무리스크 관리법
- 감정평가액관련 세무리스크 관리법
- 보충적 평가방법관련 세무리스크 관리법
- 세법상의 시가와 세무리스크 관리법

제1절 「상증법」상의 시가관련 세무리스크 관리법

상속세 또는 증여세를 계산할 때 가장 먼저 해야 하는 것 중의 하나가 바로 상속재산가액 (또는 증여재산가액)을 세법에 맞게 평가하는 것이다. 이의 크기에 따라 세금의 크기가 달라지는 것이 일반적이기 때문이다. 「상증법」 제60조와 「상증령」 제49조를 위주로 상속과 증여재산을 어떤 식으로 평가하는지 알아보자.

1 상속 · 증여재산의 평가원칙

「상증법」 제60조는 제1항부터 제5항까지 있는데, 이 중 제1항부터 제3항을 위주로 살펴보면 아래와 같다.

> ① 이 법에 따라 상속세나 증여세가 부과되는 재산의 가액은 상속개시일 또는 증여일(이하 "평가기준일"이라 한다) 현재의 시가(時價)에 따른다. 이 경우 제63조 제1항 제1호 가목에 규정된 평가방법으로 평가한 가액(제63조 제2항에 해당하는 경우는 제외한다)을 시가로 본다.
> ② 제1항에 따른 시가는 불특정 다수인 사이에 자유롭게 거래가 이루어지는 경우에 통상적으로 성립된다고 인정되는 가액으로 하고 수용가격 · 공매가격 및 감정가격 등 대통령령으로 정하는 바에 따라 시가로 인정되는 것을 포함한다.
> ③ 제1항을 적용할 때 시가를 산정하기 어려운 경우에는 해당 재산의 종류, 규모, 거래 상황 등을 고려하여 제61조부터 제65조까지에 규정된 방법으로 평가한 가액을 시가로 본다.

위의 내용을 자세히 살펴보면 아래와 같다.

(1) 제1항 분석

제1항은 상속세와 증여세의 부과기준은 시가임을 천명하고 있다. 이 조항에서 특이한 것은 상장주식이나 비상장주식은 별도로 규정된 평가방법으로 평가한 가액을 시가로 본다는 것이다. 주식평가는 전문성을 요하므로 별도의 평가방법을 두고 있음을 알 수 있다.

(2) 제2항 분석

제2항은 시가의 범위를 규정하고 있다. 즉 제1항에 따른 시가는 원래 불특정 다수인 사이에 자유롭게 거래가 이루어지는 경우에 통상적으로 성립된다고 인정되는 가액을 말한다. 그런데 여기에서는 수용가격·공매가격 및 감정가격 등 대통령령(「상증령」제49조)으로 정하는 바에 따라 시가로 인정되는 것을 포함하도록 하고 있다. 이러한 시가를 '간주시가'라고 하는데 상속이나 증여재산을 평가할 때 매우 중요한 역할을 한다. 아래에서 별도로 살펴보자.

(3) 제3항 분석

위의 규정에 따라 시가가 없는 경우에는 「상증법」 제61조부터 제65조까지 규정된 방법으로 평가한다. 이를 보충적 평가법이라고 한다. 이 중 제61조에 대해서는 이 장의 제6절에서 살펴보자.

- 제61조 [부동산 등의 평가]
- 제62조 [선박 등 그 밖의 유형재산의 평가]
- 제63조 [유가증권 등의 평가]
- 제64조 [무체재산권의 가액]
- 제65조 [그 밖의 조건부 권리 등의 평가]

2 해당 재산 및 유사재산에 대한 간주시가 등

「상증법」 제60조 제2항과 관련된 세부적인 내용은 「상증령」 제49조에서 규정하고 있다. 이 중 제1항, 제2항, 제4항을 위주로 관련규정을 살펴보면 다음과 같다.

> ① 법 제60조 제2항에서 "수용가격·공매가격 및 감정가격 등 대통령령으로 정하는 바에 따라 시가로 인정되는 것"이란 평가기준일 전후 6개월(증여재산의 경우에는 평가기준일 전 6개월부터 평가기준일 후 3개월까지로 한다. 이하 "평가기간"이라 한다) 이내의 기간 중 매매·감정·수용·경매(「민사집행법」에 따른 경매를 말한다) 또는 공매(이하 "매매등"이라 한다)가 있는 경우에 다음 각 호의 어느 하나에 따라 확인되는 가액을 말한다.[16]

---

16) 다만, 평가기간에 해당하지 아니하는 기간으로서 평가기준일 전 2년 이내의 기간 중에 매매등이 있거나

1. 해당 재산에 대한 매매사실이 있는 경우에는 그 거래가액[17]

2. 해당 재산(법 제63조 제1항 제1호에 따른 재산[18]은 제외한다)에 대하여 둘 이상의 기획재정부령이 정하는 공신력 있는 감정기관이 평가한 감정평가액이 있는 경우에는 그 감정평가액의 평균액[19]

3. 해당 재산에 대하여 수용·경매 또는 공매사실이 있는 경우에는 그 보상가액·경매가액 또는 공매가액[20]

② 제1항을 적용할 때 제1항 각 호의 어느 하나에 따른 가액이 평가기준일 전후 6개월(증여재산의 경우에는 평가기준일 전 6개월부터 평가기준일 후 3개월까지로 한다) 이내에 해당하는지는 다음 각 호의 구분에 따른 날을 기준으로 하여 판단하며, 제1항에 따라 시가로 보는 가액이 둘 이상인 경우에는 평가기준일을 전후하여 가장 가까운 날에 해당하는 가액(그 가액이 둘 이상인 경우에는 그 평균액을 말한다)을 적용한다. <u>다만, 해당 재산의 매매등의 가액이 있는 경우에는 제4항에 따른 가액을 적용하지 아니한다.</u>

1. 제1항 제1호의 경우에는 매매계약일

2. 제1항 제2호의 경우에는 가격산정기준일과 감정평가액평가서 작성일

3. 제1항 제3호의 경우에는 보상가액·경매가액 또는 공매가액이 결정된 날

④ 제1항을 적용할 때 기획재정부령으로 정하는 해당 재산과 면적·위치·용도·종목 및 기준시가가 동일하거나 유사한 다른 재산에 대한 같은 항 각 호의 어느 하나에 해당하는 가액(상속세 또는 증여세 과세표준을 신고한 경우에는 평가기준일 전 6개월부터 제1항에 따른 평가기간 이내의 신고일까지의 가액을 말한다)이 있는 경우에는 해당 가액을 법 제60조 제2항에 따른 시가(간주시가를 말한다)로 본다.

평가기간이 경과한 후부터 제78조 제1항에 따른 기한까지의 기간 중에 매매등이 있는 경우에도 평가기준일부터 제2항 각 호의 어느 하나에 해당하는 날까지의 기간 중에 주식발행회사의 경영상태, 시간의 경과 및 주위환경의 변화 등을 고려하여 가격변동의 특별한 사정이 없다고 보아 상속세 또는 증여세 납부의무가 있는 자(이하 이 조 및 제54조에서 "납세자"라 한다), 지방국세청장 또는 관할세무서장이 신청하는 때에는 제49조의2 제1항에 따른 평가심의위원회의 심의를 거쳐 해당 매매등의 가액을 다음 각 호의 어느 하나에 따라 확인되는 가액에 포함시킬 수 있다.

17) 다만, 다음 각 목의 어느 하나에 해당하는 경우는 제외한다.

　가. 특수관계인과의 거래 등으로 그 거래가액이 객관적으로 부당하다고 인정되는 경우

　나. 거래된 비상장주식의 가액(액면가액의 합계액을 말한다)이 다음의 금액 중 적은 금액 미만인 경우(제49조의2 제1항에 따른 평가심의위원회의 심의를 거쳐 그 거래가액이 거래의 관행상 정당한 사유가 있다고 인정되는 경우는 제외한다)

　　1) 액면가액의 합계액으로 계산한 해당 법인의 발행주식총액 또는 출자총액의 100분의 1에 해당하는 금액

　　2) 3억 원

18) 상장 및 비상장주식을 말한다.

19) 기준시가가 10억 원 이하인 경우에는 1개의 감정가액도 인정된다.

위의 규정을 분석해 보자.

(1) 제1항 분석

제1항은 해당 재산의 간주시가의 범위를 규정하고 있다. 여기서 해당 재산은 상속이나 증여의 직접적인 과세대상인 재산을 말한다.

첫째, 해당 재산의 경우 평가기준일 전후 6개월(증여재산은 평가기준일 전 6개월부터 평가기준일 후 3개월) 이내의 기간(이하 "평가기간") 중 매매·감정·수용·경매(「민사집행법」에 따른 경매를 말한다) 또는 공매에 따른 가격을 간주시가로 한다.

둘째, 평가기간에 해당하지 아니하는 기간으로서 평가기준일 전 2년 이내의 기간 중에 매매등이 있거나 평가기간이 경과한 후부터 제78조 제1항에 따른 기한(상속세, 증여세 결정기한을 말함. 상속세는 9개월, 증여세는 6개월을 말함)까지의 기간 중에 매매등이 있는 경우에도 평가기준일부터 제2항 각 호의 어느 하나에 해당하는 날까지의 기간 중에 매매가격 등이 존재하면 이를 가지고 상속세 등을 과세할 수 있음에 유의해야 한다.[21]

(2) 제2항 분석

제2항은 해당 재산에 대한 간주시가의 인정범위에 관한 내용을 정하고 있다.

첫째, 「상증법」상 간주시가로 인정되기 위해서는 아래와 같은 날짜가 위 평가기간 내에 속해 있어야 한다.

① 제1항 제1호(매매)의 경우에는 매매계약일
② 제1항 제2호(감정)의 경우에는 가격산정기준일과 감정평가액평가서 작성일
③ 제1항 제3호(수용 등)의 경우에는 보상가액·경매가액 또는 공매가액이 결정된 날

둘째, 제1항에 따라 시가로 보는 가액이 둘 이상인 경우에는 평가기준일을 전후하여 가장 가까운 날에 해당하는 가액(그 가액이 둘 이상인 경우에는 그 평균액을 말한다)을 적용한다.

---

20) 다만, 법에서 정한 사유에 해당하는 경우 해당 경매가액 또는 공매가액은 제외한다.
21) 평가심의위원회의 심의를 거쳐야 한다.

셋째, 해당 재산의 매매등의 가액이 있는 경우에는 제4항(유사한 재산에 대한 가격평가)에 따른 가액을 적용하지 아니한다. 따라서 해당 재산에 대한 매매가격이나 감정가액 등이 있는 경우 다른 유사한 재산의 매매가격 등을 확인할 필요가 없다.[22)]

(3) 제4항 분석

제4항은 유사한 재산에 대한 간주시가의 인정범위를 정하고 있다.

첫째, 유사한 재산은 기획재정부령으로 정하는 해당 재산과 면적·위치·용도·종목 및 기준시가가 동일하거나 유사한 다른 재산을 말한다. 기획재정부령(「상증칙」 제15조)은 아래와 같이 되어 있다.

> ③ 영 제49조 제4항에서 "기획재정부령으로 정하는 해당 재산과 면적·위치·용도·종목 및 기준시가가 동일하거나 유사한 다른 재산"이란 다음 각 호의 구분에 따른 재산을 말한다.
> 1. 「부동산 가격공시에 관한 법률」에 따른 공동주택가격이 있는 공동주택의 경우 : 다음 각 목의 요건을 모두 충족하는 주택. 다만, 해당 주택이 둘 이상인 경우에는 평가대상 주택과 공동주택가격 차이가 가장 작은 주택을 말한다.
>   가. 평가대상 주택과 동일한 공동주택단지(「공동주택관리법」에 따른 공동주택단지를 말한다) 내에 있을 것
>   나. 평가대상 주택과 주거전용면적의 차이가 평가대상 주택의 주거전용면적의 100분의 5 이내일 것
>   다. 평가대상 주택과 공동주택가격의 차이가 평가대상 주택의 공동주택가격의 100분의 5 이내일 것
> 2. 제1호 외의 재산의 경우 : 평가대상 재산과 면적·위치·용도·종목 및 기준시가가 동일하거나 유사한 다른 재산

그런데 여기서 유의할 것은 위의 요건을 충족하는 유사매매사례가액이 여러 개 존재하는 경우에는 평가대상 주택과 공동주택가격(기준시가) 차이가 가장 작은 주택을 말한다라고 하고 있다. 따라서 유사한 재산 중 기준시가를 비교해 그 차이가 가장 작은 것을 유사한 재산으로 보고 세법을 적용해야 할 것으로 보인다(국세청 홈택스 '상속증여재산 평가하기' 메뉴 활용가능함).

---

22) 아주 중요한 의미를 담고 있다.

둘째, 유사한 재산의 평가기간은 평가기준일 전 6개월부터 상속세 또는 증여세의 신고일까지를 말한다. 이는 앞에서 본 해당 재산의 평가기간과 다소 차이가 있다. 이에 대한 자세한 내용은 이 장의 제4절 등에서 살펴보자.

 Tip

■ 「상증법」상 시가(간주시가 포함)와 보충적 평가법 요약

원칙적 평가방법		3. 보충적 평가법
1. 시가	2. 간주시가	
불특정 다수인간의 거래금액 (시장가격)	① 해당 재산에 대한 일정기간* 중의 다음의 가격 　－ 매매가액 　－ 감정가액(2 이상은 평균액) 　－ 경매·공매·수용가액 　* 상속일 전후 6개월, 증여일 전 6개월 증여일 후 3개월 ② 위 ①의 가격이 없는 경우 위치·면적 등이 유사한 재산에 대한 일정기간* 중의 다음의 가격 　－ 매매가액 　－ 감정가액(2 이상은 평균액) 　－ 경매·공매·수용가액 　* 상속·증여일 전 6개월~상속세 또는 증여세 신고일까지의 기간	• 부동산 : 기준시가 • 기타 재산 : 법정
	〈재산평가에 대한 특칙〉 ① 상속·증여일 전 2년 이내 매매사례가액 등이 발견되거나 ② 상속·증여 신고 후 결정기한 내 매매사례가액 등이 발견된 경우 평가심의위원회의 심의를 거쳐 경정할 수 있음.	

저자 주

앞에서 보았지만 유사매매사례가액이 많은 경우 평가대상 주택과 기준시가 차이가 가장 작은 주택의 매매가액이 증여재산가액 등으로 평가되고 있다. 그런데 기준시가가 같은 아파트가 많거나, 극단적으로 기준시가가 같은 아파트가 같은 날에 계약된 경우 어떤 식으로 평가할 것인지 등이 명확하지 않다. 단서를 신설할 때 이러한 문제를 예상하지 못했기 때문이다. 불명확한 규정을 만들어두고 납세자들한테 이를 따르라고 하는 것은 결코 있어서는 안된다. 입법적인 개선이 필요해 보인다(실무적인 어려움을 겪고 있다면 저자의 카페로 문의요망).

제2절 최근의 평가규정 개정관련 세무리스크 관리법

최근 정부는 주로 부동산에 대한 상속세와 증여세의 시가과세를 강화하기 위해 재산평가 기준을 대폭 강화하였다. 예를 들어 상속세 등을 신고한 이후에도 부동산의 매매가액 등이 발견되면 이 금액으로 신고내용을 경정하거나, 소규모빌딩 등을 기준시가로 신고하면 감정 가액으로 과세할 수 있도록 하는 식의 입법이 있었다. 이러한 개정내용은 실무자들이 알아 둬야 할 내용에 해당한다.

1 증여재산 시가 평가기간 확대

2019년 2월 12일 이후 증여재산에 대한 평가기간이 평가기준일 전 3개월에서 6개월로 연장되었다(「상증령」 §49 ①·②·④).

종전	개정
□ **상속재산·증여재산의 시가 평가기간*** * 평가기간 내에 발생한 매매사례가액(매매·수용·경매가격 등)은 시가로 인정	□ **증여재산의 시가 평가기간 확대**
○ **(상속세)** 평가기준일(상속 개시일) **전 후 6개월**	○ (좌 동)
○ **(증여세)** 평가기준일(증여일) **전후 3 개월**	○ 평가기준일(증여일) **전 6개월~후 3 개월**

2 시가 적용기준 명확화

2019년 2월 12일 이후부터 평가기준일과 가장 가까운 날에 2 이상의 간주시가가 있는 경우 이를 평균하도록 법이 개정되었다(「상증령」 §49 ②).

종전	개정
□ 시가 적용기준 　ㅇ 평가기간 중 시가로 보는 가액이 둘 이상인 경우 → 평가기준일을 전후하여 **가장 가까운 날**에 해당하는 가액 　　　〈신　설〉	□ 시가 적용기준 보완 　ㅇ **가장 가까운 날**에 해당하는 가액이 둘 이상인 경우 → 그 **평균액**

위에서 가장 가까운 날은 아래의 날을 기준으로 판단한다.

- 거래가액 : 매매계약일
- 감정가액 : 평가서 작성기준일, 가격산정일
- 수용·보상·경매 : 가액결정일

③ 평가기간 경과 후 발생한 매매등 사례가액 시가 인정절차 마련

2019년 2월 12일 이후의 상속·증여분부터 평가기간이 지난 경우에도 매매사례가액 등을 시가로 인정할 수 있는 절차가 마련되었다(「상증령」 §49 ①, §49의2 ⑤⑥).

종전	개정
□ 평가기간 전에 발생한 **매매등 사례가액**의 시가 인정절차 ※ **평가기간*** 내에 발생한 **매매등 사례가액** → 시가로 자동 인정 * (상속세) 상속개시일 전·후 6개월 　(증여세) 증여일 전·후 3개월	□ 평가기간 후에 발생한 **매매등 사례가액**의 시가 인정절차 마련
ㅇ 적용대상 　- **평가기간*** 외로서 **평가기준일 전 2년** 내 발생한 **매매등 사례가액** 　　　〈추　가〉	ㅇ 적용대상 추가 　- (좌　동) 　- **평가기간 후 법정결정기한*까지** 발생한 **매매등 사례가액** 　　* (상속세) 신고기한부터 9개월 　　　(증여세) 신고기한부터 6개월

종전	개정
○ 시가 인정절차 　- 납세자 또는 과세관청이 신청 　　→ 평가심의위원회의 심의를 거쳐 시가 인정 　- 납세자는 신고기한 만료전 4개월 (증여는 70일)까지 심의 신청 　　→ 위원회는 신고기한 만료전 1개월(증여는 20일)까지 결과 서면 통지 　　　〈단서 신설〉 ※ 매매사례가액이 시가로 인정되어 과세관청이 결정(납세자가 수정신고하여 결정하는 경우 포함)하는 경우 과소신고가산세 면제 (국기법 §47의3 ④ 1호 다목)	○ 시가 인정절차 보완 　　(좌 동) • 단, 평가기간 후 법정결정기한까지 발생한 매매등 사례가액의 경우 납세자는 해당 매매등이 있는 날부터 6개월 내 심의 신청 　→ 위원회는 신청을 받은 날부터 3개월 내 결과 서면 통지

이는 상속세나 증여세를 적법하게 신고했더라도 상속세와 증여세 결정기한(9개월, 6개월) 내에 매매가액 등이 발견되면 이의 금액으로도 과세할 수 있도록 하는 제도를 말한다.

4 특수관계인 공매 취득가액 시가 불인정

2020년 2월 11일 이후 상속 및 증여재산을 평가하는 분부터는 최대주주 등의 비상장주식을 경매·공매로 최대주주 등의 특수관계인 또는 상속인이 취득한 경우 이의 가격을 인정하지 않는다(「상증령」 §49).

종전	개정
□ 평가기준일 전후 6개월 이내*의 기간 중 수용·경매·공매가 있는 경우 그 보상·경매·공매가액은 시가로 인정 * 상속: 전후 6개월 　증여: 전6개월·후3개월 ○ 다만, 다음 중 어느 하나의 수용·경매·공매가액은 시가로 인정되지 않음	□ 경매·공매가액의 시가 불인정 사유 추가

종전	개정
① 물납한 재산을 **상속인 또는 상속인의 특수관계인**이 경매·공매로 취득 ② 경매·공매로 취득한 **비상장주식**의 가액이 주식총액의 1% 또는 3억 원 미만 ③ 경매 또는 공매절차 중 **수의계약**에 의하여 취득 〈추 가〉	 ④ **최대주주 등의 비상장주식**을 경매·공매로 **최대주주 등의 특수관계인 또는 상속인**이 취득

5 평가심의위원회 심의대상에 건물 기준시가 추가

2020년 2월 11일 이후에 기준시가를 고시하는 분부터 감정평가사 등으로 구성된 평가심의위원회의 심의를 거쳐 건물 등의 가격을 평가해 이를 근거로 상속세나 증여세를 과세할 수 있도록 개정되었다(「상증령」 §49의2).

종전	개정

□ **평가심의위원회 심의대상**
  ○ 평가기간 외에 평가기준일 전 2년간 매매등 가액의 시가 인정
  ○ 시가불인정 감정기관의 지정
  ○ 비상장주식 등의 가액평가 및 평가방법
 	
〈신 설〉
	□ 평가심의위원회 **심의대상 추가**
	
	    (좌 동)
	
	  ○ **건물·오피스텔·상업용 건물 기준시가 고시가액**(위원회 심의 후 국세청장 고시)

건물, 오피스텔, 상업용 건물 등 주로 비주거용 건물을 기준시가로 신고한 경우 평가심의위원회의 자문을 거쳐 감정가액으로 경정할 수 있는 제도가 도입되었다. 최근에는 사실상 모든 부동산에 대해 이 제도를 적용할 수 있는 예규가 발표되기도 하였다(상증, 기획재정부 재산세제과-92, 2021.1.27. 88페이지 참조). 상당히 주의해야 할 제도에 해당한다.[23]

---

23) 이 규정에 대해 비판적인 시각을 가진 세무전문가들이 많다. 법의 해석과 적용 등에 관심이 있는 경우에는 저자가 운영하는 카페에서 상담을 할 수 있다.

Tip | **주목해야 할 평가심의위원회의 역할**

앞으로 과세관청에서 운영하고 있는 재산평가심의위원회의 역할을 주목해야 할 것으로 보인다. 이 위원회의 자문을 거쳐 상속이나 증여재산을 평가할 가능성이 높기 때문이다.

1. 평가심의위원회 구성

「상증령」제49조의2에서는 아래의 내용을 심의하기 위해 국세청과 지방국세청에 각각 평가심의위원회를 둘 수 있도록 하고 있다.

> 1. 「상증법」제49조 제1항 각 호 외의 부분 단서에 따른 매매 등의 가액의 시가인정
> 1의2. 제49조 제8항에 따른 시가불인정 감정기관의 지정
> 2. 제54조 제1항에 따른 비상장주식 등의 같은 조 제6항에 따른 가액평가 및 평가방법
> 3. 제15조 제11항 제2호 나목 및 「조세특례제한법」시행령 제27조의6 제6항 제2호 나목에 따른 업종의 개정
> 4. 법 제61조 제1항 제2호 및 제3호에 따른 건물, 오피스텔 및 상업용 건물 가치의 산정·고시를 하기 위한 자문(2020.2.11. 신설)

위의 제1호는 평가기간 밖의 매매가격 등의 인정, 제4호는 건물 등 비주거용 건물에 대해 감정평가 등을 통해 가격을 산정하는 것을 말한다.

2. 납세자의 평가심의위원회에 심의 요청

납세자도 위의 내용에 대한 심의가 필요한 경우에는 평가심의위원회에 심의를 신청할 수 있다. 그런데 아래와 같은 신청기한 등에 의해 이 제도의 유용성이 떨어지는 것으로 평가되고 있다.

- 위 제1항 제1호 및 제2호 : 원칙적으로 상속세 과세표준 신고기한 만료 4개월 전(증여의 경우 증여세 과세표준 신고기한 만료 70일 전)까지 신청해야 한다.
한편 신청을 받은 평가심의위원회는 해당 상속세 과세표준 신고기한 만료 1개월 전(증여의 경우에는 증여세 신고기한 만료 20일 전)까지 그 결과를 납세자에게 서면으로 통지해야 한다.

제3절 상속·증여재산평가관련 세무리스크 관리법

상속·증여재산의 평가는 다른 무엇보다도 중요하다. 상속세와 증여세의 크기를 결정할 뿐만 아니라 「법인세법」이나 「소득세법」 등에서 광범위하게 평가규정을 준용하고 있기 때문이다. 「상증법」 제60조 등을 토대로 실무적으로 알아야 하는 상속·증여재산평가와 관련된 세무리스크 관리법을 사례를 통해 알아보자.

1 상속·증여재산평가관련 세무리스크 발생 사례

광주광역시에서 거주한 송〇〇씨의 유산에는 주택과 토지 그리고 상가, 비상장주식, 자동차 등이 있다. 「상증법」상 상속재산가액은 얼마인가? 단, 상가는 기준시가로 평가한다고 하자.

자료

구분	시세	비고
아파트	5억 원	• 기준시가 3억 원 • 상속개시 전 유사아파트 매매가 4.5억 원
토지	1억 원	• 기준시가(공시지가) 5천만 원
상가	2억 원	• 기준시가 1억 원
비상장주식	?	• 세법상 평가액 1천만 원
자동차	1천만 원	• 중고차 가격 1천만 원

위의 자료에 따라 「상증법」상 상속재산가액을 계산하면 다음과 같다.

구분	시세	「상증법」상 평가액	비고
아파트	5억 원	4억 5천만 원	유사매매사례가액 적용
토지	1억 원	5천만 원	기준시가 적용
상가	2억 원	1억 원	가정
비상장주식	?	1천만 원	세법상 평가액 적용
자동차	1천만 원	1천만 원	중고가격 적용
계	8억 1천만 원	6억 2천만 원	

원래 상속세와 증여세는 시가를 기준으로 과세되는 것이 원칙이다. 하지만 시장에서 거래되는 가격이 없는 경우에는 부득이 다른 평가기준을 사용할 수밖에 없다. 그중 대표적인 것이 바로 정부에서 발표하고 있는 기준시가이다. 그런데 문제는 이러한 기준시가는 시가와 매우 차이가 나는 경우가 일반적이라 시가와 기준시가의 간극을 메우기 위한 노력들이 계속 진행되어 왔다.

２ 상속·증여재산평가관련 세무리스크 관리법

상속재산가액(또는 증여재산가액) 평가는 다음과 같은 순서대로 진행한다.

> ① 시가 → ② 간주시가(매매사례가액·감정평가액·수용·경매가격) → ③ 보충적 평가(기준시가 등)

(1) 시가

시장에서 거래되는 가격을 말한다. 상속과 증여의 경우에는 이러한 시가가 존재하지 않는다고 할 수 있다.

(2) 간주시가

첫째, 간주시가에는 매매·감정·수용·경매(「민사집행법」에 따른 경매를 말한다) 또는 공매가액이 해당한다.

둘째, 해당 상속이나 증여재산에 대해 아래 같은 평가기간(①~②)에 위와 같은 매매 등의 가격이 있는 경우 이를 간주시가로 본다.

상속 :	6개월	평가기준일	6개월
증여 :	(6개월)		(3개월)
	①		②

예를 들어 평가기준일 직전이나 직후에 해당 재산이 매매가 되면 그 가액이 재산가액으로 평가될 수 있다.

셋째, 해당 상속이나 증여재산에 대한 간주시가가 없는 경우 유사한 재산에 대한 간주시가를 찾는다. 이 경우 아래의 평가기간(①~②) 내에 있는 매매가액 등을 간주시가로 본다.

상속 :	6개월	평가기준일	신고기한
증여 :	(6개월)		(신고기한)
	①		②

넷째, 평가기간 밖의 기간(① 또는 ②)의 매매가액 등도 간주시가로 인정될 수 있다. 단, 평가심의위원회의 절차에 따라 결정이 되어야 한다.

상속 :	2년	6개월	평가기준일	신고기한	9개월
증여 :	2년	(6개월)		(신고기한)	6개월
	①			②	

(3) 보충적 평가

위의 시가와 간주시가가 없는 경우 해당 재산의 종류, 규모, 거래 상황 등을 고려하여 제61조부터 제65조까지 규정된 방법으로 평가한 가액을 시가로 본다. 이를 보충적 평가방법이라고 한다. 부동산의 경우에는 기준시가를 말한다.

3 상속·증여재산평가관련 세무리스크 심화 사례

경기도 수원시에서 살고 있는 성길수씨는 15년 전에 상속받은 부동산을 처분하고자 한다. 그런데 문제는 상속받은 부동산의 취득가액이 너무 낮아 양도소득세가 많이 나올 수 있다는 것이다.

> **자료**
>
> • 양도예상가액 : 5억 원
> • 상속당시의 시가 : 5억 원(기준시가 1억 원)
> • 장기보유특별공제 : 30%
> • 세율 : 6~45%

• 상황1 : 이 경우 양도소득세는 얼마나 나올까?

- 상황2 : 위의 경우 취득가액을 시가인 5억 원으로 인정받을 수 있을까?
- 상황3 : 상속당시로 소급하여 감정을 할 수 없는가?

위 상황에 맞게 답을 찾아보면 아래와 같다.

(상황1) 이 경우 양도소득세는 얼마나 나올까?

취득가액을 시가로 계산하는 경우와 기준시가로 계산한 경우의 세금을 예측해보면 다음과 같다.

구분	시가로 신고하는 경우	기준시가로 신고하는 경우
양도가액	5억 원	5억 원
−취득가액	5억 원	1억 원
=양도차익	0원	4억 원
−장기보유특별공제		1억 2천만 원
−기본공제		250만 원
=과세표준		2억 7,750만 원
×세율(6~45%)		38%
−누진공제		1,940만 원
=산출세액	0원	8,605만 원

취득가액을 시가로 신고하는 경우에는 양도소득세를 한 푼도 내지 않아도 된다.

(상황2) 위의 경우 취득가액을 시가인 5억 원으로 인정받을 수 있을까?

「소득세법」에서는 상속을 거친 부동산을 양도할 때의 취득가액은 상속당시의 「상증법」상의 평가액으로 한다. 따라서 상속당시의 '시가 → 간주시가(감정평가액, 경매가격, 수용가액 등) → 기준시가'순으로 취득가액을 입증해야 한다. 사례의 경우 취득가액을 시가로 하기 위해서는 상속개시일 전 6개월~상속세 신고일(통상 1년) 사이에 유사한 재산이 거래된 적이 있는지 등을 조사해 매매사례가액을 찾아내는 것이 중요하다. 만일 매매사례가액 등이 없다면 기준시가에 의한 방법으로 신고할 수 있다.

(상황3) 상속당시로 소급하여 감정을 할 수 없는가?

세법은 원칙적으로 소급하여 감정한 가액은 인정하지 않는다. 이러한 점 때문에 상속이 발생할 때 시가로 신고해두는 지혜가 필요하다.

사례

매매사례가액 등은 어떻게 조사할 수 있을까?

국세청 홈택스와 국토부 홈페이지 등에서 확인할 수 있다. 다만, 이러한 매매가액은 뒤늦게 등재되는 관계로 신고 후에 평가액이 바뀌는 경우가 많다. 따라서 이 가액도 확실한 대안이 될 수 없음에 유의해야 한다(법적 안정성 및 예측 가능성이 전혀 없어 납세자의 재산권을 침해할 소지가 높다).

제4절 매매사례가액관련 세무리스크 관리법

상속·증여할 때 가장 조심해야 할 것 중의 하나는 해당 재산 또는 유사한 재산에 대한 매매사례가액의 존재 여부이다. 이 가액이 존재하면 이를 기준으로 상속이나 증여세가 결정되기 때문이다. 그런데 최근에는 상속세나 증여세 신고기한 이후에도 매매가액 등의 금액으로도 과세할 수 있도록 세법이 개정되었기 때문에 더더욱 주의해야 한다. 매매사례가액관련 세무리스크 관리법을 알아보자.

1 매매사례가액관련 세무리스크 발생 사례

K씨는 아래와 같은 재산을 증여하려고 한다.

자료

• 증여대상 아파트
• 유사한 재산에 대한 정보

구분	계약일	거래금액	호수	면적	기준시가
해당 재산	3.2.	–	501호	100㎡	3억 원
A아파트	2.3.	4억 원	403호	85㎡	4억 원
B아파트	2.9.	5억 원	701호	90㎡	4억 원
C아파트	7.9.	6억 원	703호	100㎡	5억 원

- 상황1 : 원래 증여재산에 대한 평가는 어떻게 해야 하는가?
- 상황2 : 시가로 평가를 해야 한다면 이 경우 어떤 조건을 만족해야 하는가?
- 상황3 : 사례의 경우 어떤 아파트가 유사한 재산에 해당하는가?
- 상황4 : K씨가 기준시가로 증여세를 신고하면 문제는 없는가?
- 상황5 : 만일 감정을 받아 4억 원으로 신고하면 문제는 없는가?

위의 상황에 대한 답을 찾아보면 다음과 같다.

(상황1) 원래 증여재산에 대한 평가는 어떻게 해야 하는가?

세법은 시가를 원칙으로 과세하도록 하고 있다. 그리고 시가가 없으면 보충적 평가방법으로 재산을 평가하도록 하고 있다.

(상황2) 시가로 평가를 해야 한다면 이 경우 어떤 조건을 만족해야 하는가?

객관적으로 알 수 있는 금액이 있어야 한다. 따라서 평가기간 내에 해당 재산에 대한 거래가격 등이 있거나 유사한 재산에 대한 거래가격 등이 있어야 한다.

① 평가기간 내의 경우

구분	해당 재산	유사한 재산
매매사례가액	•상속 : 평가기준일 전후 6개월	•상속 : 평가기준일 전 6개월~ 상속세 신고일
감정평가액	•증여 : 평가기준일 전 6개월~평	
수용·경매가격 등	가기준일 후 3개월	•증여 : 평가기준일 전 6개월~ 증여세 신고일

② 평가기간 밖의 경우

평가기간 밖의 경우에는 매매사례가액이 있으면 평가심의위원회를 거쳐 이 금액으로도 평가될 수 있다.

(상황3) 사례의 경우 어떤 아파트가 유사한 재산에 해당하는가?

해당 아파트의 기준시가와 면적의 차이가 ±5% 이내에 있는 아파트들을 말한다. 사례의 경우에는 해당 아파트에 대한 유사한 재산이 없다. A와 B아파트는 면적이 상하 5% 기준을 벗어나고 C아파트는 기준시가가 상하 5%를 벗어나기 때문이다.

(상황4) K씨가 기준시가로 증여세를 신고하면 문제는 없는가?

세법에 맞는 시가가 없으므로 기준시가로 신고해도 문제가 없다. 다만, 최근에 개정된 세법에 의하면 증여세 신고기한 이후 증여세 결정기한(6개월) 내에 평가심의위원회의 심의를 거쳐 감정가액 등으로 재산가액이 결정될 수 있음에 유의해야 한다(기준시가로 신고 시 이러한 위험성이 커진다).

(상황5) 만일 감정을 받아 4억 원으로 신고하면 문제는 없는가?

감정이 정당하게 이루어졌다면 나중에 매매사례가액 등이 발견되더라도 문제가 없다. 해당 재산에 대한 감정가액이 유사한 재산에 대한 매매사례가액 등에 우선하기 때문이다.

2 매매사례가액관련 세무리스크 관리법

매매사례가액과 관련된 세무리스크 관리법을 정리하면 아래와 같다.

(1) 매매사례가액이 발생하는 부동산

매매사례가액이 발생하는 부동산은 주로 유사한 재산을 통해 시세를 간접적으로 확인할 수 있는 부동산이 이에 해당한다. 이에는 아파트나 오피스텔, 토지 등이 있을 수 있다. 여기서 유사한 재산은 아래를 말한다.

① 공동주택 : 아래의 요건을 모두 충족한 공동주택
  • 평가대상 주택과 동일한 공동주택단지 내에 있을 것
  • 평가대상 주택과 주거전용면적의 차이가 평가대상 주택의 주거전용면적의 100분의 5 이내일 것
  • 평가대상 주택과 공동주택가격의 차이가 평가대상 주택의 공동주택가격의 100분의 5 이내일 것

  이 경우 해당 주택이 둘 이상인 경우에는 평가대상 주택과 공동주택가격 차이가 가장 작은 주택을 말한다. 실무적으로 알아두면 좋을 내용에 해당한다.

② 위 외의 재산 : 평가대상 재산과 면적·위치·용도·종목 및 기준시가가 동일하거나 유사한 다른 재산

(2) 매매사례가액을 찾는 방법

매매사례가액은 국세청의 홈택스나 국토교통부 등의 홈페이지 실거래가조회란 등에서 찾을 수 있다. 다만, 여기에 올라온 내용은 등재시기가 늦을 수 있으므로 나중에 매매사례가액이 나올 수 있음에 유의해야 한다.

(3) 매매사례가액 적용순서

매매사례가액은 평가기간 내에 해당 재산에 대해 먼저 적용하고 이에 대한 가격이 없으면 유사한 재산에 대해 적용한다. 이때 유사한 재산에 대한 매매사례가액이 많이 존재하는 경우에는 아래와 같이 적용한다.

① 주택의 경우

평가대상 주택과 기준시가의 차이가 가장 작은 주택을 말한다. 이때 기준시가가 가장 작은 주택이 2개 이상이 있는 경우에는 평가기준일에 가까운 것을 적용*하되, 같은 날 둘 이상이 있는 경우에는 이를 평균하는 것이 타당해 보인다.[24] 다만, 이를 적용할 근거가 마땅치 않으므로 실무에서는 유권해석을 받아 처리하기 바란다.

* 상증, 서면-2020-상속증여-2555 [상속증여세과-671], 2020.9.9.
  증여일 전 6개월부터 증여일 후 3개월까지의 기간(법정신고기한 내 증여세를 신고한 경우에는 그 신고일까지의 기간) 중에 「상증칙」 제15조 제3항 제1호의 요건을 모두 충족하는 공동주택의 가액은 시가로 인정될 수 있는 것이며, 이에 해당하는 가액이 둘 이상인 경우에는 평가기준일을 전후하여 가장 가까운 날에 해당하는 가액을 시가로 보는 것임.

② 주택 외의 경우

평가기준일에 가장 가까운 것을 기준으로 하되 그 가액이 둘 이상인 경우에는 이를 평균한다.

(4) 매매사례가액 관련 주의할 사항

2019년 2월 12일 이후부터는 상속세나 증여세 신고기한으로부터 결정기한(상속은 9개월, 증여는 6개월) 내에 평가심의위원회의 심의를 거쳐 감정가액 등으로 상속세 등이 결정될 수 있음에 유의해야 한다.

---

24) 주택에 대한 유사매매사례가액을 적용하는 것이 상당히 어려울 수 있다. 반드시 세무전문가를 통해 확인하기 바란다.

아래의 자료상 해당 재산의 유사한 재산에 대한 매매사례가액은?

> **자료**
>
> • 증여대상 아파트
> • 유사한 재산에 대한 정보
>
> | 구분 | 계약일 | 거래금액 | 호수 | 면적 | 기준시가 |
> |---|---|---|---|---|---|
> | 해당 재산 | 3.2. | - | 501호 | 100㎡ | 3억 원 |
> | A아파트 | 2.3. | 4억 원 | 403호 | 100㎡ | 3.1억 원 |
> | B아파트 | 2.9. | 4.5억 원 | 701호 | 100㎡ | 3.15억 원 |
> | C아파트 | 7.9. | 3억 원 | 703호 | 82㎡ | 2억 원 |

해당 재산은 3월 2일에 계약이 되었다. 면적은 100㎡이고 기준시가는 3억 원이다.

① 유사한 재산에 해당 여부
- A아파트 : 면적은 같고 기준시가도 ±5% 이내에 해당하므로 유사한 재산에 해당함.
- B아파트 : 면적은 같고 기준시가도 ±5% 이내에 해당하므로 유사한 재산에 해당함.
- C아파트 : 면적과 기준시가 모두 ±5%를 벗어나므로 유사한 재산에 해당하지 않음.

② 유사매매사례가액의 적용

위 A아파트와 B아파트 중 해당 재산과 기준시가의 차이가 작은 A아파트의 매매사례 가액인 4억 원이 이에 해당한다.

이는 「상증칙」 제15조 제3항 제1호 단서 규정에 따른 것이다. 즉 여기에서는 평가대상주택과 주거전용면적 및 공동주택가격의 차이가 평가대상 주택의 공동주택가격의 100분의 5 이내인 공동주택을 해당 재산의 유사한 재산으로 보고 그에 따른 매매 등의 가격으로 재산을 평가하도록 하고 있다. 그런데 이때 해당 주택이 둘 이상인 경우에는 평가대상주택과 공동주택가격 차이가 가장 작은 주택을 유사한 재산으로 본다. 이러한 유사매매사례가액은 국세청 홈택스의 "상속·증여재산 평가하기" 메뉴에서 쉽게 찾을 수 있다. 다만, 해당 가액은 신고 후에 변경될 수 있음에 유의해야 한다.

제5절 감정평가액관련 세무리스크 관리법

상속세와 증여세 신고에서 감정평가제도가 점점 중요해지고 있다. 납세자들은 이를 통해 상속세나 증여세를 신고하는 일들이 많아지고, 과세관청은 기준시가로 신고하는 건물 등에 대해서는 평가심의위원회를 통해 감정평가액으로 경정할 수 있는 제도를 도입했기 때문이다. 감정평가액과 관련된 세무리스크 관리법을 알아보자.

1 감정평가액관련 세무리스크 발생 사례

K씨가 보유한 부동산은 아래와 같다.

> **자료**
>
> • 주택 : 시가 5억 원, 기준시가 3억 원
> • 빌딩 : 기준시가 10억 원(시가는 불분명)

• 상황1 : 해당 주택에 대한 감정평가액이 4억 원이었다. 이 금액으로 신고할 수 있는가?
• 상황2 : 빌딩에 대해서는 기준시가로 신고할 수 있는가? 단, 환산가액 등은 무시한다.
• 상황3 : 빌딩에 대해 기준시가로 신고하면 과세관청은 이 금액을 인정할까?

위 상황에 맞는 답을 찾아보면 아래와 같다.

(상황1) 해당 주택에 대한 감정평가액이 4억 원이었다. 이 금액으로 신고할 수 있는가?

주택의 경우에는 시가가 5억 원이므로 이 금액으로 신고하는 것이 원칙이다. 하지만 신고 시에는 객관적인 금액이 필요하는데, 이때 해당 재산 또는 유사한 재산의 간주시가도 포함한다. 사례의 경우 해당 재산의 간주시가인 감정가액이 있으므로 이를 시가로 인정한다. 참고로 해당 감정가액은 법에서 정하고 있는 요건을 충족해야 한다. 이에 대해서는 아래에서 살펴본다.

(상황2) 빌딩에 대해서는 기준시가로 신고할 수 있는가? 단, 환산가액 등은 무시한다.

빌딩의 경우에는 간접적으로 확인할 수 있는 시가가 존재하지 않는 것이 일반적이므로 기준시가로 신고가 가능하다.

(상황3) 빌딩에 대해 기준시가로 신고하면 과세관청은 이 금액을 인정할까?

아니다. 2020년 이후 결정하는 분부터는 평가심의위원회를 통해 감정평가액으로 경정할 수 있다.

2 감정평가액관련 세무리스크 관리법

감정평가제도와 관련해 알아둬야 할 내용들을 정리하면 아래와 같다.

(1) 감정평가액의 적용 순위

감정평가는 해당 재산에 대해 이루어지므로 해당 재산에 대한 매매가액이 존재하지 않는 한, 가장 먼저 적용할 수 있는 금액에 해당한다. 따라서 유사한 재산에 대한 매매사례가액이 많이 존재하는 상황에서는 해당 재산에 대한 감정평가를 실시해 이 금액을 우선 적용받는 것이 필요하다.

(2) 감정평가액이 인정되는 범위

「상증법」 제60조 제5항에서는 감정평가 시 필요한 감정 횟수나 시가불인정 등에 대한 내용을 담고 있다.

> ⑤ 제2항에 따른 감정가격을 결정할 때에는 대통령령으로 정하는 바에 따라 둘 이상의 감정기관(대통령령으로 정하는 금액 이하의 부동산의 경우에는 하나 이상의 감정기관)에 감정을 의뢰하여야 한다. 이 경우 관할 세무서장 또는 지방국세청장은 감정기관이 평가한 감정가액이 다른 감정기관이 평가한 감정가액의 100분의 80에 미달하는 등 대통령령으로 정하는 사유가 있는 경우에는 대통령령으로 정하는 바에 따라 대통령령으로 정하는 절차를 거쳐 1년의 범위에서 기간을 정하여 해당 감정기관을 시가불인정 감정기관으로 지정할 수 있으며, 시가불인정 감정기관으로 지정된 기간 동안 해당 시가불인정 감정기관이 평가하는 감정가액은 시가로 보지 아니한다.

원래「상증법」상 필요한 감정가액은 2개나 기준시가가 10억 원 이하인 부동산 등은 1 개만 있어도 된다. 한편 허위로 감정한 것이 인정되면 앞으로 시가불인정 감정기관 등으로 지정되는 등의 불이익을 받을 수 있다.

(3) 감정평가제도의 확장

비주거용 건물에 대해 상속세나 증여세를 신고한 경우, 이들 세목의 결정기한 내에 평가 심의위원회의 자문을 거쳐 감정가액으로 경정할 수 있는 제도가 도입되었다. 그런데 최근 에는 아래와 같은 예규가 생성되어 소규모 빌딩 외의 부동산에 대해서도 감정가액으로 과 세할 수 있는 근거가 마련되었다. 하지만 이는 법을 지나치게 확대해석한 것으로 많은 비판 을 받고 있다.

● 상증, 기획재정부 재산세제과-92, 2021.1.27.

납세자가「상증법」에 따라 법정신고기한 이내 시가를 확인할 수 없어 기준시가로 신고한 이후 납세자 또는 과세관청이 상속개시일을 가격 산정기준일로 하고, 감정가액평가서작성일 을 평가기간이 경과한 후부터 법정결정기한 사이로 하여 2개 감정기관에서 감정평가받은 가 액을 평가심의위원회에 회부하는 경우, 평가심의위원회의 심의대상에 해당하는지 여부

(제1안) 심의대상에 해당함.
(제2안) 심의대상에 해당하지 않음.

【회신】귀 질의의 경우 제1안이 타당합니다.

(4) 소급감정의 인정 여부

현재시점에서 상속받은 때로 소급하여 감정평가를 받으면 해당 금액은 취득가액으로 사 용할 수 있을까?

대법원은 소급감정도 객관적이고 합리적인 방법으로 평가한 경우라면 하나의 감정평가 액도 시가로 본다(대법 2010두8751, 2010.9.30. 등)라고 하고 있다. 하지만 과세관청은 일관되게 소급감정을 인정하고 있지 않고 있다. 따라서 개별적인 소송을 통해 이 문제를 해결할 수밖 에 없을 것으로 보인다.

3 감정평가액관련 세무리스크 심화 사례

부산광역시에서 거주하고 있는 성광주씨는 80년대 1천만 원에 취득한 토지의 가격이 현재 5억 원에 이르자 다음과 같이 절세방법을 찾았다.

- 해당 토지를 5억 원으로 감정평가를 받아 배우자에게 증여한다.
- 이를 증여받은 배우자는 5년 후에 양도한다.

이렇게 거래하면 양도소득세를 없앨 수 있을까? 그렇다면 증여할 때 발생되는 경비에는 어떤 것들이 있을까?

결론적으로 말하면 양도소득세를 없앨 수 있다.

증여받은 배우자의 취득가액이 5억 원에 해당하기 때문이다. 이러한 방법은 주로 취득가액이 낮거나 계약서를 분실하여 취득가액을 입증하기 힘든 때 사용할 수 있다.

한편 증여 시 발생하는 경비에는 아래와 같은 것들이 있다.

- 감정평가수수료 : 시세에 맞춰 증여하기 위해서는 2(기준시가 10억 원 이하는 1) 이상의 감정평가를 받아야 한다. 이때 수수료가 발생한다.
- 취득세 : 기준시가의 3.5%(단, 주택은 최고 12%도 가능) 정도 취득세가 과세된다.
- 기타수수료 : 이외 채권매입에 따른 수수료, 세무대행수수료 등이 발생한다.

 Tip

■ 감정평가와 시가불인정 통지 안내문

감정을 무리하게 진행하면 아래와 같은 통지문을 받을 수 있다.

기 관 명

수신자

제 목   시가 불인정 감정기관 사전통지 및 의견 제출 안내

---

1. 평소 국세행정에 협조하여 주신데 대해 감사드립니다.

2. 납세의무자(○○○)가 제시한 귀 감정기관의 아래 감정평가액을 검토한 바, 「상증법 시행령」 제49조 제1항 제2호 단서(감정평가액이 기준금액에 미달하는 경우 등)에 해당되어 다른 감정기관에 재감정을 의뢰한 결과, 귀 감정기관의 감정평가액이 재감정기관의 <u>감정평가액의 100분의 80에 미달하여 같은 법 시행규칙 제15조 제3항의 부실감정에 해당되므로</u> 귀 감정기관이 평가하는 감정평가액은 향후 1년의 범위 내에서 정하는 기간동안 시가로 인정되는 감정평가액으로 보지 않게 됩니다.

3. 따라서 「상속세 및 증여세 사무처리규정」 제62조 제1항에 따라 부실감정기관 지정 전에 귀 감정기관의 의견을 청취하고자 사전통지하오니 이에 대한 의견이 있으면, 201 . . . 까지 제출하여 주시기 바라며, 의견을 제출하지 아니하는 경우 시가불인정 감정기관으로 지정됨을 알려드립니다.

○ 검토 결과

감정한 재산	〈관련 재산의 내용(종류, 수량, 소재지 등)을 정확히 기재〉			
감정서 번호				
감정평가기준일				
감정평가 금액 (원)	① 귀 감정기관의 평가금액		비율 (%)	(①/②)
	② 다른 감정기관의 평가금액 평균액			

210㎜×297㎜(신문용지 54g/㎡)

보충적 평가방법관련 세무리스크 관리법

앞에서 본 시가(간주시가 포함)가 없는 경우에는 부득이 보충적 평가방법에 따라 상속이나 증여재산을 평가할 수밖에 없다. 그런데 여기서 보충적 평가방법은 재산의 종류별로 다양하다. 따라서 실무에서는 이를 좀 더 정교하게 검토하는 것이 좋다. 특히 임대차계약이 있거나 저당권 등이 설정된 부동산의 경우에는 더더욱 유의해야 한다.

1 보충적 평가방법관련 세무리스크 발생 사례

K씨가 보유한 재산들은 아래와 같다.

> **자료**
>
> • 토지 : 공시지가 1억 원(시세는 2~3억 원에 형성)
> • 건물 : 연간 임대료 6천만 원, 임대보증금 1억 원, 국세청 기준시가 10억 원

• 상황1 : 「상증법」상 토지의 평가액은 얼마인가?
• 상황2 : 「상증법」상 건물의 평가액은 얼마인가?
• 상황3 : 위의 평가액대로 신고하면 세법상 문제는 없는가?

위의 상황에 대해 순차적으로 답을 찾아보자.

(상황1) 「상증법」상 토지의 평가액은 얼마인가?

토지는 시가가 없기 때문에 공시지가인 1억 원이 평가액이 될 것으로 보인다.

(상황2) 「상증법」상 건물의 평가액은 얼마인가?

건물의 경우 국세청 기준시가와 임대료 등 환산가액 중 큰 금액으로 한다. 임대료 등 환산가액은 '(6천만 원/12%) +1억 원'인 6억 원이 되므로 둘 중 큰 금액인 10억 원으로 평가된다.

(상황3) 위의 평가액대로 신고하면 세법상 문제는 없는가?

신고 후 상속세나 증여세 결정기한 내에 해당 재산 등에 대한 매매사례가액 등이 밝혀지면, 이 금액으로 결정될 수 있다. 물론 이러한 가격이 밝혀지지 않으면 당초 신고가액을 기준으로 과세가 종결될 수 있다. 그런데 최근 건물 등 비주거용 건물의 경우 평가심의위원회에서의 자문을 거쳐 감정가액으로 평가할 수 있는 제도가 도입되었으므로 이에 유의해야한다.

2 보충적 평가방법관련 세무리스크 관리법

보충적 평가방법에 따른 세무리스크 관리법을 정리해 보자.

(1) 부동산

부동산에 대한 시가(간주시가 포함)가 없는 경우에는 아래와 같이 보충적인 방법으로 평가한다. 주택 등 부동산의 경우에는 기준시가를 말한다.

구분		내용
부동산 및 부동산 권리	토지	개별공시지가(지정지역 안의 토지는 '개별공시지가 × 배율')
	건물	건물의 신축가격·구조·용도·위치·신축연도 등을 참작하여 매년 1회 국세청장이 산정·고시하는 다음과 같은 방법으로 평가 ㉠ 건물의 기준시가 = ㎡당 금액 × 평가대상 건물의 연면적(㎡) ㉡ ㎡당 금액 = 건물신축가격 × 구조지수 × 용도지수 × 위치지수 × 경과연수별 잔가율 × 개별건물의 특성에 따른 조정률
	주택	– 지정 아파트, 연립주택 : 기준시가(국세청) – 소규모 연립주택·다세대주택·단독주택 : 개별주택가격 (건설교통부, 2005.7.13. 이후 사용)
	지정 상업용 건물, 오피스텔	국세청장이 수도권과 5대 광역시에서 3,000㎡ 이상인 대형상가와 오피스텔에 대하여 매년 1회 이상 토지·건물을 일괄산정한 가액을 구분소유 면적으로 나누어 ㎡당 가액으로 고시한 금액 (최초고시일 : 2005.1.1., 시행일 : 2005.1.1. 이후 상속·증여재산부터 사용)
	부동산에 관한 권리 (분양권, 회원권 등)	분양권 : 평가기준일까지의 불입금액 + 평가기준일 현재의 프리미엄(조합원입주권은 권리가액 등을 적용함)

구분	내용
기타의 유형자산	• 차량 · 선박 등 : 처분시 취득예상가액 ➡ 장부가액 ➡ 지방세법 제80조 제1항에 의한 시가표준액을 순차적으로 적용 • 상품 등의 재고자산 : 처분시 취득예상가액 ➡ 장부가액

(2) 주식

주식은 아래와 같이 평가한 금액을 시가로 본다. 참고로 주식은 부동산처럼 감정인을 통한 감정가액을 인정하지 않음에 유의해야 한다.

구분		내용
주식	상장주식 · 코스닥상장주식	평가기준일 전후 2월간의 한국증권선물거래소 최종시세가액의 평균액
	비상장주식	① 부동산 과다보유법인 이외 일반법인의 1주당 평가액 $$\dfrac{\left(\dfrac{1주당}{순손익가치} \times 3\right) + \left(\dfrac{1주당}{순자산가치} \times 2\right)}{5}$$ ② 부동산 과다보유(자산가액 중 부동산가액이 50% 이상)법인의 1주당 평가액 $$\dfrac{\left(\dfrac{1주당}{순손익가치} \times 2\right) + \left(\dfrac{1주당}{순자산가치} \times 3\right)}{5}$$ ③ 2004.1.1. 이후 청산 중인 법인과 2005.1.1. 이후 사업개시 전 · 사업개시 후 3년 미만인 법인이 계속하여 결손인 경우, 자산가액 중 부동산이 차지하는 비율이 80% 이상인 경우 : 순자산가치로만 계산

(3) 채권, 예·적금, 담보재산, 정기금(연금)

국고채나 담보가 제공된 재산 등은 아래와 같이 평가를 한다.

구분		내용
국공채 등	채권	상장 국공채·사채＝다음 중 큰 금액 ㉠ 평가기준일 이전 2개월간의 평균액 ㉡ 평가기준일 이전 최근일의 최종시세가액
	예·적금	평가기준일 현재 예입총액＋경과기간에 대한 미수이자－원천징수 세액 상당금액
담보 제공된 재산	저당권이 설정된 재산	다음 중 큰 금액 ㉠ 「상증법」상 평가액 ㉡ 해당 재산이 담보하는 채권액
	전세권이 등기된 재산	다음 중 큰 금액 ㉠ 「상증법」상 평가액 ㉡ 등기된 전세금
	임대차 계약이 체결된 재산	다음 중 큰 금액 ㉠ 「상증법」상 평가액 ㉡ 임대보증금＋연간임대료/12%
정기 금을 받을 권리	유기정기금	$\sum \dfrac{\text{각 연도에 받을 정기금액}}{(1+\text{이자율})^n}$ • 이자율 : 3.0%(국세청고시) • n : 평가기준일로부터 경과연수 • 유기정기금 평가액은 1년분 정기금액의 20배를 한도로 한다.
	무기정기금	그 1년분 정기금액 × 20배
	종신정기금	$\sum \dfrac{\text{각 연도에 받을 정기금액}}{(1+\text{이자율})^n}$ • 이자율 : 3.0% • n : 평가기준일로부터 정기금 수령자의 통계청에 의한 기대여명 연수

Tip

■ 조합원입주권 평가방법 명확화(「상증령」§51)

조합원입주권에 대한 「상증법」상의 평가법이 최근 아래와 같이 개정되었다. 시행시기는 2020년 2월 11일 이후부터 적용된다.

종전	개정
□ "부동산을 취득할 수 있는 권리"의 평가방법 ○ ①과 ②의 합계액 　① 평가기준일까지 납입한 금액* 　　* (국세청 유권해석·집행기준) 조합원입주권의 경우 재건축조합이 산정한 조합원의 권리가액과 평가기준일까지 불입한 계약금, 중도금 등을 합한 금액 　② 평가기준일 현재의 프리미엄	□ "부동산을 취득할 수 있는 권리" 중 조합원입주권 평가방법 명확화 ○ (좌 동) 　① (좌 동) 　　– 도시정비법 상 재개발·재건축 사업에 따른 조합원 입주권 : 평가기준일까지 납입한 금액은 조합원의 권리가액*과 불입한 계약금, 중도금 등을 합한 금액 　　* 조합원으로서 출자한 토지와 건물의 감정평가액 등을 감안, 재건축·개발 조합이 「도시 및 주거환경정비법」 제74조에 따라 산정 　② (좌 동)

조합원입주권을 상속이나 증여하는 경우, 권리가액 등으로 평가해야 함에 유의해야 한다.

⁂ 저자 주

최근 들어와서 부동산을 기준시가로 상속세나 증여세를 신고하는 경우에는 평가심의위원회의 심의를 거쳐 감정가액으로 재산가액이 결정되는 경우가 많아지고 있다.

한편 유사매매사례가액으로 증여세 등을 신고한 경우에는 뒤늦게 등재된 매매사례가액이 신고 후에 발견된 경우가 종종 있다. 이렇게 뒤늦게 재산가액이 변동되면 궁극적으로 납세자의 재산권에 심대한 해를 끼치게 된다. 따라서 이러한 문제를 피하기 위해서는 미리 감정가액 등을 준비해 대응하는 것이 좋을 것으로 보인다. 참고로 감정가액으로 재산가액이 결정되거나 경정되는 경우에는 신고불성실가산세와 납부지연가산세는 면제받을 수 있다. 이외에 매매사례가액이 수정되는 경우에는 신고불성실가산세는 면제되지만, 납부지연가산세는 면제받을 수 없음에 유의해야 한다.

세법상의 시가와 세무리스크 관리법

시가는 시장에서 거래되는 가격으로 세법에서 과세기준을 판단할 때 중요한 잣대로 사용한다. 「상증법」, 「소득세법」, 「법인세법」 등을 위주로 부동산에 대한 시가는 어떤 식으로 규정하고 있는지 알아보자.

1. 「상증법」

(1) 「상증법」상 시가의 용도

주로 상속세와 증여세를 부과하기 위한 기준으로 사용하고 있다.

(2) 「상증법」상 시가

「상증법」상 시가는 시장에서 거래되는 가격을 말하며, 평가기간 내의 간주시가를 포함한다. 이에 대해서는 앞에서 자세히 살펴보았다.

2. 「소득세법」

(1) 「소득세법」상 시가의 용도

「소득세법」 제101조에서 규정하고 있는 양도소득에 대한 부당행위계산의 부인규정을 적용하기 위해 시가에 대해 정하고 있다.

(2) 「소득세법」상 시가

「소득세법」상의 시가는 「상증법」상 제60조부터 제66조까지와 같은 법 시행령 제49조 등의 규정을 준용하여 평가한 가액에 의한다. 이 경우 「상증령」 제49조 제1항 본문 중 "평가기준일 전후 6월(증여재산의 경우에는 3월로 한다) 이내의 기간"은 "양도일 또는 취득일 전후 각 3월의 기간"으로 본다.

→ 「소득세법」상의 시가는 「상증법」상의 시가와 궤를 같이 하고 있다.

3. 「법인세법」

(1) 「법인세법」상 시가의 용도

「법인세법」 제52조에서 규정하고 있는 특수관계인 간의 부당행위계산의 부인규정을 적용하기 위해서이다.

(2) 「법인세법」상 시가

「법인세법」상 시가의 범위는 「법인세법 시행령」 제89에서 자세히 정하고 있다. 이를 요약해 보자.

첫째, 시가는 해당 거래와 유사한 상황에서 해당 법인이 특수관계인 외의 불특정다수인과 계속적으로 거래한 가격 또는 특수관계인이 아닌 제3자간에 일반적으로 거래된 가격이 있는 경우에는 그 가격(주권상장법인이 발행한 주식을 한국거래소에서 거래한 경우 해당 주식의 시가는 그 거래일의 한국거래소 최종시세가액)을 말한다.[25]

→ 「법인세법」상 시가는 건전한 사회통념 및 상관행과 특수관계자가 아닌 자간의 정상적인 거래에서 적용되거나 적용될 것으로 판단되는 가격을 기준으로 하는 것이므로, 「상증법」상처럼 명확하게 시가가 밝혀지는 것이 아님에 유의해야 한다. 이러한 추상적인 규정으로 인해 시가를 잘못 파악하면 세무리스크가 급증할 수 있음에 유의해야 한다. 실무자들이 유의해야 할 대목이다.

둘째, 시가가 불분명할 경우에는 다음을 차례로 적용하여 계산한 금액에 따른다.

① 감정한 가액이 있는 경우 그 가액(감정한 가액이 2 이상인 경우에는 그 감정한 가액의 평균액). 다만, 주식등은 제외한다.

② 「상증법」 제38조(합병관련)·제39조(증자관련)·제39조의2(감자관련)·제39조의3(현물출자관련), 제61조부터 제66조까지의 규정(보충석 평가법)을 준용하여 평가한 가액

---

25) 「법인세법」상의 상장주식의 시가와 「상증법」상의 상장주식의 시가를 산정하는 방법에 차이가 있음을 알 수 있다. 후자의 경우 평가기준일 전후 2개월간의 종가평균을 한다.

→ 시가를 적용하고 싶으나 시가가 없는 경우에는 감정평가를 하면 많은 문제들이 해결된다. 참고로 「법인세법」상에서는 필요한 감정 횟수를 정하고 있지 않음도 참고하기 바란다. 따라서 1개의 감정가액도 인정이 된다. 「상증법」은 원칙적으로 2개 이상의 감정을 요한다.

셋째, 금전의 대여 또는 차용의 경우에는 무조건 당좌대출이자율 등을 시가로 한다. 현금 같은 금전은 비교대상이 없기 때문이다.

넷째, 금전 외 자산 또는 용역의 시가는 위의 첫 번째와 두 번째 규정을 적용하고, 이를 적용할 수 없을 때 다음의 규정에 의하여 계산한 금액을 시가로 한다.

→ 유형 또는 무형의 자산을 제공하거나 제공받는 경우에는 당해 자산 시가의 100분의 50에 상당하는 금액에서 그 자산의 제공과 관련하여 받은 전세금 또는 보증금을 차감한 금액에 정기예금이자율(1.2%)을 곱하여 산출한 금액

4. 위 3가지 법과 시가의 관계

「소득세법」은 「상증법」상의 시가규정을 준용하고 있으나, 평가기준일 전후의 6개월을 3개월로 변형시켜 시가의 범위를 준용하고 있다. 한편 「법인세법」에서는 자체적으로 시가규정을 두고, 이 법에 의한 시가가 없는 경우 감정가액, 그리고 감정가액이 없다면 「상증법」상의 보충적 평가방법을 사용하도록 하고 있다.

그런데 여기서 「법인세법」은 「상증법」 제60조를 명시적으로 준용하지 않으므로 평가기간(6개월 전후 등) 내의 간주시가 등을 적용하지 않는다고 해석된다. 따라서 「법인세법」상 시가나 감정가액이 없다면 기준시가에 따라 부동산을 평가해도 문제가 없을 것으로 판단된다.[26]

---

26) 실무적으로 주의해야 한다. 이에 대한 자세한 내용은 저자의 카페를 통해 확인하기 바란다.

Tip

■ 세법과 감정가액의 관계

앞으로 감정가액으로 부동산 등을 평가하는 일들이 점점 많아질 것으로 보인다. 그 이유를 요약하면 다음과 같다.

첫째, 「상증법」에서는 상속이나 증여재산의 평가액을 올리기 위해서 감정평가를 하는 경우가 많다. 이 금액이 향후 양도소득세 계산 시 취득가액이 되기 때문이다. 이외에도 기준시가나 유사매매사례가액으로 신고한 후에 재산평가심의위원회에서 심의*를 거쳐 감정가액 등으로 신고가액이 바뀌는 경우도 많아 미리 감정평가를 받아 신고하는 일들이 많아질 것으로 보인다.

* 최근 심의대상이 비거주용 건물에서 주거용 건물로 확대되고 있음에 유의하기 바란다. 참고로 주식평가 시 법인 소유 부동산에 대해서도 감정평가의 가능성이 있고, 특수관계자 간의 유상거래에서도 이러한 제도가 도입될 가능성도 있어 보인다.

둘째, 「소득세법」과 「법인세법」에서는 특수관계인 간에 거래 시 부당행위계산의 부인규정을 적용받지 않기 위해서 감정평가를 받는 경우가 많다. 감정평가를 받으면 대부분 이런 규정을 적용받지 않게 된다.

셋째, 「조특법」에서는 현물출자에 의한 양도소득세 이월과세를 받을 때 감정평가를 받는 경우가 많다.

넷째, 「부가가치세법」에서는 건물과 토지의 가액을 구분할 때 감정가액을 안분기준으로 사용할 수 있으므로 감정을 받는 경우 있다.

다섯째, 이외 「국세기본법」상 국세담보를 위한 평가용으로 그리고 기업회계상 유·무형자산의 평가, 사업양수도의 과정에서 재산의 평가 등에 활용하기 위해 감정을 받는 경우가 많다.

제 **2** 편

상속세 세무리스크 관리법

이번 편에서는 앞에서 배운 지식들을 발판삼아 상속세에 대한 세무리스크 관리법을 알아보고자 한다. 전반부에서는 상속세 계산구조를 하나씩 살펴보고, 후반부에서는 실전에서 상속세를 다루는 방법을 정리하고자 한다.

　상속세는 일생을 정리한다는 관점에서 중요한 세목에 해당한다. 특히 상속개시일 전 10년 이내의 재산변동에 대해서는 다양한 제도가 적용되므로 관심있게 공부를 하도록 한다.

제**4**장

상속세 계산구조관련
세무리스크 관리법

상속세는 상속개시일 당시의 상속재산에 사전에 증여한 재산가액을 합산한 재산가액에서 비과세와 채무 및 상속공제 등을 차감한 과세표준에 세율을 곱해 계산하는 세목이다. 그런데 사전에 미신고한 증여재산이나 은닉한 재산들이 있는 경우 다양한 세무상 쟁점들이 발생한다. 이 장에서는 이러한 점에 유의해 공부하는 것이 좋을 것으로 보인다.

본 장에서 살펴볼 주요 내용들은 아래와 같다.

- 상속세 계산구조와 세무리스크 관리법
- 상속재산에 가산하는 것들과 차감하는 것들
- 간주상속재산관련 세무리스크 관리법
- 상속추정관련 세무리스크 관리법
- 상속채무관련 세무리스크 관리법
- 상속공제관련 세무리스크 관리법
- 배우자상속공제관련 세무리스크 관리법
- 상속세 납부관련 세무리스크 관리법
- 단독 · 지분 상속등기관련 세무리스크 관리법
- 상속세 세무조사관련 세무리스크 관리법
- 주요 상속세 세무리스크 유형들

제1절 상속세 계산구조관련 세무리스크 관리법

이제부터는 앞에서 검토한 내용들을 바탕으로 실무적으로 알아야 하는 상속세와 증여세에 대한 세무리스크 관리법에 대해 알아보자. 다만, 이하의 내용들은 핵심적인 내용들만 선별해서 살펴보기 때문에 신고서를 제출할 때에는 세무전문가의 도움을 받아 처리하기를 바란다. 증여세는 뒤의 해당 부분에서 살펴보자.

1 상속세 계산구조관련 세무리스크 발생 사례

서울에서 살고 있는 심봉수(75세)씨는 현재 다음과 같이 재산을 보유하고 있다.

- 상황1 : 5년 내에 상속이 발생하는 경우 상속세는 얼마나 예상되는가? 단, 상속공제액은 10억 원이라고 가정한다.
- 상황2 : 만일 위의 부동산가액이 세법상 5억 원으로 평가되고, 상속공제액이 15억 원이라면 상속세는 얼마나 될까?
- 상황3 : 상황2의 연장선상에서 5년 전에 배우자에게 증여한 재산가액이 5억 원이라면 상속세 산출세액은 얼마나 될까? 단, 이 증여재산에 대해서는 신고를 적법하게 하였다.

위의 상황에 순차적으로 답을 하면 다음과 같다.

(상황1) 5년 내에 상속이 발생하는 경우 상속세는 얼마나 예상되는가? 단, 상속공제액은 10억 원이라고 가정한다.

상속세는 상속세 과세가액에서 상속공제액을 차감한 과세표준에 10~50%의 세율을 곱해 계산한다. 사례의 경우 대략적인 상속세는 다음과 같이 예상된다.

구분	금액	비고
상속세 과세가액	20억 원	
− 상속공제액	10억 원	
= 과세표준	10억 원	
× 세율	30%	
− 누진공제	6천만 원	
= 산출세액	2억 4천만 원	

(상황2) 만일 위의 부동산가액이 세법상 5억 원으로 평가되고, 상속공제액이 15억 원이라면 상속세는 얼마나 될까?

상속재산가액과 상속공제액이 변동되면 당연히 세금이 줄어들게 된다.

구분	금액	비고
상속세 과세가액	15억 원	10억 원+5억 원
− 상속공제액	15억 원	
= 과세표준	0원	
× 세율	−	
= 산출세액	0원	

(상황3) 상황2의 연장선상에서 5년 전에 배우자에게 증여한 재산가액이 5억 원이라면 상속세 산출세액은 얼마나 될까? 단, 이 증여재산에 대해서는 신고를 적법하게 하였다.

사전에 증여한 재산이 있으면 상속세가 변동된다.

구분	당초	변경	비고
상속세 과세가액	15억 원	20억 원	15억 원+5억 원(사전 증여재산가액)
− 상속공제액	15억 원	15억 원	
= 과세표준	0원	5억 원	
× 세율	−	20%	
− 누진공제	−	1천만 원	
= 산출세액	0원	9천만 원	

2 상속세 계산구조

상속세에 대한 세무리스크를 관리하기 위해서는 기본적으로 상속세 계산구조부터 알아 둬야 한다. 물론 각 항목들에 대해서는 순차적으로 살펴볼 것이다.

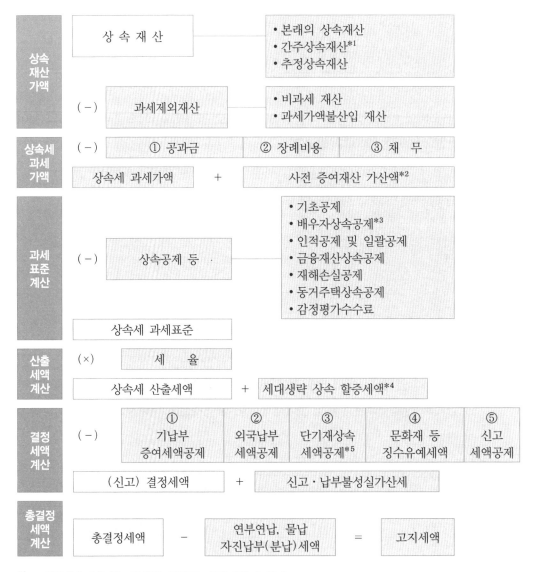

*1 : 간주상속재산에는 보험금, 퇴직금, 신탁재산이 있다.

*2 : 상속인은 10년, 비상속인은 5년 이전에 증여한 재산가액을 말한다.

*3 : 최저 5억 원에서 최고 30억 원 사이에서 공제된다.

*4 : 세대를 생략해 상속이 일어나면 30%(40%) 할증과세된다(상속공제한도가 축소될 수 있다).

*5 : 상속받은 사람이 10내 이내 운명한 경우에 이 공제를 적용한다.

제2절 상속재산에 가산하는 것들과 차감하는 것들

상속세는 상속재산의 크기와 상속공제제도에 절대적으로 좌우된다. 이중 상속재산의 크기에 영향을 주는 내용들을 먼저 살펴보자. 이는 크게 상속재산가액에 가산되는 것들과 차감되는 것들로 구분된다. 당연히 상속재산에 가산되면 상속세가 늘어나고 차감되면 상속세가 줄어든다. 그렇다면 이러한 항목에는 어떤 것들이 있을까?

1 상속재산관련 세무리스크 발생 사례

서울 강남구 압구정동에서 거주한 송○○씨는 운명하기 전에 재산의 일부를 다음과 같이 증여하였다. 상속세 산출세액은 얼마나 될까? 단, 상속 시 발생한 상속재산가액은 10억 원이며 상속공제액은 총 10억 원을 받을 수 있다고 가정한다.

🌐 사전에 증여한 재산현황

구분	수증자	증여금액	상속 시 시세	증여시기
다가구주택	배우자	3억 원	5억 원	9년 전
상가	자녀	5억 원	10억 원	8년 전
토지	손자·손녀	2억 원	5억 원	7년 전
계		10억 원	20억 원	

위의 자료를 바탕으로 상속세를 계산하면 다음과 같다.

구분	금액	비고
상속 시의 재산가액	10억 원	
+사전에 증여한 재산가액	8억 원	• 배우자와 자녀에게 사전 증여한 재산가액만 합산됨. • 합산되는 가액은 증여일 현재의 평가액임.
=총 상속재산가액	18억 원	
−상속공제액	10억 원	자료상 가정
=과세표준	8억 원	

구분	금액	비고
× 세율	30%	
− 누진공제	6천만 원	
= 산출세액	1억 8천만 원	

위에서 손자·손녀에게 증여한 재산가액을 합산하지 않는 이유는 상속인 외의 자의 경우에는 합산하는 기간이 5년이기 때문이다. 배우자나 자녀의 경우에는 합산기간이 10년이다.

사전에 증여한 재산이 상속재산에 합산되는 경우에는 증여당시의 신고가액이 합산된다. 따라서 가치상승분은 합산대상에서 제외된다.

❷ 상속재산관련 세무리스크 관리법

상속재산과 상속부채 그리고 본래의 상속재산에 가산되는 것들과 차감되는 것들을 살펴보면 다음과 같다.

(1) 본래의 상속재산과 상속부채

상속세는 본래의 상속재산에서 상속부채를 차감한 순 상속재산에 과세된다. 자세한 것들은 뒤에서 순차적으로 살펴보자.

상속재산			상속부채	
내용		금액	내용	금액
본래	부동산 현금과 예금 주식이나 채권 특허권 기타(자동차, 각종물건과 권리)		세금과 공과금 은행대출금 사채(私債) 임대보증금 기타	
			상속부채 계	
상속재산 계			순 상속재산	

(2) 본래의 상속재산에 가산되는 것과 차감되는 것

상속재산에 가산되는 것과 차감되는 것을 나열하면 다음과 같다. 상속세 절세를 위해서는 이러한 것을 잘 공부하는 것이 좋다.

가산	차감
• 사전에 증여한 재산가액 • 보험금·퇴직금·신탁재산의 가액 • 상속개시일 전에 인출·처분·채무부담한 가액	• 공익법인에 출연한 금액[27] • 금양임야와 묘토인 농지가액 • 상속채무 • 장례비용 • 상속공제 등

 Tip

■ 금양임야와 묘토인 농지 등과 상속세 비과세

아래와 같은 항목들에 대해서는 상속세가 부과되지 않는다. 자세한 내용은 「상증령」 제8조 등을 참조하기 바란다.

① 금양임야

'금양임야'란 묘지를 보호하기 위하여 벌목을 금지하고 나무를 기르는 묘지 주변의 임야를 말하는 것으로서, 다음과 같은 요건을 충족하면 아래 ③과 합하여 최고 2억 원까지 공제한다.

• 피상속인이 제사를 모시고 있던 선조의 분묘(무덤) 주변의 임야이어야 한다.
• 제사를 주재하는 상속인(공동으로 제사를 주재하는 경우에는 그 공동 상속인 전체)을 기준으로 9,900㎡까지만 비과세된다.

② 묘토인 농지

'묘토'라 함은 묘지와 인접한 거리에 있는 것으로서 제사를 모시기 위한 재원으로 사용하는 농지를 말하며, 다음과 같은 요건을 충족하면 비과세를 받을 수 있다.

• 피상속인이 제사를 모시고 있던 선조의 묘제(산소에서 지내는 제사)용 재원으로 사용하는 농지이어야 한다.
• 제사를 주재하는 자에게 상속되어야 한다.
• 제사를 주재하는 상속인을 기준으로 1,980㎡까지만 비과세된다.
→ 상속재산 중에 조상의 무덤이 있는 선산이 포함되어 있는 경우에는 최소한 비과세대상 면적만이라도 제사를 주재하는 자가 상속을 받으면 절세할 수 있다.

③ 족보와 제구

재산가액의 합계액이 1천만 원을 초과하는 경우에는 1천만 원을 한도로 한다.

---

27) 제12장에서 자세히 살펴본다.

🌐 장례비용 공제법

상속재산가액에서 공제하는 장례비 = ① + ②

① 피상속인의 사망일부터 장례일까지 장례에 직접 소요된 금액(봉안시설 사용금액 제외)

- 장례비가 500만 원 미만 시 : 500만 원을 공제
- 장례비가 500만 원 초과 시 : Min(장례비용 증빙액, 1천만 원)

② 봉안시설사용금액

- Min(봉안시설비용 증빙액, 500만 원)

 간주상속재산(신탁재산·보험금·퇴직금)관련 세무리스크 관리법

상속세는 상속개시일 시점에 존재하는 모든 재산과 사전에 증여한 재산가액을 합산해 과세하는 것이 원칙이다. 이때 상속재산이 구체적으로 어떤 재산인지를 파악해야 과세대상을 확정할 수 있고 궁극적으로 상속세를 부과할 수 있다. 「상증법」상의 규정을 통해 상속재산의 범위에 대한 세무리스크 관리법 등을 알아보자.

1 상속재산의 범위

「상증법」제2조 제3호에서 "상속재산"이란 피상속인에게 귀속되는 모든 재산을 말하며, 다음 항목의 물건과 권리를 포함한다. 다만, 피상속인의 일신(一身)에 전속(專屬)하는 것으로서 피상속인의 사망으로 인하여 소멸되는 것은 제외하고 있다.

- 금전으로 환산할 수 있는 경제적 가치가 있는 모든 물건
- 재산적 가치가 있는 법률상 또는 사실상의 모든 권리

이에는 피상속인이 상속개시일 현재 보유한 부동산, 자동차, 미술품, 특허권, 저작권, 현금 등 모든 재산이 포함된다.

2 간주상속재산의 범위

앞의 정의에 따라 대부분의 상속재산은 특정할 수 있다. 하지만 보험금이나 신탁재산, 퇴직금 등은 이에 포함할지 여부가 혼란스러울 수 있다. 그래서 별도의 규정을 두어 상속재산의 범위에 포함 여부를 결정하고 있다. 이를 간주상속재산이라고 부르기도 한다.

(1) 상속재산으로 보는 보험금

이에 대해서는 「상증법」 제8조에서 아래와 같이 규정하고 있다.

> ① 피상속인의 사망으로 인하여 받는 생명보험 또는 손해보험의 보험금으로서 피상속인이 보험계약자인 보험계약에 의하여 받는 것은 상속재산으로 본다.
> ② 보험계약자가 피상속인이 아닌 경우에도 피상속인이 실질적으로 보험료를 납부하였을 때에는 피상속인을 보험계약자로 보아 제1항을 적용한다.

(2) 상속재산으로 보는 신탁재산

이에 대해서는 「상증법」 제9조에서 아래와 같이 규정하고 있다. 이에 대한 자세한 상속세와 증여세 과세방식은 제7장을 참조하기 바란다.

> ① 피상속인이 신탁한 재산은 상속재산으로 본다. 다만, 타인이 신탁의 이익을 받을 권리를 소유하고 있는 경우 그 이익에 상당하는 가액(價額)은 상속재산으로 보지 아니한다.
> ② 피상속인이 신탁으로 인하여 타인으로부터 신탁의 이익을 받을 권리를 소유하고 있는 경우에는 그 이익에 상당하는 가액을 상속재산에 포함한다.

(3) 상속재산으로 보는 퇴직금 등

이에 대해서는 「상증법」 제10조에서 규정하고 있다.

피상속인에게 지급될 퇴직금, 퇴직수당, 공로금, 연금 또는 이와 유사한 것이 피상속인의 사망으로 인하여 지급되는 경우 그 금액은 상속재산으로 본다. 다만, 다음 각 호의 어느 하나에 해당하는 것은 상속재산으로 보지 아니한다.

1. 「국민연금법」에 따라 지급되는 유족연금 또는 사망으로 인하여 지급되는 반환일시금
2. 「공무원연금법」, 「공무원 재해보상법」 또는 「사립학교교직원 연금법」에 따라 지급되는 퇴직유족연금, 장해유족연금, 순직유족연금, 직무상유족연금, 위험직무순직유족연금, 퇴직유족연금부가금, 퇴직유족연금일시금, 퇴직유족일시금, 순직유족보상금, 직무상유족보상금 또는 위험직무순직유족보상금
3. 「군인연금법」 또는 「군인 재해보상법」에 따라 지급되는 퇴역유족연금, 상이유족연금, 순직유족연금, 퇴역유족연금부가금, 퇴역유족연금일시금, 순직유족연금일시금, 퇴직유족일시금, 장애보상금 또는 사망보상금
4. 「산업재해보상보험법」에 따라 지급되는 유족보상연금·유족보상일시금·유족특별급여 또는 진폐유족연금
5. 근로자의 업무상 사망으로 인하여 「근로기준법」 등을 준용하여 사업자가 그 근로자의 유족에게 지급하는 유족보상금 또는 재해보상금과 그 밖에 이와 유사한 것
6. 제1호부터 제5호까지와 유사한 것으로서 대통령령으로 정하는 것[28]

3 적용 사례

경기도 고양시에서 거주하고 있던 김OO씨가 운명하여 상속인들이 보험금 5억 원을 수령하였다. 그의 재산에는 보험금 외 5억 원 상당의 부동산이 있다. 이 경우 상속세는 얼마인가? 만일 상속세 과세가액 미달로 인해 상속세가 나오지 않는다면 보험금에 대한 증여세는 과세되는가? 단, 상속공제액은 10억 원이라고 하자.

자료

계약자	피보험자	수익자
김OO	김OO	법정상속인

---

28) 법 제10조 제6호에서 "대통령령으로 정하는 것"이란 「전직대통령예우에 관한 법률」 또는 「별정우체국법」에 따라 지급되는 유족연금·유족연금일시금 및 유족일시금을 말한다.

다음과 같이 위에 대한 답을 찾아보자.

(1) 보험에 대한 상속세 과세여부 판단

계약자가 사망함으로써 발생한 사망보험금은 상속재산에 포함된다. 다만, 사례의 경우 비록 사망보험금이 상속재산에 포함되지만 보험금을 포함한 상속재산가액이 10억 원이고 상속공제액이 10억 원이므로 상속세 과세표준은 0원이 된다. 따라서 상속세는 부과되지 않는다.

(2) 보험에 대한 증여세 과세여부 판단

이처럼 과세미달로 인해 상속세가 과세되지 않은 경우에는 증여세 과세 여부를 검토할 필요가 없다. 해당 보험금은 상속세 과세대상에 해당하기 때문이다. 만일 상속세 과세대상에 해당하지 않으면 증여세 과세대상 여부를 판단해야 한다(아래 참조).

 Tip

■ 보험과 상속 · 증여 과세 여부 판단

구분	보험 계약자	피 보험자	보험 수익자	보험사고	과세관계
①	A	A	A	만기	상속세나 증여세 과세되지 않음.
				A의 사망	상속세
②	A	A	B	만기	증여세(A가 B에 증여)
				A	상속세
③	A	B	A	만기	상속세나 증여세 과세되지 않음.
				B의 사망	상속세나 증여세 과세되지 않음.
④	A	B	C	A의 사망	상속세(A가 불입한 보험료금액의 권리가 상속)
				B의 사망	증여세(A가 C에 증어)
				C의 사망	상속세나 비과세 과세되지 않음(만기에 A수령).

위 ①의 경우 보험계약자와 피보험자 그리고 보험수익자가 모두 동일인으로 되어 있으므로 만기보험금에 대해서는 증여세 문제는 없다. 그런데 만일 A가 사망한 경우에는 A의 돈으로 보험료를 불입했기 때문에 사망보험금은 A의 상속재산으로 보게 된다. ②의 경우 보험계약자가 사망하면 이는 보험계약자의 상속재산에 해당하므로 상속세의 과세대상이 된다. 만기의 경우에는 보험계약자의 재산이 수익자로 이전되므로 증여세가 부과될 수 있다. 나머지는 편의상 설명을 생략한다.

제4절 상속추정관련 세무리스크 관리법

재산이 많은 상태에서 상속개시가 임박했다면 재산의 일부를 처분하여 은닉할 개연성이 높아진다. 상속재산을 은닉하면 은닉한 금액에 한계세율만큼 세금이 줄어들기 때문이다. 그렇다면 과세관청은 이런 행위에 대해 가만히 보고만 있을까? 아니다. 이런 상황에 대비하기 위해 상속추정제도가 마련되어 있기 때문이다. 상속개시일 전 1년 또는 2년 내에 재산변동이 일어나면 세무상 어떤 문제가 있는지 등을 알아보자.

1 상속개시일 전 처분재산 등의 상속추정 등

(1) 상속추정제도의 의의

「상증법」 제15조에서는 상속개시일 전에 처분한 재산 등이 있는 경우 상속추정제도를 적용한다. 예를 들어 피상속인이 상속개시일 기준 1년 이내에 3억 원을 인출한 경우 이에 대한 용도를 상속인들이 입증하지 못하면 일정한 금액을 상속재산가액에 포함시키는 제도를 말한다. 이 제도의 주요 내용은 아래와 같다.

추정대상	추정내용[29]
재산을 처분 또는 인출	상속개시일 전 재산종류별[30]로 처분 또는 인출금액이 1년(2년) 내에 2억 원 (5억 원) 이상인 경우로써 객관적으로 용도가 명백하지 아니한 경우에는 상 속인이 상속받은 것으로 추정한다.
채무부담	상속개시일 전 채무부담액이 1년(2년) 내에 2억 원(5억 원) 이상인 경우로써 객관적으로 용도가 명백하지 아니한 경우에는 상속인이 상속받은 것으로 추 정한다.

위에서 용도가 객관적으로 명백하지 아니한 경우란 다음 각 호의 어느 하나에 해당하는 경우를 말한다.

① 피상속인이 재산을 처분하여 받은 금액이나 피상속인의 재산에서 인출한 금전 등 또 는 채무를 부담하고 받은 금액을 지출한 거래상대방이 거래증빙의 불비 등으로 확인 되지 아니하는 경우

② 거래상대방이 금전 등의 수수사실을 부인하거나 거래상대방의 재산상태 등으로 보아 금전 등의 수수사실이 인정되지 아니하는 경우

③ 거래상대방이 피상속인의 특수관계인으로서 사회통념상 지출사실이 인정되지 아니하 는 경우

④ 피상속인이 재산을 처분하거나 채무를 부담하고 받은 금전 등으로 취득한 다른 재산 이 확인되지 아니하는 경우

⑤ 피상속인의 연령 · 직업 · 경력 · 소득 및 재산상태 등으로 보아 지출사실이 인정되지 아니하는 경우

(2) 상속추정제도의 적용 배제

입증되지 아니한 금액이 다음 중 적은 금액에 미달하는 경우에는 상속추정제도를 적용하 지 않는다.

---

29) 상속추정제도가 적용되는 경우 소명은 납세의무자가 하는 것이 원칙이다. 이 기간을 벗어나면 과세관청 이 입증하는 것이 원칙이다.
30) 재산종류는 다음과 같이 구분한 것을 말한다.
   ① 현금 · 예금 및 유가증권
   ② 부동산 및 부동산에 관한 권리
   ③ 기타 재산

① 피상속인이 재산을 처분하여 받은 금액이나 피상속인의 재산에서 인출한 금전 등 또는 채무를 부담하고 받은 금액의 100분의 20에 상당하는 금액

② 2억 원

(3) 상속재산에 가산할 상속추정액

상속추정제도가 적용되는 경우로써 상속재산가액에 포함될 상속추정액은 아래와 같이 계산한다.

추정상속재산가액＝용도불분명한 금액－Min(① 처분재산가액・인출금액・채무부담액
×20%, ② 2억 원)

---

2 적용 사례1

아래 자료를 가지고 위의 내용을 확인해 보자.

자료

- 상속재산 : 13억 6천만 원
- 상속개시일로부터 6개월 전에 3억 원을 인출함. 전액 용도입증이 불가능함.
- 상속채무 : 2억 원
- 상속공제액 : 10억 원
- 장례비용 : 1,500만 원
- 상속인 : 배우자, 자녀 2명
- 기타 사항은 무시함.

- 상황1 : 상속추정제도가 적용되는가?
- 상황2 : 상속추정가액은 얼마인가?
- 상황3 : 상속세는 얼마인가?
- 상황4 : 상속추정액에 대한 상속세는 누가 납부해야 하는가?

위의 상황에 맞게 답을 찾아보면 다음과 같다.

(상황1) 상속추정제도가 적용되는가?

상속개시일로부터 6개월 전에 3억 원을 인출하였으므로 상속추정제도의 적용 여부를 검토해야 한다.

다만, 실제 이 제도가 적용되기 위해서는 용도불분명한 금액이 아래 중 적은 금액을 초과해야 한다.

① 피상속인이 재산을 처분하여 받은 금액이나 피상속인의 재산에서 인출한 금전 등 또는 채무를 부담하고 받은 금액의 100분의 20에 상당하는 금액 : 사례의 경우 6천만 원(3억 원×20%)

② 2억 원

따라서 용도불분명 금액 3억 원이 위에서 결정된 6천만 원을 초과하므로 상속추정제도가 적용된다.

(상황2) 상속추정가액은 얼마인가?

상속추정가액은 아래와 같이 계산한다.

인출금액－(인출금액×20%, 2억 원 중 적은 금액[31])
＝3억 원－(3억 원×20%, 2억 원 중 적은 금액)＝3억 원－6천만 원＝2억 4천만 원

이를 서식으로 표현하면 다음과 같다.

⑪ 재산인출/처분 (부담채무)가액	⑫ 사용처소명 금액	⑬ 미소명 금액	⑭ ⑪ 금액의 20%와 2억 원 중 적은 금액	⑮ 상속추정 여부 ⑬＞⑭	⑯ 상속추정 재산가액(⑬－⑭)
3억 원	0원	3억 원	6천만 원	적용함.	2억 4친만 원

(상황3) 상속세는 얼마인가?

위의 상속추정액을 반영하여 상속세를 계산하면 다음과 같다.

---

31) 용도불분명한 금액을 전액 상속재산가액에 포함시키는 것은 가혹하므로 처분·인출 대금 등의 20%와 2억 원 중 적은 금액을 차감한다.

구분	금액	비고
본래상속재산	13억 6천만 원	
(+) 간주상속재산가액		
(+) 상속추정액	2억 4천만 원	위에서 계산됨.
(+) 상속개시 전 증여재산가액		
(=) 총 상속재산가액	16억 원	
(−) 공과금 및 채무, 장례비	2억 1천만 원	채무＋장례비용(1천만 원 한도)
(=) 과세가액	13억 9천만 원	
(−) 상속공제	10억 원	자료상 가정
(−) 감정평가수수료공제		
(=) 과세표준	3억 9천만 원	
(×) 세율	20%	
(−) 누진공제	1천만 원	
(=) 산출세액	6,800만 원	

(상황4) 상속추정액에 대한 상속세는 누가 납부해야 하는가?

상속추정액에 대한 상속세는 상속인들이 지분별로 납부하는 것이 원칙이다. 물론 상속세는 연대납부를 할 수 있으므로 상속인 중 1인이 납부해도 무방하다.

3 적용 사례2

서울에서 거주하고 있는 Y씨의 통장거래 내역이 다음과 같다고 하자.

거래날짜	예입액	인출액	잔액	거래내역	비고
20×3.5.1.			10억 원		
20×3.6.30.		3억 원	7억 원	현금출금	사용처 불분명
20×4.7.31.		3억 원	4억 원	현금출금	사용처 불분명
20×4.12.30.		4억 원	0원	현금출금	사용처 불분명

- 상황1 : 만약 20×4.12.31에 Y씨가 사망한 경우 상속재산에 포함되는 예금은 얼마인가? 단, 상속추정에 의한 금액은 제외한다.
- 상황2 : 상속추정제도가 적용되면 가산해야 할 상속재산가액은 얼마인가?
- 상황3 : 상속추정제도를 적용받지 않으려면 어떻게 해야 하는가?

위의 상황에 순차적으로 답을 찾아보면 다음과 같다.

(상황1) 만약 20×4.12.31에 Y씨가 사망한 경우 상속재산에 포함되는 예금은 얼마인가? 단, 상속추정에 의한 금액은 제외한다.

상속개시일 현재 잔고가 0원이므로 상속재산가액에 포함되는 금액은 없다.

(상황2) 상속추정제도가 적용되면 가산해야 할 상속재산가액은 얼마인가?

상속개시일(20×4.12.31)로부터 2년 이내에 인출한 돈이 10억 원이므로 상속추정제도가 적용된다. 그리고 전액 사용처가 불분명하므로 다음의 금액을 상속재산가액에 합산한다.

⑪ 재산인출/처분 (부담채무)가액	⑫ 사용처소명 금액	⑬ 미소명 금액	⑭ ⑪금액의 20%와 2억 원 중 적은 금액	⑮ 상속추정여부 ⑬>⑭	⑯ 상속추정 재산가액(⑬-⑭)
10억 원	0원	10억 원	2억 원	적용함	8억 원

인출한 금액이 10억 원이나 이 중 2억 원만큼은 소명을 하지 않더라도 상속재산가액에 포함되지 않는다.

(상황3) 상속추정제도를 적용받지 않으려면 어떻게 해야 하는가?

상속개시일로부터 소급하여 2년을 벗어나야 한다. 이외 2년 내에 인출한 경우에는 사용처에 대한 증빙(병원비 등)을 잘 보관해 둬야 한다.

◉ 실무적으로 알아둬야 할 상속추정제도

- 실무적으로 500만 원 이상이 넘어가는 인출금에 대해 용도를 확인하자.
- 상속추정제도 적용 시 사용처 입증은 납세의무자가 해야 한다.
- 상속추정제도가 적용되지 않는 구간의 사용처 입증은 과세관청이 해야 한다.

상속추정(통장계좌 인출)관련 세무리스크 관리법

상속추정은 상속세 세무조사 시 핵심이 된다. 따라서 이에 대해서는 늘 관심을 둘 필요가 있다. 이하는 상속추정과 관련된 사례이다. 초보자들은 건너뛰어도 문제가 없다. 실무에서는 반드시 세무전문가와 상담 후 일처리를 하는 것이 좋다.

사례

서울 송파구 잠실동에서 거주하고 있는 K씨가 사망을 하였다. 그의 계좌에는 다음과 같은 거래가 있었다. 통장거래금액은 부동산처분과 관계가 없으며, 채무부담액 3억 원이 들어 있었다. 상속추정제도에 의한 상속재산가산액을 계산하라. 단, 상속개시일은 20×4년 1월 1일이다.

〈통장거래〉

거래날짜	예입액	인출액	잔액	거래내역	비고
20×1.1.1.			3억 원	계좌이체	
20×1.12.1.		1억 원	2억 원	현금출금	사용처 불분명
20×2.3.1.		2억 원	1억 원	현금출금	사용처 불분명
20×2.5.1.	1억 원		2억 원	현금입금	재입금
20×2.12.1		1억 원	1억 원	계좌이체	사용처 불분명
20×3.1.8.		1억 원	0원	현금출금	사용처 불분명
20×3.1.9.	1억 원		1억 원	현금입금	재입금
20×3.5.1.		1억 원	0원	현금출금	사용처 불분명
20×3.12.1	3억 원		3억 원	현금입금	차입금 입금
20×3.12.2		3억 원	0원	현금출금	사용처 불분명
계	5억 원	9억 원	0원		

위의 자료에 따라 상속추정액을 계산하면 다음과 같다.

1 **상속추정제도 적용대상구분**

구분		사례
(1) 재산처분에 대한 상속추정 적용 여부	① 현금·예금 및 유가증권	해당
	② 부동산 및 부동산에 관한 권리	미해당
	③ 기타 재산	미해당
(2) 채무부담에 대한 상속추정 적용 여부		해당

상속개시일로부터 2년 전의 것은 이 제도를 적용받지 않는다(사례의 경우 20×1년 12.31 이전의 것을 말한다).

→ 앞의 사례는 위 (1)의 ①과 (2)에 대해 상속추정규정이 적용된다. 따라서 2개의 상속 추정에 대한 검토가 필요하다. 순차적으로 살펴보자.

2 **현금·예금인출에 대한 상속추정제도 적용**

현금·예금인출에 대한 상속추정제도를 적용하면 다음과 같다.

(1) 상속추정제도 적용 여부 판단

구분	인출금액	예입금액	순인출금액	상속추정제도 적용 여부
1) 1년 이내 인출 (20×3.1.1.~20×3.12.31.)	5억 원	1억 원	4억 원	2억 원 초과하므로 적용함.
2) 2년 이내 인출 (20×2.1.1.~20×3.12.31.)	8억 원	2억 원	6억 원	5억 원 초과하므로 적용함.

채무부담액이 예금계좌에 입금되었다가 인출된 경우 그 인출된 금액을 예금인출액으로 보아 사용처 소명대상이 된다(서면4팀-1862, 2004.11.18). 부동산을 처분하여 입금하였다가 인출된 경우도 동일하다.

(2) 상속추정에 의해 가산할 금액계산

구분	⑪ 재산인출/처분 (부담채무)가액	⑫ 사용처소명 금 액32)	⑬ 미소명 금 액	⑭ ⑪ 금액의 20%와 2억 원 중 적은 금액	⑮ 상속추정 여부 ⑬＞⑭	⑯ 상속추정 재산가액 (⑬－⑭)
위 1)	4억 원	3억 원	1억 원	8천만 원	적용함.	2천만 원
위 2)	6억 원	3억 원	3억 원	1억 2천만 원	적용함.	1억 8천만 원

3 채무부담에 대한 상속추정제도 적용

채무부담에 대한 상속추정제도를 적용하면 다음과 같다.

(1) 상속추정제도 적용 여부 판단

구분	부담한 금액	재입금한 금액	순인출금액	상속추정제도 적용 여부
1) 1년 이내 인출 (20×3.1.1~20×3.12.31.)	3억 원	0	3억 원	2억 원 초과하므로 적용함.
2) 2년 이내 인출 (20×2.1.1~20×3.12.31.)			해당사항 없음.	

(2) 상속추정에 의해 가산할 금액계산

구분	⑪ 재산인출/처분 (부담채무)가액	⑫ 사용처소명 금액	⑬ 미소명 금액	⑭ ⑪ 금액의 20%와 2억 원 중 적은 금액	⑮ 상속추정 여부 ⑬＞⑭	⑯ 상속추정 재산가액 (⑬－⑭)
위 1)	3억 원	0원	3억 원	6천만 원	적용함.	2억 4천만 원
위 2)	해당사항 없음.					

---

32) 채무부담으로 입금한 금액은 재산처분 상속추정 시 사용처가 객관적으로 명백한 것으로 본다(서면4팀－
1862, 2004.11.18.). 이는 아래 채무부담에 대한 상속추정에서 별도로 검토된다.

Tip

■ 통장 인출금액의 추정상속재산가액 계산방법

피상속인의 전체 금융기관의 통장 또는 위탁자계좌(예: 증권계좌) 등 전체 계좌를 기준으로 상속개시일 전 1년 또는 2년 이내 인출금액에서 이 기간 동안 당해 계좌로 재입금된 금전 등을 차감하여 계산한다(「상증법」 집행기준 15 - 11 - 2).

상속개시일 전 1년 또는 2년 이내에 인출한 금전 등의 합계액
- 당해 기간 중 예입된 금전 등의 합계
+ 예입된 금전 등이 당해 통장에서 인출한 금전이 아닌 것
= 실제 인출한 금전 등의 가액

상속채무관련 세무리스크 관리법

채무가 있는 상황에서 상속이 발생한 경우 이 채무는 상속재산가액에서 차감된다. 하지만 이 채무가 공제되려면 피상속인이 부담해야 할 성질의 것임 등을 입증해야 한다. 이하에서 상속채무와 관련된 세무리스크 관리법을 알아보자.

1 상속채무관련 세무리스크 발생 사례

20×4년 4월에 부친이 작고하였다. 상속인에는 모친과 자녀 4명이 있다. 유산이 다음과 같다고 할 때 상속세는 얼마가 나올까?

자료

• 주택 : 8억 원
• 은행 예금 : 1천만 원
• 전세보증금 : 5억 원(20×4년 3월 체결, 전액 사용처 불분명)
• 상속공제액 : 10억 원

상속세를 계산하기 위해서는 상속채무인 전세금에 대한 내용부터 확인해야 한다. 일반적으로 상속개시일 현재 피상속인이 부담해야 할 채무는 상속재산가액에서 차감된다. 그런데 문제는 상속개시일 전 1년 또는 2년 이내에 채무를 부담한 경우에는 '상속추정' 제도가 적용된다는 것이다. 즉 사례의 경우 상속개시일 1개월 전에 전세금 5억 원을 받았는데 이 돈의 사용처를 상속인들이 별도로 입증해야 한다. 만일 이를 입증하지 못하면 상속추정가액이 상속재산가액에 합산된다. 따라서 사례의 경우에는 다음과 같이 계산된 금액을 상속재산가액에 합산해야 한다.

> 상속추정에 의해 합산해야 할 가액
> = 5억 원 - (5억 원 × 20%, 2억 원 중 적은 금액) = 4억 원

이를 감안해 상속세를 계산하면 다음과 같다.

구분	금액	비고
본래상속재산	8억 1천만 원	
(+) 간주상속재산가액		
(+) 상속추정액	4억 원	
(+) 상속개시 전 증여재산가액		
(=) 총 상속재산가액	12억 1천만 원	
(−) 공과금 및 채무, 장례비	5억 원	전세보증금
(=) 과세가액	7억 1천만 원	
(−) 상속공제	10억 원	가정
(−) 감정평가수수료공제		
(=) 과세표준	0	
(×) 세율		
(=) 산출세액	0	

상속추정제도에 의해 4억 원이 합산되었지만 5억 원만큼 상속채무로 공제되어 전체적으로 △1억 원만큼 상속재산가액이 줄어드는 효과가 나타났다. 상속추정제도의 경우 사용처가 불분명한 금액을 전액 합산하는 것이 아니라 부담한 부채의 20%와 2억 원 중 적은 금액을 차감하여 합산하기 때문이다.

2 상속채무관련 세무리스크 관리법

상속재산가액에서 차감하는 채무는 다음과 같은 요건들을 충족해야 한다.

(1) 공제가능한 채무의 입증방법

상속세를 계산할 때 공제되는 채무금액은 상속개시 당시 피상속인의 채무로서 상속인이 실제로 부담하는 사실이 다음 어느 하나에 의하여 입증되어야 한다.

구분	채무의 입증방법
국가 · 지방자치단체 및 금융기관에 대한 채무	당해 기관에 대한 채무임을 입증할 수 있는 서류
기타의 자에 대한 채무	채무부담계약서, 채권자확인서, 담보 및 이자지급에 관한 증빙 등에 의하여 그 사실을 확인할 수 있는 서류

(2) 공제가능한 채무의 범위

① 연대 및 보증 채무

피상속인이 연대채무자인 경우에 상속재산에서 공제할 채무액은 피상속인의 부담분에 상당하는 금액에 한하여 공제할 수 있다. 한편 피상속인이 부담하고 있는 보증채무 중 주채무자가 변제불능의 상태에 있어 상속인이 주채무자에게 구상권을 행사할 수 없다고 인정되는 부분에 상당하는 금액은 채무로서 공제한다.

② 임대보증금

피상속인이 토지 · 건물의 소유자로서 체결한 임대차계약서상의 보증금은 채무로서 공제된다.

③ 사용인의 퇴직금상당액에 대한 채무

피상속인이 사업상 고용한 사용인에 대한 상속개시일까지의 퇴직금 상당액(근로기준법에 의하여 지급하여야 할 금액을 말함)은 공제할 수 있는 채무에 해당한다.

(3) 채무에 대한 입증책임

상속개시 당시 피상속인의 채무가 존재하는지 여부, 보증채무 및 연대 채무의 경우 주채무자가 변제불능의 상태에 있어 피상속인이 부담하게 될 것이라는 사유 등에 대한 입증책임은 납세의무자에게 있다.

🌐 **관련 판례 : 수원지법 2009구합9766, 2010.6.10.**

상속재산가액에서 공제할 상속채무는 상속세 과세가액 결정에 예외적으로 영향을 미치는 특별한 사유에 속하므로 그 존재사실에 관한 주장에 대한 입증책임은 과세가액을 다투는 납세의무자에게 있다고 보아야 한다.

상속채무(임대보증금)관련 세무리스크 관리법

상속채무 중 임대보증금은 약방의 감초처럼 많이 등장한다. 이는 상속재산에 임대용 부동산이 그만큼 많다는 것을 의미한다. 그런데 임대보증금은 상속재산가액을 줄이는 요소에 해당하므로 이에 대한 사후관리 요건이 매우 강하다. 임대보증금과 관련된 세무리스크 관리법을 정리해 보자.

💬 **사례**

서울 강동구에서 거주하고 있는 설청수씨는 시가 10억 원 상당의 건물을 임대하면서 ① 보증금 4억 원에 월세 200만 원, ② 보증금 1억 원에 월세 700만 원을 받는 두 가지 안을 검토하고 있다. 상속세에 어떤 영향을 주는지 보증금과 월세에 대해 검토하고 유리한 방안을 도출한다면? 설씨의 재산은 20억 원 상당이며 상속공제예상액은 10억 원이라고 하자.

(1) 쟁점

사례의 경우 상속이 발생하면 상속세 과세가 예상되는 상황이다. 따라서 어떤 안이 상속세에 더 유리한지 이를 파악하는 것이 중요하다.

(2) 보증금 및 월세에 대한 상속세 규정

보증금은 상속재산가액에서 차감되나 월세는 그렇지 않다. 한편 상속개시일 전 1~2년 이내 전세보증금의 사용처에 대해 상속추정제도가 적용된다.

(3) 결론도출

위의 경우 일반적으로 1안이 낫다고 결론을 내릴 수 있다. 설씨의 재산은 20억 원이므로 여기에서 보증금 4억 원을 차감하면 16억 원으로 상속재산가액을 낮출 수 있기 때문이다.

다만, 실무에서는 다음과 같은 상황도 고려하여 최종의사결정을 내려야 한다.

> 수익률 비교 → 월세와 전세보증금을 어떤 식으로 하느냐에 따라 수익률에 차이를 가져온다.

Tip

■ 전세보증금과 상속세 요약
- 전세보증금은 상속채무에 해당한다.
- 전세보증금에도 상속추정제도가 적용된다. 따라서 2년 이내의 임대보증금을 채무로 신고한 경우에는 그 사용처에 대한 증빙을 철저히 확보해 두어 나중에 그 사용처를 소명하지 못해 상속세를 추징당하는 불이익을 받지 않도록 하여야 한다.
  - → 월세보다는 전세보증금이 더 나을 수 있다. 실무에서는 시뮬레이션을 통해 최적 안을 도출할 수 있다.

제8절 상속공제관련 세무리스크 관리법

피상속인의 배우자기 살이 있는 힌 배우자상속공제 5억 원과 일괄공제 5억 원 등 최소한 10억 원을 상속공제로 받을 수 있다. 하지만 상속재산의 구성형태나 상속받는 방법에 따라 공제액수가 차이가 나며, 이에 따라 세금효과도 달라질 수 있다. 그래서 상속공제 적용법에 대한 지식이 필요하다. 상속공제는 크게 인적공제(아래 1~3)와 물적공제(아래 4~8) 등 두 가지 형태로 나뉜다. 이하에서 상속공제제도에 대해 알아보자.

1 기초공제

'기초공제'는 상속이 발생하면 무조건 2억 원을 상속세 과세가액에서 공제하는 것을 말한다. 이는 필요경비 성격에 해당된다고 볼 수 있다. 비거주자도 적용한다.[33]

2 인적공제

(1) 배우자상속공제

피상속인의 배우자가 생존한 경우 무조건 적용되는 제도이다. 여기에서는 대략적인 내용만 보고 자세한 내용은 뒤의 해당 부분에서 살펴보자.

> ① 배우자가 상속을 받지 않거나 5억 원 미만의 상속재산을 받은 경우, 그리고 재산분할이 없는 경우에는 5억 원을 공제한다.
> ② 5억 원 이상의 상속재산을 받은 경우에는 실제 받은 금액을 공제한다. 다만, 이 금액은 다음의 금액을 한도로 한다.
>   • 한도 : Min(배우자의 법정상속 재산가액, 30억 원)
>
> 여기서 '배우자의 법정상속 재산가액'은 원칙적으로 상속재산가액[34]에 배우자의 법정상속지분율을 곱하여 계산된다.

(2) 기타 인적공제

기타 인적공제의 내용은 다음과 같다.

종류	적용 대상자	공제액
자녀공제	자녀	1인당 5천만 원
미성년자공제	상속인 및 동거가족 중 미성년자	1인당 '1천만 원×19세에 달하기까지의 연수'
연로자공제	상속인(배우자제외) 및 동거가족 중 65세 이상인 자	1인당 5천만 원

---

33) 비거주자의 상속공제방법은 제8장을 참조하자.
34) 상속인이 상속받을 수 있는 상속재산의 순액으로서 공과금과 채무 등이 공제된 후의 금액을 말한다.

종류	적용 대상자	공제액
장애인공제	상속인(배우자포함) 및 동거가족 중 장애인	1인당 '1천만 원×기대여명연수에 달하기까지의 연수'

3 일괄공제

'일괄공제'는 기초공제와 기타 인적공제의 합계액이 5억 원에 미달하는 경우 기초공제와 기타 인적공제 대신 일괄적으로 5억 원을 공제할 수 있는 제도이다. 다만, 상속세를 신고하지 않는 경우에는 일괄공제를 강제 적용하며, 배우자가 단독상속을 받는 경우에는 일괄공제를 선택할 수 없다. 이를 요약하면 다음과 같다.

구분	일괄공제 적용 여부	최하 공제 예상액
일반적인 공동상속인 경우	선택 적용	10억 원(일괄공제＋배우자상속공제)
무신고 경우	강제 적용	10억 원(일괄공제＋배우자상속공제)
배우자 단독상속의 경우	적용 불가 (「상증법」 제21조 참조)	7억 원(기초공제＋배우자상속공제)

4 가업상속공제

상속으로 인해 가업을 승계받은 경우 가업상속재산가액의 100%(단, 피상속인의 가업 계속영위기간이 10년 이상 20년 미만이면 200억 원, 20년 이상 30년 미만이면 300억 원, 30년 이상이면 500억 원 한도)를 가업상속공제로 적용한다. 자세한 내용은 제5편을 참조하자.

5 영농상속공제

피상속인이 상속개시일 이전 2년 전부터 계속하여 직접 영농에 종사한 경우로써 상속재산중 농지 등의 전부를 영농에 종사하는 상속인이 상속받은 경우에 최고 15억 원까지 공제를 적용한다.

6 금융재산상속공제

상속재산 중 부동산 등을 평가하는 경우 시가보다 낮게 평가될 가능성이 높다. 하지만 금융재산의 경우는 시가를 반영하므로, 타 재산과의 과세형평성 차원에서 금융재산상속공제를 적용한다(「상증법」 집행기준 22-19-1).

구분	금융재산상속공제액
2천만 원 이하	순금융재산가액 전액
2천만 원 초과~1억 원 이하	2천만 원
1억 원 초과~10억 원 이하	순금융재산가액×20%
10억 원 초과	2억 원

여기서 '순금융재산가액'이란 금융재산에서 금융채무를 차감한 금액을 말한다. 금융재산은 금융기관을 통해 입증되는 예금·보험·주식 등이며, 금융채무 또한 금융기관에 대한 채무를 말한다. 따라서 개인간의 채무에 대해서는 금융재산공제를 받을 수 없음에 유의해야 한다(최대주주의 주식도 공제불가. 「상증법」 제22조).

7 재해손실공제

상속세 신고기한 이내에 화재 등이 발생하여 손실이 발생한 경우 전액을 공제한다.

8 동거주택상속공제

거주자의 운명으로 상속이 개시되는 동거주택의 경우에는 동거주택의 100%를 6억 원까지 공제한다. 이의 요건은 「상증법」 제23조의2에서 규정하고 있는데, 주요 내용만 살펴보면 아래와 같다.

① 피상속인과 상속인(직계비속인 경우로 한정한다)이 상속개시일부터 소급하여 10년 이상(상속인이 미성년자인 기간은 제외한다) 계속하여 하나의 주택에서 동거할 것
② 피상속인과 상속인이 상속개시일부터 소급하여 10년 이상 계속하여 1세대를 구성하면서 대통령령으로 정하는 1세대 1주택에 해당할 것. 이 경우 무주택인 기간이 있는 경

우에는 해당 기간은 전단에 따른 1세대 1주택에 해당하는 기간에 포함한다.

③ 상속개시일 현재 무주택자이거나 피상속인과 공동으로 1세대 1주택을 보유한 자로서 피상속인과 동거한 상속인이 상속받은 주택일 것

9 종합한도

상속공제는 무작정 적용하는 것이 아니라 다음의 한도 내에서 공제된다. 이를 상속공제 종합한도액이라고 한다. 이에 대해서는 「상증법」 제24조에서 규정하고 있다.

상속세 종합한도는 상속세 과세가액에서 다음 각 호의 어느 하나에 해당하는 가액을 뺀 금액을 한도로 한다. 다만, 제3호는 상속세 과세가액이 5억 원을 초과하는 경우에만 적용한다.[35]

1. 선순위인 상속인이 아닌 자에게 유증 등을 한 재산의 가액
2. 선순위인 상속인의 상속포기로 그 다음 순위의 상속인이 상속받은 재산의 가액
3. 제13조에 따라 상속세 과세가액에 가산한 증여재산가액(제53조 또는 제54조에 따라 공제받은 금액이 있으면 그 증여재산가액에서 그 공제받은 금액을 뺀 가액을 말한다)

위의 내용을 요약하면 아래와 같다.

상속세 과세가액
−상속인이 아닌 자에게 유증·사인 증여한 재산가액
−상속인의 상속포기로 그 다음 순위의 상속인이 받은 상속재산가액
−상속세 과세가액에 가산한 증여재산가액(증여재산공제액과 재해손실공제액을 차감한 가액)
=상속공제 종합한도액

예를 들어 배우자상속공제 등으로 인해 상속공제액이 40억 원이 나오더라도 위의 식에 의해 종합한도가 20억 원이라면 20억 원만 공제받을 수 있다는 것이다. 이에 대한 내용은 매우 중요하므로 뒤(192페이지 참조)에서 별도로 살펴보도록 하겠다.

---

35) 과세가액이 5억 원이 넘는 경우에는 상속공제의 한도가 축소될 수 있음에 유의해야 한다.

● 상속공제제도 요약

구분	항목	공제내용	한도
1. 기초공제		2억 원	
2. 인적공제	– 배우자상속공제 – 자녀공제 – 미성년자공제 – 연로자공제 – 장애인공제	법정상속지분내 실제상속받은 가액 1인당 5천만 원 1천만 원×19세까지의 잔여연수 1인당 5천만 원 1천만 원×(상속개시일 현재 통계청장이 고시하는 통계표에 따른 기대여명의 연수)	최소 5억 원, 최대 30억 원
3. 일괄공제		5억 원	
4. 가업상속 공제	가업을 10년 이상 영위	MIN(가업상속재산×100%, 아래 한도) ※ 한도 10년 이상 : 200억 원 20년 이상 : 300억 원 30년 이상 : 500억 원	최대 500억 원 (가업영위 기간에 따라 차등 적용)
5. 영농상속공제		영농상속재산가액	15억 원
6. 금융재산 공제	순금융재산가액이 – 2천만 원 이하 – 2천만 원～1억 원 이하 – 1억 원 초과	순금융재산＝(금융재산－금융부채) 전액 2천만 원 순금융재산가액×20%	 2억 원
7. 재해손실 공제	신고기한 이내에 화재·폭발·자연재해 등으로 인하여 상속재산이 멸실·훼손된 경우 당해 손실가액을 상속세 과세가액에서 공제		
8. 동거주택 상속공제	피상속인과 10년 이상 계속하여 동거한 주택을 1세대 1주택자인 상속인이 상속받은 경우 주택가액의 100%를 6억 원 한도 내에서 공제		

배우자상속공제관련 세무리스크 관리법

배우자상속공제는 상속세 절세를 위해 매우 중요한 제도에 해당한다. 최대 30억 원까지 상속공제를 받을 수 있기 때문이다. 다만, 무분별한 공제를 해주지 않기 위해 공제요건을 상당히 까다롭게 두고 있다. 따라서 실무자들은 이런 점에 유의해 본 규정을 검토할 필요가 있다. 이와 관련된 내용들을 살펴보자.

1 배우자상속공제관련 세무리스크 발생 사례

다음 내용을 바탕으로 상속세를 계산해 보자.

> **자료**
>
> • 상속재산 : 30억 원(배우자 상속분 20억 원)
> • 상속인 : 배우자, 자녀 3명(배우자의 법정상속지분비율은 1.5/4.5)
> • 기타 사항은 무시함.

위의 사례는 배우자상속공제를 통한 상속세 세무리스크 관리법을 살펴보기 위한 것이다. 이를 위해서는 배우자상속공제 제도부터 살펴볼 필요가 있다.

> 배우자가 실제 상속받은 가액을 공제하되 최대한도는 다음 중 적은 금액으로 한다. 사례의 경우 배우자는 20억 원을 상속받았으나 한도인 다음 ①의 10억 원 만큼만 공제받는다. 따라서 실제 한도를 초과한 금액 10억 원에 대해서는 공제혜택이 주어지지 않는다.
>
> ① 배우자의 법정상속지분가액－30억 원 × 1.5/4.5＝10억 원
> ② 30억 원

위에서 계산된 배우자상속공제액을 포함하여 상속세를 계산하면 다음과 같다.

구분	금액	비고
본래상속재산 (+) 간주상속재산가액 (+) 상속추정액 (+) 상속개시 전 증여재산가액	30억 원	
(=) 총 상속재산가액 (-) 공과금 및 채무, 장례비	30억 원 0	
(=) 과세가액 (-) 상속공제	30억 원 15억 원	일괄공제 5억 원 + 배우자상속 공제 10억 원
(=) 과세표준 (×) 세율 (-) 누진공제	15억 원 40% 1억 6천만 원	
(=) 산출세액	4억 4천만 원	

2 배우자상속공제관련 세무리스크 관리법

(1) 배우자상속공제 제도의 의의

배우자상속공제는 피상속인(사망자)의 배우자가 있는 경우에 상속재산가액에서 공제할 수 있는 제도를 말한다. 이 공제는 최소 5억 원을 받을 수 있고, 최대 배우자가 상속받은 재산가액을 공제받을 수 있다. 다만, 무분별한 상속공제를 억제하기 위해 이에 대한 최고 한도를 다음과 같이 정하고 있다.

• Min(배우자 법정상속분, 30억 원)

따라서 배우자상속공제는 다음 중 가장 적은 금액이 공제금액이 된다.
① 배우자가 실제 상속받은 금액(단, 배우자가 승계하기로 한 채무와 공과금을 차감함)
② 배우자의 법정상속분[36](단, 가산한 증여재산 중 배우자 수증분의 증여세 과세표준을 차감함)
③ 30억 원

---

36) 자녀는 1, 배우자는 1.5의 법정상속지분을 갖는다.

● 배우자상속공제 요약(「상증법」집행기준 19-0-1)

구분	분할기간 내에 배우자 상속재산을 분할한 경우	무신고, 미분할
배우자상속공제액	• 5억 원에 미달 시 5억 원 공제 • 배우자가 실제 상속받은 금액 • 한도 : Min[(①(상속재산가액×법정지분율) - 배우자 사전 증여재산의 증여세과세표준, ② 30억 원)]	5억 원

(2) 배우자상속공제 적용 시 주의할 점

• 배우자가 단독 상속받은 경우에도 배우자가 '실제 상속받은 금액'을 공제금액으로 할 수 있다.

• 배우자상속공제는 최대 30억 원까지 적용 가능하다. 다만, 원칙적으로 배우자상속재산 분할기한[37]까지 상속재산이 분할되어야 한다.

• 재산분할기한 내에 부동산이나 주식 등의 재산에 대해서는 배우자 명의로 등기나 명의개서 등을 반드시 이행해야 함에 유의해야 한다. 이에 대한 의무를 이행하지 않으면 5억 원을 초과한 부분에 대해서는 배우자상속공제가 적용되지 않는다.

• 만일 위의 배우자상속재산 분할기한을 넘긴 경우에는 그 기한으로부터 6개월 내에 상속재산미분할신고서를 제출하면 5억 원을 초과하여 배우자상속공제를 받을 수 있다. 이에 대한 자세한 내용은 다음 절에서 살펴보자.

3 배우자상속공제관련 세무리스크 심화 사례

서울 서초구에서 살고 있는 재산가인 L씨가 사망하였다. 그의 재산은 대략 60억 원 정도가 되었다.

• 상황1 : 상속세는 얼마 정도 예상되는가? 상속공제액은 10억 원이다.

• 상황2 : 배우자상속공제를 세법상의 한도까지 받으면 얼마나 공제될까? 단, 상속인에는 배우자와 자녀 3명이 있다.

• 상황3 : 상속세 신고기한까지 등기가 되지 않았는데 이 경우 배우자상속공제를 받아도 문제가 없는가?

---

37) 상속세과세표준 신고기한의 다음날부터 9개월이 되는 날을 말한다. 주의해서 한 번 더 보기 바란다.

• 상황4 : 사전에 증여한 재산 5억 원이 있었다. 이 경우 상속세에 어떤 영향을 줄까?

위의 상황에 대해 순차적으로 답을 찾아보면 다음과 같다.

(상황1) 상속세는 얼마 정도 예상되는가? 상속공제액은 10억 원이다.

상속세는 상속세 과세가액(60억 원)에서 상속공제(10억 원)를 차감한 과세표준(50억 원)에 대해 10~50%의 세율을 적용해 산출세액을 계산한다. 따라서 다음과 같이 상속세 산출세액이 예상된다.

상속세 산출세액
=50억 원×50% -4억 6천만 원(누진공제)
=20억 4천만 원

(상황2) 배우자상속공제를 세법상의 한도까지 받으면 얼마나 공제될까? 단, 상속인에는 배우자와 자녀 3명이 있다.

배우자의 법정상속지분은 1.5/4.5이므로 배우자의 법정상속지분가액은 20억 원(50억 원 × 1.5/4.5)이다. 따라서 이 금액이 배우자상속공제의 공제한도액이 되므로 이 금액이 공제액으로 적용된다.

(상황3) 상속세 신고기한까지 등기가 되지 않았는데 이 경우 배우자상속공제를 받아도 문제가 없는가?

그렇다. 다만, 원칙적으로 배우자상속재산 분할기한(법정상속세 신고기한 다음 날~9개월)까지 상속분할 즉 등기(주식이나 채권 등은 명의개서)가 완료되어야 한다. 자세한 내용은 바로 뒤의 절에서 살펴보자.

※ 배우자상속공제액을 5억 원을 초과하여 받는 경우에는 재산분할이 확실히 되어야 세무상 문제가 없다. 참고로 상속세 신고 때 누락된 재산이 발견된 경우 이에 대해서는 배우자상속공제의 혜택이 주어지지 않는다(단, 최근 인용 사례있음. 조심-2020-서-1459, 2020.12.10.).

제10절 배우자상속공제(상속재산 미분할)관련 세무리스크 관리법

배우자상속공제는 상속공제에 있어서 가장 핵심이 되는 제도에 해당한다. 따라서 앞에서 본 것처럼 상속세 신고기한 내에 재산이 분할되고 등기가 되는 등의 행위가 있으면 이를 적용받는 데 하등 문제가 없다. 하지만 상속세 신고기한 내에 상속재산이 분할되지 않거나 등기가 안된 경우에는 세무리스크가 발생한다. 이에 대한 관리법을 알아보자.

1 배우자상속공제관련 세무리스크 발생 사례

서울 압구정동에서 살고 있는 재산가인 박○○씨가 갑자기 사망하였다. 그의 재산은 대략 60억 원 정도가 되는데 문제는 상속세 신고기한까지 상속인들끼리 합의가 이루어지지 않아 「민법」상 법정상속지분에 따라 배우자상속공제를 적용하여 상속세를 신고납부하였다.

- 상황1 : 배우자상속공제는 얼마를 받았을까? 단, 상속인에는 배우자와 자녀 3명이 있다.
- 상황2 : 상속세 신고기한까지 등기가 되지 않았는데 이 경우 20억 원 상당액의 배우자 상속공제를 받아도 문제가 없는가?
- 상황3 : 상속세 신고 후 상속재산에 대한 협의가 완료되어 박씨의 배우자가 총 지분의 50%를 받기로 하였다. 이 경우 배우자상속공제를 소급하여 적용받을 수 있는가? 단, 상속재산미분할신고서를 적법하게 제출하였다.
- 상황4 : 상속분할 사실은 법정상속세 신고기한으로부터 6개월 내에 반드시 신고해야 하는가?

위의 상황에 대해 순차적으로 답을 찾아보면 다음과 같다.

(상황1) 배우자상속공제는 얼마를 받았을까? 단, 상속인에는 배우자와 자녀 3명이 있다.
먼저 배우자의 법정상속지분은 1.5/4.5이며 법정상속지분가액은 20억 원(60억 원× 1.5/4.5)이다. 따라서 이 금액이 공제한도액이 되므로 이 금액이 배우자상속공제로 적용된다.

(상황2) 상속세 신고기한까지 등기가 되지 않았는데 이 경우 20억 원 상당액의 배우자상속공제를 받아도 문제가 없는가?

그렇다. 다만, 이러한 상황에서 배우자상속재산 분할기한(법정상속세 신고기한 다음날~9개월 내)까지 상속분할, 즉 등기(주식이나 채권 등은 명의개서)가 완료되어야 한다.

(상황3) 상속세 신고 후 상속재산에 대한 협의가 완료되어 박씨의 배우자가 총 지분의 50%를 받기로 하였다. 이 경우 배우자상속공제를 소급하여 적용받을 수 있는가? 단, 상속재산미분할신고서를 적법하게 제출하였다.

배우자상속재산분할기한 내에 적법하게 분할 받은 것에 해당하므로 소급하여 적용받을 수 있다. 여기서 배우자상속재산분할기한은 상속세 과세표준 신고기한의 다음날부터 9개월(2020년 이전은 6개월)이 되는 날까지를 말한다. 따라서 원칙적으로 이 기한까지 상속재산을 분할하면 배우자상속공제를 5억 원 초과하여 받을 수 있다.

(상황4) 상속분할 사실은 법정상속세 신고기한으로부터 6개월 내에 반드시 신고해야 하는가?

원칙적으로 해야 한다. 하지만 2010.1.1 이후 상속분부터는 배우자상속재산 분할기한까지 배우자의 상속재산을 분할한 후 그 사실을 신고하지 않더라도 배우자 명의로 등기 등을 완료한 경우라면 5억 원을 초과하여 이 제도를 적용한다(아래 예규 참조). 이는 상속분할 사실신고는 등기가 되어 있다면 이로 갈음하겠다는 취지이다.

● 관련 규정 : 재산-3894, 2008.11.21.

「상증법」제19조 규정에 따른 배우자상속공제는 상속재산을 분할(등기·등록·명의개서 등을 요하는 재산의 경우에는 그 등기·등록·명의개서 등이 된 것에 한함)하여 상속세 신고기한의 다음날부터 6개월(2021년 1월 1일 이후는 9개월)이 되는 날까지 배우자의 상속재산을 신고하거나 신고한 배우자가 실제 상속받은 재산에 의하여 계산하는 것이며, 상속세 신고기한까지 총 상속재산가액 중 상속인간의 협의분할서에 의하여 배우자가 실제 상속받았거나 받을 금액을 "상속인별 상속재산 및 평가명세서(별지 제9호 서식 부표2)"에 기재하여 신고하고, 동 기한까지 배우자 명의로 등기·등록·명의개서 등을 한 경우에도 적용되는 것이다.

2 배우자상속공제관련 세무리스크 관리법

배우자상속공제는 「상증법」 제19조에서 정하고 있다. 아래에서 이에 대해 정확히 알아보자.

① 거주자의 사망으로 상속이 개시되어 배우자가 실제 상속받은 금액의 경우 다음 각 호의 금액 중 작은 금액을 한도로 상속세 과세가액에서 공제한다.

1. 다음 계산식에 따라 계산한 한도금액
   • 한도금액＝(A－B＋C)×D－E
   A : 대통령령으로 정하는 상속재산의 가액
   B : 상속재산 중 상속인이 아닌 수유자가 유증 등을 받은 재산의 가액
   C : 제13조 제1항 제1호에 따른 재산가액
   D : 「민법」 제1009조에 따른 배우자의 법정상속분(공동상속인 중 상속을 포기한 사람이 있는 경우에는 그 사람이 포기하지 아니한 경우의 배우자 법정상속분을 말한다)
   E : 제13조에 따라 상속재산에 가산한 증여재산 중 배우자가 사전 증여받은 재산에 대한 제55조 제1항에 따른 증여세 과세표준

2. 30억 원

② 제1항에 따른 배우자 상속공제는 제67조에 따른 상속세과세표준신고기한의 다음날부터 9개월이 되는 날(이하 이 조에서 "배우자상속재산분할기한"이라 한다)까지 배우자의 상속재산을 분할(등기·등록·명의개서 등이 필요한 경우에는 그 등기·등록·명의개서 등이 된 것에 한정한다)한 경우에 적용한다. 이 경우 상속인은 상속재산의 분할사실을 배우자상속재산분할기한까지 납세지 관할세무서장에게 신고하여야 한다.

③ 제2항에도 불구하고 대통령령으로 정하는 부득이한 사유[38]로 배우자상속재산분할기한까지 배우자의 상속재산을 분할할 수 없는 경우로서 배우자상속재산분할기한[부득이한 사유가 소(訴)의 제기나 심판청구로 인한 경우에는 소송 또는 심판청구가 종료된 날]의 다음날부터 6개월이 되는 날(배우자상속재산분할기한의 다음날부터 6개월을 경과하여 제76조에 따른 과세표준과 세액의 결정이 있는 경우에는 그 결정일을 말한다)까지 상속재산을 분할하여 신고하는 경우에만 배우자상속재산분할기한 이내에 분할한 것으로 본다. 다만, 상속인이 그 사유를 대통령령으로 정하는 바에 따라 배우자상속재산분할기한까지 납세지 관할세무서장에게 신고하는 경우에 한정한다.

④ 제1항의 경우에 배우자가 실제 상속받은 금액이 없거나 상속받은 금액이 5억 원 미만이면 제2항에도 불구하고 5억 원을 공제한다.

위의 내용을 좀 더 분석해 보자.

첫째, 제1항의 분석
제1항은 배우자상속공제의 한도에 관한 내용을 정하고 있다.

둘째, 제2항의 분석
30억 원 한도 내에서 배우자상속공제를 받기 위해서는 적어도 상속재산이 상속세신고기한 후~9개월 내에 분할이 완료되어야 함을 요구하고 있다. 이때 상속인은 상속재산의 분할사실을 배우자상속재산분할기한까지 납세지 관할세무서장에게 신고하여야 하나, 등기가 완료된 경우에는 굳이 신고하지 않더라도 이를 인정하고 있다.

셋째, 제3항의 분석
배우자상속재산분할기간을 경과한 경우에는 이 기간의 마지막 날 다음 날부터 6개월이 되는 날까지 상속재산을 분할하여 신고하는 경우에만 5억 원을 초과한 배우자상속공제를 적용한다. 이때에는 아래 상속재산미분할신고서를 제출한다.

위의 내용을 그림으로 표현하면 다음과 같다.

참고로 배우자상속재산분할기한은 6개월에서 9개월로 개정되었는데, 개정규정은 2021년 1월 1일 이후 결정·경정하는 분부터 적용되고 있다.

---

38) ② 법 제19조 제3항 본문에서 "대통령령으로 정하는 부득이한 사유"란 다음 각 호의 어느 하나에 해당하는 경우를 말한다.
　　1. 상속인 등이 상속재산에 대하여 상속회복청구의 소를 제기하거나 상속재산 분할의 심판을 청구한 경우
　　2. 상속인이 확정되지 아니하는 부득이한 사유 등으로 배우자상속분을 분할하지 못하는 사실을 관할세무서장이 인정하는 경우

상속개시일이 20×4.6.1.인 경우를 통해 위의 내용들을 살펴보자. 단, 소송 등이 있는 경우에는 별도로 검토해야 한다.

구분	상속세 신고기한	배우자상속재산 분할기한 내	배우자상속재산 분할기한 다음날~9개월 내	배우자상속재산 분할기한 다음날~6개월 경과 시
적용기한	20×4.12.31	20×5.6.30.	20×6.3.31.	20×6.4.1. 이후
배우자 상속공제	5~30억 원 공제	좌동	좌동	5억 원 공제
조건	등기·명의 개서 완료	등기·명의 개서 완료	상속재산미분할신 고서 사전 제출	–

 Tip

■ 상속재산 미분할 신고서

상속재산에 대한 협의분할이 법정상속세 신고기한(상속개시일이 속하는 달의 말일~6개월)으로부터 9개월 내에 되지 않는 경우에는 배우자상속공제를 5억 원을 초과하여 받을 수 없게 된다. 이러한 경우에는 아래와 같은 신고서를 배우자상속재산 분할기한의 다음 날부터 6개월이 되는 날까지 납세지 관할세무서장에게 신고하고, 재산을 분할한 경우에는 이를 배우자상속재산 분할기한 이내에 분할한 것으로 보아 5억 원 초과하여 배우자상속공제를 적용한다.

■ 상속세 및 증여세법 시행규칙 [별지 제3호 서식] (2016.3.21 개정)

배우자 상속재산 미분할 신고서

1. 피상속인 및 신고인(상속인) 인적사항

피상속인	성명		주민등록번호	
신고인(상속인)	성명		주민등록번호	
	주소			
	전화번호			

2. 상속재산

재산종류	소재지	수량(면적)	평가액

3. 상속재산 미분할 사유

(상속회복청구의 소 [　], 상속재산 분할 심판 [　], 상속인이 확정되지 아니한 경우[　])

　「상속세 및 증여세법」 제19조 제3항 및 같은 법 시행령 제17조 제3항에 따라 상속재산을 분할할 수 없는 사유를 위와 같이 신고합니다.

년　　　　월　　　　일

신고인　　　　　　(서명 또는 인)

세 무 서 장　귀하

신고인 제출서류	1. 상속회복청구의 소에 관한 서류 1부 2. 상속재산 분할 심판 청구에 관한 서류 1부 3. 상속인이 확정되지 아니한 사유를 입증할 수 있는 서류 1부	수수료 없음

작성방법

※ 이 서식은 「상속세 및 증여세법」 제19조 제3항에 따른 서식입니다.
1. "2.상속재산"에는 배우자 상속재산분할기한까지 분할하지 못한 배우자의 상속재산을 적습니다. 이 때 평가액은 「상속세 및 증여세법」 제4장에 따라 평가한 가액을 적습니다.
2. "3. 상속재산 미분할 사유"에는 해당되는 사유(상속회복청구의소, 상속재산 분할 심판, 상속인이 확정되지 아니한 경우)에 √표를 하고 세부내용을 적습니다.

210mm×297mm[백상지 80g/㎡(재활용품)]

제11절 상속세 납부관련 세무리스크 관리법

　상속세는 상속개시일이 속하는 달의 말일로부터 6개월 내에 피상속인의 사망당시 주소지 관할세무서에 신고 및 납부한다. 물론 상속세가 없는 경우에는 신고를 하지 않아도 무방하나, 향후 양도소득세 절세를 위해서는 미리 신고를 해두는 것이 유용하다. 상속세 납부와 관련된 내용들을 알아보자.

1 상속세 납부관련 세무리스크 발생 사례

　서울 서초구에서 거주하고 있는 김○○씨가 운명하면서 주택 1채와 토지를 유산으로 남겼다. 상속인은 자녀 5명이며 상속재산 중 주택은 장남이, 토지는 나머지 형제자매들이 균등하게 상속을 받았다. 상속세는 대략 1억 원 정도가 나와서 분할받는 비율에 따라 장남이 6천만 원, 나머지는 각각 1천만 원씩 부담하기로 하였다.

　그러던 중 장남이 해당주택을 처분하여 주식에 투자를 하다가 재산을 모두 탕진하여 상속세를 낼 처지가 안되었다. 이 경우 장남이 내야 할 상속세를 나머지 형제자매들이 내야 하는가?

　그렇다.

　상속세에 대하여 공동상속인 간 연대납세의무가 있기 때문이다. 이 경우 부과된 상속세에 대하여 각자가 받은 받았거나 받을 재산(자산총액 - 부채총액 - 상속세)을 한도로 연대하여 납부할 의무가 있다. 구체적으로 나타내면 다음과 같다.

구분	상속재산 분할비율	분할받은 상속재산가액	상속세배부액	연대납부액[39]	비고
A(장남)	60%	6.6억 원	6천만 원	1억 원 내에서 연대납부 의무 부담	연대납부 의무가 있음.
B	10%	1.1억 원	1천만 원		
C	10%	1.1억 원	1천만 원		
D	10%	1.1억 원	1천만 원		
E	10%	1.1억 원	1천만 원		
계	100%	11억 원	1억 원	6천만 원	

사례

상속포기자도 상속세 연대납세의무를 지는가?

상속을 받지 않으면 이 의무가 없다. 다만, 상속포기한 상속인이라 하더라도 상속개시전 10년 이내에 피상속인으로부터 증여받은 재산이 있거나 사용처 불분명으로 추정상속재산이 있는 경우에는 「상증법」 제3조에 따라 상속세 납세의무 및 연대납세의무가 있다.

상속세는 연대납부의무가 있으므로 보통예금 같은 금융재산을 배우자가 상속받고 이를 상속세를 납부하는데 사용해도 자녀들은 증여세를 부담하지 않는다. 이렇게 보면 배우자상속공제제도가 상당히 중요함을 알 수 있을 것이다.

② 상속세 납부관련 세무리스크 관리법

상속세는 원칙적으로 현금으로 일시에 납부해야 하나 현금이 부족한 경우에는 다음과 같이 다양한 방법으로 상속세를 낼 수 있다.

구분	납부방법
분납	납부할 금액이 1천만 원을 초과하는 경우 현금을 2회에 나누어 내는 방법이다. 1회는 신고 때, 나머지 1회는 신고기한 경과 후 2개월 내에 납부할 수 있다.
물납	납부할 금액이 2천만 원을 초과하는 경우 현금 대신 부동산이나 주식 등의 물건으로 납부할 수 있는 제도를 말한다.
연부연납	납부할 금액이 2천만 원을 초과하는 경우 연 단위로 나눠서 납부할 수 있는 제도를 말한다. 통상 6회로 나누어 5회[40]를 연부연납할 수 있다. 연부연납한 금액에 대해서는 가산금이 부과된다(가산율 : 1.2%).

③ 상속세 납부관련 세무리스크 심화 사례

상속세는 현금납부가 원칙이나 현금이 미리 준비되지 않으면 상당히 곤란한 입장에 처해질 가능성이 높다. 그래서 일찌감치 상속세 납부재원으로 종신보험이 추천되곤 했다. 어떤 원리로 종신보험이 추천되었는지 아래 자료를 통해 살펴보자.

---

39) 관할세무서는 연대납부자 중에서 특정인을 골라 채권을 회수할 수 있다.
40) 6회 중 1회는 상속세 신고 때 납부를 한다. 나머지 5회는 연간 1회로 납부할 수 있다.

- 현재 나이 : 60세
- 가족 현황 : 배우자 58세, 분가한 자녀 2명
- 현재 소유한 부동산 : 주택 등 30억 원
- 기타 재산 : 2억 원

(1) 상속세 예측

위와 같은 자료를 토대로 상속세를 예측해 보자. 상속세 공제액은 배우자상속공제와 일괄공제를 합한 10억 원이 가능하다고 하자. 그리고 이 상속재산은 물가상승 등의 영향을 받지 않는다고 가정하자.

- 상속세 과세표준 : 32억 원－10억 원＝22억 원
- 상속세 산출세액 : 22억 원 × 상속세 세율(10~50%)＝7억 2천만 원

(2) 위 사례의 문제점

상속인은 원칙적으로 상속세를 현금으로 납부해야 하나 사전에 준비가 되어 있지 않으면 부동산을 처분하거나 부동산으로 세금을 납부해야 하는 상황에 몰리게 될 수 있다. 그렇게 되면 상속재산을 온전히 지켜내기가 힘들게 된다.

(3) 상속세 납부에 대한 대책

상속세 납부재원은 사망 시 보험금을 많이 수령할 수 있는 보험상품이 안성맞춤이다. 그런데 상속에 의한 보험금이 상속재산에 포함되지 않으려면 다음과 같은 형식으로 계약하는 것이 필요하다(아래는 예시).

보험계약자	피보험자	보험수익자
자녀	부	자녀

이렇게 가입을 해두면 상속세와 증여세 문제가 없다. 다만, 보험계약자가 부(父)의 재산으로 보험료를 납입하였다면 이는 실질과세원칙에 의해 부(아버지)의 유산으로 보아 상속세가 과세될 수 있음은 별개의 문제가 된다.

제12절 **단독 · 지분 상속등기관련 세무리스크 관리법**

상속등기 시 지분을 어떤 식으로 나누느냐에 따라 다양한 세금관계가 파생한다. 따라서 등기 전에 상속세와 향후 처분 시 양도소득세 등의 세금관계를 반드시 확인한 후에 등기를 하는 것이 중요하다. 주택을 어떤 식으로 등기하는 것이 좋을지 알아보자.

1 단독 · 지분 상속등기관련 세무리스크 발생 사례

2019년 6월 10에 모친이 운명하면서 1주택을 상속재산으로 남겼으며, 상속인들 간의 부득이한 사정으로 현재까지 미등기된 상태이다. 상속인으로는 자녀 4인이 있으며, 2021년 6월 중에 장남이 운명하여 장남의 상속인은 배우자와 그의 자녀 2명이다. 상속개시일 전에 모친의 주택에서 거주한 상속인들은 없다.

- 상황1 : 만일 상속등기를 하지 못한 경우 해당 상속주택은 세법상 누구의 소유로 보는가?
- 상황2 : 만일 해당 주택을 자녀들이 공동상속으로 받는 경우 세법은 누구의 소유로 보는가?
- 상황3 : 만일 해당 주택을 차남이 받는 경우로써 차남이 소유한 일반주택을 처분하면 세금이 나오는가?

위의 상황에 순차적으로 답을 찾아보면 다음과 같다.

(상황1) 만일 상속등기를 하지 못한 경우 해당 상속주택은 세법상 누구의 소유로 보는가?

미등기 상속주택에 대한 상속지분은 상속인들 간에 균등한 것으로 본다. 다만, 향후 협의분할에 의한 상속등기가 이루어지는 경우 상속등기의 지분 내용에 따라 소유자의 주택에 대한 판단이 달라질 수 있다.

(상황2) 만일 해당 주택을 자녀들이 공동상속으로 받는 경우 세법은 누구의 소유로 보는가?

당해 주택에서 거주하는 자가 없는 경우 상속인 중 최연장자의 소유주택으로 본다. 따라서 사례의 경우 최연장자인 운명한 장남의 소유로 본다.

(상황3) 만일 해당 주택을 차남이 받는 경우로써 차남이 소유한 일반주택을 처분하면 세금이 나오는가?

세법에서는 상속주택 외에 일반주택 등 2주택이 있는 경우로써 일반주택을 처분하면 양도소득세 비과세 규정을 적용한다. 따라서 일반주택을 2년 이상 보유한 경우라면 일반주택에 대해서는 비과세를 받을 수 있다.

2 단독 · 지분 상속등기관련 세무리스크 관리법

상속으로 받은 부동산을 단독으로 등기한 경우와 지분등기로 하는 경우 부동산을 처분할 때 세금의 크기에 영향을 준다. 이를 정리하면 다음과 같다.

(1) 단독등기를 한 경우

단독등기를 한 경우 해당 상속인의 소유부동산으로 보게 된다. 따라서 다음과 같은 효과가 발생한다.

구분	내용
주택	무주택자인 경우에는 비과세가 가능하며, 유주택자인 경우에는 상속주택 외 일반주택을 처분하면 비과세를 받을 수 있다.
토지	농지의 경우 감면이 적용되며, 그 외의 경우에는 양도소득세가 나온다.
상가	양도소득세가 나온다.

(2) 지분등기를 한 경우

법정상속지분에 따라 등기를 한 경우에는 다음과 같은 효과가 발생한다.

구분	내용
주택	소수지분권자는 주택 수에서 제외된다. 과세되는 경우 지분상당액만큼 과세된다.
토지	지분대로 감면규정과 과세규정이 적용된다.
상가	지분대로 과세규정이 적용된다.

3 단독 · 지분 상속등기관련 세무리스크 심화 사례

경기도 파주시에서 거주한 K씨가 운명했다. 그의 상속인에는 배우자, 아들 2명, 딸 2명 (장녀는 출가)이 있다. 그가 남긴 재산 중에는 주택 1채와 토지가 있다. 주택은 무주택자인 어머니가 상속받고 토지는 어머니를 제외한 자녀 4명이 법정상속지분대로 받기로 하였다. 실익은 얼마나 있을까? 토지의 경우 양도소득세 과세표준은 1억 원이라고 가정한다.

(1) 주택의 경우

동일세대원으로서 무주택자인 상속인이 피상속인의 주택을 상속받은 경우, 피상속인의 보유기간과 합산하여 비과세 요건을 따지게 된다. 따라서 문제가 없다.

(2) 토지의 경우

이를 단독으로 받는 경우와 지분으로 받는 경우 세금을 비교해 보자.

① 단독으로 받는 경우 : 1억 원×6~45%=2,010만 원(1억 원×35%−1,490만 원)
② 지분으로 받는 경우 : [1억 원/4명×6~45%]×4명=[2,500만 원×15%−108만 원] ×4명=1,068만 원

향후 양도소득세가 나오는 상황에서는 단독으로 등기하는 것보다는 지분으로 등기하는 것이 바람직할 수 있다.

 Tip

■ 상속등기와 관련하여 다음에 대한 답을 찾으면?
 • 상속등기를 하지 않으면 세법은 누구의 재산으로 간주하는가?
  → 상속등기가 되어 있지 않으면 세법은 균등 상속한 것으로 본다.
 • 상속등기를 하지 않았다면 양도소득세에서 취득시기는 언제인가?
  → 상속에 의한 취득시기는 등기일이 아니라 상속 개시일, 즉 운명일이 된다.
 • 상속등기를 나중에 하는 경우 취득세 등을 내야 하는가?
  → 취득세 납부기한으로부터 7년이 지나기 전까지는 취득세를 내야 한다.

제13절 상속세 세무조사관련 세무리스크 관리법

상속이 발생하면 상속개시일이 속한 달의 말일로부터 6개월 이내에 상속세를 신고 및 납부해야 한다. 그리고 신고기한으로부터 9개월 내에 관할세무서나 관할 지방청의 조사를 거쳐 상속세 신고내용이 확정된다. 따라서 신고를 아무리 잘 끝냈다 하더라도 세무조사 등의 과정이 남아 있으므로 긴장의 끈을 놓아서는 안 된다. 상속세 세무조사에 대해 살펴보자.

1 상속세 세무조사관련 세무리스크 발생 사례

서울 강남구 대치동에서 살고 있는 서용춘씨는 최근 세무대리인에게 의뢰해 상속세 신고를 마쳤다. 그런데 얼마 뒤 관할세무서로부터 신고한 상속세서류에 대해 조사를 하겠다는 통지서를 받았다. 서씨는 갑자기 왜 조사를 하겠다고 하는 것인지 의아하게 생각하고 있다.

세무서는 왜 상속세를 조사하겠다고 한 것일까?

그 이유는 상속세는 정부부과방식에 의해 납세의무가 확정되기 때문이다. 즉 납세의무자가 직접 신고하든 세무대리인이 신고하든 납세의무가 바로 확정되지 않고, 과세관청의 확인을 거쳐야 비로소 납세의무가 확정된다는 뜻이다. 증여세도 또한 같다. 참고로 소득세나 부가가치세 같은 세목은 납세의무자가 신고할 때 확정된다.

● 세무조사 기관과 조사기간

상속세에 대한 세무조사기관과 조사기간은 대략 다음과 같다.

① 지방국세청 조사국 결정(상속재산가액이 50억 원(일부 지방청은 30억 원)을 초과하는 경우)
- 조사기간 : 보통 3개월
- 금융기관자료조회 : 상속개시일 전 10년 이내 거래분 조회
② 일선 세무서 조사결정
- 조사기간 : 보통 3개월
- 금융기관자료조회 : 통상 상속개시일 전 2년 이내 거래분 조회

2 상속세 세무조사의 대상

일반적으로 상속재산이 큰 경우에는 조사 강도가 매우 세다. 그렇다면 과세관청은 어떤 항목들을 위주로 조사하는지 알아보자. 참고로 실무에서는 재산의 크기나 재산의 종류 등에 따라 다양한 조사기법이 동원되므로 상속전문 세무사와 함께 이에 대한 대책을 마련하는 것이 좋다.

(1) 부동산

- 상속개시일 전 5년간 취득 및 양도한 부동산(상속인 및 피상속인)에 대해 검토 후 구체적으로 거래상황을 조회하거나 거래 관련자에게 직접 확인해 실지매매계약서 사본 등을 수집한다.
- 수용·공매·경매 등의 경우 관계기관에 지급일자·지급계좌·지급방법 등을 조회한다.
- 상속세 과세자료 전 및 DB자료상 보유재산 등을 검토해 신고누락 여부 확인한다.
- 상속개시일 전후 6개월 이내에 거래된 부동산의 매매, 감정평가액, 수용, 경매, 유사매매사례가액 등의 거래가액이 시가로 적정하게 산정되었는지도 검토한다.
- 기타 기준시가 적용의 적정 여부, 감정평가액의 적정 여부, 임대용 부동산에 대한 임대료 환산가액 평가의 적정 여부 등을 확인한다.

(2) 금융재산

- 2~10년 내의 계좌에 대해 현금흐름을 조사한다.
- 비상장주식의 경우 피상속인 및 상속인의 주식 보유 현황을 TIS(국세청 통합전산시스템)와 주식변동상황명세서 등을 통해 확인한다. 이와 아울러 주식평가방법이 세법규정과 일치하는지 검토한다.
- 채권의 경우 이자상당액이 상속재산에 적정하게 계산되었는지 검토한다.
- 파생상품이나 누락한 금융재산이 있는지 조사한다.

(3) 기타

- 사전에 증여한 재산이 있는지 등을 점검한다.
- 피상속인의 사업용 재산은 소득세 신고 시 첨부된 재무제표 및 비치된 장부 등을 통해 확인한다.
- 근로소득 발생 처에 퇴직급여 미수령 또는 과소수령 여부 등을 확인한다.
- 공제되는 임대보증금 채무의 적정 여부를 검토하고, 사채 등 가공 채무를 채무공제로 신고했는지 등을 주요 점검한다.
- 배우자상속공제 시 명의개서 등이 되었는지를 검토한다.
- 이외 각종 공제제도를 정확히 적용했는지도 조사한다.

 Tip

■ 상속세 재조사

상속재산가액이 30억 원 이상인 경우에는 상속인별로 상속개시 당시의 재산현황과 상속개시 후 5년이 되는 시점의 재산현황을 파악해 비교·분석하고 있다. 분석결과 그 증가요인이 객관적으로 명백하지 않은 경우 당초 결정한 상속세액에 누락이나 오류가 있었는지 여부를 조사한다. 따라서 30억 원 이상의 재산을 상속받은 경우에는 상속 후 5년이 지날 때까지 계속 관심을 기울이는 것이 좋다.

주요 상속세 세무리스크 유형

■ 상속재산가액의 누락

상황	과세관청의 대응
• 피상속인의 금융자산을 차명계좌로 보관하여 둔 경우 • 피상속인이 보유한 법인의 가수금이나 대여금을 신고누락한 경우 • 사업에서 발생한 영업권을 누락한 경우 등	• 과세관청은 피상속인과 상속인의 재산현황 등을 점검하고 금융거래 내역을 확인하여 누락재산을 찾아낸다. • 재무제표 등을 제출받아 가수금 등을 확인한다.

→ 상속세를 조사하는 과정에서 사전에 누락한 증여재산이 적출되는 경우가 상당히 많다. 따라서 조사 전에 이러한 부분에 대해 미리 검토를 해두는 것이 안전하다. 조사는 피상속인과 상속인 모두에 대해 이루어질 수 있다.

누락하기 쉬운 상속재산가액

• 개인 : 사전 증여재산, 상속추정재산, 보험금 등
• 사업자 : 임차보증금, 매출채권, 미수금 등
• 법인 : 매출채권, 미수금, 가수금*, 퇴직금, 영업권, 배당금(권리), 명의신탁 주식 등
  * 가지급금은 상속채무로 공제가능함.

■ 상속추정의 적용 오류

상황	과세관청의 대응
• 상속추정제도를 적용하여야 함에도 불구하고 이를 적용하지 않은 경우	• 금융사본 등을 통해 금융거래의 내용을 확인한다.

→ 상속추정제도는 상속세 세무조사 시 핵심이 되므로 반드시 세무전문가의 도움을 받아 처리를 하기 바란다.

■ 사전 증여재산의 합산오류

상황	과세관청의 대응
• 상속의 경우 상속인에게 상속개시일로부터 소급하여 10년(상속인 외의 자는 5년) 내 사전 증여한 재산을 합산하여 신고하지 않은 경우 ※ 증여의 경우 10년 내 동일인으로부터 받은 증여재산을 합산하여 신고하지 않은 경우	• 국세청 전산망을 통해 누락된 것을 합산하여 경정한다. • 피상속인의 재산이 자녀 등에게 사전 증여한 경우에는 국세부과 제척기간(15년 등) 내의 증여에 대해 증여세를 과세하는 한편 10년의 것은 상속재산가액에 합산하여 과세한다. → 사전에 증여한 재산이 있는지 관할 세무서 등을 통해 확인하는 것이 좋다.

■ 재산가액의 평가오류

상황	과세관청의 대응
• 상속(증여) 시 기준시가로 신고하는 경우 ※ 「상증법」에서는 시가과세를 원칙으로 하고 있음.	• 상속개시일 전후 6개월, 증여일 전 6개월 후 3개월 사이에 매매사례가액이 있는지를 확인한다. • 임대부동산은 임대료 환산가액과 비교하여 평가가 잘되었는지 확인한다. • 감정평가액으로 신고한 부동산에 대해서는 감정평가가 제대로 되었는지 확인한다. • 비상장주식평가를 한 경우 최대주주 할증평가가 제대로 되었는지 확인한다.

■ 상속채무공제의 적용오류

상황	과세관청의 대응
• 가공채무를 채무공제로 신청한 경우 • 사인간의 채무에 대해 공제를 한 경우 • 구상권 행사가 가능한 보증채무를 채무공제로 신청한 경우 등 ※ 부동산임대업의 경우 보증금을 과대계상하여 채무공제를 한 경우가 종종 있음.	• 채무공제가 정확히 되었는지를 점검한다. • 특히 사인간의 채무는 '채무부담계약서, 채권자확인서, 담보 및 이자지급에 관한 증빙 등에 의하여 그 사실을 확인할 수 있는 서류' 등을 확인하여 진실된 채무인지 확인한다. → 사인간의 채무가 있는 경우에는 금융기관을 통하여 이자를 지급하고 무통장입금증 등 증빙서류를 확보해 두어야 쉽게 채무로 인정을 받을 수 있다.

채무에 대해 상속공제를 받은 경우 이에 대한 세무조사가 진행되는 경우 그 강도가 다른 항목에 비해 다소 세다. 가공채무를 공제신청한 경우가 많기 때문이다. 이에 과세관청은 채무로 공제 받은 금액 중 상속인이 스스로의 힘으로 변제할 수 없다고 인정되거나 세무서에서 사후관리하고 있다가 채무를 변제하면 자금출처를 조사하여 증여를 받은 사실이 확인되는 경우 그리고 당초 신고한 채무가 가공부채로 확인되는 경우, 증여세 또는 상속세를 부과하고 있으므로 주의해야 한다.

사례

부동산임대사업자의 전세보증금 2억 원을 채무공제로 신청한 경우, 피상속인이 받은 2억 원에 대해서는 어떻게 처리할까?

- 2억 원이 현금으로 남아 있다면 → 상속재산가액에 포함됨.
- 2억 원이 생활비 등으로 사용되었다면 → 상속재산가액에 포함되지 않음.
- 2억 원을 자녀 등이 증여받은 경우 → 증여세 과세 및 상속재산가액 포함.
- 2억 원의 사용처에 대해 불분명한 경우 → 상속개시일 전 1~2년은 위 상속추정제도를 적용하여 상속재산가액에 포함. 만일 2년을 넘어가는 경우에는 과세하는 것은 사실상 불가능함(이 경우에는 과세관청이 이에 대해 입증을 해야 함. 불복 포인트에 해당함).

■ 상속공제의 적용오류

상황	과세관청의 대응
• 배우자상속공제를 잘못 적용한 경우 • 일괄공제를 잘못 적용한 경우 • 동거주택상속공제를 잘못 적용한 경우 • 가업상속공제를 잘못 적용한 경우 • 영농상속공제를 잘못 적용한 경우 • 금융재산상속공제를 잘못 적용한 경우 등	• 신고서상의 공제서류를 확인하여 세법에서 정한 요건을 충족하는지 점검한다. → 공제로 신청한 금액이 큰 것들은 사전에 공제요건을 꼼꼼히 확인해야 한다(배우자상속공제, 가업상속공제 등).

배우자가 실제 상속받은 금액을 배우자상속공제로 받기 위해서는 원칙적으로 배우자상속재산 분할기한 내에 상속재산이 분할되어야 하고, 배우자상속분은 반드시 이 기간 내에 등기나 명의개서 등이 되어야 한다.

■ 기타 오류

상황		과세관청의 대응
• 할증과세 30~40%를 적용함에도 불구하고 이를 적용하지 않은 경우 • 상속세 납부를 피상속인의 차명계좌 등을 통해 납부한 경우	⇨	• 신고서 등을 분석하여 오류를 밝혀낸다. • 피상속인의 차명계좌 등으로 납부했는지 등을 별도로 확인한다(사후관리).

참고로 상속재산을 누하여 신고한 경우에는 배우자상속공제를 적용받을 수 없다.

⦿ **상증, 재삼 46014-1239, 1998.7.3.**

[제 목]

상속재산을 신고누락한 경우 배우자상속공제 대상에 해당하는지 여부

[요 지]

배우자상속공제는 거주자의 사망으로 인하여 배우자가 실제 상속받은 금액은 상속세 과세가액에서 공제하는 바, 신고누락한 상속재산의 가액은 배우자가 실제 상속받은 금액에 포함되지 아니하는 것임.

[회 신]

「상속세 및 증여세법」제19조(배우자상속공제) 제1항 본문의 규정을 적용할 때 신고누락한 상속재산의 가액은 "배우자가 실제 상속받은 금액"에 포함되지 아니하는 것임.

다만, 최근에 이에 대해 인용하는 사례가 있으므로 해당 심판례를 참조하기 바란다(조심 -2020-서-1459, 2020.12.10.).

제**5**장

실전 상속세 세무리스크 관리법

이 장에서는 앞에서 살펴본 상속세를 어떤 식으로 신고하는지 등 주로 실무자의 입장에서 다양한 주제를 살펴보고자 한다. 상속실무는 상속세를 어떻게 하면 줄일 수 있는지도 중요하지만 재산분할을 어떻게 하는지도 매우 중요하다. 본 장에서는 이러한 점에 유의해 공부하기 바란다.

본 장에서 살펴볼 주요 내용들은 아래와 같다.

- 상속세 업무처리관련 세무리스크 관리법
- 상속세 신고서 작성법
- 상속재산의 분할관련 세무리스크 관리법
- 유증에 따른 상속재산의 분할관련 세무리스크 관리법
- 유류분관련 세무리스크 관리법
- 협의분할에 따른 세무리스크 관리법
- 대습상속과 세대생략상속에 따른 세무리스크 관리법
- 유증, 상속포기 등에 의한 상속공제 한도관련 세무리스크 관리법
- 상속주택의 분할에 따른 세무리스크 관리법
- 상속농지의 분할에 따른 세무리스크 관리법
- 상속 절세플랜

제1절 상속세 업무처리관련 세무리스크 관리법

이제 상속이 실제 발생했다고 가정하자. 어떤 식으로 상속관련 업무를 처리하는지 이하에서 정리를 해보자. 참고로 이 과정에서 알아둘 것은 상속재산 분할이 상속세와 밀접한 관련을 맺는다는 사실이다.

1 상속세 업무처리관련 세무리스크 발생 사례

서울 중구에서 평생을 거주한 봉○○씨가 운명하였다. 그가 남긴 재산과 상속인 현황 등은 다음과 같다.

자료

• 주택 : 시가 5억 원
• 예금 : 1천만 원
• 상속인 현황 : 배우자, 자녀 2명

• 상황1 : 상속세는 나오는가?
• 상황2 : 주택은 언제까지 등기를 해야 하는가? 등기절차는 어떻게 되는가?
• 상황3 : 이 재산은 어떤 식으로 분할되어야 하는가?

위의 상황에 맞춰 답을 찾아보면 다음과 같다.

(상황1) 상속세는 나오는가?

배우사가 있는 상황에서 상속재산이 10억 원 이하까지는 상속세가 부과되지 않는다.

구분	상속공제액	비고
배우자 생존 시	10억 원	일괄공제＋배우자상속공제
배우자 부존 시	5억 원	일괄공제

(상황2) 주택은 언제까지 등기를 해야 하는가? 등기절차는 어떻게 되는가?

주택 등 부동산에 대한 등기는 상속개시일이 속한 달의 말일로부터 6개월(비거주자는 9개월) 내에 관할 등기소에서 한다. 등기를 하기 위해서는 상속인들 간에 합의된 '상속재산 분할협의서'가 미리 작성되어야 한다.

(상황3) 이 재산은 어떤 식으로 분할되어야 하는가?

유언이 있으면 그에 따라 유언이 없는 경우에는 상속인들간의 협의분할에 의해 분할하면 된다. 만일 이 부분이 여의치 않으면 법원의 조정 또는 판결에 따라 분할할 수도 있다.

사례

만일 상속등기 기한 내에 등기를 못하면 어떻게 되는가?

일단 무신고가산세 20%가 있으며, 납부지연에 따른 납부지연가산세(하루 2.5/10,000)가 있다.

2 상속세 업무처리관련 세무리스크 관리법

상속이 발생한 경우 일반적인 업무처리 방법은 다음과 같다.

상속 업무 Flow

상속개시
↓
1개월 내 : 사망 신고
↓
3개월 내 : 상속 포기[41]
↓
6개월 내 : 상속재산 분할[42]
↓
6개월 내 : 상속 등기[43]
↓
6개월 내 : 상속세 신고

🌐 상속이 발생할 때 점검해야 할 것

- 피상속인과 상속인의 호적등본에 의하여 상속인을 확인한다.
- 유언서 유무를 확인한다.
- 상속재산과 채무를 확인한다. 피상속인이 남긴 상속재산과 채무(가족명의, 3자명의 등 포함)를 조사하여 그 목록과 일람표를 작성한다. 이때에는 채무 입증서류를 반드시 챙겨야 한다.
- 상속재산에 대한 평가를 정확하게 해야 된다.
- 상속개시일이 속하는 달의 말일로부터 6개월 이내에 상속세를 신고·납부하여야 한다.
- 등기도 6개월 내에 해야 한다.

③ 상속세 업무처리관련 세무리스크 관리법

서울 강남구 청담동에서 살고 있는 김부자씨는 다음과 같은 재산을 보유하고 있다.

> **자료**
>
> - A주택 : 시세는 5억~7억 원, 최근 고시된 기준시가 4억 원
> - B주택(아파트) : 시세는 8억 원(기준시가 6억 원), 최근 유사아파트의 거래가액 7억 원
> - 예금 : 5천만 원, 미수이자 200만 원(원천세 제외한 금액)
> - 보험 : 사망보험금 2억 원(김씨가 피보험자로 되어 있으며 보험계약자와 보험수익자는 배우자로 되어 있음)
> - 주식 : 비상장주식 10만주 보유(평가액 주당 10,000원, 최대주주는 아님)
> - 공과금 : 1천만 원

- 상황1 :「상증법」상 평가방법에 맞춰 재산가액을 평가하면(현재 시점이 상속개시일이라고 가정한다)?

---

41) 상속포기는 상속부채가 상속재산보다 많은 경우에 관할 가정법원에 신청하는 제도를 말한다. 3개월의 기간이 주어진다. 참고로 상속개시일로부터 3개월이 지난 시점에서 부채가 발견된 경우에는 상속포기제도가 아닌 한정승인제도를 이용한다. 한정승인제도는 상속재산의 범위 내에서 상속부채를 책임지는 제도를 말한다.
42) 상속등기는 상속개시일이 속하는 달의 말일로부터 6개월(비거주자는 9개월) 내에 해야 하므로 원칙적으로 그 이전에 상속재산 분할이 완료되어야 한다.
43) 상속세 신고는 상속개시일이 속하는 달의 말일로부터 6개월(비거주자는 9개월) 내에 한다. 만일 이 기간이 지난 후에는 기한 후 신고를 통해 상속세를 신고할 수 있다.

• 상황2 : 상속세는 얼마인가? 단, 유족에는 배우자와 성년인 자녀 2명이 있으며, 배우자
가 상속받은 가액은 5억 원이고 장례비용은 1천만 원이 있다고 하자.

상황에 맞게 답을 찾아보면 아래와 같다.

(상황1)「상증법」상 평가방법에 맞춰 재산가액을 평가하면(현재 시점이 상속개시일이라고 가정한다)?

위의 상황에 맞춰 총 상속재산가액을 평가하면 다음과 같다.

구분		금액	근거
상속재산	A주택	4억 원	시가가 확인되지 않으므로 기준시가 적용
	B주택	7억 원	상속개시 전 6월 내에 거래가 있으므로 이 매매가액을 시가로 함.
	예금	5,200만 원	예금원금과 이자소득세 등을 제외한 미수이자를 포함함.
	보험	0원	보험계약자와 피보험자(사고대상이 되는 사람)가 일치하지 않으면 상속재산에서 제외됨.
	주식	10억 원	비상장주식은 법에 의한 주당평가액에 주식수를 곱해 산정함(1만주×1만 원).
	계	21억 5,200만 원	
상속부채	대출금	0원	
	공과금 등	1천만 원	
	계	0원	
순 상속재산		21억 4,200만 원	이 재산에 대해 상속세가 과세가 됨.

상속세 절세를 위해 처음에 해야 될 일은 상속재산과 상속부채의 목록을 정확하게 파악하는 것이다. 그런 후 건별로「상증법」상 평가액을 계산하는 절차가 필요하다.

(상황2) 상속세는 얼마인가? 단, 유족에는 배우자와 성년인 자녀 2명이 있으며, 배우자가 상속받은 가액은 5억 원이 된다. 장례비용은 1천만 원이 있다고 하자.

위의 자료를 통해 상속세를 계산하면 다음과 같다.

① 상속세 과세가액 : 21억 3,200만 원

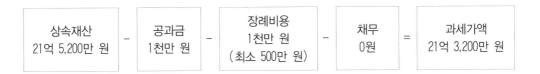

② 기초공제 : 2억 원
③ 배우자상속공제 : 5억 원
④ 기타인적공제
 • 자녀공제 : 1억 원(자녀 1인당 5천만 원)
⑤ 일괄공제 : 5억 원(②+④ 대신 적용 가능함. 사례의 경우 일괄공제를 선택하는 것이 유리)
⑥ 금융재산공제 : 2억 원(예금과 주식가액의 20%, 한도 2억 원)
⑦ 과세표준 : 9억 3,200만 원(①-③-⑤-⑥, 일괄공제 유리)
⑧ 산출세액 : 2억 1,960만 원(11억 3천만 원×세율 30%-누진공제 6천만 원)
⑨ 납부할 상속세액 : 2억 1,960만 원(자진신고 시 ⑧의 3% 공제)

Tip

■ 상속재산이 10억 원에 미달해도 신고하는 것이 좋은 경우

상속재산가액이 10억 원(배우자 없는 경우는 5억 원)에 미달하는 경우에는 상속세 신고를 하지 않아도 된다. 하지만 다음과 같은 경우에는 상속세 신고 여부를 적극적으로 검토해야 한다.

• 사전에 증여재산가액이 있는 경우
• 유증 또는 사인증여로 상속된 재산이 있는 경우
• 상속포기에 의해 손자·손녀에게 상속재산이 이전되는 경우
• 향후 처분 시 양도소득세가 나올 수 있는 상속부동산이 있는 경우 등

제2절 상속세 신고서 작성법(상속세 신고준비서류 포함)

　　서울에서 거주하고 있는 J씨가 사망하였다. 그의 유산과 상속인의 현황이 다음과 같을 때 상속세는 얼마나 될까? 그리고 상속세 신고서는 어떻게 작성할까?

> **자료**
>
> ① 상속재산 현황
> - 거주주택(A) : 2억 원(기준시가 1억 5천만 원)
> - 서울주택(B) : 3억 원(기준시가 2억 5천만 원), 전세보증금 1억 5천만 원
> - 토지 : 12억 원(기준시가 8억 원)
> - 보험금 : 2억 원
> - 금융기관 채무 : 1억 원
> - 위 부동산들은 시가가 확인되지 않는다. 따라서 기준시가로 평가한다.
>
> ② 상속인 현황
> - 배우자 Y씨 : 70세
> - 자녀 : 성년인 1남 1녀
>
> ③ 상속재산의 분할
> - 거주 주택 : 배우자 Y씨
> - 나머지 재산 : 자녀들에게 분할
>
> ④ 기타 : 장례비용은 영수증상으로 1천만 원이 확인된다.

　　위의 자료를 토대로 상속세 신고서를 작성해보면 다음과 같다.

상속세과세표준신고 및 자진납부계산서

신고인	성명, 주민등록번호 등 기재			
피상속인				

상속원인			상속개시일		

구분	금액	구분		금액
상속세 과세가액 ①	11억 4천만 원	신고불성실가산세 등		
상속공제계 ②	10억 2천만 원	자진 납부할 세액 ③		1,358만 원
과세표준	1억 2천만 원	납부방법	납부및신청일자	–
세율	20%	연부연납세액		–
산출세액	1,400만 원	물납		
세대생략가산액	–	현금	분납	2000년 월 일	358만 원
산출세액계	1,400만 원		신고납부	20 년 월 일	1천만 원
세액공제	증여세액공제		20 년 월 일 신고인 세무대리인 OO세무서장 귀하
	외국납부세액공제		
	단기재상속공제		
	신고세액공제(3%)	42만 원	
	계	42만 원	

※ 구비서류
 1. 피상속인의 제적등본 및 상속인의 호적등본(생략 가능)
 2. 상속세 과세가액계산명세서
 3. 상속인별 상속재산 및 평가명세서
 4. 채무·공과금·장례비용 및 상속공제 명세서
 5. 상속개시전 1(2)년 이내 재산처분·채무부담내역 및 사용처소명명세서

우선, 상속세 과세가액인 11억 4천만 원이 어떻게 나왔는지를 서식을 통해 알아보자.

상속세 과세가액계산명세서

가. 상속받은 총재산명세

재산 종류	소재지	수량(면적)	가액	비고
A주택			1억 5천만 원	기준시가
B주택			2억 5천만 원	기준시가
토지			8억 원	기준시가
보험금			2억 원	수령액
계			14억 원	

나. 상속세 과세가액 계산

총 상속재산가액	상속재산가액	14억 원
	상속개시 전 처분 재산 등 산입액	–
	계	14억 원
비과세재산가액	금양임야, 문화재 가액 등	–
과세가액불산입액	공익법인 출연재산가액	
	공익신탁 재산가액	
	계	–
공제금액	공과금	
	장례비용(사례 : 영수증 보관)	1천만 원
	채무(사례 : 전세보증금과 대출금)	2억 5천만 원
	계	2억 6천만 원
증여재산가산액(10년 내 증여금액 합산)		–
상속세 과세가액		11억 4천만 원

※ 작성방법
- 상속세 과세가액 : 총 상속재산가액 – (비과세 + 과세가액불산입액 + 공제금액) + 증여재산가산액

장례비용은 무조건 500만 원까지는 공제가 가능하나 영수증이 있는 경우에는 1천만 원까지 공제가 된다(납골시설에 실제 지급된 금액은 500만 원까지 별도로 공제). 병원 등에서 받은 영수증을 보관하고 있으면 된다.

다음으로, 상속공제를 받는 방법을 알아보자.

구분		금액	근거
기초공제 및 기타인적공제	기초공제	2억 원	거주자에 대해 무조건 공제
	자녀공제	1억 원	자녀 2명×5천만 원
	미성년자공제	−	자녀는 성년자에 해당하여 공제 불가
	연로자공제	−	배우자를 제외한 상속인이나 동거가족이 65세 이상에 해당돼야 함.
	장애인공제	−	
	계	3억 원	
일괄공제		5억 원	위 기초공제 및 기타인적공제액이 5억 원에 미달할 경우 일괄공제를 선택함.
추가상속공제	가업상속공제	−	
	영농상속공제	−	
배우자상속공제		5억 원	배우자상속공제는 최하 5억 원에서 최대 30억 원 사이에서 공제함.
금융재산공제		2천만 원	1억 원(보험금 2억 원−대출금 1억 원)×20%
재해손실공제		−	
공제적용한도액		−	
평가수수료 합계		−	상속세 납부목적으로 감정평가 시 500만 원 또는 1천만 원 공제 가능함.
상속공제금액합계		10억 2천만 원	사례 : 일괄공제＋배우자상속공제＋금융재산상속공제

※ 작성방법

- 상속공제금액합계 :
① 기초공제 및 기타인적공제와 일괄공제 중 선택
② 위 공제금액에 배우자상속공제, 금융재산상속공제 등을 공제한노액 내에서 공제함.
③ 감정평가수수료는 별도로 500만 원에서 1천만 원까지 공제함.

Tip | **상속세 신고를 위한 자료준비 요령**

상속세 신고를 위해 필요한 자료들은 아래와 같이 준비하도록 한다.

1. 기본 준비서류

① 상속인의 주민등록등본, 제적등본 각 1부
② 피상속인의 가족관계증명원 1부
③ 사망진단서

2. 상속재산목록 자료

(1) 피상속인의 소유재산

구분	내용
① 현금·예금 (금융재산)	금융기관 통장 입·출금 내역(또는 통장사본)
② 보험	보험금수령내역서(위탁자계좌 잔고확인서 및 예금잔액증명서)
③ 주식	주식 보유내역 및 최근 거래내역(상속개시일 전 3개 사업년도 법인세 세무조정계산서 및 결산서 포함)
④ 채권 등	채권, 펀드, 파생상품 보유내역 및 거래내역
⑤ 무체재산	전신가입권, 전세 계약서 사본, 회원권 등
⑥ 차량운반구등	차량(차량등록원부 또는 자동차등록증사본)
⑦ 무형자산	관련 입증서류
⑧ 부동산	• 토지와 건물 등기부등본, 토지대장등본, 건축물관리대장, 공시지가확인원 • 상속개시일 현재 대출금 원장(원리금 내역) • 임대용 건물(전세계약서 사본, 상속개시 전 2년 이내의 것) ※ 매매사례가액 등에 대한 정보도 필요함.

구분	내용
⑨ 기타자산	• 법인의 가수금 등의 피상속인 채권 • 관계회사 대여금(가지급금) • 매출누락으로 주식 과소평가 확인 • 사업용 자산 및 영업권 누락 여부 • 피상속인이 관리하는 차명계좌 여부 • 손자의 외국유학비 송금액(사전 증여 여부 확인) • 주식, 부동산 명의신탁 여부 • 동산(귀금속, 골동품, 미술품 등) 등

● 피상속인 금융거래자료 신청방법

1. 신청서류 : 직접방문신청
   ① 피상속인의 가족관계증명서
      (사망일시가 표시되지 않았으면 사망진단서 첨부)
   ② 신청인(상속인) 신분증, 도장
   ③ 위임 시 : 위임장(인감날인), 상속인 인감증명서, 대리인 신분증 지참
2. 신청관서
   ① 동사무소
   ② 금융감독원 본지점 및 출장소 등 접수
3. 조회범위
   ① 피상속인 명의의 예금
   ② 대출거래계좌 및 보증채무 보유 유무 조회
   ③ 사망이후 해지계좌 조회
4. 출력된 계좌번호로 해당은행에 입출금내역 조회(상속개시일 전 2년, 상속개시일 전 2년 전부터 10년까지)[44)]
5. 조회대상 금융기관
   우체국, 새마을 금고, 은행, 증권, 생명보험, 손해보험, 종합금융회사, 상호저축은행, 여신전문금융회사(카드, 리스, 할부금융, 캐피탈, 신기술금융), 신용협동조합, 사림조합중앙회, 증권예탁결제원 등 전 금융기관

---

44) 출력 범위 등에 대해서는 저자의 카페에 문의하기 바란다.

(2) 합산대상 증여재산

① 상속개시일 전 5(10)년 이내의 증여재산 : 상속세 합산대상 사전증여재산 확인 신청서(171페이지 참조)

② 증여세 부과제척기간 : 10(15)년

(3) 간주상속재산

보험금, 신탁재산, 퇴직금 등 : 지급정산내역서(해당기관 발행) 및 원천징수영수증 사본

(4) 추정상속재산

① 상속개시일 전 처분 재산 1년(2년) 이내 2억 원(5억 원) 이상 예금 인출 또는 처분한 재산내역

② 상속개시일 전 부담채무 1년(2년) 이내 2억 원(5억 원) 이상 부담한 채무내역

3. 공과금, 장례비, 채무자료

(1) 공과금 : 공과금 증명서, 영수증, 청구서 등

(2) 장례비(장례식장비, 묘지, 비석 구입비 등)

　　① 500만 원 공제(1천만 원 한도 : 지출증빙 구비 시)

　　② 추가공제 : 납골시설 및 수목화장에 소요되는 비용(각각 500만 원 한도 : 증빙 구비)

(3) 채무 : 소비대차계약, 연대채무, 보증채무, 개인사업체의 채무, 사용인의 퇴직금, 임대보증금, 전세계약서 사본

　　① 금융기관 : 금융기관의 확인서, 부채증명서, 원리금 명세서 등

　　② 기타채무 : 채무부담계약서, 채권자확인서, 담보설정 및 이자지급증빙 등 영수증

4. 상속세 비과세 자료

(1) 문화재 보호구역 안의 토지

(2) 분묘에 속한 9,900㎡(3,000평) 이내의 금양임야와 1,980㎡(600평) 이내의 묘토인 농지

(3) 국가 등에 증여한 재산

(4) 이재구호품 등으로 유증한 재산 등

5. 상속세 과세가액불산입 자료

(1) 공익법인(종교, 자산, 학술, 기타공익목적사업)에 출연한 재산

 Tip

■ **안심상속 원스톱 서비스(사망자 등 재산조회 서비스)**

사망신고 시 상속의 권한이 있는 자가 사망자의 재산조회를 통합 신청할 수 있게 하여 사망처
리 후속절차의 번거로움을 없애고 상속 관련하여 신속한 대처가 가능하도록 편의를 제공받을
수 있다.

- 신청기한 : 사망일이 속한 달의 말일로부터 6개월 이내 신청 가능
- 신청방식 : 가까운 구청이나 동 주민센터에 방문신청 및 (일부)온라인 신청
- 신청절차 :
  - 사망자 재산조회의 경우 : 사망신고와 함께 또는 사망신고 처리완료 후 사망자 재산조회
    신청서 작성, 방문제출 또는 온라인 신청
    ※ 온라인 신청은 사망신고 처리완료 후 가능
- 구비서류

1. 방문신청
   - 사망자재산조회 시
     ① 신청인(상속인)의 신분증(주민등록증, 운전면허증, 여권) 확인
        타 지역에서 사망접수 후 처리 완료 전일 경우, 사망신고 시 제출했던 사망진단서 원
        본 1부 추가 제출
     ② 대리신청시 : 대리인의 신분증(주민등록증, 운전면허증, 여권) + 상속인위임장 + 상
        속인본인서명사실확인서(또는 인감증명서)
     ※ 사망신고 이후 별도 신청 시 가족관계증명서 제출
     ※ 3순위 · 대습상속인은 증명할 수 있는 서류 제출

2. 온라인 신청
   - 사망자재산조회 시
     ① 신청인(상속인)의 공인인증서
     ② 통합신청서 및 구비서류(가족관계증명서) 정부24(http://www.gov.kr) 통해 제출

사망자 등 재산조회 통합처리 신청서

신청의 취소·변경은 신청일 다음날부터 5일 이내(토요일·공휴일 제외)에 접수처 업무종료 시까지 가능합니다.
색상이 어두운 난은 신청인이 작성하지 아니하며, [　]에는 해당되는 곳에 √표를 합니다.

접수번호		접수일			처리기간	7일~20일
신 청 인 (상속인, 성년후견인, 한정후견인)	신 청 구 분	[ ] 상속인 [ ] 성년후견인 [ ] 한정후견인		* 접수처 신청자격 확인란	확 인 자 :　　　(서명 또는 인)	
	성　　　명			주민등록번호		
	재 산 조 회 대상자와의 관계	[ ] 배우자　　　　[ ]자녀　　　　[ ] 부모　　　　[ ]형제자매 [ ] 손자손녀　　　[ ]조카　　　　[ ] 기타 (　　　) [ ]성년·한정 후견인				
	연 락 처	전화번호		휴대전화	전자우편	
	도로명 주소					

※ 사망자 재산조회 신청인은 제1순위 상속인(사망자의 직계비속·배우자), 1순위가 없을 경우 제2순위 상속인(사망자의 직계존속·배우자), 제1순위 및 제2순위가 없을 경우 제3순위 상속인, 실종선고자의 상속인, 이상의 대습상속인이 신청 가능

재산조회 대상자 (사망자, 피후견인)	성　　　명		주민등록번호	
	사 망 일	년　　　월　　　일 * 피후견인의 경우 기재하지 마세요	휴대전화 * 상조회사가입유무 확인을 원하는 경우 작성	
대 리 인 (대리신청 시에만 작성)	성　　　명		주민등록번호	
	상속인(후견인) 과의 관계	[ ] 법정대리인 [ ] 임의대리인 * 후견인은 임의대리인만 대리신청 가능	* 접수처 위임장 확인란	확 인 자 :　　　(서명 또는 인)
	연 락 처	전화번호	휴대전화	전자우편
	도로명 주소			

사망신고 후속조치 조회 내용		
구분	조회 선택(조회를 원하는 항목 [ ]에 V 표시)	조회결과 확인 방법
금융거래	[ ] 금융기관 전체　　*본 항목에 "V" 시에는 아래 항목에 "V" 하지 않음 [ ] 예금보험공사 [ ] 은행 [ ] 우체국 [ ] 생명보험 [ ] 손해보험 [ ] 금융투자회사 [ ] 여신전문금융회사 [ ] 저축은행 [ ] 새마을금고 [ ] 산림조합 [ ] 신용협동조합 [ ] 한국예탁원 [ ] 종합금융회사 [ ] 대부업 CB에 가입한 대부업체 *전국은행연합회, 신보·기신보, 한국주택금융공사, 한국장학재단, 미소금융중앙 재단, NICE평가정보, KCB, KED, 한국자산관리공사 등 금융감독원의 금융거래조 회 대상과 동일	〈금융, 국세, 국민연금〉 휴대폰 문자(SMS) 확인 후 금융감독원 홈페이지, 국세청홈택스, 국민연금공단 홈페이지에서 신청인이 조회결과를 각각 확인 〈공무원·사립학교교직원·군인연금〉 휴대폰 문자(SMS) 확인
국세	[ ] 국세 체납액 및 납부기한이 남아 있는 미납 세금, 환급금	※국민·공무원·사립학교 교직원· 군인연금의 경우 상속인(후견인) 본인에게만 결과 제공
연금	[ ] 국민연금 가입 및 대여금 채무 유무 [ ] 사립학교교직원연금 가입 및 대여금 채무 유무 [ ] 공무원연금 가입 및 대여금 채무 유무 [ ] 군인연금 가입 유무	
토지	[ ] 개인별 토지 소유 현황	[ ] 우편 [ ] 문자(SMS) [ ] 지적부서 방문수령
지방세	[ ] 지방세 체납내역 및 납부기한이 남아 있는 미납 세금, 환급금	[ ] 우편 [ ] 문자(SMS) [ ] 세무부서 방문수령
자동차	[ ] 자동차 소유내역	[ ] 문서 [ ] 구술

「사망자 등 재산조회 통합처리에 관한 기준」에 따라 사망자 등 재산조회를 통합신청합니다.

■ 상속세 및 증여세 사무처리규정 [별지 제33호 서식](2019.6.3. 신설)

관리번호	－	**상속세 합산대상 사전증여재산 확인 신청서**	처리기간
			7일

상속세 합산대상 사전증여재산 확인을 위해서는 신청인과 피상속인의 주민등록번호를 포함한 개인정보의 수집·이용 제공에 동의하여야 하며 이를 원하지 않을 경우 정보 제공이 불가능 합니다.

신청인 (상속인)	① 성 명		② 주 민 등 록 번 호	
	③ 피상속인과의 관계		④ 관 계 증 명 서 류	【 】 제출 【 】 미제출
	⑤ 전 화 번 호	(자 택)	(휴대전화)	
	⑥ 주 소		⑦ 전 자 우 편	

※ 상속세 합산대상 사전증여재산 확인 신청은 민법상 1순위 상속인(사망자의 직계비속·배우자) 중 상속인들의 동의를 받은 상속인에 한해 신청할 수 있으며, 1순위가 없을 경우에는 2순위 상속인(사망자의 직계존속, 배우자), 1·2순위가 없는 경우에는 3순위 상속인(형제·자매), 1·2·3순위가 없는 경우에는 4순위 상속인(4촌 이내의 방계혈족) 순으로 상속인들의 동의를 받은 상속인에 한해 신청 가능

피상속인	⑧ 성 명		⑨ 주 민 등 록 번 호	
	⑩ 주 소		⑪ 상 속 개 시 일	

제공대상	⑫	【 】 신청인 【 】 상속인 전부

· 신청인(세무대리인 포함)은 이 건으로 취득한 상속세 합산대상 사전증여재산 조회 결과를 **상속세 신고 목적 외 용도**로 사용해서는 안 됩니다.

본인은 상기 유의사항에 대해 확인하였으며, 상속세 합산대상 사전증여재산 자료 제공을 신청합니다.

년   월   일

신 청 인   (서명 또는 인)

세무서장 귀하

신청인
제출서류
	1. 신청인의 신분증(주민등록증, 운전면허증, 여권)
	2. 상속세 합산대상 사전증여재산 확인 신청 상속인 위임장, 상속인의 위임의사를 확인할 수 있는 서류*
	  ★ 상속인의 신분증(사본)
	3. 대리인이 신청하는 경우 위임장, 위임인의 위임의사를 확인할 수 있는 서류*, 위임받은 사람의 신분증
	  ★ 위임자의 신분증(사본)
	4. 가족관계증명서 등 피상속인과의 관계증명서류
		수수료
		없음

개인정보 수집·이용에 대한 동의 (개인정보보호법 제24조)

(수집·이용목적) 상속세 합산대상 사전증여재산 정보제공, 피상속인과의 관계 확인 등   (보유·이용기간) 30년

(수집대상 고유식별정보) 주민등록번호, 외국인등록번호, 여권번호 등

☐ 본인은 개인정보 제공에 동의합니다.   ☐ 본인은 개인정보 제공에 동의하지 않습니다.

※ 동의를 거부할 권리가 있으며, 동의를 거부할 경우 상속세 합산대상 사전증여재산 확인 신청을 할 수 없음을 양지하여 주시기 바랍니다.

신청인   (서명 또는 인)

처 리 절 차

신청서 작성	⇨	접수	⇨	정보제공여부 확인 ※ 필요 시 7일 내 연장	⇨	자료 확인
신청인		세무서장		세무서장		홈택스

상속세 합산대상 사전증여재산 확인 신청 상속인 위임장

신청인 (위임받는 자)	성 명		주 민 등 록 번 호	
	연 락 처		피상속인과의 관계	
피상속인	성 명		주 민 등 록 번 호	
			상 속 개 시 일	
신청인 외 상속인 (위임자)	성 명		주 민 등 록 번 호	
			피상속인과의 관계	
	성 명		주 민 등 록 번 호	
			피상속인과의 관계	
	성 명		주 민 등 록 번 호	
			피상속인과의 관계	
	성 명		주 민 등 록 번 호	
			피상속인과의 관계	
	성 명		주 민 등 록 번 호	
			피상속인과의 관계	

상기 피상속인에 대한 **상속세 합산대상 사전증여재산 자료 제공 신청에 관한 권한***을 신청인에게 위임합니다.

* 상속세 합산대상 사전증여재산 확인 신청서의 제공대상(⑫)에 관한 범위 포함

년   월   일

위 임 자

(서명 또는 인)

(서명 또는 인)

(서명 또는 인)

(서명 또는 인)

(서명 또는 인)

세무서장 귀하

주의사항
• 다른 사람의 인장 도용 등 허위로 위임장을 작성하여 신청할 경우에는 「형법」 제231조와 제232조에 따라 사문서 위·변조죄로 5년이하의 징역 또는 1천만원 이하의 벌금에 처하게 됩니다.

제3절 상속재산의 분할관련 세무리스크 관리법

상속세는 피상속인의 유산에 대해 부과되는 세금에 해당한다. 따라서 원칙적으로 상속재산을 누가 받든지 상속세는 동일하게 나와야 한다. 그런데 상속재산이 어떤 식으로 분할되는지 등에 따라 상속공제 등이 달라져 상속세의 크기에 영향을 주는 경우도 많다. 상속재산의 분할과 관련된 세무리스크 관리법을 알아보자.

1 상속재산의 분할방법

상속재산을 분할하는 방법은 크게 유언과 협의분할 등이 있다. 만일 이러한 방식에 의해 분할이 되지 않으면 법원을 거치는 것이 원칙이다. 한편 상속재산보다 상속부채가 더 많은 경우에는 상속포기나 한정승인신청 등을 통해 상속부채를 승계받지 않을 수 있다. 이하에서 상속재산의 분할과 관련된 세무리스크를 살펴보자. 구체적인 사례는 뒤에서 살펴보기로 한다.

(1) 유증과 세무리스크

상속인이 아닌 자에게 유증 등을 하면 상속공제 종합한도가 축소될 수 있다. 한편 배우자에게 유증 등을 하면 배우자상속공제에 영향을 준다.

(2) 협의분할과 세무리스크

협의분할은 상속인들끼리 모여 분할방법을 정하는 것으로, 역시 배우자상속공제 등에 영향을 줄 수 있다. 이때 협의분할은 상속인 중 일부가 상속을 포기할 수도 있고, 아니면 법정상속지분에 따라 분할할 수도 있다.

(3) 상속포기 또는 한정승인

상속포기 또는 한정승인의 경우에는 부채가 재산을 초과하므로 상속세 과세와는 무관하다고 볼 수 있다. 다만, 이 과정에서 부동산 등이 강제매각되는 경우 발생하는 양도소득세가 과세될 수 있음에 유의해야 한다.

2 상속재산 분할 시에 알아두면 좋을 정보

상속재산 분할과 관련하여 알아두면 유용한 정보를 나열해 보자.

① 피상속인의 상속재산에 대해 기여도가 있다면 이를 주장할 수 있을까?

피상속인이 생전에 피상속인의 재산의 형성에 기여하는 상속인이 있다면 기여분을 인정할 수 있다. 따라서 기여분을 제외한 나머지 재산이 분할대상이 된다. 이 기여분은 상속인들 간의 협의에 의해 정하는 것이 원칙이나 협의가 이루어지지 않으면 기여자가 가정법원에 청구해야 한다.

② 상속재산에 상속인의 재산이 포함되어 있다면 어떻게 상속재산에서 제외시켜야 하는가?

당연하다. 다만, 실무적으로 상속이 발생한 상태에서 상속인의 재산임을 주장하기가 힘든 경우가 많다. 판결 등을 통해 이를 객관적으로 입증하는 노력이 필요할 수 있다.

③ 상속인 전원 사이에 일인 명의의 단독상속등기를 하는 합의하고, 다른 상속인들이 상속포기증명서를 작성하여 첨부하여 상속등기를 하는 경우에 다시 분할할 수 있는가?

편의를 위하여 장남명의로 등기한 것에 불과하고 실제로는 장남 소유가 아니고, 후일 분할한다는 내용의 합의가 있는 경우에는 통정허위표시를 원인으로 하여 상속재산 분할협의의 무효를 주장하여 다시 분할협의를 할 수도 있다.[45]

● 상속포기각서

상속포기각서는 상속개시일로부터 3개월 내에 관할 가정법원에 제출한다.

---

45) 재협의분할에 따른 과세문제는 이 장의 제5절을 참조하기 바란다.

상 속 포 기 각 서

본인은 故〇〇〇씨의 〇〇로서 아래 상속물권에 대한 일체의 상속을 포기하고 아래 상속자에게 전권 상속되는 것에 동의합니다.

또한 향후 본 건과 관련하여 어떠한 이의 제기도 하지 않을 것이며, 이를 각서하기 위해 아래와 같이 날인하고 인감을 첨부합니다.

〇〇명	상속물건	

상기 상속 물건의 전권 상속자
- 성   명 :
- 주민등록번호 :
- 주   소 :
- 상속자와의 관계 :

년   월   일

상속 포기자 성명	회원과의 관계	주민등록번호	주소	인감날인

※ 저자 주
상속포기각서를 제출하여 다음 순위의 상속인이 상속을 받는 경우에는 종합상속공제 한도를 적용받게 된다. 이외 세대생략 상속에 해당하면 별도로 할증과세의 규정을 적용받는다.

제4절 유증에 따른 상속재산의 분할과 세무리스크 관리법

피상속인이 생전에 특정인 등에게 유증을 하는 경우가 있다. 이러한 유증은 「민법」상 허용이 되는 재산의 이전수단이고 세법은 이를 상속으로 취급한다. 그런데 이러한 유증에 따라 상속재산이 이전되는 경우에는 세무리스크가 발생할 수 있다. 이에 대한 관리법 등을 살펴보자.

1 유증에 따른 상속재산의 분할과 세무리스크 발생 사례

경기도 성남시에서 거주하고 있는 김명수씨는 할아버지가 살아계실 때 작성한 유언장에 의해 상속재산을 분할받고자 한다. 김씨의 할아버지 재산은 10억 원이 된다.

- 상황1 : 유증(유언에 의한 재산증여)에 따라 사후에 재산을 받으면 상속세가 부과되는 가, 증여세가 부과되는가?
- 상황2 : 할머니가 있는 상황에서 김씨가 5억 원 상당액을 유증으로 받은 경우 세법상 어떤 문제점이 있는가?

위의 상황에 순차적으로 답을 하면 다음과 같다.

(상황1) 유증(유언에 의한 재산증여)에 따라 사후에 재산을 받으면 상속세가 부과되는가, 증여세가 부과되는가?

유증(遺贈)은 유언자(피상속인)가 유언에 의하여 자기의 재산을 수증자에게 사후에 무상으로 이전할 것을 그 내용으로 하는 단독행위를 말한다. 세법은 이러한 유증은 일반 증여와 구분하여 상속이 발생할 때 재산이 이전되므로 상속으로 보아 상속세를 부과한다.

(상황2) 할머니가 있는 상황에서 김씨가 5억 원 상당액을 유증으로 받은 경우 세법상 어떤 문제점이 있는가?

유증도 상속에 해당하므로 상속에 관련된 제도가 적용된다. 다만, 상속인 외의 자가 유증을 받은 경우에는 세법상 주의할 것이 있다. 상속공제 한도액이 축소될 수 있기 때문이다. 상속공제액은 일반적으로 10억 원이 되나 상속인이 아닌 자에게 유증한 재산가액 등이 있

다면 그 유증에 의해 이전되는 상속재산가액을 공제액에서 차감해 상속공제한도액을 계산한다. 따라서 사례의 경우 상속인이 아닌 손자 김명수씨에게 유증한 재산가액이 5억 원이므로 상속공제한도는 다음과 같이 적용된다.

상속공제 종합한도액=10억 원-5억 원=5억 원

이때 세대를 생략하여 상속이 발생하면 할증과세제도가 별도로 적용된다.

2 유증에 따른 상속재산의 분할과 세무리스크 관리법

유증에 따른 상속재산의 분할과 관련된 세무리스크 관리법을 정리하면 아래와 같다.

(1) 유증대상이 상속인인 경우

유증대상이 상속인인 경우에는 상속세에 미치는 영향은 미미하다. 배우자상속공제에 영향을 미칠 뿐이다.

(2) 유증대상이 상속인이 아닌 경우

유증대상이 상속인이 아닌 경우에는 상속세에 미치는 영향이 클 수 있다. 상속공제 종합한도가 축소될 수 있기 때문이다. 이외 배우자상속공제에도 영향을 미칠 수 있다.

 Tip

■ 유언의 방법

유언은 ① 자필증서, ② 녹음, ③ 공정증서, ④ 구수증서, ⑤ 비밀증서 등의 방법 중 하나로 진행될 수 있다. 이 중 자필증서로 하는 방법이 가장 좋은 것으로 알려지고 있다. 이 방법은 자필로 진행되며 증인이나 공증은 필요가 없다. 참고로 유언장은 어떻게 작성하는지 그리고 유의사항은 무엇인지 샘플을 통해 알아보자.

유언장(샘플)

① 성   명 :   (날인)

※ 저자 주 : 성명은 한글 한자 모두 가능하며, 날인은 도장이 원칙이며 지장도 가능하다.

② 주민등록번호 :   (생년월일:)

③ 주   소:

※ 저자 주 : 주민등록번호는 필수적인 기재사항이며, 주소는 임의적인 기재사항이다.

④ 작 성 일: 년   월   일

※ 저자 주 : 작성일자가 없으면 유언장이 무효에 해당한다.

⑤ 작 성 장 소:

⑥ 유언내용

※ 저자 주 : 반드시 자필로 내용을 써야 한다. 내용은 유산처리문제를 포함하여 자유롭게 기재하면 된다.

유언장은 모두 본인이 직접 써야 효력이 발생함에 유의해야 한다. 첨가, 삭제, 변경 시에도 반드시 자필로 해야 하고 첨삭 변경된 곳에 날인(지장 무방)해야 한다.

제5절 유류분관련 세무리스크 관리법

피상속인은 생전에 상속인 중 특정인을 대상으로 재산을 모두 유증할 수 있다. 이렇게 되면 상속재산이 한 사람에게 배분되어 상당한 불공평이 발생할 수 있다. 이에 「민법」에서는 유류분 청구제도를 두어 상속인들의 재산권을 보호하고 있다. 유류분과 관련되어 발생하는 세무리스크에 대한 관리법 등을 정리해 보자.

1 유류분관련 세무리스크 발생 사례

경기도 수원시에서 거주하고 있는 K씨는 할아버지가 살아계실 때 작성한 유언장에 의해 상속재산을 분할받고자 한다. 김씨의 할아버지 재산은 10억 원이 된다. 이때 선순위 상속인에는 할머니와 자녀 1명이 있다고 하자.

- 상황1 : 유류분은 무엇을 의미하는가?
- 상황2 : 이 경우 유류분권자는 누구인가?
- 상황3 : 이 경우 각각의 유류분은 얼마나 될까?
- 상황4 : 사전에 증여한 재산이 있다면 여기에 대해서도 유류분 청구가 가능할까? 그렇다면 이 경우 과세문제는 어떻게 될까?

위의 상황에 대해 순차적으로 답을 찾아보자.

(상황1) 유류분은 무엇을 의미하는가?

유언에 의하여 재산을 상속하는 경우 자칫 한 사람에게만 재산이 상속되거나 타인에게 재산이 유증될 수 있다. 이렇게 되면 상속분쟁 등이 발생할 가능성이 높기 때문에 「민법」에서는 각 상속인이 최소한도로 받을 수 있는 상속분을 정하고 있는데 이를 '유류분'이라고 한다.

(상황2) 이 경우 유류분권자는 누구인가?

먼저 유류분권자를 정해야 하는데 여기서 유류분권자는 피상속인의 배우자인 할머니와 자녀 1명이 된다.

(상황3) 이 경우 각각의 유류분은 얼마나 될까?

유류분은 상속재산가액에서 증여한 재산가액의 합계액에서 채무액을 공제하여 계산한다.

① 유류분 산정을 위한 기초가액 = 상속재산(유산) + 증여재산가액 − 채무액

   = 10억 원 + 0원 − 0원 = 10억 원

② 각자의 유류분 산정

구분	법정상속지분	법정상속지분가액[1]	유류분[2]
배우자	1.5	6억 원	3억 원
자녀	1	4억 원	2억 원
계	2.5	10억 원	5억 원

[1] : 10억 원 × 1.5/2.5 = 6억 원
[2] : 6억 원 × 1/2 = 3억 원

(상황4) 사전에 증여한 재산이 있다면 여기에 대해서도 유류분 청구가 가능할까? 그렇다면 이 경우 과세문제는 어떻게 될까?

사전에 증여한 재산도 원칙적으로 유류분 청구의 대상이 된다. 이렇게 반환된 유류분은 증여세 과세대상에서 제외한다.

2 유류분관련 세무리스크 관리법

유류분과 관련된 세무리스크 관리법을 정리해 보자.

(1) 유류분권자

유류분권을 행사할 수 있는 사람은 순위상 상속권이 있는 사람이다. 만약 1순위인 자녀와 배우자가 있는 경우에는 제2순위인 직계존속이나 3순위인 형제자매는 유류분권을 행사할 수 없다. 상속인 중 직계비속, 배우자, 직계존속, 형제자매만 이 제도를 활용할 수 있다.
상속권 있는 상속인의 유류분은 다음과 같다.

• 피상속인의 배우자 및 직계비속 : 법정상속분의 1/2
• 피상속인의 직계존속 및 형제자매 : 법정상속분의 1/3

(2) 유류분 청구대상

유류분 청구대상은 다음과 같다(법률전문가의 확인을 요함).

- 상속당시의 재산
- 유증한 상속재산
- 사전에 증여한 재산[46]

참고로 보험금의 경우 보험수익자가 특정인으로 지정되어 있는 경우 이는 상속재산에서 제외된다.

(3) 유류분 반환청구권의 소멸시효

유류분 반환청구권의 소멸시효는 피상속인 사망 후 증여 또는 유증 사실을 안 날로부터 1년, 상속이 개시한 때로부터 10년 이내에 권리를 행사하도록 규정하고 있다(「민법」 제1112조 내지 1118조).

(4) 유류분 반환 등과 세금의 관계

1) 유류분 반환과 세금

미리 증여를 받았는데 이후 증여자가 사망하고 유류분 청구로 인해 재산이 반환되는 경우가 있다. 이런 경우 미리 낸 증여세는 어떻게 될까?

세법은 반환된 유류분에 대해서는 당초부터 증여가 없었던 것으로 보아 증여세를 환급해 준다. 그 대신 유류분에 대해서는 상속재산에 해당되는 것으로 보아 상속세를 과세하므로 이러한 부분을 검토해야 사후에 문제가 없다.

---

46) 유류분 산정을 위한 기초가액에는 사전에 증여한 금액을 합산한다. 다만, 제3자에게 증여한 재산 등은 1년 이내의 것만 합산된다. 따라서 이 기간을 벗어나 증여한 재산은 유류분의 행사대상이 안된다고 할 수 있다. 하지만 「민법」은 증여계약의 당사자 쌍방이 유류분 권리자의 손해를 가할 것을 알고 증여한 때에는 1년 전에 증여한 것도 가산할 수 있도록 하고 있다.
→ 유류분 청구권 소멸시효는 10년이므로 이 기간 내의 것이 그 대상이 될 것으로 보인다.

2) 유류분 대가로 다른 재산을 취득한 경우

유류분 권리자가 유류분을 포기하는 대가로 다른 재산을 취득하는 경우에는 유류분 권리자는 유류분에 상당하는 상속재산을 다른 재산과 교환한 것으로 보아 피상속인의 사망일에 그 상속재산에 대한 상속세와 양도소득세 납세의무가 있게 된다. 한편 유류분을 다른 재산으로 반환한 수증자도 당초 증여재산이 아닌 다른 재산으로 반환한 경우에는 교환으로 보아 그 다른 재산에 대하여 양도소득세 납부의무가 있게 된다.

 ## 제6절 협의분할에 따른 세무리스크 관리법

유언장이 없는 경우에는 상속인들 간의 협의분할에 의해 상속재산을 분할하는 것이 일반적이다. 협의분할이 잘 되는 경우에는 상속분쟁도 없고 세금도 줄일 수 있는 기회를 주지만 그 반대의 경우에는 예기치 못한 분쟁 및 많은 세금을 내야 하는 상황에 몰릴 수 있으므로 주의해야 한다. 이와 관련된 세무리스크 관리법 등을 정리해 보자.

1 협의분할에 따른 세무리스크 발생 사례

서울시 압구정동에서 살고 있는 이○○씨가 사망했다. 그의 유족에는 배우자와 자녀 4명이 있다. 그가 남긴 순재산(재산 - 부채)은 대략 50억 원 선이다.

- 상황1 : 상속인들이 법정상속지분에 의해 상속재산을 분할할 것을 동의하면 자녀 1명의 몫은 얼마인가?
- 상황2 : 자녀 중 1명이 협의분할에 반대하면 재산은 분할할 수 없는가?
- 상황3 : 상속부채를 특정인이 모두 상속받으면 문제는 없는가?
- 상황4 : 배우자가 상속지분의 절반(50%)을 확보하면 상속세에 어떤 영향을 주는가?

위의 상황에 대해 순차적으로 답을 찾아보자.

(상황1) 상속인들이 법정상속지분에 의해 상속재산을 분할할 것을 동의하면 자녀 1명의 몫은 얼마인가?

상속인은 총 5명이다. 배우자의 법정상속지분은 1.5/5.5, 자녀들의 몫은 각각 1/5.5이다. 따라서 자녀 1명의 법정상속지분가액은 9억 원(50억 원×1/5.5)가량이 된다.

(상황2) 자녀 중 1명이 협의분할에 반대하면 재산은 분할할 수 없는가?

원칙적으로 그렇다. 아래 대법원 판례를 참조하자.

"상속재산의 협의분할은 공동상속인 간의 일종의 계약으로 공동상속인 전원이 참여하여야 하고 일부 상속인만으로 한 협의분할은 무효라고 할 것이나, 반드시 한 자리에서 이루어질 필요는 없고 순차적으로 이루어질 수도 있으며, 상속인 중 한 사람이 만든 분할 원안을 다른 상속인이 후에 돌아가며 승인하여도 무방하다(대법원 2010.2.25. 선고, 2008다96963, 96970 판결)."

> **사례**

상황2와 같은 상황에서는 한 사람이 끝까지 동의하지 않으면 어떻게 해야 문제를 해결할 수 있는가?

상속분할소송 등을 통해 해결할 수밖에 없을 것으로 보인다(절차 : 소장접수 → 조정 → 변론 → 판결).

(상황3) 상속부채를 특정인이 모두 상속받으면 문제는 없는가?

일단 문제는 없다. 다만, 상속인 중 1인이 그가 상속받은 재산가액을 초과하는 채무를 인수함으로써 다른 상속인이 얻은 이익에 대하여는 증여세가 과세된다. 아래 예규를 참조하자.

● 관련 규정 : 서면4팀-1542, 2006.6.1.

[질의]

2005.11.15. 아버님이 사망하여 아파트를 어머님과 아들(23세)이 1/2씩 공동상속을 받았음. 아파트는 현재 15억 원 정도 나가며 이 아파트를 담보로 하여 빌린 8억 원의 상속부채가 있음. 공동상속 시 어머님이 부채 8억 원을 갚기로 약정하였음. 어머님이 부채를 갚을 경우 아들의 지분에 해당하는 부채 4억 원에 대해 증여문제가 발생하는지 궁금하여 질의함.

[회신]

　상속개시 후 최초로 공동상속인 간에 상속재산을 협의분할 함에 있어 특정상속인이 법정 상속분을 초과하여 재산을 취득하는 경우에도 증여세 과세문제는 발생하지 아니함. 다만, 귀 질의와 같이 상속인 중 1인이 그가 상속받은 재산가액을 초과하는 채무를 인수함으로써 다른 상속인이 얻은 이익에 대하여는 증여세가 과세되는 것임.

● 위의 내용은 다음과 같이 정리할 수 있다.

구분	주택상속	채무인수	초과하는 채무인수액
어머니	7.5억 원	8억 원	0.5억 원
아들	7.5억 원	0원	−
계	15억 원	8억 원	0.5억 원

　따라서 어머니가 본인의 상속재산가액을 5천만 원 초과하여 부채를 인수하였으므로 이 초과인수한 금액 5천만 원은 증여에 해당한다.

(상황4) 배우자가 상속지분의 절반(50%)을 확보하면 상속세에 어떤 영향을 주는가?

　이렇게 지분을 받으면 배우자는 25억 원 상당액을 상속받게 된다. 따라서 이 금액을 상속 공제액으로 할 수 있으나 이에 대해서는 한도를 적용해야 한다. 따라서 최종적으로 아래의 ②에 해당하는 약 13억 원이 배우자상속공제액이 된다.

---

　① 배우자가 실제 상속받은 금액＝25억 원
　② 배우자의 법정상속분＝50억 원 × 1.5/5.5＝13억 6,363만 원(만 원 단위 이하 절사)
　③ 30억 원

　이때 배우자상속공제 한도를 벗어난 부분에 대해서는 자녀들에게 상속이 이루어지도록 하는 안을 검토할 필요가 있다.

2 협의분할에 따른 세무리스크 관리법

　상속이 발생하면 해당 물건의 소유자가 사망하였으므로 다른 자에게 소유권이 이전되어야 한다. 그런데 문제는 한번 정해진 소유권이 다른 사람에게 넘어간 경우가 있다는 것이다.

이런 상황에서는 다음과 같은 세금문제가 발생한다.

(1) 신고기한 내에 법정상속지분을 초과해 상속재산이 분할된 경우

상속세는 피상속인이 남긴 유산에 대해 과세하는 세금이므로 상속인들이 법정상속지분을 초과해 상속을 받더라도 추가로 상속세를 과세하거나 증여세를 과세하지 않는다.

(2) 상속세 신고기한 내에 상속재산의 재분할이 발생한 경우

피상속인의 상속재산에 대하여 공동상속인 간의 협의분할에 의하여 상속등기한 경우에도 원칙적으로 상속세 과세표준 신고기한(상속개시일이 속하는 달의 말일부터 6개월) 이내에 공동상속인 간의 사실상의 재분할에 의하여 증여등기를 하는 경우에도 등기원인 불문하고, 증여세가 과세되지 않는다.

(3) 상속세 신고기간 후에 상속재산의 재분할이 발생한 경우

상속개시 후 상속재산에 대하여 각 상속인의 상속지분이 확정되어 등기된 후에 상속세 신고기한을 경과한 시점에서 그 상속재산에 대하여 공동상속인 사이의 협의분할에 의하여 특정상속인이 당초 상속분을 초과하여 취득하는 재산가액은 당해분할에 의하여 상속분이 감소된 상속인으로부터 증여받은 것으로 보아 증여세가 과세된다(재산세과-169, 2001.4.1.).

(4) 상속지분포기 대가를 현금으로 지급하는 경우

상속재산인 부동산을 공동상속인 중 특정인이 상속받는 대가로 나머지 상속인에게 현금을 지급하기로 협의분할한 경우에는 그 나머지 상속인의 지분에 해당하는 재산이 부동산을 상속받은 특정 상속인에게 유상으로 이전된 것으로 보아 양도소득세가 과세될 수 있다(서면4팀-628, 2005.4.7.).

(5) 상속회복청구의 소에 의해 상속재산이 변동이 있는 경우

상속회복청구의 소에 의한 법원의 확정판결에 의하여 상속인 및 상속재산에 변동이 있는 경우 증여재산으로 보지 아니한다.

Tip

■ 상속재산의 상속지분 확정 후 재협의분할에 따라 상속지분이 변경된 경우 증여재산의 범위(「상증법」 집행기준31 - 0 - 2)

상속개시 후 상속재산에 대하여 상속인의 상속분이 확정되어 등기 등이 된 후에 공동상속인 간에 재협의 분할하여 특정상속인의 지분이 변경된 경우에는 다음과 같이 증여세 과세 여부가 달라진다.

구분		증여세 과세대상 여부
원칙		재협의분할 결과 특정상속인의 지분이 증가함에 따라 취득하는 재산은 지분이 감소한 상속인으로부터 증여받은 재산으로 본다.
① 상속세 신고기한 내에 재협의 분할		상속세 신고기한 내에 재협의분할에 의하여 지분이 초과되는 경우에 취득하는 재산은 증여재산으로 보지 아니한다.
재분할 사유가 정당한 경우	② 법원판결	상속회복청구의 소에 의한 법원의 확정판결에 의하여 상속인 및 상속재산에 변동이 있는 경우 증여재산으로 보지 아니한다.
	③ 채권자대위 권행사	피상속인의 채권자가 대위권을 행사하여 공동상속인들의 법정상속분대로 등기 등이 된 상속재산을 상속인 사이에 협의분할에 의하여 재분할하는 경우 당초 지분보다 초과하는 자가 취득하는 재산은 증여재산으로 보지 아니한다.
	④ 물납관련	상속세 신고기한 이내에 상속세를 물납하기 위하여 법정상속분으로 등기 등을 하여 물납을 신청하였다가 물납허가를 받지 못하거나 물납재산의 변경명령을 받아 당초의 물납재산을 상속인간의 협의분할에 의하여 재분할하는 경우 당초 지분보다 초과하는 자가 취득하는 재산은 증여재산으로 보지 아니한다.

①

2009.2.1.	2009.3.1.	2009.5.1.	2009.8.31.	2009.10.1.
◆	◆	▲	◆	▲
상 속 개시일	상 속 등 기	협의분할 재등기 (증여세 과세 제외)	상속세 신고기한	협의분할 재등기 (증여세 과세)

②

2009.2.1.	2009.5.1.	2009.8.31.	2009.10.1.
◆	◆	▲	▲
상 속 개시일	상 속 등 기	상속세 신고기한	상속회복청구소에 의한 재분할 (증여세 과세 제외)

③, ④

2009.2.1.	2009.5.1.	2009.8.31.	2009.10.1.
◆	◆	▲	▲
상 속 개시일	상 속 등 기	상속세 신고기한	협의분할 재등기 (증여세 과세제외) • 물납신청 • 채권자대위권 행사

상속재산 분할협의서

20○○년 ○월 ○○일 ○○시 ○○구
○○동 ○○ 망 □□□의 사망으로 인하여 개시된 상속에 있어 공동상속인 ○○○, ○○○, ○○○는 다음과 같이 상속재산을 분할하기로 협의한다.

1. 상속재산 중 ○○시 ○○구 ○○동 ○○ 주택 ○○㎡는 ○○○의 소유로 한다.
1. 상속재산 중 □□시 □□구 □□동 □□ 상가 ○○㎡는 ○○○의 소유로 한다.

위 협의를 증명하기 위하여 이 협의서 3통을 작성하고 아래와 같이 서명날인하여 그 1통씩을 각자 보유한다.

20○○년 ○월 ○○일

성 명 ○ ○ ○ (인)
　　　　주소 ○○시 ○○구 ○○동 ○○
성 명 ○ ○ ○ (인)
　　　　주소 ○○시 ○○구 ○○동 ○○
성 명 ○ ○ ○ (인)
　　　　주소 ○○시 ○○구 ○○동 ○○

대습상속과 세대생략상속에 따른 세무리스크 관리법

대습상속은 예를 들어 아버지가 없는 상황에서 할아버지의 유산을 손자·손녀가 상속받는 것을 말한다. 이에 반해 세대생략상속은 아버지가 있는 상황에서 할아버지의 유산을 손자·손녀가 상속받는 것을 말한다. 이러한 상속방법에 따라 상속세 과세문제가 달라진다.

1 대습상속과 세대생략상속에 따른 세무리스크 발생 사례

대전광역시에서 거주하고 있는 K씨의 할아버지가 얼마 전에 돌아가셨다. 자녀로는 아버지와 큰아버지·작은아버지가 있는데 작은아버지는 돌아가셨고, 작은어머니와 작은아버지의 자녀 1명(미성년자)이 있다.

- 상황1 : 상속인은 누구인가? 그리고 법정상속지분가액은 어떻게 되는가?
- 상황2 : 협의분할로 상속인을 아버지와 큰아버지 그리고 작은아버지의 자녀인 미성년자로 하면 상속세가 할증과세되는가?

위의 상황에 순차적으로 답을 찾아보면 다음과 같다.

(상황1) 상속인은 누구인가? 그리고 법정상속지분가액은 어떻게 되는가?

사례의 경우 상속인은 직계비속인 아버지, 큰아버지 그리고 작은아버지이다. 그런데 작은아버지가 먼저 돌아가셨기 때문에 그의 배우자인 작은어머니와 그의 자녀가 대습상속을 받을 수 있다. 한편 법정상속지분은 아버지와 큰아버지 그리고 작은아버지가 각각 1/3의 지분을 가지게 되며, 작은아버지의 지분은 다음과 같이 대습상속된다.

구분	상속지분	대습상속자	상속지분
작은아버지	1/3	작은어머니	1/3×(1.5/2.5)
		자녀	1/3×(1/2.5)
계	1/3	계	1/3

작은아버지의 지분 1/3은 작은어머니와 자녀간의 비율(1.5:1)에 따라 최종적으로 분할된다.

(상황2) 협의분할로 상속인을 아버지와 큰아버지 그리고 작은아버지의 자녀인 미성년자로 하면 상속세가 할증과세되는가?

사례는 「민법」상 대습상속(代襲相續)에 해당하므로 할증과세를 적용하지 아니한다. 할증과세는 산출세액의 30%(40%)를 가산해 과세하는 제도를 말한다.

2 대습상속과 세대생략상속에 따른 세무리스크 관리법

「민법」상 대습상속과 세대생략상속에 대한 세무상 차이점을 비교해 보자.

구분	대습상속	세대생략상속[47]
과세되는 세목	상속세	상속세
상속종합공제 한도액 계산 시 유증 또는 상속포기에 의한 재산가액 차감	×	○
할증과세	×	○

3 대습상속과 세대생략상속에 따른 세무리스크 심화 사례

서울에서 거주하고 있는 K씨는 할머니의 소유재산 중 아파트를 유증을 통해 상속받으려고 한다. 할머니의 총재산은 7억 원 정도 되고 할아버지도 살아 계신다. 만일 유증을 통해 이 아파트(5억 원 상당액)를 상속받은 경우 세금은 얼마나 나올까?

위의 상황에 대해 순차적으로 답을 찾아 보자.

(1) 원칙적인 상속공제 등

할머니가 먼저 사망한 경우 상속인은 할아버지와 그의 자녀들이 된다. 따라서 기본적으로 상속공제를 10억 원까지 받을 수 있다.

(2) 상속인이 아닌 자가 유증을 받는 경우의 불이익

• K씨는 손자·손녀에 해당하므로 상속인이 아니다. 따라서 상속인이 아닌 자가 유증을

---

47) 세대생략상속은 상속인들의 상속포기와 유증을 통해 발생한다.

받는 경우에는 상속인이 아닌 자에게 유증한 재산가액에 대하여는 상속공제를 적용할 때 이를 차감하게 된다.

세대생략상속분에 대해서는 일괄공제 5억 원 등 각종 상속공제를 전혀 적용받을 수 없음에 유의해야 한다.

• 한편 손자가 상속받은 재산은 세대를 건너뛴 상속에 해당되어 할증과세된다.

(3) 상속세의 계산

구분	금액	비고
상속재산가액	7억 원	
−상속공제	5억 원	10억 원−5억 원=5억 원
=과세표준	2억 원	
×세율	20%	
−누진공제	1천만 원	
=산출세액	3천만 원	
+할증과세	900만 원	산출세액×30%
=산출세액 합계	3,900만 원	

만일 세대생략을 하지 않고 이를 할아버지와 자녀 등이 상속을 받는 경우라면 상속세는 과세미달로 과세되지 않는다.

 Tip

■ 세대생략 증여 분석

부동산을 세대생략하여 증여하는 경우에도 할증과세가 적용되는데 이에 대한 실익분석을 해보자. 예를 들어 부동산가액은 1억 원이고 취득세율은 1%라고 하자. 단, 수증자는 성년자에 해당한다.

1. 할아버지가 손자에게 증여 시

증여세	취득세	계
650만 원	100만 원	750만 원
• 기본 : (1억 원−5천만 원) × 10% =500만 원 • 할증 : 500만 원 × 130% =650만 원	1억 원 × 1% =100만 원	

2. 할아버지 → 아버지 → 손자에게 증여 시

구분	증여세	취득세	계
할아버지 → 아버지	500만 원*	100만 원	600만 원
아버지 → 손자	500만 원*	100만 원	600만 원
계	1천만 원	200만 원	1,200만 원

* (1억 원−5천만 원)×10%=500만 원

위에서 보는 것처럼 세대생략증여가 더 유리할 수 있다.

제8절 유증, 상속포기 등에 의한 상속공제 한도관련 세무리스크 관리법

원래 상속재산은 피상속인의 최근친이 받는 것이 원칙이다. 그런데 유증이나 상속포기에 의해 상속인이 아닌 자가 상속재산을 받거나 사전 증여를 통해 재산이 이전되면 세법상 불이익을 받는 경우가 있다. 상속공제 종합한도가 축소되기 때문이다.

1 유증, 상속포기 등에 의한 상속공제 한도관련 세무리스크 발생 사례

서울에서 거주하고 있는 H씨가 사망했다. 유족에는 자녀 1명과 손자·손녀 2명이 있다. H씨의 상속재산은 10억 원 가량 되는데 선순위 상속인들이 상속포기를 통해 손자·손녀 2명에게 상속재산을 이전하였다. 그런데 얼마 후에 관할세무서에서 이에 대해 세금을 추징하겠다고 한다. 왜 그럴까?

아래의 절차로 위의 상황에 대한 답을 찾아보자.

(1) 쟁점

사례처럼 손자의 아버지가 있는 상태에서 할아버지의 재산이 상속으로 이전되면 예상치 못한 세금을 낼 수 있다. 세법에서는 세대생략을 통한 상속에 대해서는 상속공제액을 축소시켜 불이익을 주고 있기 때문이다.

(2) 세법규정

「민법」상 상속포기를 통해 세대를 생략하여 상속이 일어나면 다음과 같이 상속공제 한도액이 축소된다. 이렇게 되면 상속재산가액에 대해 10~50%의 세율(할증과세 별도)이 적용되어 많은 세금이 부과될 가능성이 높다. 원래 상속공제액은 배우자상속공제와 일괄공제를 합한 10억 원이라고 보고, 위에 대한 답을 찾아보자.

상속세 과세가액 : 10억 원
 −상속공제액 : 당초 상속공제액 10억 원−(차감액 ①+②+③)=10억 원−10억 원=0원
  ① 상속인이 아닌 자에게 유증 등을 한 재산의 가액 : 없음.
  ② 상속인의 상속포기로 그 다음 순위의 상속인이 상속받은 재산의 가액 : 10억 원
  ③ 상속세 과세가액에 가산한 증여재산가액(증여재산공제액 차감후의 금액을 말한다)[48] : 없음.
 =상속세 과세표준: 10억 원

상속포기에 의해 다음 순위자가 상속을 받은 경우에는 위와 같이 상속공제액이 축소되어 상속세가 증가할 수 있다.

(3) 대책

상속재산은 「민법」에서 정한 상속순위에 따라 이전되어야 한다. 다만, 손자·손녀의 아버지가 없는 경우에 상속을 받는 대습상속은 예외이다.

② 유증, 상속포기 등에 의한 상속공제 한도관련 세무리스크 관리법

상속인이 아닌 자에 대한 유증, 상속포기에 의한 재산분할, 사전 증여재산이 있는 경우에는 상속공제 한도액이 축소될 수 있다. 다음을 참조하자.

---

48) 다만, ③규정은 상속세 과세가액이 5억 원을 초과하는 경우에만 적용한다.

(1) 상속공제 종합한도

상속인이 아닌 자에게 유증이나 사인증여, 상속포기에 의해 다음 순위의 상속인이 받은 재산가액, 사전에 증여한 재산 등은 상속공제한도액에 영향을 준다. 아래의 식을 통해 다시 한 번 확인하자.

🌐 상속공제 종합한도액 계산식

상속세 과세가액
－상속인이 아닌 자에게 유증·사인 증여한 재산가액
－상속인의 상속포기로 그 다음 순위의 상속인이 받은 상속재산가액
－상속세 과세가액에 가산한 증여재산가액(증여재산공제액과 재해손실공제액을 차감한 가액)
＝상속공제 종합한도액

(2) 상속세 과세가액

위 식에서 상속세 과세가액은 아래와 같이 계산한다.

총 상속재산가액－(비과세재산가액＋과세가액불산입액＋공과금장례비, 채무)＋합산대상 증여재산가액

(3) 상속인이 아닌 자에게 유증·사인 증여한 재산가액

상속인이 아닌 자에게 유증 또는 사인증여한 재산가액은 공제받을 금액에서 차감하므로 상속인이 아닌 자에게 유증 등을 하여 상속재산이 이전되면 공제혜택이 없다. 즉 상속공제는 법적으로 상속인들이 받는 재산에 대해서만 공제혜택을 주겠다는 의미가 있다.

(4) 상속인의 상속포기로 그 다음 순위의 상속인이 받은 상속재산가액

법정상속인이 상속포기를 하여 그 다음 순위의 상속인이 받는 상속재산가액도 공제혜택이 없다. 정상적인 상속재산 분할의 방법이 아니기 때문이다. 할아버지의 유산을 상속포기를 통해 손자·손녀가 상속을 받는 경우가 이에 해당한다.

(5) 상속세 과세가액에 가산한 증여재산가액(증여재산공제액과 재해손실 공제액을 차감한 가액)

상속세 과세가액에 가산한 증여재산가액(단, 증여재산공제액 등을 차감)도 공제혜택을 주지 않는다. 사전 증여재산은 누진적인 상속세 부담을 줄이기 위한 행위이므로 이에 대해서는 상속공제혜택을 주지 않으려는 취지가 있다. 다만, 이 규정은 상속세 과세가액이 5억원을 초과하는 경우에만 적용한다. 이 단서 규정은 중요한 의미가 있으므로 아래 사례를 통해 확인해 보자.

• 상황1 : 이 경우 상속공제 종합한도액은 얼마인가?
• 상황2 : 이 경우 상속공제액이 12억 원이라면 얼마까지만 공제를 받을 수 있는가?
• 상황3 : 여기서 얻을 수 있는 교훈은?

위의 상황에 맞게 답을 찾아보면 아래와 같다.

(상황1) 이 경우 상속공제 종합한도액은 얼마인가?

구분	금액
상속세 과세가액	15억 원
−상속인이 아닌 자에게 유증·사인 증여한 재산가액	
−상속인의 상속포기로 그 다음 순위의 상속인이 받은 상속재산가액	
−상속세 과세가액에 가산한 증여재산가액(증여재산공제액과 재해손실공제액을 차감한 가액)	4억 5천만 원
=상속공제 종합한도액	10억 5천만 원

(상황2) 이 경우 상속공제액이 12억 원이라면 얼마까지만 공제를 받을 수 있는가?

배우자상속공제 등을 합하여 상속공제액이 12억 원이 나왔더라도 앞에서 본 종합한도까지만 상속공제가 허용된다.

(상황3) 여기서 얻을 수 있는 교훈은?

상속세 과세가액이 5억 원이 넘는 상황에서 증여재산공제를 넘는 증여를 하여 상속재산가액에 합산되면 상속공제 종합한도가 줄어든다는 것이다. 따라서 사전 증여시에는 이런 점에 유의해야 한다.

 제9절 상속주택의 분할에 따른 세무리스크 관리법

앞에서 공부했던 내용들을 가지고 피상속인이 주택을 유산으로 남긴 경우에 어떤 식으로 상속재산을 분할받을 것인지 그리고 이러한 분할과 세금의 관계는 어떻게 되는지 알아보자.

1 상속주택의 분할에 따른 세무리스크 발생 사례

서울 용산구에서 거주하던 홍○○씨가 운명을 달리하면서 주택 1채 등을 남겼다. 유족으로 자녀 3명과 손자·손녀 6명이 있다.

- 상황1 : 상속세가 나오려면 어떤 조건을 충족해야 하는가? 단, 상속공제 중 일괄공제만 고려한다.
- 상황2 : 상속인은 누구이며 상속재산은 어떻게 분할되는가?
- 상황3 : 향후 이 주택을 처분할 때 양도소득세는 어떻게 부과되는가?

위의 상황에 대해 순차적으로 답을 찾아보면 다음과 같다.

(상황1) 상속세가 나오려면 어떤 조건을 충족해야 하는가? 단, 상속공제 중 일괄공제만 고려한다.

위의 주택가격이 5억 원 이상이 되어야 한다. 배우자가 없는 상황에서는 상속공제액이 5억 원(일괄공제)으로 축소되기 때문이다.

(상황2) 상속인은 누구이며, 상속재산은 어떻게 분할되는가?

상속인은 자녀 3명이 된다. 한편 상속재산은 '유언 → 협의분할 → 법원 조정 등'의 순서대로 분할된다. 통상 상속인간에 협의분할에 의해 분할하는 경우가 많다. 사례의 경우 이의가 없는 한 1/N으로 분할하는 것이 합리적이다.

사례

이 주택을 1/N으로 하되 명의는 한 명으로 하고, 지분대가를 현금으로 주는 경우 세금관계는 어떻게 될까?

이는 세법상 양도로 보아 양도소득세 과세의 대상이 된다. 아래 예규를 참조하자.

"피상속인의 재산을 상속함에 있어서 공동상속인 중 1인이 상속을 포기한 대가로 다른 상속인들로부터 현금을 지급받는 경우에는 그 상속인의 지분에 해당하는 재산은 다른 공동상속인에게 유상이전된 것으로 본다(재산-575, 2011.11.30)."

(상황3) 향후 이 주택을 처분할 때 양도소득세는 어떻게 부과되는가?

추후 이 주택을 양도하면 양도소득세제도가 적용된다. 양도소득세는 일반적으로 '비과세 → 과세'순으로 검토해야 하므로 먼저 비과세를 받을 수 있는지부터 검토하는 것이 정석이다.

비과세가 되는 경우		과세가 되는 경우
• 무주택자가 상속을 받은 경우로써 보유기간이 2년이 되는 경우 → 1주택자가 상속을 받은 경우에는 다른 일반주택을 처분 시에 비과세함에 유의	⇒	• 장기보유특별공제 : 상속개시일 이후부터 적용 • 세율 : 피상속인이 취득일로부터 기간 적용

② 상속주택의 분할에 따른 세무리스크 관리법

상속주택은 누가 받느냐에 따라 세금관계가 달라진다. 이를 확인해 보자.

(1) 무주택자가 상속받는 경우

• 동일세대원이 상속받은 경우 : 피상속인의 취득일로부터 양도일까지의 보유기간을 따져 비과세 여부를 판단한다.

- 동일세대원이 아닌 자가 상속받은 경우 : 상속개시일로부터 양도일까지의 보유기간을 따져 비과세 여부를 판단한다.

(2) 1주택자가 상속받는 경우

- 상속주택을 먼저 양도하는 경우 : 양도소득세가 과세된다.
- 일반주택을 먼저 양도하는 경우 : 비과세요건(2년 보유 등)을 갖춘 경우라면 비과세를 받을 수 있다. 단, 동일세대원이 상속을 받아 2주택이 된 경우에는 비과세를 적용하지 않는다. 한편 피상속인이 2채 이상을 상속하는 경우에는 선순위주택(소유기간이 긴 주택) 소유자에 대해서는 일반주택에 대한 비과세 혜택을 보유함에 유의해야 한다. 따라서 상속주택이 많은 경우에는 반드시 소유기간을 일일이 확인해야 한다.

(3) 공동상속을 받는 경우

공동으로 상속을 받은 경우에는 상속지분이 가장 큰 상속인(같으면 피상속인이 당해 주택에 가장 오래 거주한 기간, 같으면 피상속인이 상속당시 거주한 주택 순으로 정함)의 것으로 한다.

● 소수지분자의 주택 수 카운트방법

상속주택을 공동으로 소유한 경우, 일반적으로 지분율이 가장 큰 사람의 주택으로 간주한다(같은 경우에는 '당해 주택에서 거주한 자 → 최연장자'의 순). 따라서 소수지분자의 주택은 그 자의 주택으로는 간주되지 않는다. 따라서 소수지분자가 본인이 소유하고 있는 다른 주택을 처분하더라도 소수지분상속주택에 의해 과세의 내용이 달라지지 않는다. 즉 소수지분자는 다른 주택을 언제든지 자유롭게 처분할 수 있다.

사례

앞의 사례에서 상속주택을 1/N으로 상속받은 경우 주택 수는 어떻게 따지게 될까?

지분이 균등한 경우에 해당하므로 '① 당해 주택에서 거주하는 자 → ② 최연장자' 순으로 주택 수를 판정하게 된다.

Tip

■ 동거주택상속공제(「상증법」 제23조의2)를 활용하는 절세방법

주택을 보유한 상태에서 상속이 발생하면 동거주택상속공제를 상속주택가액의 100분의 100 (6억 원 한도)까지 적용한다. 다만, 다음의 요건을 충족해야 한다.

- 피상속인과 상속인(직계비속인 경우로 한정한다)이 상속개시일부터 소급하여 10년 이상 계속하여 하나의 주택에서 동거할 것
- 피상속인과 상속인이 동거주택 판정기간에 계속하여 1세대를 구성하면서 대통령령으로 정하는 1세대 1주택에 해당할 것
- 상속개시일 현재 무주택자로서 피상속인과 동거한 상속인이 상속받은 주택일 것

사례

K씨의 보유재산이 15억 원짜리 주택 한채만 있는 경우(동거주택상속공제 제외한 상속공제액은 10억 원)

- 상속재산가액 : 15억 원
  - 기본상속공제 : 10억 원
  - 동거주택상속공제 : 6억 원(15억 원×100%, 6억 원 중 적은 금액)
  = 상속세 과세표준 : 0원

이 사례는 1세대 1주택자로서 고가주택을 보유한 상황에서 상속이 발생할 때 적용되는 절세방법에 해당한다.

제10절 상속농지의 분할에 따른 세무리스크 관리법

상속받은 농지는 매매나 증여로 받은 농지보다 처분 시 양도소득세 감면이 폭넓게 적용되고 있다. 따라서 농지는 가급적 상속으로 이전받는 것이 좋다. 그렇다면 비영농인도 마찬가지일까? 이와 관련된 세무리스크 관리법을 알아보자.

1 상속농지의 분할에 따른 세무리스크 발생 사례

충남에서 거주하고 있는 유〇〇씨는 2000년 부친으로부터 상속받은 농지가 2021년에 공공사업용으로 수용이 되는 것으로 알고 세금문제를 알아보고 있다. 이 토지는 그의 부친이 8년 이상의 경작을 하였던 것으로서 현재까지 막내 동생이 농사를 짓고 있다. 다만, 부친 운명 후 지금까지 상속등기를 하지 못했으며, 지금에 와서 협의분할 또는 지분상속등기를 하고자 한다.

- 상황1 : 협의분할 또는 법정지분 상속등기를 할 경우라도 전체를 자경농지로 보아 양도소득세 감면을 받을 수 있는가?
- 상황2 : 법정지분으로 등기를 하면 실질적인 경작자의 지분에 해당하는 부분에 대해서만 자경농지에 대한 감면을 받는가?

위의 상황에 대해 순차적으로 답을 찾아보면 다음과 같다.

(상황1) 협의분할 또는 법정지분 상속등기를 할 경우라도 전체를 자경농지로 보아 양도소득세 감면을 받을 수 있는가?

부친이 8년 이상 자경하던 농지를 공동소유로 상속등기를 하는 경우 상속개시일 이후 1년 이상 계속하여 재촌자경한 사실이 있는 경우에만 부친의 경작기간을 포함하여 자경기간을 산정하는 것이 원칙이다. 따라서 막내 동생만 상속개시일 이후 자경을 하고 있으므로 부친의 자경기간을 통산 받을 수 있어 해당 지분에 대해서는 감면을 받을 수 있다.

(상황2) 법정지분으로 등기를 하면 실질적인 경작자의 지분에 해당하는 부분에 대해서만 자경농지에 대한 감면을 받는가?

만약 지분대로 상속등기가 되면 상속개시일 이후 1년 이상 계속 자경하지 않은 다른 상속인들의 지분에 대해서는 감면되지 않는다.

> **사례**

만일 상속농지를 막내명의로 등기한 다음에 양도하면 전체에 대해 자경감면을 받을 수 있는가?

그렇다. 따라서 사례의 경우에는 막내명의로 등기를 하는 것이 바람직하다. 단, 양도 후 처분대금을 나누는 경우에는 증여에 해당될 수 있다.

영농인이 농지를 상속받으면 양도소득세 감면에서 상당히 유리하다.

2 상속농지의 분할에 따른 세무리스크 관리법

농지를 상속받은 경우에는 증여로 받는 경우에 비해 세금혜택이 많다. 이를 요약 정리하면 다음과 같다.

(1) 상속 전

- 농지를 상속으로 받을 것인가 증여로 받을 것인가 결정해야 한다. 일반적으로 자경농지는 상속으로 이전받은 것이 좋다.
- 소유권 분쟁이 예상되는 경우에는 가급적 유언장 작성 등을 통해 상속으로 재산을 받도록 한다(이러한 유증도 상속의 한 방법에 해당).

(2) 상속 발생 시

- 상속이 발생하는 경우에는 가급적 영농인이 상속을 받도록 한다(영농상속공제 15억 원을 받을 수 있음).
- 비영농인이 상속을 받을 수밖에 없는 경우에는 향후 양도소득세 관계를 따져보아야 한다.
- → 3년 내 양도 시 : 피상속인의 자경기간은 모두 승계가능하다(단, 3년 후 양도 시에는 1년 이상 자경해야 자경기간을 승계받을 수 있음).

(3) 상속 후 양도 시

- 양도소득세 감면을 받을 수 있는지 점검한다.
- 감면은 영농인과 비영농인에 따라 달리 적용될 수 있음에 유의한다.

🌐 영농상속공제

피상속인이 상속개시일 2년 전부터 계속하여 직접 영농에 종사한 경우로써 상속재산 중 농지의 전부를 영농에 종사하는 상속인이 상속받은 경우에 최고 15억 원을 공제한다.

🌐 상속농지의 세무리스크 관리법

- 상속을 받을 때에는 가급적 영농인이 상속을 받는 것이 유리할 수 있다.
- 상속개시일로부터 3년 내에 처분하면 피상속인의 자경기간을 승계 받을 수 있다.

• 상속개시일로부터 3년이 경과한 후에 처분하면 상속인이 1년 이상 자경해야 피상속인의 자경기간을 승계 받을 수 있다.

③ 상속농지의 분할에 따른 세무리스크 심화 사례

경기도 화성시에서 살고 있는 이영찬씨는 10년 전에 상속받은 농지를 처분하고자 한다. 이 농지는 자경한 농지가 아니라 감면을 받을 수 없으며 비사업용 토지에 해당한다. 자료가 다음과 같을 때 좋은 해법은 없는가?

자료

• 양도예상가액 : 5억 원
• 상속당시의 시가 : 5억 원(기준시가 1억 원)
• 세율 : 6~45%

위의 이씨의 고민을 순차적으로 해결해 보자.

(1) 세금예측

취득가액을 시가로 신고하는 경우와 기준시가로 신고하는 경우의 세금을 예측해 보면 다음과 같다.

구분	시가로 신고하는 경우	기준시가로 신고하는 경우
양도가액	5억 원	5억 원
− 취득가액	5억 원	1억 원
= 양도차익	0억 원	4억 원
− 장기보유특별공제		4천만 원
− 기본공제		250만 원
= 과세표준		3억 5,750만 원
× 세율(6~45%)		50%(40%＋10%)
− 누진공제		2,540만 원
= 산출세액	0원	1억 5,335만 원

이처럼 시가로 신고하는 경우에는 양도소득세를 한 푼도 내지 않아도 된다. 그런데 기준시가로 평가하여 신고하면 양도차익이 발생하게 된다. 한편 비사업용 토지에 대해서는 장기보유특별공제는 적용되나, 세율은 기본세율 6~45%에 10%p가 가산된다. 단, 비사업용 토지에 대한 중과세율이 변경될 수 있으니 최근의 세법을 통해 이를 확인하기 바란다.

(2) 대응 전략

일단 취득당시의 시가를 확인하는 것이 중요하다. 따라서 상속개시일의 전후 6개월(1년) 사이에 유사한 재산이 거래된 적이 있는지 등을 조사해 매매사례가액을 찾아내도록 한다. 만일 매매사례가액 등이 없다면 기준시가에 의한 방법으로 신고해야 한다.

→ 이러한 점 때문에 농지는 8년 자경감면이 매우 중요하다.

 Tip

■ 증여농지와 세무상 문제점

증여로 취득한 농지를 양도하는 경우에는 증여받은 날 이후 수증자가 자경한 기간으로 자경감면 또는 대토감면요건을 판단하는 것이므로 증여자의 자경기간과 합산하여 자경감면기간을 산정하지 아니한다.

한편 배우자나 직계존비속으로부터 토지를 증여받아 이를 5년 내에 양도하는 경우에는 이월과세제도가 적용됨에 유의해야 한다. 따라서 토지를 증여받은 경우에는 증여 후 5년 뒤에 양도하는 것이 이익이 된다.

상속 절세플랜

일반적으로 상속세 절세계획(Plan)은 다음과 같이 진행하는 것이 좋다.

구분	내용
1. 상속대상 재산 파악	• 재산종류와 규모 파악(세법상 평가액으로 진행)
▼	
2. 피상속인의 연령 및 건강 상태 파악	• 사망시점에 따른 세금계획 수립을 하기 위함. • 10년 단위로 실행
▼	
3. 절세방안 모색	• 대안 중 세부담최소화의 안*을 선택하는 것이 원칙
▼	
4. 세금계획의 수정	• 상속재산의 변동이나 세법변경 등의 내용에 따라 수정
▼	
5. 세금납부 대책	• 연부연납, 물납 등 검토 • 사전 증여 실행 • 보장성보험의 활용 등
▼	
6. 상속발생	• 상속재산 분할 • 상속등기
▼	
7. 신고 및 사후관리	• 상속세 신고 • 사후관리

* 이에는 증여, 부담부 증여, 매매 등의 안이 있다. 이들 안을 토대로 세부담 크기를 엑셀로 시뮬레이션할 수 있다. 실무적으로 도움이 필요하면 저자한테 문의해도 된다.

위의 과정 전체가 물 흐르듯이 진행되어야 사후 문제가 발생하지 않는다. 참고로 앞의 계획은 통상 상속개시일 기준 10년 이전부터 실행되어야 한다.

서울에서 살고 있는 왕○○씨가 운명하였다. 그가 남긴 재산에는 주택 1채와 토지가 있다. 상속인에는 배우자와 자녀 3명이 있다. 상속인들은 이 재산을 어떻게 분할하고 신고하는 것이 절세에 도움이 될까? K씨의 배우자는 K씨 명의의 주택에서 평생을 같이 해왔다. 해당 토지는 임야로써 현재 시세는 5억 원이나 공시지가는 1억 원에 불과하다.

위의 상황에 따라 주택과 토지로 나눠 세금측면에서 가장 도움이 되는 재산분할방법과 신고방법을 찾아보자.

1. 주택

K씨와 그의 배우자가 함께 거주한 상속주택은 배우자가 상속받는 것이 바람직하다. 세법은 배우자가 무주택상태에서 상속을 받으면 비과세 보유기간 등을 당초 피상속인이 취득한 날로부터 따져 2년이면 비과세를 적용하기 때문이다.

→ 이처럼 비과세를 받을 수 있는 경우에는 상속세를 신고할 필요가 없다.

2. 토지

피상속인(K씨)이 남긴 토지는 향후 양도 시 양도소득세 과세가 예상되는 부동산에 해당한다. 따라서 향후 양도소득세 계산 시 취득가액 입증이 중요한데 만일 신고를 하지 않으면 기준시가로 취득가액이 결정될 수 있다. 따라서 이러한 상황에서는 미리 시가로 신고해두는 것이 후일을 생각하면 좋다. 위의 내용을 정리하면 다음과 같다.

신고를 하지 않는 경우	기준시가로 신고하는 경우	시가로 신고하는 경우
양도가액 5억 원 −취득가액 1억 원 =양도차익 4억 원	양도가액 5억 원 −취득가액 1억 원 =양도차익 4억 원	양도가액 5억 원 −취득가액 5억 원 =양도차익 0원

3. 결론

상속주택은 상속세 신고가 불필요해 보이나, 상속토지(임야)는 상속세 신고를 해두면 유리한 상황이다. 따라서 결론적으로 토지에 대해서는 신고가 필요하므로 주택도 포함하여 상속세 신고를 다음과 같이 해두도록 한다.

구분	재산평가기준	비고
주택	기준시가	향후 신고가격과 관계없이 양도소득세 비과세 가능
토지	시가(감정평가액)	취득가액을 시가로 하여 양도차익을 축소시킬 수 있음.

사례

앞의 토지의 경우 시가는 어떻게 구하는가?

시가는 상속일 전후 6개월(유사매매사례가액은 6개월 전~신고일까지)의 매매사례가액이나 감정평가액 등을 포함한다. 따라서 1~2 이상의 감정평가법인의 감정을 받아 신고해도 된다.

 Tip

■ 상속재산의 양도소득세 세무리스크 관리법

• 상속 시 시가로 신고하면 좋을 부동산은 향후 처분 시 양도소득세가 나올 것으로 예상되는 부동산(예 상가 등)이다. 따라서 비과세나 감면이 예상되는 경우에는 굳이 시가로 신고를 하지 않아도 된다.

• 시가는 1~2 이상의 감정평가를 받아 이를 관할세무서에 신고하는 방법으로 입증하면 된다.

• 상속부동산을 감정평가로 신고하면 상속재산가액이 커져 상속세 과세에 영향을 미칠 수 있다. 따라서 이 점을 고려하여 감정평가를 받는다. 다만, 최근에는 소규모 빌딩 등을 기준시가로 신고하면 평가심의위원회의 심의를 거쳐 감정가액으로 재산가액이 뒤바뀔 수 있으므로 미리 감정평가를 받아 이 금액으로 상속세 등을 신고하는 것이 필요해 보인다.

제 3 편

증여세 세무리스크 관리법

이 편에서는 증여세에 대한 세무리스크 관리법에 대해 알아본다. 증여세
는 생각보다 간단히 해결할 수 있으나 제3자 등을 통해 편법으로 증여하는
경우에는 과세방식이 상당히 복잡하다. 따라서 어떤 경우에 증여세가 과세
되는지를 명확히 이해하는 것이 상당히 중요하다. 이 편에서는 이러한 점에
유의해서 증여세를 살펴본다.

제 **6** 장

증여세관련 기본적인
세무리스크 관리법

증여세는 생전에 무상으로 이전되는 재산에 과세되는 세목에 해당한다. 따라서 증여자와 수증자의 관계가 결정되고 재산의 가액이 밝혀지면 증여세 계산은 그렇게 어렵지 않게 금방 해결할 수 있다. 하지만 실무적으로 보면 증여세는 매우 복잡하다. 세법상의 증여의 개념에 해당하면 이에 대해 증여세를 부과하는 일들이 많아지고 있기 때문이다. 따라서 실전에서 증여세를 잘 다루기 위해서는 「상증법」상 증여세 파트를 잘 공부를 해야 한다.

본 장에서 살펴볼 주요 내용들은 아래와 같다.

- 증여개념관련 세무리스크 관리법
- 증여세 과세대상관련 세무리스크 관리법
- 증여재산가액의 계산관련 세무리스크 관리법
- 증여세 비과세관련 세무리스크 관리법
- 증여세 과세가액관련 세무리스크 관리법
- 증여세 과세표준관련 세무리스크 관리법
- 증여세 납부의무관련 세무리스크 관리법
- 증여추정(자금출처조사)관련 세무리스크 관리법
- 증여의제관련 세무리스크 관리법

증여개념관련 세무리스크 관리법

증여세는 생전에 재산을 개인에게 무상으로 이전할 때 발생하는 세금이고, 제3자를 통한 간접적인 증여행위가 많이 일어날 수 있다. 따라서 증여세를 잘 이해하기 위해서는 법 규정을 잘 분석하는 것이 좋다. 이러한 관점에서 증여에 대한 개념 등을 익힌 다음, 제7장에서 사례 위주로 세무리스크를 관리하는 방법 등을 알아보자.

1 증여의 개념

「상증법」 제2조 제6호에서는 증여에 대해 아래와 같이 정의하고 있다.

> "증여"란 그 행위 또는 거래의 명칭·형식·목적 등과 관계없이 직접 또는 간접적인 방법으로 타인에게 무상으로 유형·무형의 재산 또는 이익을 이전(移轉)(현저히 낮은 대가를 받고 이전하는 경우를 포함한다)하거나 타인의 재산가치를 증가시키는 것을 말한다. 다만, 유증과 사인증여는 제외한다.

이를 자세히 살펴보면 아래와 같다.

(1) 행위와 거래의 형식 등

증여는 재산 등을 무상으로 이전하는 것인데, 이때 거래의 명칭이나 형식 그리고 목적 등과 관계없이 재산 등이 무상으로 흘러간 경우에는 증여세를 과세한다는 것을 의미한다. 따라서 어떤 행위 등이 이러한 개념에 부합한 경우에는 증여세 과세가 될 가능성이 높다.

(2) 직접 또는 간접적인 방법

직접적인 방법은 당사자간에 재산 등을 이전하는 것을, 간접적인 방법은 제3자 등을 거쳐 간적적으로 재산 등을 이전하는 것을 말한다. 이러한 규정에 의해 신종 증여에 대해 증여세를 과세할 수 있게 된다.

(3) 유형·무형의 재산 또는 이익의 이전

부동산처럼 눈에 보이는 재산은 물론이고 눈에 보이지 않은 이익을 이전해도 증여세가 나올 수 있다. 이때 현저히 낮은 대가를 받고 이전하는 경우를 포함한다.[49] 따라서 매매를 가장해 재산을 이전하는 경우에는 증여세가 나올 가능성이 높다.

(4) 타인의 가치를 증가

이는 비상장주식을 상장시켜 이득을 안겨주거나 일감이나 사업기회 등을 몰아줘 이익을 안겨다 준 경우에도 증여로 보겠다는 것을 의미한다.

(5) 유증과 사인증여는 제외

유증과 사인증여는 모두 상속에 해당하기 때문이다.

2 증여에 해당하는지의 여부

앞의 1의 (3)을 보면 세법상 증여의 성격을 명확히 알 수 있다. 즉 나의 재산 또는 이익이 상대방으로 이전(현저히 낮은 대가를 받고 이전하는 경우를 포함한다)되거나 나로 하여금 제3자의 재산가치를 증가시키면 증여에 해당한다는 것이다. 이를 역으로 말하면 거래는 되었으나 상대방의 재산가치 등이 증가되지 않았으면 증여에 해당하지 않는다는 것을 말한다. 따라서 실무에서는 증여에 대한 입증문제가 상당히 중요해진다.

> **사례**
>
> K씨는 그의 배우자가 양도한 부동산의 대금을 보유하고 있다. 이 대금은 증여받은 재산에 해당하는가?
>
> 입금된 사실만 가지고는 증여받은 재산이라고 단정할 수 없다. 편의상 자금을 보관할 수도 있기 때문이다. 증여에 해당하기 위해서는 증여사실이 입증되어야 한다.[50]

---

49) '현저히'는 통상 시가와 대가의 차이가 3억 원 이상 나거나 시가의 30% 이상 차이가 나게 거래하는 경우를 말한다.
50) 세법은 이러한 현실에 대응하기 위해 실명이 확인된 계좌 등에 보유하고 있는 재산은 명의자가 그 재산을 취득한 것으로 추정하여 입증책임을 당사자에게 지우고 있다(「상증법」 제45조 제4항).

Tip

■ 증여재산의 취득시기(「상증법」 집행기준 32 - 24 - 1)

재산구분	증여재산의 취득시기
권리 이전이나 행사에 등기·등록을 요하는 재산	소유권의 이전 등기·등록 신청서 접수일
증여 목적 하에 수증인 명의로 완성한 건물	①, ②, ③ 중 빠른 날 ① 건물의 사용승인서 교부일 ② 사용승인 전 사실상 사용 또는 임시사용시 그 사용일 ③ 무허가 건축물인 경우 그 사실상 사용일
타인의 기여에 의한 재산가치 증가	① 개발사업의 시행 : 개발구역으로 지정되어 고시된 날 ② 형질변경 : 해당 형질변경허가일 ③ 공유물의 분할 : 공유물 분할 등기일 ④ 사업의 인가·허가 또는 지하수개발·이용의 허가 등 : 해당 인·허가일 ⑤ 주식 등의 상장 및 비상장주식의 등록, 법인의 합병 : 주식등의 상장일 또는 비상장주식의 등록일, 법인의 합병 등기일 ⑥ 생명보험 또는 손해보험의 보험금 지급 : 보험사고가 발생한 날 그 외의 경우 : 재산가치증가사유가 발생한 날
주식 또는 출자지분	배당금 수령이나 주주권 행사사실 등에 의하여 인도받은 사실이 객관적으로 확인되는 날. 다만, 인도받은 날이 불분명하거나 인도전 명의개서한 경우 주주명부에 명의개서한 날
무기명채권	이자지급 사실 등으로 취득사실이 객관적으로 확인되는 날. 다만, 그 취득일이 불분명한 경우에는 이자지급 또는 채권 상환을 청구한 날
위 외의 자산	인도한 날 또는 사실상의 사용일

증여세 과세대상관련 세무리스크 관리법

이제 증여의 개념을 이해하였다면 증여세 과세대상에 대해 알아보자. 과세대상은 증여세를 과세하기 위해 그 범위를 확정하는 것을 말한다. 이러한 과세대상에 해당하면 이에 대해 증여재산가액을 파악해 과세할 수 있게 된다.

증여세 과세대상은 「상증법」 제4조에서 아래와 같이 규정하고 있다.

① 다음 각 호의 어느 하나에 해당하는 증여재산에 대해서는 이 법에 따라 증여세를 부과한다.
  1. 무상으로 이전받은 재산 또는 이익
  2. 현저히 낮은 대가를 주고 재산 또는 이익을 이전받음으로써 발생하는 이익이나 현저히 높은 대가를 받고 재산 또는 이익을 이전함으로써 발생하는 이익. 다만, 특수관계인이 아닌 자 간의 거래인 경우에는 거래의 관행상 정당한 사유가 없는 경우로 한정한다.
  3. 재산 취득 후 해당 재산의 가치가 증가한 경우의 그 이익. 다만, 특수관계인이 아닌 자 간의 거래인 경우에는 거래의 관행상 정당한 사유가 없는 경우로 한정한다.
  4. 제33조부터 제39조까지, 제39조의2, 제39조의3, 제40조, 제41조의2부터 제41조의5까지, 제42조, 제42조의2 또는 제42조의3에 해당하는 경우의 그 재산 또는 이익
  5. 제44조 또는 제45조에 해당하는 경우의 그 재산 또는 이익
  6. 제4호 각 규정의 경우와 경제적 실질이 유사한 경우 등 제4호의 각 규정을 준용하여 증여재산의 가액을 계산할 수 있는 경우의 그 재산 또는 이익
② 제45조의2부터 제45조의5까지의 규정에 해당하는 경우에는 그 재산 또는 이익을 증여받은 것으로 보아 그 재산 또는 이익에 대하여 증여세를 부과한다.
③ 상속개시 후 상속재산에 대하여 등기·등록·명의개서 등으로 각 상속인의 상속분이 확정된 후, 그 상속재산에 대하여 공동상속인이 협의하여 분할한 결과 특정 상속인이 당초 상속분을 초과하여 취득하게 되는 재산은 그 분할에 의하여 상속분이 감소한 상속인으로부터 증여받은 것으로 보아 증여세를 부과한다. 다만, 상속세 과세표준 신고기한 이내에 분할에 의하여 당초 상속분을 초과하여 취득한 경우와 당초 상속재산의 분할에 대하여 무효 또는 취소 등 대통령령으로 정하는 정당한 사유가 있는 경우에는 증여세를 부과하지 아니한다.

④ 수증자가 증여재산(금전은 제외한다)을 당사자 간의 합의에 따라 증여세 과세표준 신고기한 이내에 증여자에게 반환하는 경우(반환하기 전에 과세표준과 세액을 결정받은 경우는 제외한다)에는 처음부터 증여가 없었던 것으로 보며, 증여세 과세표준 신고기한이 지난 후 3개월 이내에 증여자에게 반환하거나 증여자에게 다시 증여하는 경우에는 그 반환하거나 다시 증여하는 것에 대해서는 증여세를 부과하지 아니한다.

위의 규정을 자세히 살펴보자.

첫째, 제1항 분석

제1항은 일반적인 증여세 과세대상의 범위를 정하고 있다. 이에는 아래와 같은 내용들이 포함되어 있다.

- 무상으로 이전받은 재산 또는 이익
- 현저히 낮은 대가를 주고 재산 또는 이익을 이전받음으로써 발생하는 이익 등
- 재산 취득 후 해당 재산의 가치가 증가한 경우의 그 이익
- 아래의 규정에 의해 발생하는 재산이나 이익

제33조 신탁이익의 증여
제34조 보험금의 증여
제35조 저가양수 또는 고가양도에 따른 이익의 증여
제36조 채무면제 등에 따른 증여
제37조 부동산 무상사용에 따른 이익의 증여
제38조 합병에 따른 이익의 증여
제39조 증자에 따른 이익의 증여
제39조의2 감자에 따른 이익의 증여
제39조의3 현물출자에 따른 이익의 증여
제40조 전환사채 등의 주식전환 등에 따른 이익의 증여
제41조 특정법인과의 거래를 통한 이익의 증여
제41조의2 초과배당에 따른 이익의 증여
제41조의3 주식 등의 상장 등에 따른 이익의 증여
제41조의4 금전 무상대출 등에 따른 이익의 증여
제41조의5 합병에 따른 상장 등 이익의 증여
제42조 재산사용 및 용역제공 등에 따른 이익의 증여

제42조의2 법인의 조직 변경 등에 따른 이익의 증여
제42조의3 재산 취득 후 재산가치 증가에 따른 이익의 증여

• 아래 규정에 의해 발생하는 재산이나 이익

제44조 배우자 등에게 양도한 재산의 증여추정
제45조 재산 취득자금 등의 증여추정

여기에서 증여추정은 거래상대방이 증여가 아님을 입증하지 못하면 증여세를 과세하는 제도를 말한다.

둘째, 제2항 분석

제2항은 증여의제(제45조의2부터 제45조의5)에 대한 내용을 언급하고 있다. 의제규정은 이의 요건에 해당하면 무조건 증여로 보아 과세하는 제도에 해당한다. 납세의무자에게 반증의 기회를 주지 않는다.

제45조의2 명의신탁재산의 증여의제
제45조의3 특수관계법인과의 거래를 통한 이익의 증여의제
제45조의4 특수관계법인으로부터 제공받은 사업기회로 발생한 이익의 증여의제
제45조의5 특정법인과의 거래를 통한 이익의 증여의제

셋째, 제3항 분석

제3항에서는 상속개시 후 상속분이 확정된 후, 그 상속재산에 대하여 공동상속인이 협의하여 분할한 결과 특정 상속인이 당초 상속분을 초과하여 취득하게 되는 재산은 그 분할에 의하여 상속분이 감소한 상속인으로부터 증여받은 것으로 보아 증여세를 부과한다. 다만, 상속세 과세표준 신고기한 이내에서 협의분할하거나 무효 또는 취소 등 대통령령으로 정하는 정당한 사유[51]가 있는 경우에는 증여세를 부과하지 아니한다.

---

51) 아래와 같은 사유를 말한다(「상증령」 제3조의2).
   1. 상속회복청구의 소에 의한 법원의 확정판결에 따라 상속인 및 상속재산에 변동이 있는 경우
   2. 「민법」 제404조에 따른 채권자대위권의 행사에 의하여 공동상속인들의 법정상속분대로 등기 등이 된 상속재산을 상속인 사이의 협의분할에 의하여 재분할하는 경우 등

넷째, 제4항 분석

제4항은 증여재산(금전은 제외한다)을 반환하는 경우의 과세방법을 정하고 있다. 이 규정에서는 증여세 과세표준 신고기한 이내에 증여자에게 반환하는 경우(반환하기 전에 과세표준과 세액을 결정받은 경우는 제외한다)에는 처음부터 증여가 없었던 것으로 본다. 그리고 증여세 과세표준 신고기한이 지난 후 3개월 이내에 증여자에게 반환하거나 증여자에게 다시 증여하는 경우에는 그 반환하거나 다시 증여하는 것에 대해서는 증여세를 부과하지 아니한다. 이에 대한 자세한 내용은 제7장에서 살펴본다.

 제3절 증여재산가액의 계산관련 세무리스크 관리법

증여세 과세대상이 확정되었다고 하더라도 바로 과세할 수 있는 것은 아니다. 구체적으로 재산가액이 결정되어야 하기 때문이다. 만일 이러한 재산가액을 확정시킬 수 없거나 가액이 명확하지 않으면 궁극적으로 과세할 수 없다. 증여재산가액의 계산과 관련된 세무리스크 관리법을 알아보자.

「상증법」 제31조에서는 증여재산가액의 계산에 관련된 원칙을 정하고 있다.

---

① 증여재산의 가액(이하 "증여재산가액"이라 한다)은 다음 각 호의 방법으로 계산한다.
  1. 재산 또는 이익을 무상으로 이전받은 경우 : 증여재산의 시가(제4장에 따라 평가한 가액을 말한다. 이하 이 조, 제35조 및 제42조에서 같다) 상당액
  2. 재산 또는 이익을 현저히 낮은 대가를 주고 이전받거나 현저히 높은 대가를 받고 이전한 경우 : 시가와 대가의 차액. 다만, 시가와 대가의 차액이 3억 원 이상이거나 시가의 100분의 30 이상인 경우로 한정한다.
  3. 재산 취득 후 해당 재산의 가치가 증가하는 경우 : 증가사유가 발생하기 전과 후의 재산의 시가의 차액으로서 대통령령으로 정하는 방법에 따라 계산한 재산가치상승금액. 다만, 그 재산가치상승금액이 3억 원 이상이거나 해당 재산의 취득가액 등을 고려하여 대통령령으로 정하는 금액의 100분의 30 이상인 경우로 한정한다.

---

② 제1항에도 불구하고 제4조 제1항 제4호부터 제6호까지 및 같은 조 제2항에 해당하는 경우에는 해당 규정에 따라 증여재산가액을 계산한다.

위의 규정을 자세히 살펴보면 아래와 같다.

(1) 제1항 분석

첫째, 재산 또는 이익을 무상으로 이전받은 경우에는 증여재산의 시가로 계산한다. 이러한 시가는 제3장에서 살펴본 것과 같다.

둘째, 재산 또는 이익을 현저히 낮은 대가를 주고 이전받거나 현저히 높은 대가를 받고 이전한 경우에는 시가와 대가의 차액을 기준으로 한다. 다만, 시가와 대가의 차액이 3억 원 이상이거나 시가의 100분의 30 이상인 경우에만 계산한다. 이 규정은 증여세 과세에서 매우 중요한 위치를 차지하고 있으므로 여기서 잘 알아두는 것이 좋다.

셋째, 재산 취득 후 해당 재산의 가치가 증가하는 경우에는 대통령령으로 정하는 방법에 따라 계산한 금액을 말한다.

(2) 제2항 분석

위 외의 경우로써 「상증법」 제4조 제1항 제4호부터 제6호까지 및 같은 조 제2항에 해당하는 경우에는 해당 규정에 따라 증여재산가액을 계산한다. 이에는 아래와 같은 내용들이 해당된다. 따라서 이에 해당하는 조항들은 각 규정에서 정하고 있는 방법에 따라 증여재산가액을 계산해야 한다.

① 다음 각 호의 어느 하나에 해당하는 증여재산에 대해서는 이 법에 따라 증여세를 부과한다.

4. 제33조부터 제39조까지, 제39조의2, 제39조의3, 제40조, 제41조의2부터 제41조의5까지, 제42조, 제42조의2 또는 제42조의3에 해당하는 경우의 그 재산 또는 이익
5. 제44조 또는 제45조에 해당하는 경우의 그 재산 또는 이익
6. 제4호 각 규정의 경우와 경제적 실질이 유사한 경우 등 제4호의 각 규정을 준용하여 증여재산의 가액을 계산할 수 있는 경우의 그 재산 또는 이익

② 제45조의2부터 제45조의5까지의 규정에 해당하는 경우에는 그 재산 또는 이익을 증여받은 것으로 보아 그 재산 또는 이익에 대하여 증여세를 부과한다.

 ## 제4절 증여세 비과세관련 세무리스크 관리법

원래 세법상 증여란 그 행위 또는 거래의 명칭·형식·목적 등과 관계없이 직접 또는 간접적인 방법으로 타인에게 무상으로 유형·무형의 재산 또는 이익을 이전(移轉)(현저히 낮은 대가를 받고 이전하는 경우를 포함한다)하거나 타인의 재산가치를 증가시키는 것을 말한다. 그런데 이에 해당함에도 불구하고 다양한 목적으로 증여세를 비과세하는 경우가 있다.

「상증법」제46조에서는 증여세가 비과세되는 재산의 범위를 정하고 있다. 그 중 일반 대중들과 관련된 내용만 선별해서 보면 아래와 같다.

> 5. 사회통념상 인정되는 이재구호금품, 치료비, 피부양자의 생활비, 교육비, 그 밖에 이와 유사한 것으로서 대통령령으로 정하는 것
> 8. 장애인을 보험금 수령인으로 하는 보험으로서 대통령령으로 정하는 보험의 보험금[52]

이중 제5호의 내용이 밀접한 관련성을 맺고 있는데 이에 대한 구체적인 내용은 「상증령」제35조에서 자세히 정하고 있다.

---

52) 법 제46조 제8호에서 "대통령령으로 정하는 보험의 보험금"이란 「소득세법 시행령」제107조 제1항 각 호의 어느 하나에 해당하는 자를 수익자로 한 보험의 보험금을 말한다. 이 경우 비과세되는 보험금은 연간 4천만 원을 한도로 한다.

④ 법 제46조 제5호에서 "대통령령으로 정하는 것"이란 다음 각 호의 어느 하나에 해당하는 것으로서 <u>해당 용도에 직접 지출한 것</u>을 말한다.

1. 삭 제(2003.12.30.)
2. 학자금 또는 장학금 기타 이와 유사한 금품
3. 기념품·축하금·부의금 기타 이와 유사한 금품으로서 통상 필요하다고 인정되는 금품
4. 혼수용품으로서 통상 필요하다고 인정되는 금품
5. 타인으로부터 기증을 받아 외국에서 국내에 반입된 물품으로서 당해 물품의 관세의 과세가격이 100만 원 미만인 물품
6. 무주택근로자가 건물의 총연면적이 85제곱미터 이하인 주택을 취득 또는 임차하기 위하여 법 제46조 제4호의 규정에 의한 사내근로복지기금 및 공동근로복지기금으로부터 증여받은 주택취득보조금 중 그 주택취득가액의 100분의 5 이하의 것과 주택임차보조금 중 전세가액의 100분의 10 이하의 것
7. 불우한 자를 돕기 위하여 언론기관을 통하여 증여한 금품

위에서 제2호·제3호·제4호가 현실에서 쟁점이 되는 경우가 많다.

2. 학자금 또는 장학금 기타 이와 유사한 금품
3. 기념품·축하금·부의금 기타 이와 유사한 금품으로서 <u>통상 필요하다고</u> 인정되는 금품
4. 혼수용품으로서 <u>통상 필요하다고</u> 인정되는 금품

위 규정에서 제2호인 학자금에서는 비교적 쟁점이 잘 발생하지 않으나, 제2호와 제3호의 경우에는 쟁점이 많이 발생한다. 과세관청은 "통상의 필요"란 잣대를 가지고 과세 여부를 판단하고 있기 때문이다. 따라서 이러한 항목들을 지출할 때에는 과도하지 않게 자금지출이 되어야 할 것으로 보인다.

Tip

■ 비과세되는 증여재산의 범위

- 사회통념상 인정되는 피부양자의 생활비 및 교육비
  단, 이에 해당되는지 여부는 부모와 수증자와의 관계, 수증자가 부모의 「민법」상 피부양자에 해당하는지 여부, 수증자의 직업·연령·소득·재산상태 등 구체적인 사실을 확인하여 관할세무서장이 판단함 → 예를 들어 아버지가 생계능력이 있는 상태에서 할아버지가 손자에게 과도한 생활비 등을 지급하는 경우 이에 대해 증여세 과세가 가능함.
- 기념품, 부의금
  사회통념상 인정되는 물품 또는 금액은 증여세를 면제함.
- 축하금이나 용돈
  자녀가 축하금, 용돈의 명목으로 증여받아 실제로 용돈으로 사용하는 경우에는 증여세가 비과세됨. 다만, 용돈의 명목으로 증여받아 예금 및 펀드에 가입하거나 또는 세뱃돈으로 받은 경우에도 원칙적으로 증여세 과세대상에 해당함. 그러나 생일 및 입학 등의 사유로 증여받은 사회통념상 인정되는 축하금은 증여세가 비과세됨.

 제5절 증여세 과세가액관련 세무리스크 관리법

증여세 과세가액이란 증여세가 과세되어야 할 증여재산 즉 증여세 과세물건의 가액을 말한다. 이는 상속세의 과세표준액 산정의 기초가 될 금액을 말한다. 「상증법」 제47조를 중심으로 이를 살펴보자.

「상증법」 제47조에는 아래와 같이 3개의 항을 정하고 있다.

① 증여세 과세가액은 증여일 현재 이 법에 따른 증여재산가액을 합친 금액[제31조 제1항 제3호, 제40조 제1항 제2호·제3호, 제41조의3, 제41조의5, 제42조의3 및 제45조의2부터 제45조의4까지의 규정에 따른 증여재산(이하 "합산배제증여재산"이라 한다)의 가액은 제외한다]에서 그 증여재산에 담보된 채무(그 증여재산에 관련된 채무 등

대통령령으로 정하는 채무[53]를 포함한다)로서 수증자가 인수한 금액을 뺀 금액으로 한다.

② 해당 증여일 전 10년 이내에 동일인(증여자가 직계존속인 경우에는 그 직계존속의 배우자를 포함한다)으로부터 받은 증여재산가액을 합친 금액이 1천만 원 이상인 경우에는 그 가액을 증여세 과세가액에 가산한다. 다만, 합산배제증여재산의 경우에는 그러하지 아니하다.

③ 제1항을 적용할 때 배우자 간 또는 직계존비속 간의 부담부 증여(제44조에 따라 증여로 추정되는 경우를 포함한다)에 대해서는 수증자가 증여자의 채무를 인수한 경우에도 그 채무액은 수증자에게 인수되지 아니한 것으로 추정한다.[54]

위의 규정을 좀 더 자세히 살펴보자.

(1) 제1항 분석

첫째, 증여세 과세가액은 증여일 현재의 증여재산가액을 합한다.

둘째, 합산배제증여재산은 증여세에 대한 누적합산과세에서 제외한다. 이에는 아래와 같은 항목들이 있다.

- 제31조 제1항 제3호 : 재산 취득 후 해당 재산의 가치가 증가하는 경우
- 제40조 제1항 제2호·제3호 : 전환사채 등에 의하여 주식전환 등을 하여 얻은 이익 등
- 제41조의3 : 주식 등의 상장 등에 따른 이익의 증여
- 제41조의5 : 합병에 따른 상장 등 이익의 증여
- 제42조의3 및 제45조의2부터 제45조의4까지의 규정에 따른 증여재산 : 명의신탁재산의 증여의제 등

셋째, 그 증여재산에 담보된 채무로서 수증자가 인수한 금액을 뺀다.
이는 소위 부담부 증여에 관한 것으로 다음 장에서 검토하자.

---

53) "그 증여재산에 관련된 채무 등 대통령령으로 정하는 채무"란 증여자가 해당 재산을 타인에게 임대한 경우의 해당 임대보증금을 말한다.
54) 다만, 그 채무액이 국가 및 지방자치단체에 대한 채무 등 대통령령으로 정하는 바에 따라 객관적으로 인정되는 것인 경우에는 그러하지 아니하다.

(2) 제2항 분석

해당 증여일 전 10년 이내에 동일인[55]으로부터 받은 증여재산가액을 합친 금액이 1천만원 이상인 경우에는 그 가액을 증여세 과세가액에 가산한다. 다만, 합산배제증여재산의 경우에는 그러하지 아니하다.

(3) 제3항 분석

배우자 간 또는 직계존비속 간의 부담부 증여에 대해서는 수증자가 증여자의 채무를 인수한 경우에도 그 채무액은 수증자에게 인수되지 아니한 것으로 추정한다. 따라서 거래당사자들이 실제 채무부담사실을 입증하지 못하면 증여세 과세가액에서 공제되지 않는다.

세법에서는 부담부 증여 시의 채무에 대한 인정 여부에 따라 과세방법이 달라진다.

구분		증여세를 계산할 때	양도소득세를 계산할 때
일반적인 부담부 증여		인수채무액을 공제	채무인수액에 상당하는 부분은 유상양도로 간주
배우자·직계존비속 간 부담부 증여	원칙	인수채무액을 공제하지 않음.	채무인수액에 상당하는 부분은 유상양도로 보지 않음.
	예외	채무의 인수사실이 객관적으로 입증되는 경우에는 인수채무액을 공제	채무인수액에 상당하는 부분은 유상양도로 간주

---

55) 증여자가 직계존속인 경우에는 그 직계존속의 배우자를 포함한다.

증여세 과세표준관련 세무리스크 관리법

증여세 과세가액이 결정되었다면 여기에서 증여재산공제를 차감해 증여세 과세표준을 계산할 수 있다. 하지만 증여세 과세표준 계산 시 사안에 따라서는 주의할 것들이 있다. 「상증법」 제55조를 중심으로 증여세 과세표준에 대한 세무리스크 관리법을 알아보자.

「상증법」 제55조에서는 증여세 과세표준과 관련해 아래와 같이 2개의 항을 규정하고 있다.

---

① 증여세의 과세표준은 다음 각 호의 어느 하나에 해당하는 금액에서 대통령령으로 정하는 증여재산의 감정평가 수수료를 뺀 금액으로 한다.
 1. 제45조의2에 따른 명의신탁재산의 증여의제 : 그 명의신탁재산의 금액
 2. 제45조의3 또는 제45조의4에 따른 이익의 증여의제 : 증여의제이익
 3. 제1호 및 제2호를 제외한 합산배제증여재산 : 그 증여재산가액에서 3천만 원을 공제한 금액
 4. 제1호부터 제3호까지 외의 경우: 제47조 제1항에 따른 증여세 과세가액에서 제53조와 제54조에 따른 금액을 뺀 금액
② 과세표준이 50만 원 미만이면 증여세를 부과하지 아니한다.

제2항은 별 문제가 없으므로 제1항을 중심으로 살펴보자.

첫째, 제1호와 제2호의 경우 명의신탁재산의 증여의제 등에 해당하면 증여재산공제 등을 적용하지 않는다. 따라서 이에 해당하면 세금이 증가할 가능성이 높다.

둘째, 제3호의 경우 합산배제증여재산은 3천만 원을 공제한 금액 등을 과세표준으로 한다.

셋째, 위 외의 경우 증여세 과세가액에서 「상증법」 제53조와 제54조에 따른 금액 등을 뺀 금액을 과세표준으로 한다.

• 「상증법」 제53조
「상증법」 제53조는 아래와 같은 증여재산공제액을 말한다.

구분	증여재산공제액	비고
배우자로부터 수증	6억 원	10년간의 공제금액(이하 동일)
직계존속으로부터 직계비속 수증	5천만 원 (미성년자는 2천만 원)	성년자는 만19세 이상을 말함.
직계비속으로부터 직계존속 수증	5천만 원	
기타 친족으로부터 수증	1천만 원	
위 외 제3자로부터 수증	0원	

• 「상증법」 제54조

재해손실공제액을 말한다. 증여세 신고기한 이내에 대통령령으로 정하는 재난으로 인하여 증여재산이 멸실되거나 훼손된 경우에는 그 손실가액을 증여세 과세표준에서 공제한다.

🌐 배우자 증여재산 공제액의 변동

구분	'97.1.1 이후	'99.1.1 이후	'03.1.1 이후	'08.1.1 이후
합산기간	10년	10년	10년	10년
공 제 액	5억 원	5억 원	3억 원	6억 원

 Tip

■ 증여세 세율

과세표준	세율
1억 원 이하	과세표준의 100분의 10
1억 원 초과 5억 원 이하	1천만 원 + 1억 원을 초과하는 금액의 100분의 20
5억 원 초과 10억 원 이하	9천만 원 + 5억 원을 초과하는 금액의 100분의 30
10억 원 초과 30억 원 이하	2억4천만 원 + 10억 원을 초과하는 금액의 100분의 40
30억 원 초과	10억4천만 원 + 30억 원을 초과하는 금액의 100분의 50

참고로 「상증법」 제57조에서는 직계비속에 대한 증여의 할증과세를 아래와 같이 정하고 있다.

"수증자가 증여자의 자녀가 아닌 직계비속인 경우에는 증여세 산출세액에 100분의 30 (수증자가 증여자의 자녀가 아닌 직계비속이면서 미성년자인 경우로써 증여재산가액이 20억 원을 초과하는 경우에는 100분의 40)에 상당하는 금액을 가산한다. 다만, 증여자의 최근친(最近親)인 직계비속이 사망하여 그 사망자의 최근친인 직계비속이 증여받은 경우에는 그러하지 아니하다."

 Tip

■ 납부세액공제

사전에 증여한 재산이 합산되면 증여세가 증가한다. 그렇다면 합산된 증여재산가액에서 발생한 증여세는 어떻게 공제될까?

이에 대해 「상증법」 제58조에서 아래와 같이 규정하고 있다.

① 제47조 제2항에 따라 증여세 과세가액에 가산한 증여재산의 가액(둘 이상의 증여가 있을 때에는 그 가액을 합친 금액을 말한다)에 대하여 납부하였거나 납부할 증여세액(증여 당시의 해당 증여재산에 대한 증여세 산출세액을 말한다)은 증여세 산출세액에서 공제한다. 다만, 증여세 과세가액에 가산하는 증여재산에 대하여 「국세기본법」 제26조의2 제4항 또는 제5항에 따른 기간의 만료로 인하여 증여세가 부과되지 아니하는 경우에는 그러하지 아니하다.

② 제1항의 경우에 공제할 증여세액은 증여세 산출세액에 해당 증여재산의 가액과 제47조 제2항에 따라 가산한 증여재산의 가액을 합친 금액에 대한 과세표준에 대하여 가산한 증여재산의 과세표준이 차지하는 비율을 곱하여 계산한 금액을 한도로 한다.

사례

1년 전에 부모로부터 1억 원 수증, 금일 부모로부터 1억 원 수증 시 증여세 납부세액공제액은?

• 1년 전의 산출세액 : 500만 원('1억 원 − 5천만 원'의 10%)
• 금회 증여에 따른 산출세액 : 2천만 원(1.5억 원 × 20% − 1천만 원)
• 납부세액공제액 : 다음 적은 금액 : 500만 원

　① 500만 원

　② 한도(증여세산출세액 × $\dfrac{\text{가산한 증여세 과세표준}}{\text{전체 증여세 과세표준}}$) = 2천만 원 × $\dfrac{5천만\ 원}{1억\ 5천만\ 원}$

　　= 666만 원

제7절 증여세 납부의무관련 세무리스크 관리법

증여세 납부의무는 증여를 받은 자(수증자)에게 있다. 사실 이 정도만 알고 있어도 큰 문제는 없다. 하지만 조금만 깊이 들어가면 증여세 납부의무도 상당히 복잡하다는 것을 알게 될 것이다.

1 증여세 납부의무

「상증법」 제4조의2에서 이에 대해 정하고 있다.

(1) 증여세 납부의무

수증자가 거주자인지 비거주자인지의 여부에 따라 증여세를 납부할 의무의 범위가 달라진다(「상증법」 제4조의2 제1항).

① 수증자가 거주자(본점이나 주된 사무소의 소재지가 국내에 있는 비영리법인을 포함한다)인 경우 : 증여세 과세대상이 되는 모든 증여재산
② 수증자가 비거주자(본점이나 주된 사무소의 소재지가 외국에 있는 비영리법인을 포함한다)인 경우 : 증여세 과세대상이 되는 국내에 있는 모든 증여재산

(2) 이중과세의 적용 배제

한 증여재산에 대해 두 가지의 세금이 부과되는 경우에는 이중과세의 문제가 있다. 따라서 「상증법」에서는 아래와 같이 이 문제를 해결하고 있다.

첫째, 증여재산에 대하여 수증자에게 「소득세법」에 따른 소득세 또는 「법인세법」에 따른 법인세가 부과되는 경우에는 증여세를 부과하지 아니한다. 소득세 또는 법인세가 「소득세법」, 「법인세법」 또는 다른 법률에 따라 비과세되거나 감면되는 경우에도 또한 같다.

둘째, 영리법인이 증여받은 재산 또는 이익에 대하여 「법인세법」에 따른 법인세가 부과되는 경우(법인세가 「법인세법」 또는 다른 법률에 따라 비과세되거나 감면되는 경우를 포

함한다) 해당 법인의 주주 등에 대해서는 제45조의3부터 제45조의5까지의 규정에 따른 경우를 제외하고는 증여세를 부과하지 아니한다.

- 제45조의3 특수관계법인과의 거래를 통한 이익의 증여의제
- 제45조의4 특수관계법인으로부터 제공받은 사업기회로 발생한 이익의 증여의제
- 제45조의5 특정법인과의 거래를 통한 이익의 증여의제

(3) 증여세의 일부나 전부 면제

위의 규정에도 불구하고 제35조부터 제37조까지 또는 제41조의4에 해당하는 경우로써 수증자가 제6항 제2호[56]에 해당하는 경우에는 그에 상당하는 증여세의 전부 또는 일부를 면제한다.

- 제35조 저가양수 또는 고가양도에 따른 이익의 증여
- 제36조 채무면제 등에 따른 증여
- 제37조 부동산 무상사용에 따른 이익의 증여
- 제41조의4 금전 무상대출 등에 따른 이익의 증여

(4) 증여세의 연대 납부의무

증여자는 다음 각 호의 어느 하나에 해당하는 경우에는 수증자가 납부할 증여세를 연대하여 납부할 의무가 있다.[57]

① 수증자의 주소나 거소가 분명하지 아니한 경우로써 증여세에 대한 조세채권(租稅債權)을 확보하기 곤란한 경우
② 수증자가 증여세를 납부할 능력이 없다고 인정되는 경우로써 체납처분을 하여도 증여세에 대한 조세채권을 확보하기 곤란한 경우
③ 수증자가 비거주자인 경우

---

56) 수증자가 증여세를 납부할 능력이 없다고 인정되는 경우로서 체납처분을 하여도 증여세에 대한 조세채권을 확보하기 곤란한 경우를 말한다.
57) 다만, 제4조 제1항 제2호 및 제3호, 제35조부터 제39조까지, 제39조의2, 제39조의3, 제40조, 제41조의2부터 제41조의5까지, 제42조, 제42조의2, 제42조의3, 제45조의3부터 제45조의5까지 및 제48조(출연자가 해당 공익법인의 운영에 책임이 없는 경우로써 대통령령으로 정하는 경우만 해당한다)에 해당하는 경우는 제외한다.

증여추정(자금출처조사)관련 세무리스크 관리법

「상증법」 제44조와 제45조를 보면 증여추정이라는 제도가 있다. 이 제도는 거래당사자들이 증여가 아님을 입증하지 못하면 증여세를 과세하는 제도로 주로 특수관계인 간의 담합을 방지하기 위해 두고 있다.

1. 배우자 등에게 양도한 재산의 증여추정

「상증법」 제44조에서는 배우자나 직계존비속에게 양도한 재산은 양도자가 그 재산을 양도한 때에 증여추정을 하도록 하고 있다. 이 규정을 살펴보면 아래와 같다.

① 배우자 또는 직계존비속에게 양도한 재산은 양도자가 그 재산을 양도한 때에 그 재산의 가액을 배우자등이 증여받은 것으로 추정하여 이를 배우자등의 증여재산가액으로 한다.

② 특수관계인에게 양도한 재산을 그 특수관계인이 양수일부터 3년 이내에 당초 양도자의 배우자등에게 다시 양도한 경우에는 양수자가 그 재산을 양도한 당시의 재산가액을 그 배우자등이 증여받은 것으로 추정하여 이를 배우자등의 증여재산가액으로 한다. 다만, 당초 양도자 및 양수자가 부담한 「소득세법」에 따른 결정세액을 합친 금액이 양수자가 그 재산을 양도한 당시의 재산가액을 당초 그 배우자등이 증여받은 것으로 추정할 경우의 증여세액보다 큰 경우에는 그러하지 아니하다.

③ 해당 재산이 다음 각 호의 어느 하나에 해당하는 경우에는 제1항과 제2항을 적용하지 아니한다.
    1. 법원의 결정으로 경매절차에 따라 처분된 경우
    2. 파산선고로 인하여 처분된 경우
    3. 「국세징수법」에 따라 공매(公賣)된 경우
    4. 「자본시장과 금융투자업에 관한 법률」 제8조의2 제4항 제1호에 따른 증권시장을 통하여 유가증권이 처분된 경우. 다만, 불특정 다수인 간의 거래에 의하여 처분된 것으로 볼 수 없는 경우로써 대통령령으로 정하는 경우는 제외한다.
    5. 배우자등에게 대가를 받고 양도한 사실이 명백히 인정되는 경우로써 대통령령으로 정하는 경우

④ 제2항 본문에 따라 해당 배우자등에게 증여세가 부과된 경우에는 「소득세법」의 규정에도 불구하고 당초 양도자 및 양수자에게 그 재산 양도에 따른 소득세를 부과하지 아니한다.

이 규정은 주로 부모와 자녀 간에 부동산을 양도할 때 적용된다. 다만, 대가관계가 명확하면 증여추정제도를 적용하지 않는다. 그 대신 저가양수도에 대한 세법내용을 검토해야 한다. 이에 대한 자세한 내용은 제7장에서 살펴보자.

2. 재산 취득자금 등의 증여추정

이는 일명 자금출처조사라고 불리는 제도로 「상증법」 제45조에서 아래와 같이 규정하고 있다.

① 재산 취득자의 직업, 연령, 소득 및 재산 상태 등으로 볼 때 재산을 자력으로 취득하였다고 인정하기 어려운 경우로써 대통령령으로 정하는 경우에는 그 재산을 취득한 때에 그 재산의 취득자금을 그 재산 취득자가 증여받은 것으로 추정하여 이를 그 재산 취득자의 증여재산가액으로 한다.
② 채무자의 직업, 연령, 소득, 재산 상태 등으로 볼 때 채무를 자력으로 상환(일부 상환을 포함한다. 이하 이 항에서 같다)하였다고 인정하기 어려운 경우로써 대통령령으로 정하는 경우에는 그 채무를 상환한 때에 그 상환자금을 그 채무자가 증여받은 것으로 추정하여 이를 그 채무자의 증여재산가액으로 한다.
③ 취득자금 또는 상환자금이 직업, 연령, 소득, 재산 상태 등을 고려하여 대통령령으로 정하는 금액 이하인 경우와 취득자금 또는 상환자금의 출처에 관한 충분한 소명(疏明)이 있는 경우에는 제1항과 제2항을 적용하지 아니한다.
④ 「금융실명거래 및 비밀보장에 관한 법률」 제3조에 따라 실명이 확인된 계좌 또는 외국의 관계 법령에 따라 이와 유사한 방법으로 실명이 확인된 계좌에 보유하고 있는 재산은 명의자가 그 재산을 취득한 것으로 추정하여 제1항을 적용한다.

재산취득일 전 또는 채무상환일 전 10년 이내에 주택과 기타재산의 취득가액 및 채무상환금액이 각각 아래 기준에 미달하고, 주택취득자금, 기타재산 취득자금 및 채무상환자금의 합계액이 총액한도 기준에 미달하는 경우에는 법 제45조 제1항과 제2항을 적용하지 않는다.

구분	취득재산		채무상환	총액한도
	주택	기타재산		
30세 미만	5천만 원	5천만 원	5천만 원	1억 원
30세 이상	1.5억 원	5천만 원	5천만 원	2억 원
40세 이상	3억 원	1억 원	5천만 원	4억 원

3. 적용 사례

서울 압구정동에 거주하고 있는 방귀순씨는 이번에 큰맘을 먹고 1층에 있는 상가를 구입하기로 결정했다. 부가가치세를 제외한 구입가는 10억 원이다. 대출[58]은 3억 원 정도를 받아 구입자금으로 충당하고자 한다. 방씨는 현재 사업자로서 세율 38%를 적용받고 있다.

- 상황1 : 전업주부인 배우자의 명의로 하는 것이 유리한가?
- 상황2 : 배우자 명의로 취득하면 자금출처조사가 나오는가?
- 상황3 : 사례의 경우 자금출처 소명방법은?

위의 상황에 대해 순차적으로 분석해 보자.

(상황1) 전업주부인 배우자의 명의로 하는 것이 유리한가?

배우자명의로 하는 경우 다음과 같은 장점들이 있다.

- 부가가치세를 환급받을 수 있다.
- 임대차계약을 비교적 자유롭게(또는 유리하게) 체결할 수 있다.

참고로 자금출처조사를 받거나 건강보험료를 부담하는 것은 단점에 해당한다.

(상황2) 배우자 명의로 취득하면 자금출처조사가 나오는가?

나올 가능성이 높다. 특히 사업자의 배우자가 고가의 상가 등을 취득하면 그 자금내역의 조사를 통해 사업체에 대한 세무조사로 연결되는 경우가 왕왕 있다.

---

58) 대출제도에 대해서는 각 금융기관 등을 통해 알아보기 바란다.

(상황3) 사례의 경우 자금출처소명방법은?

우선 소명부족액을 계산하면 아래와 같다.

총구입액	소명금액	소명부족액	비고
10억 원*	대출금 : 3억 원	7억 원	

* 취득세 4.6%(4,600만 원)등도 고려되어야 한다.

이때 소명부족액 7억 원은 전세보증금 및 배우자 간 증여재산공제(6억 원) 등을 고려하여 입증하도록 한다.

📀 재산 취득 자금출처에 대한 해명자료 제출 안내

아래와 같은 해명자료 제출 요구는 부채상환을 할 때에도 발생할 수 있다.

재산 취득 자금출처에 대한 해명자료 제출 안내

문서번호 :   -

○ 성명 :   귀하   ○ 생년월일 :

안녕하십니까? 귀댁의 안녕과 화목을 기원합니다.

귀하가 아래의 재산을 취득한 것으로 확인되었으나 귀하의 소득 등으로 보아 자금원천이 확인되지 않는 부분이 있어 이 안내문을 보내드리니 <u>201 . . .까지</u> 아래 재산 명세에 대한 취득자금과 관계된 증빙자료를 제출하여 주시기 바랍니다.

취득한 재산 명세	
제출할 서류	1. 계좌 ○○○○○ 거래 명세서 2. ○○동 ○○번지 취득계약서 사본 등 증빙 3. 취득자금에 대한 금융증빙 4. 기타 해명할 내용
해명 요청 사항	1. 구체적으로 해명사항을 요청함 2. 3.

요청한 자료를 제출하지 않거나 제출한 자료가 불충분할 때에는 사실 확인을 위한 조사를 할 수 있음을 알려드립니다.

증여의제관련 세무리스크 관리법

증여의제는 법규정에 부합하면 납세자의 해명에도 불구하고 무조건 증여세를 과세하는 제도를 말한다. 앞에서 본 증여추정은 반증의 기회를 주지만 이 규정은 그러한 것 없이 무조건 과세하므로 상당히 강력한 제도에 해당한다. 명의신탁재산의 증여의제규정에 대해 알아보자.59)

1. 명의신탁재산의 증여의제

「상증법」 제45조의2에서는 명의신탁재산에 대해서 아래와 같은 규정을 두어 증여세를 부과한다.

> ① 권리의 이전이나 그 행사에 등기등이 필요한 재산(토지와 건물은 제외한다)의 실제소유자와 명의자가 다른 경우에는 「국세기본법」 제14조에도 불구하고 그 명의자로 등기등을 한 날(그 재산이 명의개서를 하여야 하는 재산인 경우에는 소유권취득일이 속하는 해의 다음 해 말일의 다음 날을 말한다)에 그 재산의 가액(그 재산이 명의개서를 하여야 하는 재산인 경우에는 소유권취득일을 기준으로 평가한 가액을 말한다)을 실제소유자가 명의자에게 증여한 것으로 본다. 다만, 다음 각 호의 어느 하나에 해당하는 경우에는 그러하지 아니하다.
> 1. 조세 회피의 목적 없이 타인의 명의로 재산의 등기등을 하거나 소유권을 취득한 실제소유자 명의로 명의개서를 하지 아니한 경우

명의신탁에 대한 증여의제규정은 주로 주식에 대해서 적용되고 있다. 부동산의 경우에는 부동산실명법에 의해 규율이 되고 있어 이 규정이 적용되지 않는다. 주식에 대한 명의신탁 증여의제에 대한 자세한 내용은 제11장에서 살펴본다.

---

59) 아래의 내용은 제5편에서 살펴보자.
• 제45조의3 특수관계법인과의 거래를 통한 이익의 증여의제
• 제45조의4 특수관계법인으로부터 제공받은 사업기회로 발생한 이익의 증여의제
• 제45조의5 특정법인과의 거래를 통한 이익의 증여의제

2. 명의신탁 부동산관련 세무리스크 발생 사례

K씨는 10여년 전에 아버지 명의를 빌려 주택을 구입하였다. 본인 명의로 1채를 더 구입하면 1세대 2주택이 되어 향후 이에 대해 비과세를 받지 못할 것으로 생각하였기 때문이다. 요즘 아버지가 편찮아서 이 주택을 처분하고자 하나 여의치가 않다. 그래서 이 부동산을 어떤 식으로든 본인 명의로 돌려놓고 싶은데 어떻게 하는 것이 좋을지가 궁금하다. 이에 대한 조언을 한다면?

일단 남의 명의로 된 부동산은 세법 이전에 부동산실명제 위반으로 과징금 등의 제재를 받게 된다. 따라서 실무적으로 이러한 부분을 먼저 고려할 필요가 있다. 이러한 법률 위반 문제를 제쳐놓고 해당 부동산을 이전하는 방법은 다음과 같다.

첫째, 상속이 있다.

상속은 가장 저렴하게 이전할 수 있는 수단이 된다. 상속재산가액이 10억 원에 미달하면 상속에 따른 취득세만 부담하면 되기 때문이다. 하지만 상속이 발생할 때까지를 기다려야 하고, 상속분쟁이 발생할 수 있다는 단점이 있다.

둘째, 증여가 있다.

생전에 증여를 통해 자산을 이전받을 수 있다. 하지만 증여의 경우에는 증여세가 많이 나올 수 있다는 단점이 있다. 만약 증여로 이전하는 경우에는 부담부 증여방식을 별도로 검토할 필요가 있다.

셋째, 매매가 있다.

매매방식도 하나의 대안으로 검토할 수 있지만 특수관계인 간의 거래에 대해서는 자금출처조사를 하기 때문에 매우 유의해야 한다. 한편 저가나 고가로 양도하는 경우에도 시가를 조사하여 과세할 수 있으므로 적정가액(통상 시세의 80% 선)을 잘 정하는 것도 중요하다.

Tip

■ 부동산과 명의신탁

원래 부동산 등기는 실소유자가 자신의 명의로 하는 것이 원칙이다. 그런데 투기나 탈세 등을 위해 제3자로 등기를 하는 경우가 있는데 이를 '명의신탁'이라고 하고 명의신탁에 해당하면 법적효력을 무효로 한다. 다만, 채무의 변제를 담보하기 위해 가등기를 하거나 「신탁법」 등에 의해 신탁재산인 사실을 등기하는 경우, 종중 부동산의 명의신탁 또는 배우자간의 명의신탁 등은 조세포탈이나 강제 집행 또는 법령상 제한을 피하기 위한 것이 아니라면 명의신탁에 해당하지 않는 것으로 한다.[60] 부동산 등기와 관련하여 시장·군수 또는 구청장, 국세청장 등은 실명을 조사할 수 있는 권한이 있다(법률 제9조). 만약 부동산실명제를 어긴 사실이 밝혀지면 과징금 등이 부과된다. 그 금액은 부동산가액 등[61]의 30%까지 될 수 있다. 이외에 징역형을 받을 수도 있다(단, 공소시효는 7년임).

---

60) 부동산실명법 제8조(종중, 배우자 및 종교단체에 대한 특례)

다음 각 호의 어느 하나에 해당하는 경우로서 조세 포탈, 강제집행의 면탈(免脫) 또는 법령상 제한의 회피를 목적으로 하지 아니하는 경우에는 제4조부터 제7조까지 및 제12조 제1항부터 제3항까지를 적용하지 아니한다.

1. 종중(宗中)이 보유한 부동산에 관한 물권을 종중(종중과 그 대표자를 같이 표시하여 등기한 경우를 포함한다) 외의 자의 명의로 등기한 경우
2. 배우자 명의로 부동산에 관한 물권을 등기한 경우
3. 종교단체의 명의로 그 산하 조직이 보유한 부동산에 관한 물권을 등기한 경우

61) 아래를 말한다(부동산실명법 제5조 제2항).

1. 소유권의 경우에는 「소득세법」 제99조에 따른 기준시가
2. 소유권 외의 물권의 경우에는 「상증법」 제61조 제5항 및 제66조에 따라 대통령령으로 정하는 방법으로 평가한 금액

제 **7** 장

실전 증여세 세무리스크 관리법

이 장에서는 앞에서 배운 다양한 증여유형, 증여세 과세구조 등을 바탕으로 실전에서 증여세를 어떤 식으로 다룰 것인지 등을 공부한다. 특히 금전의 무상대출이나 부담부 증여, 저가양수, 신탁재산 등은 매우 중요한 주제이므로 관심을 더 두기 바란다.

본 장에서 살펴볼 주요 내용들은 아래와 같다.

- 증여세관련 기본적인 세무리스크 관리법
- 증여세 신고서 작성방법
- 현금 등 금융재산관련 세무리스크 관리법
- 금전의 무상대출관련 세무리스크 관리법
- 보험금의 증여와 세무리스크 관리법
- 부동산 증여관련 세무리스크 관리법
- 부담부 증여관련 세무리스크 관리법
- 저가양수 또는 고가양도관련 세무리스크 관리법
- 가족 간 부동산 거래 시의 세무리스크 관리법
- 증여재산의 반환, 증여계약의 해제관련 세무리스크 관리법
- 이혼에 따른 재산분할과 세무리스크 관리법
- 신탁재산과 상속·증여 세무리스크 관리법
- 금융재산의 증여관련 세무리스크 관리법
- 자주 등장하는 증여세 세무리스크 유형

제1절 증여세관련 기본적인 세무리스크 관리법

증여세는 앞에서 살펴본 상속세와는 다른 구조로 과세되는 세목에 해당한다. 하지만 증여란 개념이 다소 추상적이어 생각지 못한 증여세를 부과당하는 경우가 종종 있다. 따라서 증여세는 이러한 관점에서 기본적인 내용들을 잘 이해하는 것이 좋다. 증여세관련 기본적인 세무리스크 관리법을 정리해 보자.

1 증여세관련 세무리스크 발생 사례

K씨는 아래와 같이 증여를 받았다.

자료

• 3년 전에 아버지로부터 1억 원을 증여받음.
• 금일 어머니로부터 5천만 원을 증여받을 예정임.

• 상황1 : 이번에 신고할 증여재산가액은 얼마인가?
• 상황2 : 이번에 신고할 때 적용되는 증여공제액은 얼마인가?
• 상황3 : 증여세 산출세액은 얼마인가?
• 상황4 : 3년 전에 증여할 때 낸 증여세는 얼마나 공제되는가?

위 상황에 맞게 답을 찾아보면 아래와 같다.

(상황1) 이번에 신고할 증여재산가액은 얼마인가?

동일인으로부터 10년 내에 증여받은 재산가액은 합산한다. 이때 부모는 동일인으로 본다. 따라서 금일 증여분에 대한 증여재산가액은 1억 5천만 원이 된다.

(상황2) 이번에 신고할 때 적용되는 증여공제액은 얼마인가?

성년자가 직계존속으로 증여를 받을 수 있는 금액은 10년간 5천만 원이다.

(상황3) 증여세 산출세액은 얼마인가?

증여재산가액 1억 5천만 원에서 증여재산공제 5천만 원을 차감한 1억 원의 10%인 1천만 원이 산출세액이 된다.

(상황4) 3년 전에 증여할 때 낸 증여세는 얼마나 공제되는가?

3년 전에는 증여세 산출세액이 500만 원이었다. 따라서 이 금액을 공제하나 한도가 있다. 한도는 산출세액에 대해 '가산한 증여세 과세표준/전체 증여세 과세표준'의 비율을 곱해 계산한다. 사례의 경우 산출세액은 1천만 원이고 분자의 가산한 증여세 과세표준은 5천만 원, 분모의 전체 증여세 과세표준은 1억 원이므로 500만 원이 한도가 된다.

🌐 증여재산가액과 증여공제 적용법

부모 등으로부터 증여를 받아 증여세를 납부할 때 증여재산가액과 증여재산공제 적용법에 주의해야 한다. 부모나 조부모는 각각 동일인으로 보고 증여재산가액을 각각 계산하지만, 증여재산공제를 적용할 때에는 직계존속(부모, 조부모) 전체에 대해 5천만 원을 공제하기 때문이다. 예를 들어 3년 전 할아버지로부터 5천만 원을 오늘 아버지와 어머니로부터 1억 원을 증여받았다면 증여세는 아래처럼 계산한다.

- 할아버지로부터 증여받은 경우
  - 증여세 과세표준 : 5천만 원 – 5천만 원 = 0원
  - 증여세 산출세액 : 0원

- 부모로부터 증여받은 경우
  - 증여재산가액 : 1억 원(부모는 동일인)
  - 증여세 과세표준 : 1억 원 – 0원 = 1억 원(증여재산공제는 할아버지로부터 증여받을 때 사용하였으므로 공제불가)
  - 증여세 산출세액 : 1천만 원(1억 원 × 10%)

2 증여세 계산구조

증여세 계산구조는 아래와 같다.

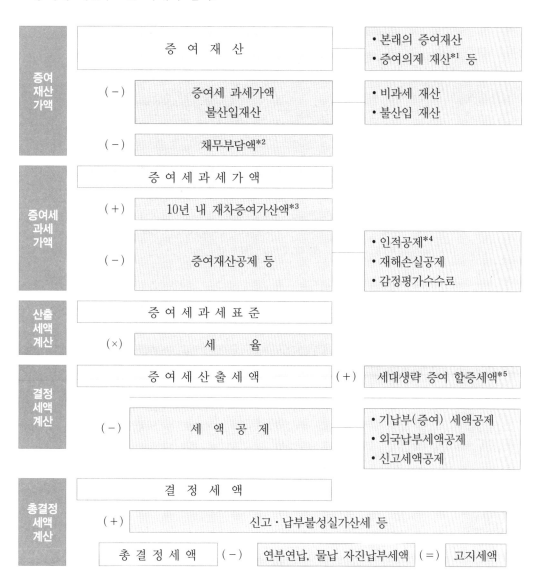

*¹ : 증여의제 재산 등에는 증여추정제도, 명의신탁증여의제제도 등에 의한 증여재산이 있다.

*² : 부채와 함께 증여를 하는 부담부 증여 시 부채는 증여재산가액에서 차감된다(부채는 유상양도에 해당).

*³ : 동일인(부부는 동일인에 해당)으로부터 10년 이내에 증여받은 재산가액을 말한다.

*⁴ : 6억 원, 5천만 원, 2천만 원, 1천만 원을 공제한다.

*⁵ : 세대를 생략해 증여가 일어나면 30%(40%) 할증과세된다.

Tip

■ 증여재산가액에 포함되는 항목과 제외되는 항목

증여재산가액에 포함되는 항목			증여재산가액에서 제외되는 항목	
항목		금액	항목	금액
본래 증여	• 현금 · 예금 · 보험 • 부동산(분양권 포함) • 주식 · 채권, 적립식펀드 • 기타(기업, 소득, 특허권 등)		• 부담부 증여 시 채무액 • 비과세 • 과세가액 불산입액[62]	
추가 증여	•10년 내 증여분 합산 • 증여한 재산의 반환 • 증여추정 • 명의신탁 증여의제 • 변칙적인 증여 등			
			계	②
계		①	순 증여재산가액	①-②

제2절 증여세 신고서 작성법

지금까지 공부한 내용을 바탕으로 증여세 신고서를 작성하는 방법을 살펴보자. 증여세 신고서는 국세청 홈택스를 통해 전자적으로 작성할 수 있다. 좀 복잡한 신고서는 세무사 등을 통해 제출하는 것이 좋다.

> 자료
>
> • 금회 증여재산가액 : 3억 원
> • 5년 전 동일인으로 받은 사전 증여재산가액 : 5천만 원
> • 금회 증여재산에 담보된 채무액 : 1억 원
> • 위 채무액은 수증자가 인수하는 조건임.

---

62) 공익법인에 상속이나 증여재산을 출연하면 상속세와 증여세가 면제될 수 있다. 이에 대한 자세한 내용은 제12장을 참조하자.

증여세과세표준 신고서

구분	금액	산출근거(실제 양식에는 없음)
수증자	성명, 주민등록번호, 주소 등	
증여자	성명, 주민등록번호, 주소 등	
증여재산가액	3억 원	시가가 원칙이나 예외적으로 보충적 평가방법을 사용
증여재산가산액	5천만 원	10년 내 동일인으로부터 받은 증여재산가액(합산 후 재 정산)
비과세 등	0	국가 등으로부터 받은 증여재산가액 등
채무액	1억 원	증여재산에 담보된 채무로서 증여자가 인수한 채무액
증여세 과세가액	2억 5천만 원	
증여재산공제	5천만 원	성년자 공제
과세표준	2억 원	
세율	20%	누진공제 : 1천만 원
산출세액	3천만 원	
세액공제	90만 원	− 기납부세액공제 : 0원 − 신고세액공제 : 3천만 원 × 3%
가산세	0	신고불성실가산세 : 미달신고세액의 20% 납부지연가산세: 미달납부세액 × 미납기간 × 0.025%
납부할 세액	2,910만 원	1천만 원 초과 시 분납 가능

※ 구비서류
1. 증여자 및 수증자의 호적등본(제출생략 가능)
2. 증여재산 명세서 및 평가명세서(부표)
3. 채무사실 등 기타 입증서류

200 년 월 일
신고인   (서명 또는 인)
세무대리인   (서명 또는 인)
○○세무서장 귀하

〈증여재산 및 평가명세서〉

증여재산 및 평가명세서

재산구분	재산종류	소재지	수량(면적)	단가	평가가액	평가기준
증여재산 가액	건물	서울 OO구			2억 원	기준시가
	토지	서울 OO구			1억 원	기준시가
증여재산 가산액	현금				5천만 원	시가
합계					3억 5천만 원	

※ 작성방법
- 재산구분 : 증여재산가액, 증여재산가산액, 비과세 금액, 과세가액 불산입에 대한 구분을 말함
- 재산종류 : 건물, 토지 등
- 평가기준 : 원칙적으로 시가에 의하되, 시가를 적용하기 곤란한 경우 기준시가로 함.

증여세는 증여일이 속한 달의 말일로부터 3개월 내에 수증자의 주소지 관할세무서에 신고 및 납부한다.

Tip

■ 증여세를 신고하는 경우의 신고서 서식 및 첨부서류 등

  ① 증여세과세표준신고 및 자진신고납부계산서(별지 제10호 서식)
  ② 증여재산 및 평가명세서(별지 제10호 서식 부표)
  ③ 주민등록등본, 가족관계증명서 등 증여자와 수증자관계 입증서류
  ④ 증여재산 입증서류(증여계약서 등)

 현금 등 금융재산관련 세무리스크 관리법

현금 등 금융재산과 관련하여 가장 쟁점이 되는 부분은 단순 금융거래가 증여에 해당하는지, 차입거래에 해당하는지 등의 여부이다. 현금 등 금융재산과 관련해 발생하는 세무리스크 관리법을 알아보자.

1 현금 등 금융재산관련 세무리스크 발생 사례

경기도 고양시에서 거주하고 있는 신새벽씨는 자녀들 명의로 매월 펀드 및 적금을 불입하고 있다. 이 불입금은 가족이나 지인들로부터 받은 용돈을 저축한 것으로서 앞으로 자녀들의 교육비 등의 용도로 필요할 때마다 인출하여 사용할 예정이다.

• 상황1 : 불입한 펀드나 적금도 증여에 해당하는가? 만약 이를 교육비로 사용할 목적인
        경우에도 증여에 해당하는가?
• 상황2 : 만약 증여에 해당하면 증여세 신고는 어떻게 하는가? 만일 신고를 하지 않으
        면 어떤 불이익이 있는가?

- 상황3 : 저축한 돈을 자녀가 성인이 되었을 때 결혼자금 등으로 사용할 경우에도 증여에 해당하는가?

위의 상황에 대해 순차적으로 답을 찾아보자.

(상황1) 불입한 펀드나 적금도 증여에 해당하는가? 만약 이를 교육비로 사용할 목적인 경우에도 증여에 해당하는가?

원칙적으로 자녀명의로 계좌를 개설하여 매월 펀드나 적금을 증여목적으로 부모가 이체하는 경우, 이는 증여에 해당한다. 다만, 자녀의 향후 교육비 등에 대비하여 매월 펀드나 적금에 가입하여 그 금전을 자녀의 교육비 및 생활비에 사용하는 경우에는 비과세되는 증여재산에 해당한다. 한편 생활비 및 교육비 등의 명목으로 받아 이를 예·적금하거나 전세자금, 주택 등의 매입자금 등으로 사용하는 경우에는 증여세가 비과세되는 생활비로 보지 아니한다.

(상황2) 만약 증여에 해당하면 증여세 신고는 어떻게 하는가? 만일 신고를 하지 않으면 어떤 불이익이 있는가?

매월 일정금액을 몇년간 불입하는 펀드(적금)를 증여목적으로 불입하는 경우로써 증여세 신고는 입금할 때마다 하는 것이 원칙이다. 하지만 매번 하는 것이 번거롭기 때문에 다음과 같은 평가방법을 이용해 1회로 신고를 끝낼 수 있다(서면4팀-1137, 2008.5.8.).

---

* 유기정기금 평가방법 : Min(①, ②)
  ① 유기정기금 평가방법=[각 연도에 받을 정기금액/(1+3.0%)]^n
    ^{n} : 평가기준일부터의 경과연수
  ② 1년분 정기금액의 20배

(상황3) 저축한 돈을 자녀가 성인이 되었을 때 결혼자금 등으로 사용할 경우에도 증여에 해당하는가?

저축한 돈을 성인이 되어 인출하여 증여하는 경우에는 그 시기에 성년인 자녀에게 증여세가 과세되는 것이 원칙이다. 다만, 증여세를 신고한 후 금전을 모아서 자녀가 유학비로 사용하거나 부동산 취득 등을 하는 경우에는 추가로 증여세 과세문제는 발생하지 아니한다.

일반적으로 추가되는 수익에 대해 증여세를 피하기 위해서는 미리 증여세 신고를 해두는 것이 안전하다.

2 현금 등 금융재산관련 세무리스크 관리법

일반인들이 현금 등 금융재산을 증여할 때 발생하는 세무상 쟁점들을 정리하면 다음과 같다.

(1) 현금 등 거래 시

- 축의금, 생활비 등과 증여세 관계를 정확히 이해할 필요가 있다.
- 차명계좌에 대한 현금증여추정제도를 이해할 필요가 있다.
- 신용카드 사용실적은 국세청전산시스템 상에 노출된다.
- 금융거래 시 CTR, STR, 해외계좌신고제도 등이 적용된다.

(2) 현금 등 무상 대여 시

- 특수관계인로부터 무상으로 대출받으면 연간 4.6% 상당액을 증여로 보게 된다. 다만, 무상이익이 연간 1천만 원이 넘어야 한다.
- 무상대여가 자칫 증여로 둔갑하는 것을 방지하기 위해서는 미리 금전소비대차계약서(무상)등을 갖출 필요가 있다.

(3) 현금 등 차입 시

차입임을 입증하지 못하면 증여로 볼 수도 있다. 따라서 자금거래 시 이에 대한 거래증빙을 철저히 보관하여 두도록 한다(필요 시 금전소비대차계약서 보관).

(4) 계좌변경 시

보험이나 주식등 계약자 변경 시 증여세 과세문제가 있다.

3 현금 등 차명계좌에 대한 증여추정제도

2013.1.1. 이후 신고하거나 결정(또는 경정)하는 분부터 그 계좌에 보유하고 있는 재산은 명의자(자녀)가 취득한 것으로 추정하여 이를 증여재산가액으로 보는 제도를 말한다. 예를 들어 자녀 명의의 예금계좌로 입금되어 자녀가 쉽게 그 예금을 인출하여 처분할 수 있도록 하였다면 그러한 예금은 증여된 것으로 추정된다. 따라서 자녀명의의 계좌로 입금한 것이 증여가 아닌 다른 목적으로 행하여진 특별한 사정이 있는 경우라면 그에 관한 입증책임은 이를 주장하는 납세자에게 있다. 따라서 이를 납세자가 입증하지 못하면 이에 증여세가 부과된다.

> **사례**
>
> 단순히 자녀 명의의 예금계좌에 현금을 입금한 후 본인이 관리해오다가 당해 예금을 인출하여 본인이 사용한 것으로 확인되는 때에는 증여로 추정하는가?
>
> 그렇지 않다. 실질적인 소유자는 본인(부모)이 되기 때문이다.

> **사례**
>
> 차명계좌에 해당하는 경우에 자녀명의로 된 예금 등을 실질 소유자인 본인(부모)의 계좌로 이체 즉, 환원하는 것 또한 별도의 증여에 해당하는가?
>
> 그렇지 않다. 이는 증여와 무관하다.

4 자녀의 용돈, 축하금 등 과세판단

(1) 증여사실을 객관적으로 입증하는 경우

자녀가 용돈, 축하금으로 금전을 증여받아 예금을 하거나 펀드 및 주식을 취득한 경우로써 그 용돈, 축하금의 구체적인 증여자(세뱃돈 등을 증여한 사람) 및 증여시기(금전의 수령일), 증여금액이 금융자료 등에 의하여 객관적으로 각각 입증하는 경우에는 각 증여시기마다 각각 금전을 증여받은 것으로 보아 일단 증여세가 과세(과세미달 및 비과세 포함)된다. 다만, 이렇게 입증을 한 경우에는 이러한 용돈 등에 의해 자녀가 예금을 하거나 펀드 및 주식을 취득하는 경우에도 추가로 증여세 과세문제는 발생하지 아니한다. 이는 당초 증여

당시의 용돈 등만 문제가 된다는 뜻이다. 그 결과 증여재산공제범위 내의 금액은 전액 비과세처리된다.

(2) 증여사실을 객관적으로 입증하지 못하는 경우

부모 등으로부터 세뱃돈 및 용돈, 축하금으로 증여받은 사실을 일일이 입증하지 못하는 경우에는 자녀가 인출하여 부동산취득자금 등으로 실제로 사용하는 시점에 이자 및 펀드수익, 주식가치 상승금액 등을 포함하여 부모님 등으로부터 증여받은 것으로 추정하여 「상증법」 제45조(재산 취득자금 등의 증여추정)에 따라 증여세가 과세된다. 이는 추가되는 수익에 대해서도 증여세가 과세될 수 있다는 뜻이다.

 Tip

■ 기타 현금 거래 시 주의할 점들
- 자금거래가 금전소비대차 또는 증여에 해당되는지는 당사자간 계약, 이자지급사실, 차입 및 상환 내역, 자금출처 및 사용처 등 구체적인 사실을 종합하여 관할세무서장이 판단한다.
- 금전을 무상으로 또는 적정이자율(4.6%)보다 낮은 이자율로 대부받은 경우에는 그 금전을 대부받은 날에 무상으로 대부받은 금액에 적정이자율(4.6%)을 곱한 가액, 적정이자율보다 높은 이자율로 대부받은 경우에는 대부금액에 적정이자율을 곱한 가액에서 실제 지급한 이자상당액을 차감한 가액을 증여받은 것으로 본다.

 제4절 금전의 무상대출관련 세무리스크 관리법

현금 등 금전을 무상대출하는 경우에도 이자상당액이 상대방에게 이전이 된다. 따라서 이에 대해서도 증여세 과세의 문제가 발생한다. 하지만 수많은 금전거래에 대해 증여세 과세잣대를 들이밀면 세무행정이 걷잡을 수 없게 변할 수 있다. 금전의 무상대출과 관련된 세무리스크 관리법을 알아보자.

1 금전 무상대출 등에 따른 이익의 증여

「상증법」제41조의4에서는 아래와 같이 금전 무상대출 등에 따른 이익의 증여에 대해 규정하고 있다.

① 타인으로부터 금전을 무상으로 또는 적정 이자율보다 낮은 이자율로 대출받은 경우에는 그 금전을 대출받은 날에 다음 각 호의 구분에 따른 금액을 그 금전을 대출받은 자의 증여재산가액으로 한다. 다만, 다음 각 호의 구분에 따른 금액이 대통령령으로 정하는 기준금액 미만인 경우는 제외한다.
  1. 무상으로 대출받은 경우 : 대출금액에 적정 이자율을 곱하여 계산한 금액
  2. 적정 이자율보다 낮은 이자율로 대출받은 경우 : 대출금액에 적정 이자율을 곱하여 계산한 금액에서 실제 지급한 이자 상당액을 뺀 금액
② 제1항을 적용할 때 대출기간이 정해지지 아니한 경우에는 그 대출기간을 1년으로 보고, 대출기간이 1년 이상인 경우에는 1년이 되는 날의 다음 날에 매년 새로 대출받은 것으로 보아 해당 증여재산가액을 계산한다.
③ 특수관계인이 아닌 자 간의 거래인 경우에는 거래의 관행상 정당한 사유가 없는 경우에 한정하여 제1항을 적용한다.

위의 규정 중 제1항과 제2항을 중심으로 자세히 살펴보자.

첫째, 타인으로부터 자금을 무상으로 대여받거나 적정 이자율보다 낮게 받으면 이 규정이 적용될 수 있다.

- 무상으로 대출받은 경우 : 대출금액에 적정 이자율[63]을 곱하여 계산한 금액
- 낮은 이자율로 대출받은 경우 : 대출금액에 적정 이자율을 곱하여 계산한 금액에서 실제 지급한 이자 상당액을 뺀 금액

둘째, 대통령령으로 정하는 기준금액 미만인 경우는 제외한다.
이는 1천만 원을 말한다. 따라서 이 금액 미만은 과세대상에서 제외된다.

셋째, 대출기간은 1년을 기준으로 하되, 대출기간이 1년 이상인 경우에는 1년이 되는 날의 다음 날에 매년 새로 대출받은 것으로 보아 해당 증여재산가액을 계산한다.

---

63) 4.6%를 말한다.

2 금전 무상대출 등에 따른 이익의 증여 사례

서울 강남구 역삼동에서 살고 있는 강탄탄씨는 사업자금이 필요한데, 은행에서 대출을 받을까 아니면 부친으로부터 자금을 빌린 후 이자를 지급할까 고민하고 있다.

- 상황1 : 부친으로 자금을 받으면 증여세가 과세되는가?
- 상황2 : 만일 이자를 지급하면 차입으로 인정되는가?
- 상황3 : 차입으로 인정받기 위해서는 반드시 차용증을 작성해야 하는가?

위의 상황에 대한 답을 순차적으로 찾아보자.

(상황1) 부친으로 자금을 받으면 증여세가 과세되는가?

세법은 직계존비속 간 금전소비대차는 원칙적으로 인정되지 아니하며 부모님이 자녀에게 현금을 빌려주는 경우 자녀가 증여받은 것으로 추정한다. 다만, 직계존비속 간 사실상 금전소비대차계약에 의하여 자금을 차입하여 사용하고 추후 이를 변제하는 사실이 이자 및 원금변제에 관한 증빙 및 담보설정, 채권자확인서 등에 의하여 확인되는 경우에는 차입한 금전에 대해서는 증여세가 과세되지 않는다.

(상황2) 만일 이자를 지급하면 차입으로 인정되는가?

그렇다. 다만, 세법에서 정한 적정 이자를 지급해야 한다.

(상황3) 차입으로 인정받기 위해서는 반드시 차용증을 작성해야 하는가?

차용증이 반드시 있어야 하는 것은 아니다. 기타 자료에 의해 차입거래임이 입증되면 족하기 때문이다. 다만, 강씨의 입장에서 입증력을 높이고 싶다면 차용증(금융거래내역 포함)을 구비해두면 좋다.

● 관련 심판례 : 조심 2011서252, 2011.8.9.

차용증서 없이 금전소비대차한 경우라도 실제로 상환하였다면 금융거래를 통하여 변제된 객관적 사실만큼 구체적인 것은 없다고 할 것이므로, 이 건도 청구인이 어머니에게 상환한 것이 금융증빙으로 확인되는 금액은 금전소비대차로 인정함이 타당하다.

● 차입을 통해 재산가치가 증가된 경우

「상증법」 제42조의3에서는 특수관계인으로부터 자금을 차입하여 재산을 취득한 후 5년 내에 개발사업의 시행 등을 통해 이익을 얻으면 이 이익을 증여받은 것으로 보아 증여세를 과세할 수 있도록 하고 있다. 다만, 차입을 통해 부동산을 취득해 이를 5년 내에 처분하는 경우에 이 규정이 적용이 되기 위해서는 대통령령이 보완되어야 할 것으로 보인다.

 Tip

■ 차용증 서식

특수관계인 간 차용증을 작성하지 아니한 경우에도 금전소비대차임을 입증하면 문제가 없으나, 후일을 대비해 이를 작성하여 두는 것이 좋다(필요 시 공증을 받아두는 것도 괜찮음).

금전소비대차계약서(일명 차용증)

대여인　　　　　　　　　　　(이하 "갑"이라 함)과
차용인　　　　　　　　　　　(이하 "을"이라 함)은

　아래와 같이 금전소비대차 계약서를 작성하고 각 조항을 확약한다.

제1조[거래조건]

(1) 대여금액　 :　　　　　　　　　　　원
(2) 대여기간　 : 20　　년　　월　　일부터 20　　년　　월　　일까지
(3) 대여이자율 : 대여금에 대한 이자는 「상증법」에서 정하고 있는 당좌대월이자율(4.6%)
　　 로 지급할 것을 약정한다.

제2조[상환방법]상환일 만료일에 전액 상환하다.

제3조[이자지급방법]이자지급은 20　　년　　월　　일로 한다.

20　 년　 월　 일
　　　　대여인(갑) － 성　　　　　명 :　　　　　　　　　　　　(인)
　　　　　　　　　 － 주　　　　　소 :
　　　　　　　　　 － 사업자등록번호 :

　　　　차용인(을) － 성　　　　　명 :　　　　　　　　　　　　(인)
　　　　　　　　　 － 주　　　　　소 :
　　　　　　　　　 － 주민등록번호 :

※ 저자 주
　금전소비대차계약은 금전거래가 일어나기 전에 작성하고, 금액이 큰 경우에는 공증을
　받아두는 것이 안전하다.

제5절 보험금의 증여관련 세무리스크 관리법

보험상품은 다른 금융상품에 비해 장기계약을 바탕으로 하고 있어 증여시기나 기타 과세 방식 등이 다른 금융재산과 다르게 규정되어 있다. 「상증법」 제34조에서 규정하고 있는 보험금의 증여규정을 통해 보험금을 둘러싼 증여세 과세방식을 이해해 보자.

1 보험금의 증여

「상증법」 제34조에서는 아래와 같이 보험금의 증여에 대해 정하고 있다.

---

① 생명보험이나 손해보험에서 보험사고(만기보험금 지급의 경우를 포함한다)가 발생한 경우 해당 보험사고가 발생한 날을 증여일로 하여 다음 각 호의 구분에 따른 금액을 보험금 수령인의 증여재산가액으로 한다.
   1. 보험금 수령인과 보험료 납부자가 다른 경우(보험금 수령인이 아닌 자가 보험료의 일부를 납부한 경우를 포함한다) : 보험금 수령인이 아닌 자가 납부한 보험료 납부액에 대한 보험금 상당액
   2. 보험계약 기간에 보험금 수령인이 재산을 증여받아 보험료를 납부한 경우 : 증여받은 재산으로 납부한 보험료 납부액에 대한 보험금 상당액에서 증여받은 재산으로 납부한 보험료 납부액을 뺀 가액
② 제1항은 제8조에 따라 보험금을 상속재산으로 보는 경우에는 적용하지 아니한다.

위의 규정 중 제1항을 중심으로 관련 내용을 살펴보자.

첫째, 보험금의 증여시기는 보험사고가 발생할 날을 의미한다.

보험사고는 질병이나 사망, 연금지급의 개시가 되는 날 등을 의미한다. 따라서 연금보험의 경우 수령시기가 10년 뒤라면 그 때가 증여시기가 된다.

둘째, 보험금 수령인과 보험료 납부자가 다른 경우에는 보험금 수령인이 아닌 자가 납부한 보험료 납부액에 대한 보험금 상당액을 증여재산으로 본다.

셋째, 보험계약 기간에 보험금 수령인이 재산을 증여받아 보험료를 납부한 경우에는 아래와 같은 금액을 증여받은 재산가액으로 본다.

- 증여받은 재산으로 납부한 보험료 납부액에 대한 보험금 상당액 – 증여받은 재산으로 납부한 보험료 납부액

2 보험금증여관련 세무리스크 발생 사례

서울 서초구 방배동에서 살고 있는 김미리씨가 20세 때부터 다음과 같이 연금보험에 가입하였다. 이 상품은 10년 납으로 월 100만 원 정도의 보험료가 불입되었다. 이 보험료 중 절반은 김씨가 직접 부담하였다.

자료

계약자	주피보험자	수익자
어머니	김미리	어머니

- 상황1 : 계약자와 수익자를 어머니에서 김미리씨로 변경하는 경우 어떤 세금문제가 있는가?
- 상황2 : 향후 연금을 수령할 때 증여금액은 얼마인가?
- 상황3 : 증여세는 어떻게 계산하는가?

위의 상황에 대해 순차적으로 답을 찾아보면 다음과 같다.

(상황1) 계약자와 수익자를 어머니에서 김미리씨로 변경하는 경우 어떤 세금문제가 있는가?

일반적으로 보험계약변경 시점에서는 증여세가 과세되지 않는다. 세법에서는 보험사고(만기 포함)가 발생하기 전에 보험계약자를 자녀명의로 변경하는 경우 계약자 등을 변경한 사실만으로 그 시점에는 증여세가 과세되지 아니하고, 이후 보험사고가 발생하여 보험금을 수령(사례의 경우 연금을 수령)할 때 과세하기 때문이다.[64]

---

64) 보험계약이 변경되는 시점에 증여가 성립하는 보험계약도 있다. 저자의 카페로 문의하기 바란다.

(상황2) 향후 연금을 수령할 때 증여금액은 얼마인가?

일단 김씨가 수령한 보험금은 김씨와 어머니가 반반씩 보험료에 의해 발생한 것이다. 따라서 해당 보험금의 절반이 증여재산가액에 해당한다.

(상황3) 증여세는 어떻게 계산하는가?

만약 보험금에 대한 증여재산 평가액이 3억 원이라고 하자. 이 경우 1억 5천만 원은 김씨의 몫에 해당하고 나머지 1억 5천만 원은 증여재산가액이 된다. 한편 성년자녀가 공제받을 수 있는 증여재산공제액은 5천만 원이므로 이를 초과한 1억 원에 대해서는 증여세가 부과될 것으로 보인다.

- 증여세 산출세액 : 1억 원 × 10% = 1천만 원

 Tip

■ 보험금 증여세 과세와 보험계약 변경 시 과세자료 통보

1. 보험금에 대한 증여세 과세요약

구분	내용
• 과세요건	① 생명보험이나 손해보험에서 보험금 수령인과 보험료 납부자가 다른 경우 ② 보험계약 기간에 보험금 수령인이 타인으로부터 재산을 증여받아 보험료를 납부한 경우
• 납세의무자	보험금 수령인
• 증여시기	보험사고 발생일(만기보험금 지급도 보험사고에 포함)
• 증여재산가액	1) 보험료불입자와 보험금수령인이 다른 경우 　① 보험료를 전액 타인이 불입한 경우 : 증여이익 = 당해 보험금 　② 보험료를 일부 타인이 부담한 경우 : 증여이익 = 보험금 × (보험금 수취인 이외의 자가 불입한 보험료/불입한 보험료 총 합계액) 2) 보험료불입자와 보험금수령인이 동일한 경우 　① 보험료를 전액 타인재산 수증분으로 불입한 경우 : 　　증여이익 = 보험금 − 보험료 불입액 　② 보험료를 일부 타인재산 수증분으로 불입한 경우 : 　　증여이익 = 보험금 × (타인재산 수증분으로 불입한 금액/불입한 보험료 총액) − 타인재산 수증분으로 불입한 보험료

2. 보험계약자 명의변경 명세서

보험계약을 변경하는 경우에는 보험회사에서 다음과 같은 자료를 국세청에 통보하게 된다. 이러한 자료는 증여세 등의 과세에 사용된다.

■ 「상증법」 시행규칙[별지 제19호의2서식](2014.3.14 신설)

보험계약자 등 명의변경 명세서

보험 내 용				명 의 변 경 내 용							
				구 분			변경 전 명의자		변경 후 명의 자		
① 일련 번호	② 보험의 종류	③ 보험 증서 번호	④ 납입 보험료	⑤ 명의 변경 일자	⑥ 명의 변경 사유	⑦ 명의 변경 유형	⑧ 성명	⑨ 주민 등록번호	⑩ 성명	⑪ 주민 등록번호	⑫ 변경 전 명의자와 의 관계

「상증법」 제82조 제1항 및 같은 법 시행령 제84조 제1항에 따라 생명보험 또는 손해보험에 대한 보험 계약자 등 명의변경 내용을 위와 같이 확인하여 제출합니다.

년 월 일

제출자 상호(법인명)

사업자등록번호

소재지

성명(대표)   (인)

세 무 서 장 귀하

작성방법

1. 보험계약자 등 명의변경 명세서는 지급자 별로 그 명의변경일이 속하는 분기 종료일의 다음 달 말일까지 본점 또는 주된 사무소의 소재지를 관할하는 세무서장에게 제출해야 합니다.
2. 이 보험계약자 등 명의변경 명세서에는 모든 생명보험 및 손해보험의 계약차 또는 수익자 명의 변경 내용을 적습니다.
3. ④란에는 명의변경일 현재까지 납입된 보험료를 적습니다.
4. ⑥란에는 계약자의 신청, 계약자 또는 수익자의 사망, 기타로 적습니다.
5. ⑦란에는 계약자 변경 또는 수익자 변경으로 구분하여 적습니다.

부동산 증여관련 세무리스크 관리법

이제 부동산 증여와 관련해 발생할 수 있는 세무리스크 관리법을 정리해 보자. 부동산의 경우에는 주로 재산평가, 부담부 증여, 저가 및 고가 양수도, 무상사용 등이 쟁점이 된다. 상가나 빌딩 등에 대해서는 장을 달리하여 살펴보자.

1 부동산 증여관련 세무리스크 발생 사례

서울 용산구 한남동에서 살고 있는 변웅기씨가 보유하고 부동산이 다음과 같다고 하자.

자료

구분	내용	비고
아파트	거주용 주택	
빌딩	본인 단독 소유	100억 원 대에 해당
빌라	자녀 명의로 보유	
토지	본인 단독 소유	
상가1	배우자 명의로 보유임대	
상가2	자녀 등에게 무상임대	

• 상황1 : 상속이 발생할 경우 어떤 문제점들이 있을까?
• 상황2 : 차명으로 관리하고 있는 부동산에 대한 문제점은?
• 상황3 : 자녀에게 무상으로 임대한 상가2는 어떤 세금문제가 있는가?

위의 상황에 대해 순차적으로 답을 찾아보면 다음과 같다.

(상황1) 상속이 발생할 경우 어떤 문제점들이 있을까?

일단 본인 명의로 되어 있는 재산들은 모두 상속세 과세대상이 된다. 이 경우 상속재산가액 규모가 100억 원대를 넘게 되어 많은 상속세를 예상할 수 있다. 만일 상속세 납부대책이 세워지지 않았다면 부동산을 긴급하게 처분해야 하는 문제점이 발생할 수 있다.

(상황2) 차명으로 관리하고 있는 부동산에 대한 문제점은?

차명부동산은 부동산실명법 위반으로 세법이전에 형법위반으로 과징금(30%)을 부과받을 수 있는 사안이다. 상속이 발생한 경우 자금출처조사 등을 통해 차명부동산임이 밝혀지는 경우도 있다(공소시효는 7년이다).

(상황3) 자녀에게 무상으로 임대한 상가2는 어떤 세금문제가 있는가?

무상으로 상가를 임대하면 세법상의 시가에 맞춰 부가가치세를 내야 한다. 한편 무상사용이익에 대해서는 증여세 문제가 있다.

2 부동산 증여관련 세무리스크 관리법

재산가의 부동산 증여와 관련된 세무상 쟁점 및 세무리스크 관리법 등을 주택, 토지, 상가별로 정리하면 다음과 같다.

(1) 주택의 증여

- 주택을 증여하는 경우에는 시가를 기준으로 증여세를 과세하는 것이 원칙이다.
- 해당 주택에 대한 부채가 있는 경우 부담부 증여 방식으로 증여할 수 있다.

(2) 토지의 증여

- 토지는 일반적으로 공시지가로 증여할 수 있다.
- 8년 자경한 농지는 될 수 있는 한 상속으로 이전하는 것이 좋다.

(3) 상가 · 빌딩의 증여

- 상가등의 증여 시에는 증여재산가액평가에 매우 신중해야 한다. 최근에 감정가액으로 경정할 수 있는 제도가 도입되었기 때문이다. 이에 대해서는 다음 장에서 살펴본다.
- 상가등은 지분으로 증여하면 임대소득세도 줄어드는 효과가 발생한다.
- 상가등의 경우 토지는 놔두고 건물부분만을 별도로 증여하는 것이 유리한 경우가 있다. 이때 대출과 전세보증금을 함께 증여하는 부담부 증여와 매매 등의 방법 중 유리한 것을 선택할 수 있다(저자 카페로 문의).

3 부동산 증여관련 세무리스크 심화 사례

K씨는 서울에서 10년 보유한 아파트 1채와 상가부분이 주택부분보다 큰 2층짜리 상가겸용주택을 보유하고 있다. 따라서 K씨는 1세대 2주택자에 해당된다. 이번에 상가겸용주택 중 토지는 K씨 본인 명의로 놔두고 주택건물부분만 세대분리가 된 자녀에게 증여한 후 아파트를 양도하려고 한다. 이 경우 아파트는 1세대 1주택에 해당되어 비과세가 적용될까?

위에 대한 답을 순차적으로 찾아보자.

(1) 쟁점은?

K씨가 상가겸용주택 중 주택건물부분만 제3자에 증여한 후 아파트를 처분하면 1세대 1주택자로서 비과세를 받을 수 있는지의 여부가 쟁점이 된다.

(2) 세법 규정은?

비과세 여부를 판단함에 있어 주택과 부수토지의 소유자가 상이한 경우로써 동일세대원이 아닌 경우에는 주택의 건물부분 소유자를 주택소유자로 보아 비과세를 적용한다.

(3) 결론은?

사례의 경우 동일세대원이 아닌 자에게 겸용주택의 건물부분을 증여하여 부수토지만을 소유하게 되었으므로 K씨의 아파트는 1세대 1주택 비과세를 받을 수 있다고 결론내릴 수 있다(단, 2021년 1월 1일 이후부터 양도나 증여 또는 용도변경을 통해 1주택자가 된 경우에는 최종 1주택만 보유한 날로부터 2년 이상 보유해야 비과세가 적용됨에 유의해야 한다).

> **사례**
>
> 만일 위의 상가겸용주택이 층별 혹은 호별로 구분등기된 집합건물이 아닌 경우에도 양도소득세 비과세가 적용되는가?
>
> 그렇지 않다. 이러한 경우는 구분등기가 안 되어 있으므로 건물의 주택부분만을 구분하여 증여할 수는 없는 것으로 보는 것이 타당하다. 즉 건물의 일부만 지분으로 증여하는 경우에는 여전히 1세대 2주택자가 된다.

Tip

■ 상가겸용주택의 양도소득세 과세판단

상가겸용주택을 양도하는 경우 과세대상 판단은 다음과 같이 한다.

주택의 연면적 > 상가의 연면적인 경우	주택의 연면적 ≤ 상가의 연면적인 경우
전체를 주택으로 본다.	• 주택면적은 주택으로 본다. • 상가면적은 상가로 본다(2022년 이후의 양도분부터 고가겸용주택의 상가부분은 상가로 봄).

제7절 부담부 증여관련 세무리스크 관리법

부동산을 증여하는 방법에는 크게 두 가지가 있다. 하나는 부채 없이 부동산을 넘기는 방법이고, 다른 하나는 부채와 함께 부동산을 넘기는 방법이다. 특히 후자의 경우에는 약방의 감초처럼 부동산 증여 시 절세의 대안으로 자주 등장한 것인 만큼 이에 대해서는 검토를 꼼꼼히 할 필요가 있다.

1 부담부 증여관련 세무리스크 발생 사례

어떤 사람이 성년인 자녀에게 5억 원짜리 부동산을 증여하고자 하는데 이 부동산에 담보된 2억 원의 채무를 수증자가 인수하는 조건으로 증여하고자 한다. 이 경우 순수하게 5억 원을 증여받는 경우와 부채를 인수하는 조건으로 증여받는 경우의 세금차이를 알아보자.

위의 상황에 대한 답을 찾아보자.

(1) 채무인수 없이 증여를 받는 경우

채무를 감안하지 않는 상태에서 증여세를 계산하면 다음과 같다.

- 증여세 과세표준=4억 5천만 원(증여재산가액 5억 원−증여재산공제 5천만 원)
- 증여세 산출세액=4억 5천만 원×20%−1천만 원(누진공제)=8천만 원

(2) 증여받은 자가 채무를 인수하는 경우

구분	금액	비고
증여재산가액 (+) 증여재산가산액	5억 원	
(=) 총 증여재산가액 (−) 부담부 증여 시 인수채무	5억 원 2억 원	인수채무액은 양도세 대상
(=) 과세가액 (−) 증여공제 (−) 감정평가수수료공제	3억 원 5천만 원	성년자 공제
(=) 과세표준 (×) 세율 (−) 누진공제	2억 5천만 원 20% 1천만 원	
(=) 산출세액	4천만 원	

(3) 결과해석

채무 없이 증여한 것과 비교해 볼 때 4천만 원 정도 저렴하다. 다만, 세법은 인수한 채무는 유상양도의 대가로 보아 이에 대해서는 양도소득세를 부과한다. 따라서 이에 대한 양도소득세와 앞에서 계산된 증여세를 합한 금액과 순수한 증여 시의 증여세와 비교해야 한다. 결국 부담부 증여에 의한 방식이 유용하려면 양도소득세가 낮게 나와야 할 것이다.

2 부담부 증여관련 세무리스크 관리법

(1) 부담부 증여를 실행할 수 있는 부동산

부담부 증여는 대부분의 부동산에 대해 실행될 수 있다.

- 사전 대출이나 전세보증금이 있는 주택
- 사전 대출이 있는 토지
- 사전 대출이나 전세보증금이 있는 상가 등

(2) 부담부 증여에 대한 부채규모 결정

부담부 증여 시 적정한 부채의 규모를 결정할 수 있어야 한다. 이를 위해서는 아래와 같은 내용들에 주의해야 한다. 실무에서는 아래의 세목들을 기준으로 최적의 부채규모를 결정할 수 있다.

첫째, 재산평가법에 유의해야 한다.

부담부 증여 실무에서 가장 중요한 것은 바로 부담부 증여재산에 대한 평가이다. 이를 어떤 식으로 할 것인지에 따라 과세방식이 확 달라지기 때문이다. 부담부 증여 시 재산평가는 「상증법」 제60조부터 제66까지의 규정에 따라 평가한다. 따라서 '시가 → 간주시가 → 보충적 평가방법'에 따라 재산이 평가된다. 예를 들어 아파트의 경우 매매사례가액 등으로 평가될 가능성이 높다. 이에 대한 자세한 내용은 제3장에서 살펴보았다.

둘째, 각 세목의 세금계산 방법에 능통해야 한다.

① 증여세

부담부 증여에서 증여에 해당하는 부분은 「상증법」에 의해 평가된 재산가액에서 그 재산에 담보된 채무액을 공제한 가액이다(「상기통」 47·36···5). 즉 채무부담부분은 유상양도로 보고, 나머지 부분은 증여로 본다. 이처럼 부담부 증여에서 증여세는 전적으로 재산가액을 어떤 식으로 평가하는지에 따라 그 내용이 확 달라진다. 예를 들어 기준시가가 1억 원이고 채무액이 1억 원이라면 증여에 해당하는 가액은 없다.

② 양도소득세

부담부 증여 시 담보된 채무액은 양도가액이 되는데, 이때 취득가액을 어떤 식으로 정할 것인지가 중요하다. 양도차익 계산은 「소득세법 시행령」 제159조에 근거하여 그 취득가액 및 양도가액은 다음과 같이 계산해야 한다.

- 양도가액 : 「상속세 및 증여세법」 제60조부터 제66조까지의 규정에 따라 평가한 가액 × 채무액 ÷ 증여재산가액

- 취득가액 : 취득당시 실지거래가액(단, 양도가액을 기준시가에 따라 산정한 경우에는 취득당시 기준시가) × 채무액 ÷ 증여재산가액
- 기타 필요경비 : 실제 기타 필요경비 × 채무액 ÷ 증여재산가액

③ 취득세

「지방세법」 제7조에서는 부담부 증여의 경우 그 채무액에 상당하는 부분은 부동산 등을 유상으로 취득하는 것으로 보고 있다. 다만, 배우자 또는 직계존비속으로부터의 부동산 등의 부담부 증여의 경우에는 대가관계 등이 명확하지 않으면 증여로 본다. 따라서 채무가 인정되는 경우에는 이를 유상취득으로 보아 채무액을 과세표준액으로 하는 것이 타당하다. 그런데 만일 그 채무액이 시가표준액보다 낮은 경우에는 시가표준액을 기준으로 과세하는 것이 타당할 것으로 보인다.[65]

(3) 부담부 증여 시의 부채관리법

부담부 증여상의 부채로 인정받기 위해서는 다음과 같은 조건을 충족해야 한다.

- 증여일 현재 증여재산에 담보된 채무가 있어야 한다.
- 담보된 당해 채무가 반드시 증여자의 채무이어야 한다.
- 당해 채무를 수증자가 인수한 사실이 증여계약서, 자금출처가 확인되는 자금으로 원리금을 상환하거나, 담보설정 등에 의하여 객관적으로 확인되어야 한다. 아래의 예규를 참조하기 바란다.

🌐 서면4팀-811, 2007.3.8.

1. 「상증법」 제47조 제1항에 의하여 증여받은 당해 재산에 담보된 증여자의 채무를 수증자가 인수한 사실이 입증된 때에는 증여재산의 가액에서 그 채무액을 공제한 금액을 증여세 과세가액으로 하는 것이며, 그 채무상당액에 대하여는 「소득세법」 제88조 제1항의 규정에 의하여 양도소득세가 과세되는 것임.
2. 「상증법」 제47조 제1항의 규정을 적용함에 있어서 직계존비속간의 부담부 증여에 대하여는 수증자가 증여자의 채무를 인수한 경우에도 당해 채무액은 수증자에게 채무가 인수되지 아니한 것으로 추정하는 것이나, 당해 채무액이 같은법 시행령 제10조 제1항 각 호의 1의 규정에 의하여 객관적으로 입증되는 경우에 한하여 수증자가 인수한 채무

---

65) 이 경우 채무액과 '시가표준액 - 채무액'을 구분해 각각의 취득세율(4%, 3.5%)을 적용해야 할 것으로 보인다.

를 증여재산의 가액에서 그 채무액을 공제하는 것임.

3. 귀 질의의 경우 수증자가 증여자의 채무를 인수하였는지 여부는 채무자의 명의를 변경하였는지 여부에 관계없이 재산을 증여받은 후 당해 채무를 사실상 누가 부담하고 있는지 여부 등 실질내용에 따라 사실판단하는 것임.

③ 부담부 증여관련 세무리스크 심화 사례

서울시 마포구에서 거주하고 있는 송용미씨는 아버지로부터 아파트를 증여받고자 한다. 공인중개사무소에서 알아본 결과 시세는 대략 5억 원 정도가 되었으나 정부에서 발표한 공동주택가격(기준시가)은 2억 원 가량이 되었다. 송씨는 이 집에 담보된 채무 1억 5천만 원을 인수하는 조건으로 증여받아 2억 원을 기준으로 증여세와 양도소득세를 신고했다.

그런데 얼마 후에 관할세무서에서는 세금을 더 내라는 통지서를 보냈다. 왜 그랬을까?

위의 사례는 부모가 자녀 등에게 부동산을 증여할 때 자주 등장하는 유형에 해당한다. 왜 그런지 아래 절차에 따라 이를 살펴보자.

(1) 쟁점은 무엇인가?

앞의 증여대상 주택가격은 시가 5억 원과 기준시가 2억 원으로 파악되고 있다. 그런데 김씨는 시가가 아닌 기준시가인 2억 원으로 신고했다고 하자. 이에 관할세무서는 김씨가 신고한 과세표준을 인정하지 않고 시세로 과세할 가능성이 높다.

(2) 세법규정은 어떻게 되었는가?

세법은 증여일 전 6개월부터 증여세 신고일까지의 기간 사이에 당해 증여재산과 유사한 재산이 거래된 적이 있어 해당 거래금액이 밝혀지면 이를 시가로 보아 과세할 수 있다. 이를 유사매매사례가액이라고 한다.

(3) 어떻게 대응해야 하는가?

사례의 경우 유사한 재산에 대한 매매사례가액이 발견이 되었다. 따라서 이 금액을 기준으로 과세가 될 가능성이 높다. 만약 실제 매매사례가액으로 과세가 된 경우 정식적인 불복절차를 거쳐 구제를 받을 수도 있다.

Tip

■ 부담부 증여에 대한 업무 플로우

부담부 증여 업무 Flow

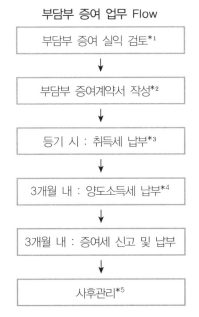

```
┌──────────────────────────────┐
│   부담부 증여 실익 검토*¹        │
└──────────────────────────────┘
               ↓
┌──────────────────────────────┐
│   부담부 증여계약서 작성*²       │
└──────────────────────────────┘
               ↓
┌──────────────────────────────┐
│   등기 시 : 취득세 납부*³        │
└──────────────────────────────┘
               ↓
┌──────────────────────────────┐
│   3개월 내 : 양도소득세 납부*⁴   │
└──────────────────────────────┘
               ↓
┌──────────────────────────────┐
│   3개월 내 : 증여세 신고 및 납부  │
└──────────────────────────────┘
               ↓
┌──────────────────────────────┐
│   사후관리*⁵                    │
└──────────────────────────────┘
```

*¹ 실익 검토 : 부담부 증여를 할 것인지 순수증여를 할 것인지 또는 매매를 할 것인지 등을 검토한다.

*² 증여계약서 작성 : 아래의 샘플처럼 작성한다. 이때 금융기관으로부터 부채 잔고 증명서를 발급받아 부채를 확인하여야 한다.

*³ 취득세 납부 : 유상취득분(부채)과 무상취득분(증여)으로 나눠 취득세를 부담하게 된다.

*⁴ 양도소득세 납부 : 부담부 증여에서 발생하는 양도소득세는 양도일이 속한 달의 말일부터 3개월 내에 신고 및 납부하면 된다. 일반 양도소득세의 경우 2개월이 주어지는 것과 차이가 있다.

*⁵ 사후관리 : 사후적으로 부채를 누가 갚았는지에 대한 세무조사가 진행될 수 있으므로 부채 상환 시 이 부분에 관심을 두도록 한다.

❖ 저자 주

상가나 빌딩 등 부가가치세가 과세되는 건물을 부담부 증여하는 경우 부가가치세에 주의해야 한다. 사업의 양도에 대해서는 부가가치세가 과세되도록 되어 있기 때문이다. 다만, 사업이 포괄적으로 양수도되는 경우에는 부가가치세가 과세되지 않는다. 이때 포괄양수도 계약은 건물과 토지, 임대보증금, 임차인 등이 그대로 승계되어야 효력이 발생함에 유의해야 한다.

🌀 부담부 증여계약서(샘플)

부담부 증여 시 증여계약서의 샘플을 살펴보면 다음과 같다.

(부담부)부동산 증여계약서

증여자 홍길동(이하 "갑"이라고 한다)와 수증자 강감찬(이하 "을"이라 한다)은 아래 표시의 부동산(이하 "표시 부동산"이라고 한다)에 관하여 다음과 같이 증여계약을 체결한다.

[부동산의 표시]
1. 서울 OO구 OO동 OO번지 건물 OO㎡

제1조 (목적) 갑은 갑 소유 표시 부동산을 이하에서 정하는 약정에 따라 을에게 증여하고, 을은 이를 승낙한다.

제2조 (증여시기) 갑은 을에게 2000년 O월 OO일까지 표시 부동산의 소유권이전등기와 동시에 인도를 한다.

제3조 (부담부분) 을은 표시 부동산의 증여를 받는 부담으로 증여자의 OO은행에 대한 다음 채무를 인수한다.

① 일반 대출액 총 O억 원 중 잔액 O억 원에 대한 원금 및 이자채무

제4조 (계약의 해제) 을이 다음 각 호에 해당할 경우, 갑은 본 계약을 해제할 수 있다.

1. 본 계약서에 의한 채무를 이행하지 아니한 때
2. 갑 또는 그 배우자나 직계혈족에 대한 범죄 및 반인륜적 행위를 한 때
3. 생계유지에 지장을 줄 만한 도박, 음주 등에 의해 재산을 낭비할 염려가 있는 때
4. 위 2조 ①항, ②항 및 ③항의 약정을 2회 이상 이행하지 않는 때

제5조 (계약의 해제 후 조치) 제4조에 의한 본 계약의 해제가 되었을 경우, 을은 갑에 대해 지체 없이 표시 부동산의 소유권이전등기와 동시에 인도를 해야 한다.

이 경우 계약해제일까지 을이 지출한 대출상환금은 그때까지 표시부동산을 사용, 수익한 대가와 상계 된 것으로 한다.

제6조 (비용 및 제세공과금의 부담) 표시 부동산의 소유권이전과 관련한 제반 비용 및 조세 공과금 등은 을이 부담한다.

제7조 (담보책임) 표시 부동산의 증여는 제2조에 의한 등기 및 인도일의 상태를 대상으로 하며, 갑은 표시부동산의 멸실, 훼손에 대하여 책임을 지지 아니한다.

이 계약을 증명하기 위하여 계약서 2통을 작성하여 갑과 을이 서명·날인한 후 각각 1통씩 보관한다.

2000년 O월 OO일

증여자	주 소				전 화 번 호	
	성 명	**홍길동**	주민등록번호		전 화 번 호	
수증자	주 소					
	성 명	**강감찬**	주민등록번호		전 화 번 호	

저가양수 또는 고가양도관련 세무리스크 관리법

부동산을 특수관계인이나 특수관계인이 아닌 자로부터 저가로 양수하거나 고가로 양도하는 경우 초과이익을 얻을 수 있다. 이에 대해 「상증법」 제35조에서는 이 초과이익을 증여이익으로 보아 증여세를 부과한다. 다만, 무조건 증여세를 과세하는 것이 아니라 일정한 요건을 두고 있다. 이러한 규정은 증여세 과세에서 매우 중요한 위치를 점하고 있으므로 「상증법」 제35조를 중심으로 알아보자.

1 저가양수 등에 따른 이익의 증여

「상증법」 제35조에서는 저가양수 등을 통해 이익이 이전되면 증여로 보아 증여세를 과세하고 있다. 일단 아래의 규정을 살펴보자.

> ① 특수관계인 간에 재산을 시가보다 낮은 가액으로 양수하거나 시가보다 높은 가액으로 양도한 경우로써 그 대가와 시가의 차액이 대통령령으로 정하는 기준금액(이하 이 항에서 "기준금액"이라 한다) 이상인 경우에는 해당 재산의 양수일 또는 양도일을 증여일로 하여 그 대가와 시가의 차액에서 기준금액을 뺀 금액을 그 이익을 얻은 자의 증여재산가액으로 한다.
> ② 특수관계인이 아닌 자 간에 거래의 관행상 정당한 사유 없이 재산을 시가보다 현저히 낮은 가액으로 양수하거나 시가보다 현저히 높은 가액으로 양도한 경우로써 그 대가와 시가의 차액이 대통령령으로 정하는 기준금액 이상인 경우에는 해당 재산의 양수일 또는 양도일을 증여일로 하여 그 대가와 시가의 차액에서 대통령령으로 정하는 금액을 뺀 금액을 그 이익을 얻은 자의 증여재산가액으로 한다.
> ③ 개인과 법인 간에 재산을 양수하거나 양도하는 경우로써 그 대가가 「법인세법」 제52조 제2항에 따른 시가[66])에 해당하여 그 법인의 거래에 대하여 같은 법 제52조 제1항(부당행위계산의 부인규정을 말한다)이 적용되지 아니하는 경우에는 제1항 및 제2항을 적용하지 아니한다. 다만, 거짓이나 그 밖의 부정한 방법으로 상속세 또는 증여세를 감소시킨 것으로 인정되는 경우에는 그러하지 아니하다.

---

66) ② 제1항을 적용할 때에는 건전한 사회 통념 및 상거래 관행과 특수관계인이 아닌 자 간의 정상적인 거래에서 적용되거나 적용될 것으로 판단되는 가격(요율 · 이자율 · 임대료 및 교환 비율과 그 밖에 이에 준하

위의 규정을 좀 더 자세히 살펴보자.

(1) 제1항 분석

제1항은 특수관계인 간에 시가대비 현저하게 차이가 나게 거래한 경우 증여세를 과세하겠다는 것을 정하고 있다.

첫째, 대통령령으로 정하는 기준금액 이상인 경우에 해당되어야 한다.
여기에서의 기준금액은 아래 중 적은 금액을 말한다.

> 1. 시가[67]의 100분의 30에 상당하는 가액
> 2. 3억 원

둘째, 대가와 시가의 차액에서 위 기준금액을 뺀 금액을 그 이익을 얻은 자의 증여재산가액으로 한다. 따라서 차액 전체가 증여재산가액이 아닌 것이다.

(2) 제2항 분석

이 규정은 특수관계인이 아닌 자 간의 거래에도 적용된다. 다만, 아래와 같은 요건들을 충족해야 한다.

첫째, 관행상 정당한 사유 없이 재산을 시가보다 현저히 낮은 가액으로 양수하거나 시가보다 현저히 높은 가액으로 양도해야 한다.

둘째, 그 대가와 시가의 차액이 대통령령으로 정하는 기준금액 이상인 경우에 해당되어야 한다. 여기서 "대통령령으로 정하는 기준금액"이란 양도 또는 양수한 재산의 시가의 100분의 30에 상당하는 가액을 말한다. 앞의 경우에 비교해 볼 때 3억 원 기준이 없다.

셋째, 그 대가와 시가의 차액에서 대통령령으로 정하는 금액을 뺀 금액을 그 이익을 얻은 자의 증여재산가액으로 한다. 여기서 "대통령령으로 정하는 금액"이란 3억 원을 말한다. 앞의 경우에 비해 30% 기준이 없다. 특수관계인이 아닌 경우에는 적용요건이 느슨하다.[68]

는 것을 포함하며, 이하 "시가"라 한다)을 기준으로 한다.
67) 「상증법」 제60조부터 제66조까지의 규정에 따라 평가한 가액을 말한다.

(3) 제3항 분석

제3항은 개인과 법인 간에 재산을 양수하거나 양도하는 경우를 말한다. 이때 개인이 법인과 거래한 가격이「법인세법」상의 시가에 해당하면 이 규정에 따른 증여세를 과세하지 않겠다는 것을 의미하고 있다. 이에 대한 자세한 내용은 제12장에서 분석한다.

❷ 적용 사례

경기도 수원에서 거주하고 있는 성실한씨(40세)는 아버지가 보유한 주택을 매매방식으로 취득하려고 한다.

- 상황1 : 가족 간에 매매거래도 인정되는가?
- 상황2 : 만약 거래대금을 지급하지 않으면 어떻게 되는가? 또는 거래대금 중 일부만 주고 나머지는 향후 주는 식으로 거래하면 매매거래를 인정받는가?
- 상황3 : 위 주택의 시세가 3억 원인 상황에서 1억 원으로 거래할 수 있는가?

위 상황에 맞춰 답을 찾아보자.

(상황1) 가족 간에 매매거래도 인정되는가?

가족 간의 매매도 당연히 인정을 받을 수 있다.

(상황2) 만약 거래대금을 지급하지 않으면 어떻게 되는가? 또는 거래대금 중 일부만 주고 나머지는 향후 주는 식으로 거래하면 매매거래를 인정받는가?

만약 거래대금을 지급하지 않으면 이는 세법상 매매가 아닌 증여에 해당한다. 한편 거래대금 중 일부를 조건부로 지급하는 경우에는 매매로 인정받지 못할 가능성이 높다. 제3자간에 거래를 할 때에는 '계약금 → 중도금 → 잔금'형식으로 대금수수가 이어지는데 이와 다르게 자금거래가 되기 때문이다.

(상황3) 위 주택의 시세가 3억 원인 상황에서 1억 원으로 거래할 수 있는가?

거래는 가능하다. 하지만 특수관계인에게 시가보다 낮은 가격(시가와 거래가액의 차액이 3억 원 이상이거나 시가의 100분의 5에 상당하는 금액 이상인 경우)으로 자산을 양도한

---

68) 특수관계가 있는 경우와 없는 경우의 차이점을 비교할 수 있어야 한다.

때에 양도자에게 시가를 양도가액으로 하여 양도소득세를 과세한다(부당행위계산의 부인제도). 또한 저가로 양수한 자에게는 증여세를 부과한다. 참고로 증여세는 거래금액이 시가와 거래가액의 차액이 3억 원 이상이거나 시가의 100분의 30 이상 차이가 나는 경우에 과세한다. 양도소득세와 증여세 과세를 위한 기준이 다르다.

 Tip

■ 위에서 시가는 어떻게 산출하는가?

양도일 전후 3개월의 기간 중에 당해 자산의 매매사례가액, 1~2 이상 감정기관의 감정가액(2 이상인 경우 평균액), 수용가액, 공매·경매가액, 유사매매사례가액 등을 통해 알 수 있다. 여기서 유사매매사례가액은 해당 재산과 유사한 재산의 거래금액을 말한다.

 유사매매사례가액 적용 시 주의할 점

증여받은 해당 아파트의 인근에 소재하는 아파트로서 매매된 사실이 있는 경우 그 매매가액은 인근 아파트와 평가대상 아파트를 면적, 위치, 용도, 종목, 기준시가 등을 감안하여 유사성 또는 동일성을 판단하여 경우에 따라 시가로 적용할 수도 있다. 한편 평가기준일 전 2년 이내의 매매 등 가액이 있는 경우와 증여세 결정기한 내에도 평가기준일부터 매매가액이 결정되는 계약일 등까지의 기간 중에 가격변동의 특별한 사정이 없다고 인정되는 때에 그 매매가액 등은 세법규정에 의한 평가심의위원회의 자문을 거쳐 시가로 인정되는 가액에 포함시킬 수 있다. 이에 대한 자세한 내용은 제3장에서 살펴보았다.

제9절 가족 간 부동산 거래 시의 세무리스크 관리법(이월과세 포함)

가족 간에 재산을 유상이전하는 경우가 있다. 이때 다양한 세무리스크가 발생한다. 예를 들어 저가로 양도한 자에 대해서는 「소득세법」상 부당행위계산의 부인규정이 저가로 양수한 자는 「상증법」상 증여세 과세가 적용된다. 가족 간에 부동산을 거래할 때 발생할 수 있는 세무리스크 관리법을 정리해 보자.

1 가족 간의 부동산 거래관련 세무리스크 발생 사례

경기도 하남시에서 거주하고 있는 K씨(35세)는 아버지로부터 주택 1채를 증여받았다. 이 주택을 5년이 되기 전에 양도하고자 한다. K씨는 아버지와 별도의 세대를 구성하고 있다. 이러한 상황에서 이 주택을 양도하면 양도소득세 비과세를 받을 수 있을까? 단, 해당 처분대금은 K씨에게 직접 귀속된다고 하자.

이 사례는 상당히 주의해야 한다.

(1) 사례에 적용되는 세법규정

세법은 배우자나 직계존비속으로부터 증여받은 자산을 그 증여일로부터 5년 이내에 양도하는 경우에는 두 가지 규정을 적용한다.

- 먼저 이월과세 규정을 적용한다(「소득세법」 제97조의2). 이 규정은 수증자(양도자 즉 K씨)가 양도한 주택을 처분할 때 취득가액을 당초 증여자(아버지)가 취득한 가액으로 계산하는 제도를 말한다.[69]
- 다음으로 위의 규정이 적용되지 않으면 「소득세법」상 부당행위계산의 부인제도를 적용한다(「소득세법」 제101조). 이 규정은 증여자가 직접 양도할 경우의 양도소득세와 수증자의 증여세와 양도소득세의 합계액 중 큰 금액으로 과세하는 제도를 말한다.
  ※ 적용순서는 이월과세제도 → 부당행위계산의 부인제도이다.

(2) 사례에의 세법적용

- 사례의 경우 이월과세제도의 적용대상이 된다. 그런데 증여받은 주택이 1세대 1주택(고가주택 포함)으로서 비과세에 해당하는 경우에는 이 제도를 적용하지 않도록 세법을 개정하였다(「소득세법」 제97조의2 제2항 제2호).
- 이월과세가 적용되지 않으므로 「소득세법」(제101조)상 부당행위계산의 부인규정을 검토해야 한다. 다만, 「소득세법」 제101조에서는 양도소득이 해당 수증자에게 실질적으로 귀속된 경우에는 이 규정을 적용하지 않는다고 하고 있다.

---

69) 비과세 적용 시에는 이 규정이 적용되지 않는다.

(3) 분석 결론

- K씨가 증여받은 주택은 증여일로부터 2년 이상이 경과되었다.[70]
- 따라서 1세대 1주택 비과세 대상이 되기 때문에 이월과세규정을 적용받지 않는다.
- 또한 해당 양도소득이 본인에게 직접 귀속되는 경우에는 부당행위계산의 부인규정을 적용받지 않으므로 결론적으로 비과세를 받을 수 있다.

② 가족 간의 부동산 거래관련 세무리스크 관리법

가족 간에 재산을 유상이전할 때 발생할 수 있는 세무리스크 관리법을 요약하면 다음과 같다.

(1) 대가 수수가 없는 경우

일단 증여로 추정하며, 대가관계가 명백하지 않으면 증여로 본다.

(2) 고가 · 저가양도의 경우

- 고가양도 시 고가양도자에게 증여세 문제가 있다.
- 저가양도 시 저가양수자에게 증여세 문제가 있다. 저가양도자에게는 「소득세법」상 부당행위계산의 부인제도가 적용된다.

(3) 증여 받은 후 양도한 경우

- 배우자나 직계존비속 간에 증여를 통해 이를 받은 후 이를 양도하면 이월과세문제가 있다.
- 이때 부당행위계산의 부인제도를 병행하여 검토한다.

(4) 가족 간의 유상이전 시 세무리스크를 없애는 방법들

- 계약은 제3자와 하는 것처럼 객관적으로 진행해야 된다.
- 거래금액은 시세에 근접하게 결정되는 것이 좋다.
- 계약에 맞게 자금이동이 이루어져야 한다.
- 거래 전에 반드시 세금문제를 파악해야 한다.

---

70) 최근 주택에 대한 비과세제도가 상당히 많이 바뀌었다. 저자의 다른 책들을 참조하기 바란다.

Tip | 이월과세제도와 부당행위계산의 부인제도

「소득세법」상 이월과세제도와 부당행위계산부인제도에 대한 세법규정을 알아보면 다음과 같다. 실무적으로 이를 적용하는 것이 힘들 수 있으므로 세무전문가의 확인을 거쳐 실행하기 바란다.

1. 이월과세(「소득세법」 제97조의2)

① 거주자가 양도일부터 소급하여 5년 이내에 그 배우자(양도 당시 혼인관계가 소멸된 경우를 포함하되, 사망으로 혼인관계가 소멸된 경우는 제외한다) 또는 직계존비속으로부터 증여받은 제94조 제1항 제1호에 따른 자산이나 그 밖에 대통령령으로 정하는 자산[71]의 양도차익을 계산할 때 양도가액에서 공제할 필요경비는 제97조 제2항에 따르되, 취득가액은 그 배우자 또는 직계존비속의 취득 당시 제97조 제1항 제1호 각 목의 어느 하나에 해당하는 금액으로 한다. 이 경우 거주자가 증여받은 자산에 대하여 납부하였거나 납부할 증여세 상당액이 있는 경우에는 제97조 제2항에도 불구하고 필요경비에 산입한다.

② 다음 각 호의 어느 하나에 해당하는 경우에는 제1항을 적용하지 아니한다.
  1. 사업인정고시일부터 소급하여 2년 이전에 증여받은 경우로써 「공익사업을 위한 토지 등의 취득 및 보상에 관한 법률」이나 그 밖의 법률에 따라 협의매수 또는 수용된 경우
  2. 제1항을 적용할 경우 제89조 제1항 제3호 각 목의 주택[같은 호에 따라 양도소득의 비과세대상에서 제외되는 고가주택을 포함한다]의 양도에 해당하게 되는 경우[72]
  3. 제1항을 적용하여 계산한 양도소득 결정세액이 제1항을 적용하지 아니하고 계산한 양도소득 결정세액보다 적은 경우

---

71) 토지와 건물, 부동산권리(분양권, 조합원입주권), 회원권 등을 말한다.
72) 이는 주택에 대한 비과세 적용 시 이를 적용하지 않겠다는 것을 의미한다. 「소득세법」 제89조 제1항 제3호는 아래와 같이 규정되어 있다.
  3. 다음 각 목의 어느 하나에 해당하는 주택(가액이 대통령령으로 정하는 기준을 초과하는 고가주택은 제외한다)과 이에 딸린 토지로서 건물이 정착된 면적에 지역별로 대통령령으로 정하는 배율을 곱하여 산정한 면적 이내의 토지의 양도로 발생하는 소득
   가. 1세대가 1주택을 보유하는 경우로서 대통령령으로 정하는 요건을 충족하는 주택
   나. 1세대가 1주택을 양도하기 전에 다른 주택을 대체취득하거나 상속, 동거봉양, 혼인 등으로 인하여 2주택 이상을 보유하는 경우로서 대통령령으로 정하는 주택

🌐 이월과세제도(세금계산법 포함) 요약

이월과세제도란 거주자가 배우자 또는 직계존비속으로부터 증여받은 자산을 증여받은 날부터 5년 이내에 양도하는 경우(직계존비속의 경우 2009.1.1. 이후 증여받아 양도하는 분부터 적용함) 양도가액에서 공제하는 취득가액을 당초 증여자의 취득가액으로 하는 것을 말한다. 이 제도가 적용되는 경우의 세금계산은 다음과 같이 한다.

구분	내용	비고
납세의무자	수증자	
취득가액	증여자가 취득한 취득가액 (취득세 포함)	
필요경비	양도 시 중개수수료 및 증여세	수증자(양도자)가 증여받을 당시 부담한 취득세는 공제되지 않음.
세율 적용시 보유기간 계산	증여자의 취득일~양도일	
장기보유특별공제 보유기간	증여자의 취득일~양도일	

2. 부당행위계산의 부인(「소득세법」 제101조)

① 납세지 관할세무서장 또는 지방국세청장은 양도소득이 있는 거주자의 행위 또는 계산이 그 거주자의 특수관계인과의 거래로 인하여 그 소득에 대한 조세 부담을 부당하게 감소시킨 것으로 인정되는 경우에는 그 거주자의 행위 또는 계산과 관계없이 해당 과세기간의 소득금액을 계산할 수 있다.

② 거주자가 제1항에서 규정하는 특수관계인(제97조의2 제1항을 적용받는 배우자 및 직계존비속의 경우는 제외한다[73])에게 자산을 증여한 후 그 자산을 증여받은 자가 그 증여일부터 5년 이내에 다시 타인에게 양도한 경우로써 제1호에 따른 세액이 제2호에 따른 세액보다 적은 경우에는 증여자가 그 자산을 직접 양도한 것으로 본다. 다만, 양도소득이 해당 수증자에게 실질적으로 귀속된 경우에는 그러하지 아니하다.

  1. 증여받은 자의 증여세(「상증법」에 따른 산출세액에서 공제·감면세액을 뺀 세액을 말한다)와 양도소득세를 합한 세액

  2. 증여자가 직접 양도하는 경우로 보아 계산한 양도소득세

③ 제2항에 따라 증여자에게 양도소득세가 과세되는 경우에는 당초 증여받은 자산에 대해서는 「상증법」의 규정에도 불구하고 증여세를 부과하지 아니한다.

---

73) 앞의 취득가액 이월과세 규정을 적용받으면 이 규정은 적용하지 않는다.

증여재산의 반환, 증여계약의 해제관련 세무리스크 관리법

증여를 받은 재산을 반환하는 경우가 종종 발생한다. 이 경우 증여세 과세문제는 어떻게 될까? 이하에서 적법하게 발생한 증여재산의 반환과 증여계약의 해제에 따른 세무리스크 관리법을 알아보자.

1 증여재산의 반환관련 세무리스크 발생 사례

경기도 남양주시에서 거주한 최○○씨는 본인 소유의 농지를 2016년 5월에 자녀에게 증여 등기하여 이전하였다. 그런데 수증자가 증여받을 의향이 없는데도 증여등기되었다고 다시 환원하여 등기이전할 것을 요구하여 부득이 2021년 6월 합의에 의하여 증여계약을 해제하고 최씨에게 부동산 소유권을 환원하였다.

- 상황1 : 환원받은 부동산도 증여세 과세대상이 되는가?
- 상황2 : 만일 환원받은 부동산에 취득원인무효가 되는 경우 그래도 증여세 과세대상이 되는가?
- 상황3 : 환원받은 부동산에 대한 취득세는 환급을 받을 수 있는가?

위의 상황에 맞춰 답을 찾아보면 다음과 같다.

(상황1) 환원받은 부동산도 증여세 과세대상이 되는가?

세법에서는 증여한 재산을 증여세 신고기한 내에 당초 증여자에게 반환하는 경우에는 처음부터 증여가 없었던 것으로 본다. 하지만 증여세 신고기한으로부터 3개월 후에 반환하거나 재증여하는 경우에는 당초 증여와 반환·재증여 모두에 대해 과세하고 있다.

(상황2) 만일 환원받은 부동산에 취득원인무효가 되는 경우 그래도 증여세 과세대상이 되는가?

수증자 모르게 일방적으로 수증자 명의로 증여 등기한 경우 즉, 당초의 증여등기가 취득 원인무효인 경우로써 판결에 의하여 그 재산상의 권리가 말소되는 때에는 증여세를 과세하지 아니한다. 증여계약이 원인무효가 되는 경우에는 증여의 효력이 소급적으로 무효가 된

다. 따라서 이런 경우에는 당초 증여분과 반환분에 대해서 증여세가 부과되지 않는다.

(상황3) 환원받은 부동산에 대한 취득세는 환급을 받을 수 있는가?

원칙적으로 반환되는 부동산 등에 대해 취득세는 환급이 되지 않는다. 다만, 증여가 취득원인무효에 해당하는 경우에는 취득세를 반환받을 수 있다.

② 증여재산의 반환관련 세무리스크 관리법

세법은 증여 후 증여계약의 해제로 반환하는 현금과 부동산에 대해서는 다음과 같이 증여세 과세 여부를 정하고 있다(「상증법」 집행기준 31-0-4).

반환 또는 재증여시기		당초증여 대한 증여세 과세 여부	반환 증여재산에 대한 증여세 과세 여부
금전	금전(시기에 관계없음)	과세	과세
금전 외	증여세 신고기한 이내 (증여받은 날이 속하는 달의 말일부터 3개월 이내)	과세 제외	과세제외
	신고기한 경과 후 3개월 이내 (증여받은 날이 속하는 달의 말일부터 6개월 이내)	과세	과세제외
	신고기한 경과 후 3개월 후 (증여받은 날이 속하는 달의 말일부터 6개월 후)	과세	과세
비고	증여재산 반환 전 증여세가 결정된 경우	과세	과세

금전의 경우 금전거래가 되었다고 무조건 증여세가 과세되는 것은 아니다. 실질이 증여인지 아닌지의 판단이 중요하다.

③ 증여재산의 반환관련 세무리스크 심화 사례

경기도 포천에서 살고 있는 김○○씨는 8년 자경농지 감면 요건이 충족되는 토지를 소유하고 있던 중, 2017년 11월에 딸에게 이 토지를 증여하였으며 증여받은 딸은 2018년 2월에 증여세 신고를 마쳤다. 그런데 딸이 직접 농사를 짓기가 형편상 어려워 2021년 4월에 증여 해제등기를 하고 소유권을 김씨에게 다시 이전을 하였다. 그리고는 2021년 5월에 다른 거주자에게 이 토지를 양도하였다. 이 경우 김씨는 8년 자경농지감면을 받을 수 있는가?

증여한 재산을 다시 이전 받은 경우에는 세무상 위험이 매우 증가하게 된다. 이 사례를 가지고 좀더 자세히 따져보자.

① 만약 김씨가 계속 보유한 상황에서 당해 농지를 양도한 경우
→ 8년 자경을 하였으므로 감면을 받을 수 있다.

② 김씨가 증여 후 반환받은 농지를 제3자에게 양도한 경우
→ 반환받은 후 8년 자경을 하지 않았으므로 감면규정을 받을 수 없다고 한다(과세관청 의견). 당사자 사이의 합의에 따라 증여세 신고기한 이후에 반환하는 경우에는 그 반환한 날에 재취득한 것으로 보기 때문이다.

이러한 상황이 발생하면 이의신청 등 불복절차를 밟아 진행하도록 한다.

③ 취득원인무효에 의해 농지를 반환받은 후 제3자에게 양도한 경우
→ 증여 취득원인이 무효가 되므로 김씨는 감면을 받을 수 있다고 해석된다.

제11절 이혼에 따른 재산분할관련 세무리스크 관리법

일반적으로 생전에서의 재산분할은 이혼할 때 발생한다. 이때 혼인 이후에 형성된 재산은 부부의 공동재산에 해당하므로 이를 각자의 몫으로 나누는 것이 원칙이다. 그런데 이러한 재산분할방법을 잘못 이해하면 다양한 세금문제가 파생되는데 이하에서 살펴보자.

1 이혼에 따른 재산분할관련 세무리스크 발생 사례

경기도 분당에서 거주하고 있는 김○○씨는 이혼 준비 중에 있다. 현재 남편은 직장생활을 하고 있으며 김씨는 학원에서 강사를 하고 있다. 결혼 후에 남편 명의로 된 아파트를 구입하였으며, 이외 오피스텔도 한 채가 있다.

- 상황1 : 위의 아파트를 위자료 명목으로 받은 경우 과세되는 세금항목은?
- 상황2 : 위의 아파트를 재산분할 명목으로 받은 경우 과세되는 세금항목은?
- 상황3 : 위의 아파트를 이혼 후에 남편이 처분하여 현금으로 주는 경우 어떤 세금문제가 있는가?

위의 상황에 대해 순차적으로 분석해보면 다음과 같다.

(상황1) 위의 아파트를 위자료 명목으로 받은 경우 과세되는 세금항목은?

위자료의 명목으로 아파트를 이전하면 이는 양도소득세 과세대상이 된다. 다만, 이 부동산이 1세대 1주택자로써 비과세물건에 해당하면 양도소득세는 없다.

(상황2) 위의 아파트를 재산분할 명목으로 받은 경우 과세되는 세금항목은?

재산분할청구로 인하여 부동산의 소유권이 이전된 경우에는 이를 양도 및 증여로 보지 아니하여 양도소득세 및 증여세가 과세되지 아니한다.

(상황3) 위의 아파트를 이혼 후에 남편이 처분하여 현금으로 주는 경우 어떤 세금문제가 있는가?

등기원인이 재산분할로 되어 있으면 세법상의 문제는 없을 것으로 보인다(과세관청의 유권해석에 따라 처리하기 바람).

🌐 재산분할 부동산임을 입증하는 방법
- 소유권 이전등기 시 등기원인이 '재산분할'로 되어 있어야 한다.
- 재산분할임을 입증하는 서류에는 ① 이혼합의서 또는 ② 판결문 등이 있다.

2 이혼에 따른 재산분할관련 세무리스크 관리법

세법은 이혼과정에서 발생하는 위자료와 재산분할의 성격에 따라 과세방식을 달리 적용하고 있다. 일단 재산분할의 경우에는 부동산이든 현금이든 본인의 지분을 찾아간다는 측면에서 양도나 증여로 보지 않는다. 따라서 이런 과정에서는 양도소득세나 증여세가 개입될 여지가 없다. 하지만 위자료의 경우에는 정신적 고통 등에 의해 지급된다는 점에서 부동산이든 현금이든 증여세의 문제는 없지만, 부동산에 대해서는 양도소득세를 부과하고 있다. 부동산을 이전하는 쪽에서 위자료를 지급할 채무가 소멸하는 경제적 이익을 얻었다는 점에서 이를 유상양도로 보기 때문이다. 따라서 위자료와 재산분할에 대한 세금문제는 다음과 같이 정리된다.

구분	위자료		재산분할		부양료	
	부동산	현금	부동산	현금	부동산	현금
양도소득세	○74)	×	×	×	○74)	×
증여세	×	×	×	×	×	×

🌐 등기원인을 증여로 하는 경우
배우자로부터 증여를 받은 경우에는 6억 원을 공제하고 나머지에 대하여 증여세를 과세하므로 부동산가액이 6억 원 이하인 경우에는 등기원인을 증여로 하더라도 증여세가 과세되지 않는다. 다만, 이때에는 다음의 조건들을 충족해야 한다.

- 이혼을 하기 전에 증여해야 한다.
- 만약 이혼하고 난 후에 증여하면 배우자가 아닌 타인으로부터 증여를 받는 것이 되어 증여세가 과세됨에 주의해야 한다.

---

74) 만일 이전하여 주는 부동산이 1세대 1주택으로써 비과세요건을 갖춘 때에는 등기원인이 위자료지급 등이 되더라도 양도소득세가 과세되지 않는다.

3 이혼에 따른 재산분할관련 세무리스크 심화 사례

서울 강동구에서 거주하고 있는 심○○씨는 2005년에 부인명의로 아파트를 취득했다. 이 아파트를 2019년 5월에 심○○씨가 증여를 받은 후 2019년 6월에 이혼하였다. 심○○씨가 이 아파트를 2021년 7월 이후에 양도하면 양도소득세 비과세를 받을 수 있을까? 심씨는 이혼 후 1세대 1주택자에 해당하며 양도대금은 전액 심씨가 사용할 예정이다.

이 문제를 순차적으로 해결해 보자.

(1) 쟁점

심씨는 2021년 7월 현재 1세대 1주택자로서 보유기간 등이 2년이 넘어 양도소득세 비과세 요건을 충족한 것으로 보인다. 그런데 현행 「소득세법」에서는 배우자 또는 직계존비속으로부터 증여받은 후 처분한 부동산에 대해서는 이월과세와 부당행위계산의 부인제도 등을 적용하고 있다.

(2) 세법규정의 검토

① 이월과세규정(「소득세법」 제97조의2)
배우자 또는 직계존비속으로부터 부동산을 증여받아 5년 이내에 양도하는 경우에는 취득가액을 당초 증여자가 취득한 가액으로 양도소득세를 계산한다. 이를 '이월과세 제도'라고 한다. 이때 양도 당시 이혼으로 혼인관계가 소멸된 경우를 포함하여 이 제도를 적용한다.

② 부당행위계산의 부인규정(「소득세법」 제101조)
거주자가 특수관계인에게 자산을 증여한 후 그 자산을 증여받은 자가 그 증여일부터 5년 이내에 다시 타인에게 양도한 경우로써 증여받은 자의 증여세와 양도소득세를 합한 세액이 증여자가 직접 양도하는 경우로 보아 계산한 양도소득세보다 더 적은 경우에는 증여자가 그 자산을 직접 양도한 것으로 본다(다만, 양도소득이 해당 수증자에게 실질적으로 귀속된 경우에는 적용되지 않음). 이를 '부당행위계산의 부인' 제도라고 한다. 이혼한 경우에는 이 규정을 적용하지 않는 것으로 파악된다.

(3) 사례에의 세법적용

- 사례는 심씨가 이혼 전에 배우자로부터 증여받아 증여일로부터 5년 이내에 양도한 건에 해당한다. 따라서 이월과세규정이 적용된다.
- 심씨는 1주택 상태에서 2년 이상을 보유 등을 하면 양도소득세 비과세가 적용될 수 있다. 한편 이처럼 양도소득세 비과세가 되는 주택에 대해서는 이월과세규정을 적용하지 않는다(「소득세법」 제97의2 제2항 제2호).
- 다만, 「소득세법」상 부당행위계산의 부인규정이 적용될 수 있으나 심씨와 배우자가 이혼하였으므로 이 규정은 적용되지 않는다.
- 따라서 심씨가 증여일로부터 2년 이상 보유한 상태에서 양도하는 경우에는 1세대 1주택 비과세를 받을 수 있다.

 Tip

■ 재산분할과 양도소득세

이혼을 하면서 협의 또는 재판을 통해 재산을 분할하는 경우가 있다. 이때 분할대상이 부동산인 경우 양도소득세 등의 문제가 있다. 아래의 예규를 참조하자.

※ 재산세과-83, 2009.1.8.

[제 목] 재산분할금액을 지급하기 위하여 부동산을 양도하는 경우

[요 지]

법원의 재산분할 판결에 따라 그 금액을 지급하기 위하여 부동산을 양도한 경우에는 양도소득세가 과세되는 것임.

[회 신]

「민법」 제839조의2에서 규정하는 재산분할청구로 인하여 혼인 후에 취득한 부동산의 소유권을 이혼한 배우자에게 이전하는 경우 양도소득세 및 증여세가 과세되지 아니하는 것이나, 법원의 재산분할 판결에 따라 그 금액을 지급하기 위하여 부동산을 양도한 경우에는 양도소득세가 과세되는 것임.

Tip | **재산분할 청구권(「민법」 제839조의2)**

① 협의상 이혼한 자의 일방은 다른 일방에 대하여 재산분할을 청구할 수 있다.

② 제①항의 재산분할에 관하여 협의가 되지 아니하거나 협의할 수 없는 때에는 가정법원은 당사자의 청구에 의하여 당사자 쌍방의 협력으로 이룩한 재산의 액수 기타 사정을 참작하여 분할의 액수와 방법을 정한다.

③ 제①항의 재산분할청구권은 이혼한 날부터 2년을 경과한 때에는 소멸한다.

  ※ 재산분할청구권은 혼인 후 형성된 재산에 대하여만 적용한다.

재산분할계약서(협의서)

　년　월　일　○○○와 ○○○의 이혼으로 인해 다음과 같이 재산분할을 하기로 협의한다.

부동산표시

1. 2.

위 협의를 증명하기 위하여 이 협의서 2통을 작성하고 아래와 같이 서명 · 날인하여 그 1통씩을 각자 보유한다.

20　년　월 일

계약자(협의자)

이름		(인)	주민등록번호	
주소				

계약자(협의자)

이름		(인)	주민등록번호	
주소				

제12절 신탁재산과 상속·증여 세무리스크 관리법

최근 신탁제도에 대한 관심이 증가하고 있다. 본인 소유재산을 신탁회사에 맡겨두고 여기에서 나온 수익을 자녀 등에게 이전할 수 있고, 상속분쟁을 관리할 수 있는 수단으로 활용될 수도 있기 때문이다. 신탁재산과 상속·증여세 과세방법 등을 알아보자.

1 신탁이란

신탁은 위탁자가 특정의 재산권을 수탁자에게 이전하여 수탁자(예 : 신탁회사)로 하여금 수익자의 이익을 위하거나 특정의 목적을 위하여 그 재산권을 관리, 처분하게 하는 법률관계를 말한다. 이러한 신탁은 위탁자와 수탁자 간의 계약 또는 위탁자의 유언 등의 방법으로 설정할 수 있다. 이러한 신탁재산에 대하여는 강제집행, 담보권 실행 등을 위한 경매, 보전처분 또는 국세 등 체납처분을 할 수 없다(「신탁법」 제23조).

🌓 유언신탁

이는 유언장 작성에서 보관 및 사후 상속문제에 이르는 업무를 대행하는 신탁제도를 말한다. 신탁회사는 유언서상에 명시된 상속예정 재산을 운용하고 위탁자의 사망 시 유언서 내용대로 유증되도록 한다.

2 신탁재산과 상속세

신탁재산에 대한 상속세 과세대상 등을 살펴보자.

(1) 일반적인 신탁재산과 상속세 과세대상

신탁의 경우 위탁자와 수탁자 그리고 수익자 등 3자간에 법률관계가 형성된다. 현행 「상증법」에서는 상속세 과세대상을 다음과 같이 정하고 있다.

구분	상속세 과세대상	비고
위탁자의 사망	신탁한 재산가액	신탁재산은 실질적으로 위탁자의 재산에 해당 (신탁이익을 받을 권리를 타인이 가지고 있는 경우는 상속에서 제외)
수탁자의 사망	–	
수익자의 사망	신탁이익을 받을 권리	수익자가 신탁이익을 받을 권리를 가지고 있는 경우를 말함.

● 관련 규정 : 「상증법」 집행기준 9-5-1 [상속재산으로 보는 신탁재산의 범위]

• 피상속인이 신탁한 재산은 상속재산으로 본다.
• 피상속인이 타인으로부터 신탁의 이익을 받을 권리를 소유하고 있는 경우에는 이익에 상당하는 가액은 상속재산에 포함한다.
• 피상속인이 신탁한 재산 중 타인이 신탁의 이익을 소유하고 있는 경우 그 이익에 상당하는 가액은 상속재산에 포함하지 아니한다.

(2) 명의신탁재산과 상속세 과세

명의신탁재산은 「신탁법」상 신탁은 아니며 실질적인 주인은 위탁자이므로 위탁자가 사망한 경우에는 당연히 상속재산에 포함된다. 만일 수탁자가 피상속인으로서 명의신탁재산을 가지고 있다면 이는 상속재산에서 제외되어야 한다(재삼 46014-5620, 1997.11.6).

(3) 공익신탁과 상속세 과세가액 불산입

학술, 종교 등 공익을 목적으로 하는 신탁재산에 대해서는 상속세를 과세하지 않는다.

3 신탁과 증여

신탁재산에 대한 증여세 과세대상 등을 살펴보자.

우선 이에 대해서는 「상증법」 제33조에서 아래와 같이 규정하고 있다.

신탁계약에 의하여 위탁자가 타인을 신탁의 이익의 전부 또는 일부를 받을 수익자(受益者)로 지정한 경우로써 다음 각 호의 어느 하나에 해당하는 경우에는 원본(元本) 또는 수익(收益)이 수익자에게 실제 지급되는 날 등 대통령령으로 정하는 날을 증여일로 하여 해당 신탁의 이익을 받을 권리의 가액을 수익자의 증여재산가액으로 한다.
1. 원본을 받을 권리를 소유하게 한 경우에는 수익자가 그 원본을 받은 경우
2. 수익을 받을 권리를 소유하게 한 경우에는 수익자가 그 수익을 받은 경우

위의 내용을 표로 정리하면 아래와 같다.

구분	내용
과세요건	신탁계약에 의하여 위탁자가 타인을 신탁의 이익 전부 또는 일부를 받을 수익자로 지정된 경우
납세의무자	신탁이익 수익자
과세대상	① 원본의 이익을 받을 권리 → 위탁자가 위탁한 금전, 동산, 부동산 등 그 자체를 받을 수 있는 권리 ② 수익의 이익을 받을 권리 → 위 원본 이외의 이익을 받을 권리

※ 명의신탁재산 증여의제 → 주식 등을 명의신탁한 경우 이를 수탁한 자가 증여받는 것으로 보아 증여세를 부과한다(부동산은 부동산실명법에 의해 규율되므로 명의신탁재산 증여의제규정을 적용하지 않는다).

4 공익신탁과 증여세 과세가액 불산입

학술, 종교 등 공익을 목적으로 하는 신탁재산에 대해서는 증여세를 과세하지 않는다. 「상증법」 제17조를 참조하자.

5 장애인과 증여세 과세가액 불산입

장애인이 그의 직계존비속과 친족으로부터 재산을 증여받고 증여세 과세표준 신고기한까지 다음의 요건을 모두 갖춘 경우에는 그 증여받은 재산가액(한도 5억 원)은 증여세 과세가액에 불산입된다.

① 증여받은 재산 전부를 신탁업자에게 신탁하여야 한다.

② 장애인이 신탁의 이익 전부를 받는 수익자이어야 한다.

③ 신탁기간이 그 장애인이 사망할 때까지로 되어 있어야 하며 장애인이 사망하기 전에 신탁기간이 끝나는 경우에는 그 신탁기간을 장애인이 사망할 때까지 계속 연장하여야 한다.

위에서 장애인의 범위는 다음과 같다.

① 「장애인복지법」에 의한 장애인

② 「국가유공자 등 예우 및 지원에 관한 법률」에 따른 상이자 및 이와 유사한 자로서 근로능력이 없는 자

③ 위 ① 내지 ② 외에 항시 치료를 요하는 중증환자

저자 주

최근 유언대용신탁 등에 대한 관심이 많다. 생전 및 사후의 재산관리를 할 수 있는 효율적인 수단으로 인식되고 있기 때문이다. 예를 들어 통상의 유언은 미리 재산분할에 대한 내용을 정해놓을 뿐 상속인이 임의대로 처분할 수 있다. 하지만 유언대용신탁은 상속 후에도 이에 대한 관리방법을 구체적으로 지정할 수 있는 이점이 있다. 한편 이러한 신탁제도는 유류분 등 「민법」 상 재산분할과 밀접한 관련을 맺고 있으며, 상속세나 증여세 등의 세제에도 많은 영향을 주고 있다.

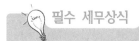
금융재산의 증여관련 세무리스크 관리법

금융재산에 대한 증여세 문제는 다른 부동산 등에 비해 다소 복잡하다. 아무래도 자금거래가 대규모로 발생할 가능성이 높아 과세관청은 자금거래 동향을 철저히 파악하여 과세를 하기 위해 노력하고 있기 때문이다. 금융재산과 관련된 증여세 문제를 살펴보자.

 사례

서울 서초구 서초동에서 거주하고 있는 신유기씨가 보유하고 있는 금융재산이 다음과 같다고 하자.

구분	내용
주식	상장주식
채권	증권회사에 수탁 중
보험	보험계약자 자녀, 피보험자 본인, 보험수익자 자녀(단, 보험료는 K씨의 돈으로 납입함)
펀드	자녀 명의로 되어 있음.
현금	사금고에 보관
예금	배우자 명의로 되어 있음.
골드바	사금고에 보관

• 상황1 : 위의 자산 중 국세청 통합전산시스템(TIS)에 노출되지 않는 자산은?
• 상황2 : 보험은 증여세 문제가 없는가?
• 상황3 : 차명계좌에 대한 세법의 태도는?

위의 상황에 대해 순차적으로 답을 찾아보면 다음과 같다.

(상황1) 위의 자산 중 국세청 통합전산시스템(TIS)에 노출되지 않는 자산은?
사금고에 보관된 현금과 골드바는 국세청 전산망에 노출되지 않으나 다른 금융재산들은 모두 노출된다.

(상황2) 보험은 증여세 문제가 없는가?

보험의 경우 보험계약자와 보험수익자가 일치하면 증여세 문제는 없다. 다만, 신씨가 보험료를 대신 납부하는 경우에는 증여세 문제가 발생한다. 세법에서는 이렇게 보험료를 대납받은 후 보험금을 수령하면 전체의 금액을 증여로 보고 과세한다.

(상황3) 차명계좌에 대한 세법의 태도는?

세법은 차명계좌로 입금된 금전에 대해서는 일단 증여로 추정한다. 따라서 당사자가 증여가 아님을 입증하지 못하면 증여세를 과세한다.

 Tip

■ 금융재산에 대한 투명화조치들

최근에 등장한 금융재산과 관련된 투명화조치들을 나열하면 다음과 같다.

- 고액현금거래보고제도(CTR) 지속적 운영
- 혐의거래보고제도(STR) 강화
- 해외계좌신고제도 도입
- 해외금융계좌납세협력법(FATCA)상의 금융계좌신고제도 도입
- 소득지출분석시스템(PCI시스템) 상시적용
- 사업용 계좌제도(사업자의 입출금을 국세청에 신고된 사업용 계좌로 관리하는 제도)
- FIU(금융정보분석원)의 자금거래정보 세무조사 시 활용
- 차명계좌에 대한 현금추정제도 신설
- 전세보증금 등에 대한 자금출처조사 확대
- 보험이나 주식 계약변경 등에 대한 과세 강화
- 역외탈세 세무조사 강화 등

위의 몇 가지 제도에 대해서만 살펴보자.

① 고액현금거래보고제도(CTR, Currency Transaction Report)

하루에 한 곳의 은행 등에서 2천만 원 이상 고액의 현금(수표나 외화는 제외)을 거래한 경우 이를 금융정보분석원(FIU, Korea Financial Intelligence Unit)[75]에 자동적으로 보고하는 제도를 말한다.

② 혐의거래보고제도(STR, Suspicious Transaction Report)

현금·수표·외환거래 중 '자금세탁 등이 의심되는 경우'에 한해 FIU에게 보고하는 제도를 말한다. 이 제도는 금융기관의 판단이 들어간다는 점에서 앞의 CTR 제도와 차이가 난다. 금액을 불문한다.

---

75) FIU는 자금세탁과 같은 불법을 막기 위해 설립된 기획재정부 산하기관에 해당한다.

③ 해외계좌신고제도

해외계좌에 5억 원이 넘게 입금된 날이 하루라도 있으면 이에 대한 계좌내역을 다음 해 6월에 국세청에 신고해야 한다. 이를 제대로 신고하지 않으면 미신고금액의 20% 내에서 과태료가 부과된다. 참고로 해외계좌에 대한 정보를 제공한 자에게는 최고 20억 원까지 포상금을 지급한다.

🌐 국세청 TIS 보기

국세청 TIS(국세청 통합시스템, Tax Integrate System)은 개인 및 세대구성원에 대해 다음과 같은 세금정보를 보유하고 있다.

소득·소비	자산·부채
• 원천징수되는 모든 종류의 소득 • 신용카드 매출내역 및 사용 실적(해외 사용 실적 포함) • 세금계산서와 POS에 의한 매출, 매입 실적 • 연말정산관련 자료 : 보험료, 개인연금저축, 연금저축, 퇴직연금, 교육비, 직업훈련비, 의료비, 신용카드, 현금영수증 사용금액 등	• 주식 취득 및 보유현황 • 지방세 중과 대상인 고급주택, 고급선박, 별장 등 보유현황 • 자동차 보유현황 • 부동산의 취득 및 보유현황(상속, 증여, 매매 등) • 부동산 임대현황 • 외국환 매각자료, 해외 송금 자료

자주 등장하는 증여세 세무리스크 유형

■ 증여재산 평가방법의 오류

상황	과세관청의 대응
• 평가기간 내의 매매사례가액을 확인하지 않고 신고한 경우	• 유사매매사례가액을 확인해 이를 통해 경정한다.

최근 평가기간 밖의 매매사례가액으로도 과세할 수 있는 기틀이 마련되었음에 유의해야 한다. 특히 소규모 빌딩의 경우 감정가액으로도 과세될 수 있다.

■ 증여재산가액의 누락

상황	과세관청의 대응
• 10년 내 동일인으로 증여받은 가액을 신고하지 않은 경우	• 과거에 신고한 내용을 확인한다. • 신고서 검토 중 자료가 파생되거나 세무조사 등에 의해 자료가 파생하면 세금을 추징한다.

■ 변칙증여의 경우

상황	과세관청의 대응
• 저가로 부동산을 양도한 경우 • 금전을 무상으로 대여받은 경우 • 보험료를 대납받아 보험금을 수령한 경우 • 부동산을 무상으로 사용한 경우 등	• 세법상 '증여개념'에 부합하면 적극적으로 증여세를 부과한다.

■ 증여추정(직계존비속 간 거래)의 경우

상황	과세관청의 대응
• 배우자나 직계존비속 간에 매매거래를 한 경우	• 금융거래 내역 등을 통해 금융거래의 내용을 확인한다. • 객관적인 금융거래가 없다면 매매가 아닌 증여로 보아 증여세를 부과한다.

■ 증여추정(자금출처조사)의 경우

상황	과세관청의 대응
• 미성년자 및 연로자 등이 부동산을 취득한 경우 • 사업자나 법인 대표자가 고가의 부동산을 취득한 경우 • 고액의 전세보증금을 지출한 경우	• 자금출처에 대한 해명을 요구한다. • 자금출처에 대한 해명이 미흡한 경우 이에 대해 증여세를 부과한다. • 사업자의 경우에는 사업자에 대한 세무조사로 연결될 수 있다.

■ 부담부 증여 시의 채무공제오류

상황	과세관청의 대응
• 허위로 작성한 부담부 증여계약에 의거 증여재산에 부담된 채무를 늘리는 경우	• 부담부 증여가 세법상의 요건을 충족하고 있는지를 점검한다.

● 부담부 증여 시 채무공제 조건

부담부 증여 시 증여재산가액에서 제외되는 채무의 조건은 다음과 같다.

- 증여일 현재 증여재산에 담보된 채무가 있을 것
- 담보된 해당 채무가 반드시 증여자의 채무일 것
- 해당 채무를 수증자가 인수한 사실이 확인될 것

■ 증여재산공제의 오류

상황	과세관청의 대응
• 배우자증여재산공제 등을 잘못 적용한 경우 ※ 증여재산공제는 10년을 기준으로 다음과 같이 적용함. 　• 배우자 간 : 6억 원 　• 직계존속에서 비속에게 증여 시 : 5천만 원 　　(미성년자 2천만 원) 　• 친족 : 1천만 원	• 제출된 신고서 등을 확인한다.

■ 기타 오류

상황	과세관청의 대응
• 할증과세 30∼40%를 적용함에도 불구하고 이를 적용하지 않은 경우 • 미성년자가 부동산을 취득한 경우로써 취득세를 포함하여 증여세를 신고하지 않은 경우	• 신고서 등을 분석하여 오류를 밝혀낸다.

:: 저자 주

최근 증여세와 관련한 세무리스크는 주로 재산평가에서 많이 발생하고 있다. 예를 들어 소규모 빌딩에 대한 증여세를 신고하면 감정가액으로 재산평가액이 둔갑될 수 있다. 그런데 이러한 추세는 소규모 빌딩 외의 모든 부동산으로 이어지고 있다. 따라서 부동산을 증여할 때에는 반드시 재산평가를 어떤 식으로 하는 것이 좋을지 미리 점검을 하는 것이 불필요한 세무간섭을 줄이는 결과가 될 것으로 보인다.

제**8**장

비거주자의 상속 · 증여관련
세무리스크 관리법

이 장에서는 비거주자에 대한 상속 · 증여와 관련된 다양한 세제이슈들을 정리해 보자. 비거주자는 국적 등과 관계없이 주로 국외에서 거주하는 자들을 말한다. 따라서 이들에 대해서는 국내 거주자와는 다르게 세법을 적용한다. 본 장에서 거주자와 비거주자의 구분요령, 비거주자의 상속세와 증여세, 양도소득세 등을 공부한다.

본 장에서 살펴볼 핵심내용들은 아래와 같다.

- 거주자와 비거주자의 세제 비교
- 거주자와 비거주자의 판정
- 비거주자 판정관련 세무리스크 관리법
- 비거주자의 상속세관련 세무리스크 관리법
- 비거주자의 증여세관련 세무리스크 관리법
- 해외교포 비거주자의 부동산과 세제
- 해외교포 비거주자의 주택 양도소득세 비과세

지금까지 살펴본 상속과 증여에 대한 주제들은 주로 국내 거주자들을 대상으로 적용되는 것들이었다. 그런데 요즘 외국과의 교류가 많아지면서 외국에 거주하는 경우도 늘어나고 있다. 세법에서는 이들을 국내 비거주자로 분류하고 이에 대해서는 별도의 세제를 적용하고 있다. 국내 거주자와 비거주자의 상속세와 증여세 그리고 양도소득세는 어떤 차이가 있는지부터 점검해 보자.

1 상속세

(1) 과세대상

상속세 과세대상이 되는 상속재산의 범위는 피상속인(사망자)이 거주자인가, 비거주자인가에 따라 달라진다.

구분	상속재산의 범위
• 거주자가 피상속인인 경우	• 거주자의 국내·외 모든 상속재산
• 비거주자가 피상속인인 경우	• 국내에 소재한 비거주자의 모든 상속재산

비거주자의 경우 국내에 소재한 재산에 대해서만 국내 세법에 의해 상속세가 부과된다.

(2) 상속세 적용 차이(「상증법」 집행기준 1−1−1)

구분	거주자	비거주자
신고기한	상속개시일이 속한 달의 말일부터 6개월 이내	상속개시일이 속한 딜의 말일부터 9개월 이내
과세대상자산	국내·외의 모든 상속재산	국내에 소재한 상속재산

구분		거주자	비거주자
공제 금액	공과금	공제	국내소재 상속재산에 대한 공과금, 국내 사업장의 사업상 공과금
	장례비용	공제	공제 안됨.
	채무	공제	국내 소재 상속재산을 목적으로 유치권 · 질권 · 저당권으로 담보된 채무, 국내 사업장의 사업상 채무
과세 표준 계산	기초공제	공제	공제
	가업/ 영농상속공제	공제	공제 안됨.
	기타인적공제	공제	공제 안됨.
	일괄공제	공제	공제 안됨.
	배우자상속공제	공제	공제 안됨.
	금융재산공제	공제	공제 안됨.
	동거주택상속 공제	공제	공제 안됨.
	감정평가수수료 공제	공제	공제

비거주자는 거주자에 비해 상속공제를 거의 받지 못한다.

2 증여세

(1) 과세대상

수증자가 거주자인지 아닌지에 따라 다음과 같이 증여세 납세의무의 범위가 결정된다.

구분	증여재산의 범위
• 거주자가 수증자인 경우 • 비거주자가 수증자인 경우	• 거주자가 증여받은 국내 · 외의 재산 • 비거주자가 증여받은 재산 중 국내에 소재한 모든 재산

(2) 증여세 적용 차이

비거주자에 대해서는 각종 증여재산공제를 적용하지 않는다. 아래「상증법」제53조를 보면 거주자에 대해서만 적용하는 것으로 되어 있다(주의!).

거주자가 다음 각 호의 어느 하나에 해당하는 사람으로부터 증여를 받은 경우에는 다음 각 호의 구분에 따른 금액을 증여세 과세가액에서 공제한다.
1. 배우자로부터 증여를 받은 경우 : 6억 원
2. 직계존속으로부터 증여를 받은 경우 : 5천만 원. 다만, 미성년자가 직계존속으로부터 증여를 받은 경우에는 2천만 원으로 한다.
3. 직계비속으로부터 증여를 받은 경우 : 5천만 원
4. 제2호 및 제3호의 경우 외에 6촌 이내의 혈족, 4촌 이내의 인척으로부터 증여를 받은 경우 : 1천만 원

③ 양도소득세

(1) 비과세

비거주자에 대해서는 주택에 대한 양도소득세 비과세가 적용되지 않는다. 다만, 1세대 1주택자가 출국일로부터 2년 내에 비과세 요건을 갖춘 주택을 양도하면 비과세를 받을 수 있다. 재입국한 경우의 비과세 적용방법은 뒤의 '필수 세무상식'란에서 살펴보자.

(2) 기타 세제 적용상의 차이

비거주자에 대해서도 양도소득세 중과세 등이 그대로 적용되나, 1세대 1주택자에 주어지는 80% 장기보유특별공제는 적용되지 않는다. 이외에도 주택임대업의 세제혜택 등에서도 차이가 있다.

국내법상 비거주자에 해당하면 상속세부터 양도소득세 등까지 국내 거주자에 대비해 차별적으로 세법이 적용되고 있다. 따라서 외국에서 거주하거나 거주할 예정에 있는 경우 관련 규정들을 이해해야 한다. 그렇다면 여기서 비거주자는 구체적으로 어떻게 판정할까? 거주자와 비거주자의 판정요령을 살펴보고 제3절에서 사례를 통해 이에 대한 부분을 확인해 보자.

1 「상증법」상의 거주자와 비거주자의 판정

「상증법」 제2조 제8호에서는 거주자와 비거주자의 정의를 아래와 같이 하고 있다.

> "거주자"란 국내에 주소를 두거나 183일 이상 거소(居所)를 둔 사람을 말하며, "비거주자"란 거주자가 아닌 사람을 말한다. 이 경우 주소와 거소의 정의 및 거주자와 비거주자의 판정 등에 필요한 사항은 대통령령으로 정한다.

그리고 세부적인 내용은 대통령령(「상증령」 제2조)에서 정하고 있는데 이를 나열하면 다음과 같다.

> ① 「상증법」 제2조 제8호에 따른 주소와 거소에 대해서는 「소득세법 시행령」 제2조, 제4조 제1항·제2항 및 제4항에 따른다.
> ② 법 제2조 제8호에 따른 거주자와 비거주자의 판정에 대해서는 「소득세법 시행령」 제2조의2 및 제3조에 따르며, 비거주자가 국내에 영주를 목적으로 귀국하여 국내에서 사망한 경우에는 거주자로 본다.[76]

결국 「상증법」상 거주자 또는 비거주자의 판정은 「소득세법」에서 정하고 있는 내용을 따르고 있음을 알 수 있다.

---

76) 국내로 입국한 후 사망하면 국내 거주자로 보아 상속세를 부과하겠다는 취지가 있다.

2 「소득세법」상의 거주자와 비거주자의 판정

「소득세법」에서는 아래와 같이 주소 등에 대한 판정기준을 두고 있다.

(1) 주소와 거소의 판정

비거주자 판정 시 주소와 거소는 상당히 중요한 요소에 해당한다. 고정된 장소에서 거주한다는 것은 거주자로의 일상을 영위한다는 의미가 있기 때문이다. 하지만 국외 왕래 등으로 주거가 일정치 않으면 비거주자로 판정을 받을 수도 있는바, 이때 「소득세법 시행령」 제2조에서는 아래와 같이 주소와 거소 여부를 판정한다. 각 규정을 하나씩 검토해 보자.

① 「소득세법」 제1조의2에 따른 주소는 국내에서 생계를 같이 하는 가족 및 국내에 소재하는 자산의 유무 등 생활관계의 객관적 사실에 따라 판정한다.

 ※ 주소는 거주한 곳을 말하는데, 이때 가족 및 재산 등의 요소를 가지고 이를 판정한다는 것을 의미한다.

② 법 제1조의2에 따른 거소는 주소지 외의 장소 중 상당기간에 걸쳐 거주하는 장소로서 주소와 같이 밀접한 일반적 생활관계가 형성되지 아니한 장소로 한다.

 ※ 거소는 주소와는 달리 일시적으로 체류하는 곳을 말한다.

③ 국내에 거주하는 개인이 다음 각 호의 어느 하나에 해당하는 경우에는 국내에 주소를 가진 것으로 본다.

 1. 계속하여 183일 이상 국내에 거주할 것을 통상 필요로 하는 직업을 가진 때

 2. 국내에 생계를 같이하는 가족이 있고, 그 직업 및 자산상태에 비추어 계속하여 183일 이상 국내에 거주할 것으로 인정되는 때

 ※ 국내에 직업이 있거나 또는 국내에 가족이 있는 경우 등은 국내에 주소를 가지고 있는 것으로 본다. 이때 계속하여 183일 이상 거주할 것이 인정되어야 한다. 여기서 "계속"은 끊어지지 않음을 의미한다. 물론 일시적인 국외 출국은 문제가 되지 않는다(아래에서 검토).

④ 국외에 거주 또는 근무하는 자가 외국국적을 가졌거나 외국법령에 의하여 그 외국의 영주권을 얻은 자로서 국내에 생계를 같이하는 가족이 없고 그 직업 및 자산상태에 비추어 다시 입국하여 주로 국내에 거주하리라고 인정되지 아니하는 때에는 국내에 주소가 없는 것으로 본다.

 1. 삭제(2015.2.3.)

 2. 삭제(2015.2.3.)

 ※ 외국국적이거나 그 외국의 영주권자는 국내에 생계를 같이 하는 가족이 없고 직업 및 자산상태 등을 고려하여 국내 거주를 하지 않을 것으로 인정되면 국내에 주소가 없는 것으로 본다.

⑤ 외국을 항행하는 선박 또는 항공기의 승무원의 경우 그 승무원과 생계를 같이하는 가족이 거주하는 장소 또는 그 승무원이 근무기간 외의 기간 중 통상 체재하는 장소가 국내에 있는 때에는 당해 승무원의 주소는 국내에 있는 것으로 보고, 그 장소가 국외에 있는 때에는 당해 승무원의 주소가 국외에 있는 것으로 본다.

(2) 거주자 또는 비거주자가 되는 시기

거주자 또는 비거주자가 되는 시기는 세법을 적용하는 기준이 되므로 상당히 중요한 의미를 담고 있다. 만일 거주자가 된 이후에 상속 등이 발생하면 거주자에 대한 「상증법」을 적용하는 것이 맞다. 「소득세법 시행령」제2조의2에서는 거주자 등이 되는 시기를 아래와 같이 규정하고 있다.

① 비거주자가 거주자로 되는 시기는 다음 각 호의 시기로 한다.
  1. 국내에 주소를 둔 날
     ※ 주소는 국내에서 생계를 같이 하는 가족 및 국내에 소재하는 자산의 유무 등 생활관계의 객관적 사실에 따라 판정한다. 따라서 영구 귀국한 경우에는 이 날이 거주자가 되는 시기가 될 수 있다.
  2. 제2조 제3항 및 제5항에 따라 국내에 주소를 가지거나 국내에 주소가 있는 것으로 보는 사유가 발생한 날[77]
  3. 국내에 거소를 둔 기간이 183일이 되는 날
     ※ 외국국적자나 영주권자 등이 국내에 거소를 둔 기간이 183일이 되면 그때에 국내 거주자로 인정을 한다는 것이다. 물론 직업 등의 요소를 가지고 최종 판정을 받아야 한다.
② 거주자가 비거주자로 되는 시기는 다음 각 호의 시기로 한다.
  1. 거주자가 주소 또는 거소의 국외 이전을 위하여 출국하는 날의 다음 날
     ※ 국외 이전을 위해 출국하면 출국 다음 날이 비거주자가 된다.
  2. 제2조 제4항 및 제5항에 따라 국내에 주소가 없거나 국외에 주소가 있는 것으로 보는 사유가 발생한 날의 다음 날

(3) 현지법인등의 임직원 등에 대한 거주자 판정

「소득세법 시행령」제3조에서는 현지법인등의 임직원 등에 대한 거주자 판정에 대해 아

---

77) 계속하여 183일 이상 국내에 거주할 것을 통상 필요로 하는 직업을 가진 때 등을 말한다.

래와 같이 정하고 있다.

> 거주자나 내국법인의 국외사업장 또는 해외현지법인(내국법인이 발행주식총수 또는 출자지분의 100분의 100을 직접 또는 간접 출자한 경우에 한정한다) 등에 파견된 임원 또는 직원이나 국외에서 근무하는 공무원은 거주자로 본다.
>
> ※ 국외사업장이나 해외현지법인(100% 지분) 등에 파견된 해외주재원은 해외에 거주하더라도 국내 거주자로 본다는 뜻이다.

(4) 거주기간의 계산

거주기간의 계산은 주로 외국국적이나 영주권 등을 가진 사람들을 대상으로 183일 거주기간 등을 판정할 때 필요한 규정이다. 「소득세법 시행령」 제4조에서는 거주기간을 아래와 같이 계산하도록 하고 있다.

> ① 국내에 거소를 둔 기간은 입국하는 날의 다음 날부터 출국하는 날까지로 한다.
>
> ※ 거소기간의 계산은 입국 다음 날~출국일까지로 한다.
>
> ② 국내에 거소를 두고 있던 개인이 출국 후 다시 입국한 경우에 생계를 같이하는 가족의 거주지나 자산소재지 등에 비추어 그 출국목적이 관광, 질병의 치료 등으로서 명백하게 일시적인 것으로 인정되는 때에는 그 출국한 기간도 국내에 거소를 둔 기간으로 본다.
>
> ※ 일시적인 국외 출국은 국내에 거소를 둔 것으로 본다.
>
> ③ 국내에 거소를 둔 기간이 1과세기간 동안 183일 이상인 경우에는 국내에 183일 이상 거소를 둔 것으로 본다.
>
> ※ 1과세기간은 1월 1일~12월 31일이므로 이 기간 안에 183일 이상인 경우에는 국내에 거소를 둔 것으로 본다. 원래 183일은 계속하여 국내에 거주해야 하는데, 이 규정은 1년 안에 2개월은 국내, 2개월은 국외에서 생활을 하더라도 전체 합산한 기간이 1년 중 183일을 넘어가면 국내에 거소를 둔 것으로 본다는 것을 의미한다.
>
> ④ 「재외동포의 출입국과 법적 지위에 관한 법률」 제2조에 따른 재외동포가 입국한 경우 생계를 같이 하는 가족의 거주지나 자산소재지등에 비추어 그 입국목적이 관광, 질병의 치료 등 기획재정부령으로 정하는 사유에 해당하여 그 입국한 기간이 명백하게 일시적인 것으로 기획재정부령으로 정하는 방법에 따라 인정되는 때에는 해당 기간은 국내에 거소를 둔 기간으로 보지 아니한다.

단기 관광 등의 입증 방법

입국 사유	입증 방법
단기 관광	관광시설 이용에 따른 입장권, 영수증 등 관광목적으로 입국한 것을 입증할 수 있는 서류
질병 치료	「의료법(§17)」상 진단서, 증명서, 처방전 등 입국기간 동안 진찰이나 치료를 받은 것을 입증하는 자료
병역의무 이행	병역사항이 기록된 주민등록표 초본 또는 「병역법 시행규칙(§8)」상 병적증명서 등 입국기간 동안 병역의무를 이행한 것을 입증하는 자료
친족 경조사 등 기타	친족 경조사 등 비사업·비업무 목적으로 입국한 것을 객관적으로 증명할 수 있는 서류

 Tip

■ **거주자와 비거주자의 판정 요약**

거주자란 국내에 주소를 두거나 183일 이상 거소를 둔 개인을 말한다. 비거주자는 거주자가 아닌 자를 말하는 것으로 국적이나 외국영주권 취득 여부와는 관련이 없으며 거주기간, 직업, 국내에 생계를 같이하는 가족 및 국내 소재 자산의 유무 등 생활관계의 객관적인 사실에 따라 다음과 같이 구분한다(「소득세법」 집행기준 1의2 – 2 – 1).

국내에 주소가 있는 것으로 보는 경우	국내에 주소가 없는 것으로 보는 경우
• 계속하여 183일 이상 국내에서 거주할 것을 통상 필요로 하는 직업을 가진 때	
• 국내에 생계를 같이 하는 가족이 있고 또 그 직업 및 자산상태에 비추어 계속하여 183일 이상 국내에서 거주할 것으로 인정되는 때	• 외국국적을 가졌거나 영주권을 얻은 자가 국내에 생계를 같이 하는 가족이 없고, 그 직업 및 자산상태에 비추어 다시 입국하여 주로 국내에서 거주하리라고 인정되지 아니하는 때

「소득세법 통칙」 2-2…1 [주소우선에 의한 거주자와 비거주자와의 구분]

「소득세법 시행령」 제2조 제3항 및 제4항의 규정을 적용함에 있어 계속하여 183일 이상 국외에서 거주할 것을 통상 필요로 하는 직업을 가지고 출국하거나, 국외에서 직업을 갖고 183일 이상 계속하여 거주하는 때에도 국내에 가족 및 자산의 유무 등과 관련하여 생활의 근거가 국내에 있는 것으로 보는 때에는 거주자로 본다.

제3절 비거주자 판정관련 세무리스크 관리법

앞에서 본 비거주자에 대한 판정요령을 실무에 적용하는 것이 쉽지 않다. 법에서 명시적으로 비거주자 등에 대한 규정을 정하고 있지 않고 있기 때문이다. 그래서 하는 수 없이 사례를 통해 이에 대한 판정을 내릴 수밖에 없다.

1 비거주자 판정관련 세무리스크 발생 사례1

미국에서 살고 있는 L씨가 아래와 같은 상황에 처해 있다.

> **자료**
>
> 20×7.11. : 배우자와 2명의 자녀가 미국으로 출국
> 20×8.5. : 본인 출국
> 20×8.5. 현재 : 영주권 없이 미국에 체류 중
>
> - 생활비 조달 : 서울에서 소유한 아파트 전세보증금을 미국으로 송금하여 사용 중
> - 미국현지 직업 : 무직
> - 한국 내 주소지 : 서울 소재 본인의 어머니 거주지로 전 가족과 함께 동거인으로 등록

- 상황1 : 세법상 거주자는 어떤 식으로 판단하는가?
- 상황2 : L씨 가족의 주소는 한국에 있으므로 L씨 등은 한국의 거주자에 해당하는가?
- 상황3 : L씨 혼자 국내에 들어오면 거주자로 분류가 가능한가?

상황에 대해 순차적으로 답을 찾아보자.

(상황1) 세법상 거주자는 어떤 식으로 판단하는가?

"거주자"란 국내에 주소를 두거나 183일 이상의 거소(居所)를 둔 개인을 말한다. 거주자인지 비거주자인지 여부는 생계를 같이하는 가족 및 직업, 국내에 소재하는 자산의 유무 등 생활관계의 객관적 사실을 종합적으로 판단한다.

🌐 대법원 2010두22719[3심]

외국으로 출국한 자가 거주자에 해당하는지 여부는 국내에서 생계를 같이하는 가족의 유무, 국내에 소재하는 자산의 유무, 출국의 목적, 직업, 외국의 국정이나 영주권을 얻었는지 여부 등 생활관계의 객관적 사실을 종합하여 판정함.

(상황2) L씨 가족의 주소는 한국에 있으므로 L씨 등은 한국의 거주자에 해당하는가?

그렇지 않다. 위에서 살펴본 바와 같이 형식상의 '주소'가 있다고 해서 거주자로 보는 것은 아님에 유의해야 한다.

(상황3) L씨 혼자 국내에 들어오면 거주자로 분류가 가능한가?

단정할 수 없다. 왜냐하면 거주자 또는 비거주자 판단은 국내 체류기간, 가족관계, 직업 및 자산상태 등을 종합적으로 하여 사실판단을 하기 때문이다.[78] 따라서 사례의 경우 비거주자로 분류될 가능성이 높다.

2 비거주자 판정관련 세무리스크 발생 사례2

> **자료**
>
> 1996년에 남편과 부인 자녀 등 모두 해외영주권을 취득하여 외국에 살다가 은퇴를 앞두고 2015년 부인만 귀국하여 현재까지 한국에 살고 있다. 주민등록표상에는 재외국민으로 등록되어 있다. 그의 자녀들은 모두 분가하여 독립생활을 영위하고 있다.

- 상황1 : 영주권자는 무조건 비거주자에 해당하는가?
- 상황2 : 거주자 판단 시 "생계를 같이하는 가족"은 누구를 말하는가?
- 상황3 : 거주자 판단 시 국내에 반드시 직업이 있어야 하는가?
- 상황4 : 만일 해외에도 자산을 보유하고 있다면 어떤 문제점이 있는가?
- 상황5 : 사례의 경우 부인은 국내 거주자로 인정받을 수 있는가?

상황에 대해 순차적으로 답을 찾아보면 다음과 같다.

---

78) 관할 세무서장의 재량권이 매우 중요함을 알 수 있다.

(상황1) 영주권자는 무조건 비거주자에 해당하는가?

그렇지 않다. 거소, 생계를 같이 하는 가족, 직업 등 전반적인 요소를 종합해 이에 대한 판정을 한다.

(상황2) 거주자 판단 시 "생계를 같이하는 가족"은 누구를 말하는가?

세법상 '1세대'를 말한다. 1세대는 부부와 같이 동일한 주소에서 생계를 같이하는 가족을 말한다. 따라서 부부가 각각 따로 사는 경우 생활관계 등을 고려해 비거주자 판단을 해야 할 것으로 보인다.[79]

(상황3) 거주자 판단 시 국내에 반드시 직업이 있어야 하는가?

그렇지는 않다. 다만, 국내에 183일 이상 근무할 수 있는 직업이 있다면 거주자로 인정받을 가능성이 높아질 것이다.

(상황4) 만일 해외에도 자산을 보유하고 있다면 어떤 문제점이 있는가?

본인이 거주하고 있는 외국에서 주택 등을 보유하고 있다면 다시 외국으로 돌아갈 가능성이 있기 때문에 이 경우에는 비거주자로 분류될 가능성도 있다.

(상황5) 사례의 경우 부인은 국내 거주자로 인정받을 수 있는가?

부인만 홀로 주소를 옮겨 국내에 거주하고 있다하더라도 국외이주 중인 가족과 일시퇴거하여 국내에 거주하고 있는 것이라 보아 비거주자로 볼 가능성이 높다.

3 비거주자 판정관련 세무리스크 발생 사례3

K씨가 처한 상황은 아래와 같다.

자료

2014.11. : 대구 달서구에 아파트(재개발 예정)를 9천만 원에 구입
2015.4. : 미국으로 이주 후 영주권 획득
2019.3. : 재개발 완료, 준공 후 전세 줌.

---

79) 일반적으로 상속세나 증여세는 우리나라에서 거두기 위해 가급적 거주자로 보기 위해 폭넓게 세법을 적용할 가능성이 높다. 하지만 양도소득세 비과세를 적용할 때에는 이의 혜택을 줄이기 위해 가급적 비거주자로 볼 가능성이 높다.

2021.1. : 한국으로 가족전원이 이주(직장관계로 이주, 단, 여전히 영주권은 가지고 있음)

2021.2. : 부산에서 거주관계로 부산 사상구에 아파트를 매입하여 거주하고 있음.

- 상황1 : K씨는 국내법상 거주자에 해당하는가?
- 상황2 : 대구소재 아파트를 2021년도 중에 양도하는 경우 비과세를 받을 수 있는가?

위 상황에 순차적으로 답을 찾아보자.

(상황1) K씨는 국내법상 거주자에 해당하는가?

「소득세법 시행령」 제2조 제1항에 따라 국내에 주소를 둔 날이 거주자가 된 시기라고 볼 수 있다. 이때 주소를 둔 날은 국내에 생계를 같이 하는 가족 및 국내에 소재하는 자산의 유무 등 생활관계의 객관적 사실에 따라 판정한다.

(상황2) 대구소재 아파트를 2021년 이후에 양도하는 경우 비과세를 받을 수 있는가?

위의 K씨가 국내 거주자로 판정된 경우에는 1세대 1주택 비과세를 받기 위해서는 2년 이상 보유요건(일부 지역은 거주요건)이 있다. 그렇다면 거주자가 된 이후에 보유기간 등이 2년 미만이 되는데 이를 양도해도 비과세가 적용될까?

이에 대해서는 아래의 예규를 통해 확인해 보자.

🌐 부동산거래관리 - 760(2011.8.29.)

[제목] 1주택을 소유한 비거주자가 입국한 후 주택을 양도하는 경우

[요약] 1세대 1주택 비과세 규정의 보유기간은 거주자일 때의 보유기간을 통산함.

[질의]

(사실관계)

- 甲은 비거주자인 상태(해외이민)에서 국내에 1주택을 취득하였다가 가족 모두 국내로 다시 입국하여 거주자가 된 지 2년이 되지 않은 상태에서 해당 주택을 양도하고자 함.
- 주택 총 보유기간은 12년이며, 거주자가 된 후 보유기간은 2년 미만임.

(질의내용)

- 거주자가 된 후 2년 미만 보유한 주택을 양도하는 경우 1세대 1주택 비과세 여부

– 비거주자가 거주자가 된 후 주택을 양도하는 경우 장기보유특별공제율(1세대 1주택
  에 대한 장기보유특별공제율 적용 여부)

[회신]

1. 「소득세법」 제89조 제1항 제3호 및 같은법 시행령 제154조 제1항에 따른 1세대 1주택
   비과세 규정의 보유기간은 거주자일 때의 보유기간을 통산하는 것임.

2. 한편 양도일 현재 거주자인 1세대가 국내에 1주택을 소유하고 있는 경우로써 양도하
   는 주택의 보유기간이 2년 이상에 해당하는 경우에는 그 주택의 양도차익에 「소득세
   법」 제95조 제2항 표2에 규정된 보유기간별 공제율을 곱하여 계산한 금액을 장기보유
   특별공제액으로 공제받을 수 있는 것으로, 귀 질의의 경우 양도일 현재 거주자에 해당
   하는지를 판단하여 적용할 사항임.

 Tip

■ 거주자와 비거주자 판정에 대한 국세청의 유권해석 등(심사소득2009-5, 2009.3.17.)

> 3) 거주자와 비거주자의 구분에 관한 국세청의 유권해석 및 조세심판원의 심판례
>   등을 살펴보면, 본인 및 세대원 전체가 국외로 출국한 경우로써 국내에 생계를
>   같이하는 가족이 없고 그 직업 및 자산상태에 비추어 국내에 다시 입국하여 주
>   로 국내에 거주하리라고 인정되지 아니하는 경우에는 비거주자로 보는 것이며
>   (서면1팀-53, 2006.1.17.), 유학목적으로 장기간 외국에 거주하고 있는 경우 「소
>   득세법 시행령」 제2조 제4항에 규정하는 "국외에 거주 또는 근무하는 자"에 해
>   당하는 것으로 보이며, 제1호 "계속하여 1년 이상 국외에 거주할 것을 통상 필
>   요로 하는 직업을 가진 때"에 해당하는 것으로 보아야 하는 것이고(국심 2001서
>   1687, 2001.11.10.),
> 4) 거주자와 비거주자의 구분은 「주민등록법」에 의한 주민등록·말소 등의 공부
>   상으로만 판정하는 것이 아니라, 국내에서 생계를 같이하는 가족 및 국내에 소
>   재하는 자산의 유무 등 생활관계의 객관적 사실에 따라 판정하여야 하고 거주
>   자가 계속하여 1년 이상 가족과 함께 출국하여 국내에 생활의 근거가 없는 경
>   우 등 사실판단에 따라 출국하는 날의 다음날부터 비거주자에 해당하는 것으로
>   결정하고 있다(조심 2008서3144, 2008.11.19. 등).

제4절 비거주자의 상속세관련 세무리스크 관리법

비거주자가 사망하여 상속이 발생한 경우로써 국내에 재산이 있다면 이에 대해서는 국내의 세법을 적용하여 상속세를 부과한다. 하지만 해외에 있는 재산은 국내 세법에 의해 과세할 수가 없다. 비거주자의 국내재산에 대한 상속세 계산방법 등을 살펴보자.

1 비거주자의 상속세 과세방식

다음의 예를 통해 비거주자에 대한 상속세를 계산해 보자.

> **자료**
>
> • 비거주자의 국내재산 : 5억 원
> • 피상속인 : 외국에서 거주
> • 기타 사항은 무시함.

구분	금액	비고
상속재산가액 (＋) 사전재산가산액	5억 원	
(＝) 총 상속재산가액 (－) 비과세 등	5억 원	
(＝) 과세가액 (－) 상속공제 (－) 감정평가수수료공제	5억 원 2억 원	기초공제 2억 원만 공제
(＝) 과세표준 (×) 세율 (－) 누진공제	3억 원 20% 1천만 원	
(＝) 산출세액	5천만 원	

참고로 비거주자의 상속세 계산 시에는 상속공제 중 기초공제 정도만 적용한다.

② 비거주자의 상속재산 분할방법

상속인 중 시민권자(외국인)가 있는 경우의 상속재산 분할협의에 대해 알아보면 다음과 같다.

- 상속인 중 시민권자가 국내로 입국하여 국내에 30일 이상 체류하는 경우에는 출입국 관리사무소에 신고한 체류지 관할 동사무소에서 인감을 등록한 후 이를 발급받을 수 있다.
- 국내로 들어오지 않는 경우에는 다음의 두 가지 방법 중 하나를 선택하면 된다.
① 외국에서 '상속재산 분할협의서'에 서명하고 이를 공증하여 국내로 보내오는 방식
② 처분의 위임장을 공증하여 국내로 보낸 후 그 대리인이 다른 상속인들과 같이 상속재 산 분할협의서에 인감을 날인하는 방식

이 중 ②의 방법은 상속재산 분할협의를 위하여 대리인에게 부동산표시를 기재한 후 누구를 상속재산 취득자로 정하여 협의할 것을 위임한다는 취지로 작성하고, 이때 서명인증서와 거주사실증명서(공증)를 첨부해야 한다. 자세한 내용은 법무전문가를 통해 확인하기 바란다.

제5절 비거주자의 증여세관련 세무리스크 관리법

비거주자가 국내의 재산을 증여받은 경우 이에 대해서는 증여세가 부과된다. 물론 외국의 재산을 받은 경우에는 국내에서 과세권이 없는 것이 원칙이다. 다음의 사례를 통해 이들의 증여세 과세문제를 확인해 보자.

① 비거주자의 증여세 과세방식

비거주자가 증여받은 재산에 대한 증여세 과세방식을 알아보자.

- 증여재산 5억 원
- 수증자 : 10세인 손자(외국에서 거주)
- 기타 사항은 무시함.

구분	금액	비고
증여재산가액 (+) 증여재산가산액	5억 원	
(=) 총 증여재산가액 (-) 부담부 증여 시 인수채무	5억 원	
(=) 과세가액 (-) 증여재산공제 (-) 감정평가수수료공제	5억 원 0	비거주자는 증여공제를 적용 배제함.
(=) 과세표준 (×) 세율 (-) 누진공제	5억 원 20% 1천만 원	
(=) 산출세액 (+) 할증세액	9천만 원 2,700만 원	손자에게 증여하는 경우 30% 할증
(=) 납부세액	1억 1,700만 원	

비거주자가 증여를 받으면 증여재산공제는 받을 수 없다는 점에 유의해야 한다. 증여재산공제를 받을 때 거주자 해당 여부는 아래와 같이 판정한다.

🌐 증여재산공제를 적용할 때 거주자 해당 여부(서면인터넷방문상담4팀-1321, 2008.5.30.)

[제 목]

증여재산공제를 적용할 때 거주자 해당 여부

[요 지]

거주자는 증여일 현재 국내에 주소를 두거나 183일 이상 거소를 둔 자를 말하는 것이며, 주소는 국내에 생계를 같이하는 가족 및 국내에 소재하는 재산의 유무 등 생활관계의 객관적 사실에 따라 판단하는 것임.

[회 신]

「상증법」제53조 제1항 제1호의 규정에 의하여 거주자가 배우자로부터 증여받은 경우 수증자를 기준으로 당해 증여전 10년 이내에 증여받은 가액과 당해 증여가액의 합계액에서 6억 원을 공제하는 것이며, 같은법 제1조의 규정에 의하여 거주자는 증여일 현재 국내에 주소를 두거나 183일 이상 거소를 둔 자를 말하는 것임. 이 경우 주소는 국내에 생계를 같이하는 가족 및 국내에 소재하는 재산의 유무 등 생활관계의 객관적 사실에 따라 판단하는 것으로서 외국국적을 가졌거나 외국법령에 의하여 그 외국의 영주권을 얻은 자의 경우 국내에 생계를 같이하는 가족이 있고 그 직업 및 재산상태에 비추어 계속하여 국내에 거주할 것으로 인정되는 때에는 국내에 주소를 가진 것으로 보는 것이며, 귀 질의가 이에 해당하는지의 여부는 구체적인 사실을 확인하여 판단할 사항임.

• 사실관계
  - 본인은 미국국적 취득 동포로서 현행 국세법상 부부간 부동산(주택)증여 시 일정한도(6억 원이라고 알고 있음)의 증여세 공제혜택이 있는 것으로 알고 있음.
  - 본인의 국내거소는 미국영주권자 신분이나 시민권자 신분으로는 2007.3.14.로 외국국적동포 국내거소신고증을 발급받아 국내 거주중이며, 남편은 시민권 취득이 늦어져서 2007.6.2.임.
  - 자녀 중 1명은 한국국적으로 한국에 같이 거주하고 한 명은 미국시민권자이며, 특수직에 근무하여 부득이 저희부부가 미국시민권을 취득하였으나 국내에 모든 생활근거가 있고 앞으로도 계속 국내 거주예정임.

• 질문내용
  이번 남편으로부터 6억 원 미만 주택을 증여받으려고 하는데 취득세 등을 납부하고 부부간 증여재산공제 혜택을 받을 수 있는지?

2 비거주자의 증여세 연대납부의무

수증자가 비거주자인 경우 증여자에게 연대납세의무가 있다. 따라서 이때에는 증여자가 이를 대신 납부해도 증여세의 문제는 없다.

Tip

■ 비거주자의 자금거래와 증여

비거주자가 거주자로부터 증여받은 국외 예금이나 국외 적금 등도 증여세가 과세된다. 비거주자와 거주자간의 금융거래는 다음의 규정 등에 의해 그 거래금액이 노출된다.

외국환거래규정 제4-8조 [국세청장 등에 대한 통보]

① 외국환은행의 장은 법 제21조 및 영 제36조의 규정에 의하여 다음 각호의 1에 해당하는 지급등의 경우에는 매월별로 익월 10일 이내에 지급등의 내용을 국세청장에게 통보하여야 한다. 다만, 정부 또는 지방자치단체의 지급등은 그러하지 아니하다.
1. 제4-3조 제1항 제1호 내지 제2호의 규정에 의한 지급등의 금액이 지급인 및 수령인별로 연간 미화 1만불을 초과하는 경우 및 제7-11조 제2항의 규정에 의한 지급금액이 지급인별로 연간 미화 1만불을 초과하는 경우
2. 제4-5조의 규정에 의한 해외유학생 및 해외체재자의 해외여행경비 지급금액이 연간 미화 10만불을 초과하는 경우
3. 제1호 및 제2호의 경우를 제외하고 건당 미화 1만불을 초과하는 금액을 외국환은행을 통하여 지급등(송금수표에 의한 지급등을 포함한다)하는 경우
② 외국환은행의 장은 법 제21조 및 영 제36조의 규정에 의하여 다음 각호의 1에 해당하는 지급등의 내용을 매월별로 익월 10일까지 관세청장에게 통보하여야 한다. 다만, 정부 또는 지방자치단체의 지급은 그러하지 아니하다.
1. 수출입대금의 지급 또는 수령
2. 외국환은행을 통한 용역대가의 지급 또는 수령
3. 제4-3조 제1항 제1호 내지 제2호의 규정에 의한 지급 등
4. 건당 미화 1만 불을 초과하는 해외이주비의 지급
5. 제1호 내지 제4호의 경우를 제외하고 건당 미화 1만 불을 초과하는 금액을 외국환은행을 통하여 지급등(송금수표에 의한 지급을 포함한다)을 하는 경우
③ 외국환은행의 장은 법 제21조 및 영 제36조의 규정에 의하여 다음 각호의 1에 해당하는 지급등의 내용을 매월별로 익월 10일까지 금융감독원장에게 통보하여야 한다. 다만, 정부 또는 지방자치단체의 지급은 그러하지 아니하다.
1. 제4-3조 제1항 제1호의 규정에 의한 지급 및 제7-11조 제2항의 규정에 의한 지급금액이 지급인별로 연간 미화 1만불을 초과하는 경우
2. 제4-5조의 규정에 의한 해외유학생 및 해외체재자의 해외여행경비 지급금액이 연간 미화 10만불을 초과하는 경우

3. 제1호 및 제2호의 경우를 제외하고 건당 미화 1만불을 초과하는 금액을 외국환은행을 통하여 지급등(송금수표에 의한 지급을 포함한다)을 하는 경우

🌐 FATCA(Foreign Account Tax Compliance Act., 해외계좌납세자순응법)

미국이 아닌 다른 나라 국적의 금융회사가 보유하고 있는 미국 국적자의 5만 달러(법인은 25만 달러) 이상의 계좌를 미국 국세청(IRS)에 신고하도록 의무화한 법을 말한다. 다만, 2014년 7월 1일 이후 신규로 개설된 계좌에 대해서는 원칙적으로 개인과 법인을 불문하고 모든 계좌(단, 개인의 경우 5만 달러 이하의 예금·보험계약 제외)에 대해 이 제도가 적용된다. 이 제도에 의해 미국의 영주권자 등의 해외자산이 파악되어 미국에서 과세된다. 우리나라도 이 법을 적용받고 있다.

Tip | 재외동포 등의 국내재산 반출 절차

1. 해외이주비의 지급절차

해외이주자가 해외이주비를 지급하고자 하는 경우에는 법에서 정하는 날부터 3년 이내에 지정거래외국환은행을 통하여 지급하거나 외국환거래규정 제5-11조의 규정에 의하여 휴대수출 할 수 있다(외국환거래규정 제4-6조). 해외이주자는 세대별 해외이주비 지급누계금액이 미화 10만불을 초과하는 경우에는 해외이주자의 관할세무서장이 발급하는 해외이주비 전체금액에 대한 자금출처확인서를 지정거래외국환은행의 장에게 제출하여야 한다.

2. 재외동포의 국내재산 반출절차

재외동포가 본인 명의로 보유하고 있는 다음에 해당하는 국내재산(재외동포 자격 취득 후 형성된 재산을 포함한다)을 국외로 반출하고자 하는 경우에는 거래외국환은행을 지정하여야 한다(외국환거래규정 제4-7조).

① 부동산 처분대금(부동산을 매각하여 금융자산으로 보유하고 있는 경우를 포함한다)
② 국내예금·신탁계정관련 원리금, 증권매각대금
④ 본인명의 예금 또는 부동산을 담보로 하여 외국환은행으로부터 취득한 원화대출금
④ 본인명의 부동산의 임대보증금

재외동포가 상기 ①, ②, ③, ④의 자금을 반출하고자 하는 경우에는 거래외국환은행을 지정하여야 하며, 다음에 해당하는 취득경위 입증서류를 지정거래외국환은행의 장에게 제출하여야 한다.

① 부동산처분대금의 경우 별지 제4-2호 서식에 의한 부동산소재지 또는 신청자의 최종 주소지 관할세무서장이 발행한 부동산매각자금확인서. 다만, 확인서 신청일 현재 부동산 처분일로부터 5년이 경과하지 아니한 부동산 처분대금에 한함.

② 제1항 제2호 내지 제4호의 지급누계금액이 미화 10만 불을 초과하는 경우 지정거래외국환은행의 주소지 또는 신청자의 최종주소지 관할세무서장이 발행한 전체 금액에 대한 자금출처확인서 등

● **재외동포 등의 국내재산 반출 절차요약**

구분	해외이주비 자금출처확인서	부동산 매각자금확인서	예금 등 자금출처 확인서
대상	해외이주자 (해외이주 후 3년 이내 자) 및 예정자	재외동포, 외국인거주자, 비거주자 (부동산 매각후 5년 이내)	재외동포 (왼쪽 외의 경우)
금액	세대별 누계액이 미화 10만 불 초과	부동산 양도가액에서 채무액·제세공과금·양도비 공제한 범위 이내	국내원화예금·신탁계정 등 누계액이 미화 10만 불 초과
발급 부서	최종 주소지 관할세무서	부동산소재지 또는 신청자의 최종주소지 관할세무서	지정거래 외국환은행 소재지 또는 신청자의 최종 주소지 관할세무서

 필수 세무상식

해외교포인 비거주자의 부동산과 세제

미국에 영주권을 가진 해외교포인 K씨의 국내 부동산과 관련된 세제를 살펴보자. 참고로 영주권이란 해당 국가에서 영원히 거주할 수 있는 권리를 말한다.

1. 취득단계의 세금문제

미국에서 살고 있는 K씨는 우리나라의 입장에서 보면 비거주자에 해당한다. 따라서 비거주자가 국내의 부동산을 취득하는 결과가 된다. 그렇다면 K씨가 국내 부동산을 취득할 때 국내 거주자와 차이가 있을까? 일단 세법에서는 차이가 없다. 소득이 발생하는 것이 아닌 취득을 하는 것인 만큼 취득세 과세에서는 차별할 이유가 없다고 보기 때문이다.

→ 취득세에 있어서는 국내 거주자와 차이가 없을 수 있지만, 다른 법률에서 국내 거주자와 차이를 둘 수 있다. 「외국환관리법」이나 「부동산등기법」, 「부동산거래관련법률」 등을 참조하자.

2. 보유단계의 세금문제

부동산을 보유한 단계에서는 재산세와 종합부동산세가 다른 거주자들과 마찬가지로 과세된다. 따라서 해외로 출국했다고 해서 재산세 등이 부과되지 않는 것은 아님에 유의할 필요가 있다.

3. 임대단계의 세금문제

비거주자인 K씨가 국내에서 벌어들인 임대소득에 대해서는 일차적으로 국내의 세법에서 종합과세가 된다. 국내에서 소재한 부동산에서 발생한 임대소득에 대해서는 원칙적으로 국내에서 과세권을 행사하게 된다.

→ 다만, 예외적으로 주택임대소득에 대한 비과세 우대조치는 거주자에 대해 적용하는 등 일부에서 차별적으로 법을 적용하고 있다. 한편 비거주자인 K씨는 미국에서 세금을 내는 것이 원칙인데 이렇게 되면 양쪽 국가에서 세금을 내는 결과가 되므로 한국에서 낸 소득세는 미국에서 공제하는 식으로 이러한 문제를 예방하게 된다. 따라서

부동산임대소득 등이 발생하면 양쪽 나라의 세법절차 등에 유의할 필요가 있다.

4. 양도단계의 세금문제

비거주자인 K씨가 국내에서 벌어들인 양도소득에 대해서는 원칙적으로 거주자와 동일하게 과세된다. 양도소득의 원천이 국내에 있어 거주자와 차별할 이유가 없기 때문이다. 다만, 주택비과세제도와 장기보유특별공제 등의 일부에서는 거주자와 달리 적용하고 있다(거주자 우대원칙).

→ 비거주자인 K씨는 미국에서 세금을 내는 것이 원칙인데 이렇게 되면 양쪽 국가에서 세금을 내는 결과가 되므로 한국에서 낸 소득세는 미국에서 공제하는 식으로 이러한 문제를 예방하게 된다.

📋 매각대금 송금 절차

비거주자가 부동산을 판 금액을 해외로 가지고 나가려면 어떻게 해야 할까?

해당 부동산의 관할 세무서장이 발급하는 '부동산 매각자금 확인서(국세청 홈페이지에서 조회)'를 외국환 은행장에게 제출해야 송금시킬 수 있다. 이 서류 발급을 신청하려면 등기부등본, 건축물 관리대장 및 토지대장 각1부, 실거래가액을 확인할 수 있는 서류(매매계약서 및 관련 금융자료 등)가 필요하다.

사례

미국영주권자인 K씨는 한국에 있는 주택을 처분하고자 한다.

• 상황1 : K씨가 해당 주택에 대한 양도소득세 비과세를 받기 위해서는 거주자가 되어야 한다. 미국영주권자는 어떻게 해야 거주자가 될 수 있는가?
• 상황2 : 양도소득세 비과세 요건 중 보유 및 거주기간은 입국 전의 것도 인정되는가?
• 상황3 : K씨가 국내에서 일정기간 거주한 후에 주택을 양도하여 비과세를 받았다고 하자. 이 경우 미국에서도 비과세를 적용받을 수 있을까?
• 상황4 : K씨가 국내 거주 후 비과세를 받은 후 다시 미국으로 돌아간 경우 비과세가 계속 유효한가?

상황에 대해 순차적으로 답을 찾아보면 다음과 같다.

(상황1) K씨가 해당 주택에 대한 양도소득세 비과세를 받기 위해서는 거주자가 되어야 한다. 미국영주권자는 어떻게 해야 거주자가 될 수 있는가?

일단 국내로 입국하여 일정기간 거주를 해야 한다. 그런데 문제는 국내에서 머문다고 해서 바로 거주자가 되지는 않는다는 것이다. 이를 판단하는 다양한 요건들이 있기 때문이다. 실무에서는 거주자에 해당하는지 여부 및 언제부터 거주자로 전환되었는지 여부는 출입국 내역, 직업, 가족관계, 자산상태 등에 근거하여 사실판단할 사항으로 보고 있다.

(상황2) 양도소득세 비과세 요건 중 보유 및 거주기간은 입국 전의 것도 인정되는가?

그렇다. 해외 출국하여 비거주자가 되기 전 거주자로서 보유한 기간과 다시 입국하여 거주자가 된 후 보유한 기간을 합산한다. 「소득세법 시행령」 제154조 제8항 제2호에 의하면, 비거주자가 해당 주택을 3년 이상 계속 보유하고 그 주택에서 거주한 상태로 거주자로 전환된 경우에는 해당 주택에 대한 거주기간 및 보유기간을 통산하도록 하고 있다. 다만, 이 경우 비과세를 위한 보유기간 요건은 2년이 아닌 3년을 요구하고 있다(2년 거주요건은 별도로 확인해야 함). 따라서 거주자로서 3년 이상 보유 등을 한 주택을 양도하면 1세대 1주택 비과세 적용이 가능하다.

(상황3) K씨가 국내에서 일정기간 거주한 후에 주택을 양도하여 비과세를 받았다고 하자. 이 경우 미국에서도 비과세를 적용받을 수 있을까?

국내 거주자들에 대한 비과세 혜택은 한국의 세법이 거주자를 위한 배려한 조치에 해당한다. 따라서 이는 다른 나라의 세법과 무관하다. 미국의 경우 자국민에게 귀속되는 전세계 소득에 대해 과세하는 것이 원칙이다.

(상황4) K씨가 국내 거주 후 비과세를 받은 후 다시 미국으로 돌아간 경우 비과세가 계속 유효한가?

자칫 조세회피의 가능성도 있다. 하지만 양도일 현재 비과세요건을 갖춘 경우라면 비과세가 확정되었으므로 상황은 이에 영향을 미치지 않을 가능성이 높다.

해외교포 비거주자의 주택 양도소득세 비과세

국내 거주자가 국외 이주 등을 통해 출국을 하는 경우가 있다. 이하에서는 이들의 양도소득세 과세문제를 체계적으로 순차적으로 알아보자. 참고로 비거주자의 양도소득세 과세방식은 매우 까다롭기 때문에 사전에 세무상담을 통해 제반 문제점을 점검하는 것이 좋다.

1. 출국 전의 양도소득세 과세방식

국내에서 해외로 이주를 하기 전에 개인이 보유하고 있는 부동산은 국내 거주자들이 적용받고 있는 제도를 그대로 적용받는다. 따라서 주택의 경우 1주택을 보유하고 있는 상태에서 비과세 요건을 갖추었다면 비과세를 받을 수 있다.

2. 1주택을 보유한 상태에서 출국하는 경우

원래 주택에 대해 양도소득세 비과세를 받기 위해서는 국내 거주자가 2년 이상 보유 등을 해야 한다. 따라서 비거주자는 1세대 1주택 비과세를 받을 수 없다.

다만, 해외이주 등에 의해 해외로 출국하는 경우에는 부득이한 사유에 해당하므로 다음에 대해서는 보유기간 및 거주기간을 적용하지 않는다. 따라서 1세대 1주택을 소유한 상태에서 주택을 양도하면 특례적으로 비과세를 받을 수 있다.

(1) 「해외이주법」에 따른 해외이주로 세대전원이 출국하는 경우

출국일부터 2년 이내에 양도하는 경우에 한해 비과세를 적용한다. 만일 전세대원이 출국일 전에 양도하는 경우에는 이 규정을 적용하지 않는다.

참고로 「해외이주법」 제4조에서는 해외이주의 종류를 다음과 같이 구분하고 있다.

① 연고이주 : 혼인·약혼 또는 친족관계를 기초로 하여 이주하는 것
② 무연고이주 : 외국기업과의 고용계약에 의한 취업이주, 해외이주알선업자가 이주대상국의 정부기관·이주알선기관 또는 사업주와의 계약에 의하거나 이주대상국 정부기관의 허가를 받아 행하는 사업이주 등 제1호 및 제3호 외의 사유로 이주하는 것
③ 현지이주 : 해외이주 외의 목적으로 출국하여 영주권 또는 그에 준하는 장기체류 자

격을 취득하고 이에 근거하여 거주여권을 발급받은 자의 이주

💧 「소득세법」 집행기준 89-154-44 [해외이주 외의 목적으로 출국하여 현지이주하는 경우]

해외이주 외의 목적으로 출국하여 혼인한 후 현지이주한 경우 그 혼인한 세대가 출국일 및 양도일 현재 국내에 1주택을 보유하고 있는 때에는 출국일부터 2년 이내에 해당 주택(고가주택 제외)을 양도하면 보유 및 거주기간의 제한없이 비과세를 적용받을 수 있다 (2012.7.27. 개정).

> **사례**

> 2002.1. : 경기 분당 주택 취득
> 2003.8. : 미국으로 출국
> 2009.7. : 미국에서 결혼
> 2010.1. : 미국 영주권 취득
> 2010.2. : 해당 주택 양도

→ 영주권 취득일(2010.1.)부터 2년 이내에 양도하는 경우이므로 비과세 가능함.

(2) 1년 이상 계속하여 해외거주를 필요로 하는 취학 또는 근무상의 형편으로 세대전원이 출국하는 경우

이 경우에도 출국일부터 2년 이내에 양도하는 경우에 한해 비과세를 적용한다. 만일 전 세대원이 출국일 전에 양도하는 경우에는 이 규정을 적용하지 않는다.

3. 2주택을 보유한 상태에서 출국하는 경우

1세대가 2주택을 보유한 상태에서 출국하는 경우에는 그 중 한 채에 대해서 비과세를 받을 수 있을까?

받을 수 없다. 앞의 보유기간 및 거주기간에 대한 특례는 1세대 1주택자에 한해 적용되기 때문이다.

4. 재입국한 경우

이에 대한 과세방식은 앞의 필수 세무상식의 사례를 확인하기 바란다.

제**4**편

개인사업자의 상속·증여관련 세무리스크 관리법

이 편에서는 사업자들이 알아야 할 상속·증여세 문제를 살펴본다. 물론 이들의 상속세와 증여세는 앞의 내용들을 살펴보면 대부분 해결된다. 하지만 재산평가항목이 다르는 등 일부 차이가 있다. 이외 사업자들은 언제든지 사업체에 대해 세무조사를 받을 가능성이 높기 때문에 사업용 계좌를 제대로 관리할 필요가 있다. 또한 근래에 세무조사 대상자 선정 시 동원되는 PCI 시스템에 대해서도 그 내용을 알고 있어야 한다.

한편 이 편에서는 빌딩사업자들이 겪고 있는 다양한 절세방법에 대해서도 다루고 있다. 최근의 재산평가방법의 변경, 무상임대에 대한 부가가치세 등의 과세문제, 빌딩에 대한 전반적인 상속세와 증여세 세무리스크 관리법, 법인전환 등 고급스런 주제들을 다루었다. 모두 섭렵하여 소중한 재산을 지킬 수 있도록 하자.

제**9**장

개인사업자의 상속·증여
세무리스크 관리법

지금까지 살펴본 상속세와 증여세의 내용들은 대부분 일반개인들에게 주로 해당된 것들이었다. 따라서 개인사업자들도 개인에 해당하므로 앞에서 본 내용들을 토대로 상속세와 증여세 실무를 전개해도 된다. 하지만 개인사업자들의 경우 재산평가방법 등이 일반개인과 차이가 있고, 공제제도가 달리 적용되는 경우도 있다. 이 장에서는 이러한 점에 유의해 공부하는 것이 좋다.

본 장에서 살펴볼 핵심 내용들은 아래와 같다.

• 개인사업자의 세무리스크 종합관리법
• 사업용 계좌, 차명계좌와 세무리스크 관리법
• PCI시스템과 세무조사 리스크 관리법
• 사업체의 상속관련 세무리스크 관리법
• 창업자금 사전 증여에 대한 과세특례제도
• 사업체의 상속과 후속업무처리 절차

제1절 ## 개인사업자의 세무리스크 종합관리법

개인사업자들은 평소 수입과 지출관리에 신경을 써야 한다. 신고한 소득에 비해 부동산 취득 등을 위한 지출액이 크면 세무조사를 받을 가능성이 높기 때문이다. 물론 이때의 세무조사는 사업체에 대한 것뿐만 아니라 자금이동의 원인에 따라 증여에 대한 조사로 이어질 수 있다.

1 개인사업자관련 세무리스크 발생 사례

김○○씨는 성남에서 의류판매업을 영위하고 있다. 그런데 본인통장에서 배우자의 통장으로 자금을 이체하여 거래처에 납품대금을 지급할 때가 종종 있다. 또한 사업용 계좌에서 배우자 통장으로 자금을 이체한 후 배우자 명의로 상가 등을 취득해 왔다.

- 상황1 : 거래처 납품대금을 배우자통장에서 이체하여 지급하는 것은 사업용 계좌제도를 위반한 것인가?
- 상황2 : 배우자 명의로 상가 등을 취득하면 어떤 세금문제가 있는가?

위의 상황에 순차적으로 답을 찾아보면 다음과 같다.

(상황1) 거래처 납품대금을 배우자통장에서 이체하여 지급하는 것은 사업용 계좌제도를 위반한 것인가?

김○○씨의 통장에서 직접 계좌이체를 하여 대금을 지급하는 것이 원칙이다. 하지만 자금거래 편의상 배우자통장으로 이체한 후 배우자 명의에서 이체한 경우에도 큰 문제는 없을 것으로 보인다. 다만, 불필요한 오해를 불러일으킬 가능성이 높다.

(상황2) 배우자 명의로 상가 등을 취득하면 어떤 세금문제가 있는가?

배우자 명의로 상가를 취득하면 취득자금에 대한 자금출처조사가 나올 수 있다. 그 결과 배우자 간의 증여재산공제액 6억 원을 초과한 부분에 대해서는 증여세가 과세될 수 있다. 만약 이러한 과정에서 이상한 현금흐름이 발견되면 사업체에 대한 세무조사로 연결될 수 있다.

② 개인사업자관련 세무리스크 관리법

(1) 개인사업자관련 세무리스크

개인사업자들이 직면하는 세무리스크는 다음과 같다.

구분	세무조사의 종류
사업 세무리스크	• 차명계좌 세무조사 • 사업소득탈루 세무조사(소득세, 부가가치세 등) • PCI시스템에 의한 세무조사 • 사업관련 상속세 또는 증여세 세무조사 등
개인 세무리스크	• 자산취득 및 부채 상환 시 자금출처조사 • 해외계좌조사 등

위의 내용 중 차명계좌에 대한 내용만 대략 살펴보면 다음과 같다.

차명계좌(借名計座)는 다른 사람의 명의로 된 계좌를 말한다. 세법은 2013.1.1. 이후 신고하거나 결정, 경정하는 분부터 금융계좌에 보유하고 있는 재산은 명의자가 취득한 것으로 추정한다. 따라서 배우자 명의의 계좌를 개설하여 현금을 입금한 경우에는 그 입금한 시기에 증여한 것으로 추정한다. 다만, 배우자 명의의 계좌로 입금한 것이 증여가 아닌 다른 목적으로 행하여진 특별한 사정이 있는 경우라면 증여로 추정하지 않는 것이나, 그에 관한 입증책임은 이를 주장하는 납세자에게 있다.

● 「상증법」 집행기준 31-23-2 [예금계좌에 입금된 현금의 증여시기]

증여목적으로 타인명의의 예금계좌를 개설하여 현금을 입금한 경우 그 입금시기에 증여한 것으로 보는 것이나, 입금시점에 타인이 증여 받은 사실이 확인되지 않는 경우 혹은 단순히 예금계좌로 예치된 경우에는 타인이 당해 금전을 인출하여 사용한 날에 증여한 것으로 본다.

(2) 사업자와 증여세 세무리스크 관리법

• 사업자도 일반개인들에게 적용되는 세무리스크 관리법이 그대로 적용된다.
• 사업자의 증여세 절세의 기본은 사업용 계좌를 잘 관리하는 것이다.
• 사업자의 배우자가 부동산을 과도하게 취득하는 경우에는 자금출처조사가 진행될 수 있다.

- 공동사업자 간에 지분비율을 책정할 때 정당한 사유 없이 많은 지분을 주는 경우 증여세 문제가 있다. 다만, 분할된 이득금액에 대하여 소득세가 부과되는 경우 증여세가 과세되지 않는다.

(3) 사업자와 상속세 세무리스크 관리법

- 먼저 사업용 재산과 부채현황을 빠짐없이 파악한다.
- 사업용 자산과 부채에 대한 평가방법을 정확히 이해할 필요가 있다.
- 개인가업이 상속이 된 경우 가업상속공제제도(최고 500억 원 한도)가 적용되므로 이를 적극적으로 활용한다. 가업상속공제가 적용되는 상속재산은 직접 사업에 사용되는 토지, 건축물, 기계장치 등 사업용자산을 말한다. 자세한 내용은 제11장을 참조하기 바란다.

3 개인사업자관련 세무리스크 심화 사례

서울에서 거주하고 있는 송○○씨의 재산현황이 다음과 같을 때 상속재산가액은 얼마나 될까? 단, 영업권은 없다고 가정한다.

〈재산현황〉

① 사업용 자산과 부채(단, 자산의 시가는 확인되지 않음)

자산	부채
• 재고자산 : 3천만 원(장부가) • 비품 : 5천만 원(장부가) • 차량 : 2천만 원(장부가) • 현금 : 1억 원(장부가, 실제 보관된 현금은 없음)	• 미지급금 : 2천만 원(장부가) • 차입금 : 5천만 원(이자포함, 장부가)

② 개인용 자산과 부채
  • 거주용 주택 : 7억 원(세법상 평가액)
  • 담보대출 : 2억 원(이자 포함)

위의 자료를 통해 상속재산을 평가해 보자.

(1) 사업자들의 상속재산평가

사업자들의 상속재산가액을 파악하기 위해서는 일반인들의 평가방법과의 차이점을 이해할 필요가 있다.

- 사업자들의 상속재산평가는 일반적인 평가방법(시가 → 보충적 평가방법)에 따라 평가한다. → 따라서 이 부분에서는 일반인들과 차이점이 없다.
- 다만, 사업에 대한 영업권을 평가해야 한다는 점에서는 차이가 난다. 영업권은 사업을 통해 얻는 사업상 노하우 등을 화폐가치로 평가하는 것은 말한다. 이에 대한 자세한 내용은 뒤에서 살펴본다.

(2) 사례에서의 상속재산가액평가

① 사업용 자산과 부채

구분		평가기준	평가금액	비고
자산	재고자산	Max(장부가, 처분예상가액)	3천만 원	
	비품	상동	5천만 원	
	차량	상동	2천만 원	
	현금	–	–	장부상으로만 존재한 현금은 상속재산에서 제외됨.
	계		1억 원	
부채	미지급금	실제 지급해야 할 금액	2천만 원	
	차입금	원금+이자	5천만 원	
	계		7천만 원	

② 개인용 자산과 부채

- 거주용 주택 : 7억 원(세법상 평가액)
- 담보대출 : 2억 원

③ 총 상속재산가액 : 1억 원+7억 원-7천만 원-2억 원=5억 3천만 원

제2절 사업용 계좌, 차명계좌와 세무리스크 관리법

개인사업자들이 사업 전에 알아두어야 할 사업용 계좌관리법을 알아보자. 계좌관리는 탄탄한 경비처리를 위해서도 필요하지만, 나중의 세무조사를 대비하는 관점에서도 매우 중요하다.

1 사업용 계좌관련 세무리스크 발생 사례

사업자인 K씨의 사업용 계좌가 다음과 같이 되어 있다고 하자. 아래 ①~⑤까지 입출금된 내용이 세법상 문제가 있는지 없는지를 검토하라.

거래일	내용	출금	입금	잔액
	① 매출 시 현금수취 후 통장 미입금	×××		×××
	② 임차료 통장이체	×××		×××
	③ 식대 현금 지급		×××	×××
	④ 인건비 현금 지급	×××		×××
	⑤ 생활비계좌로 1천만 원 이체	×××		×××

위의 상황에 대해 답을 찾아보면 다음과 같다.

① 매출 시 현금수취 후 통장 미입금

금융기관을 통한 거래가 아니라면 거래대금을 현금으로 수령하여 사업용 계좌에 입금하는 경우는 사업용계좌 미사용가산세 대상이 아니다.

> **사례**
>
> 만약 세금계산서를 수취하고 대금을 현금으로 지급하는 경우 사업용 계좌 미사용에 따른 가산세를 부과받는가?
>
> 그렇지 않다. 금융기관을 통한 거래가 아니므로 가산세 부과대상이 아니다.

② 임차료 통장이체

사업용 계좌제도를 정확히 지키고 있다. 따라서 세법상 문제는 없다.

③ 식대 현금 지급

이는 사업용 계좌제도가 적용되지 않는 건에 해당한다.

④ 인건비 현금 지급

이는 사업용 계좌제도를 의무적으로 사용해야 하는 건에 해당한다. 따라서 이를 지키지 않았으므로 가산세(0.2%)부과대상이 된다.

⑤ 생활비계좌로 1천만 원 이체

문제 없다.

⊕ 현금영수증 발급사업자의 현금영수증의 발급시기

원칙적으로 현금을 지급 받은(계좌에 입금된) 때에 교부하여야 하며 다만, 사회통념상 입금 즉시 확인이 어려운 때에는 입금이 확인되는 때(통상 3일~5일 이내)에 발급하는 것이다(서면3팀-1699, 2005.10.6).

2 사업용 계좌관련 세무리스크 관리법

복식부기의무자가 사업과 관련하여 거래대금을 금융기관을 통해 결제하거나 결제받는 때, 인건비와 임차료 지급 시 사업용 계좌를 사용하는 것이 원칙이다. 따라서 사업관련대금을 사업용 계좌 외 다른 계좌로 수령해서는 안된다. 그리고 거래대금 송금 시 무통장입금이 아니라 사업용 계좌를 사용해야 한다. 또한 인건비와 임차료 지급 시 사업용 계좌로 지급해야 한다.

참고로 사업용 계좌를 의무적으로 사용해야 하는 사업자는 다음과 같이 직전연도 매출액이 업종별로 해당금액을 초과하는 사업자(복식부기 의무자)이다.

업종	직전연도 매출액
서비스업, 부동산임대사업	7,500만 원 이상
제조업, 건설업, 음식·숙박업, 전기·가스·수도업, 운수·창고업, 금융보험업, 소비자용품수리업	1억 5천만 원 이상
도소매업, 농업, 임업 광업, 어업, 부동산 매매업	3억 원 이상

💧 **관련 규정 : 「소득세법」 집행기준 160의 5-208의 5-1 [사업용 계좌의 신고·사용의무]**

① 복식부기의무자는 사업과 관련하여 재화 또는 용역을 공급받거나 공급하는 거래의 경우로써 다음에 해당하는 때에는 사업용 계좌를 사용해야 한다.

  1. 거래의 대금을 금융회사 등을 통하여 결제하거나 결제받는 경우

  2. 인건비 및 임차료를 지급하거나 지급받는 경우

② 사업용 계좌란 다음의 요건을 모두 갖춘 것을 말한다.

  1. 금융기관에 개설한 계좌일 것

  2. 사업에 관련되지 아니한 용도로 사용되지 아니할 것

③ 사업용 계좌는 사업장별로 사업장 관할세무서장에게 신고해야 한다. 이 경우 1개의 계좌를 2 이상의 사업장에 대한 사업용 계좌로 신고할 수 있다.

④ 사업용 계좌는 사업장별로 2 이상 신고할 수 있다.

③ 사업용 계좌관련 세무리스크 심화 사례

서울에서 거주하고 있는 서○○씨가 사망하였다. 피상속인은 생전에 임대건물과 임대보증금을 예치한 예금계좌 8억 원을 소유하고 직접 관리하였으나, 상속개시가 되기 몇 년 전부터 거동이 불편해 배우자의 명의로 된 계좌로 임대보증금과 임대료 수입을 관리해왔다.

• 상황1 : 배우자 명의로 된 차명계좌의 돈은 상속재산에 해당하는가, 사전 증여재산에 해당하는가?

• 상황2 : 만약 위의 재산이 상속재산에 포함된다면 금융재산상속공제(20%)를 받을 수 있는가?

위의 상황에 대해 순차적으로 답을 찾아보면 다음과 같다.

(상황1) 배우자 명의로 된 차명계좌의 돈은 상속재산에 해당하는가, 사전 증여재산에 해당하는가?

피상속인의 차명계좌에 해당하는 사실이 객관적으로 확인되는 경우 증여세는 과세되지 아니하고 상속재산에 포함되어 상속세가 과세된다. 이때 배우자명의의 예금계좌에 입금하게 된 경위, 그 예금에 대한 지배관리자가 누구인지, 그 예금한 금전의 사용처 등 구체적인 사실을 종합하여 관할세무서장이 판단하게 된다.

→ 사례의 경우에는 정황상 상속재산에 해당될 가능성이 높다.

 관련 규정 : 국심 2000서2228, 2001.2.26.

상속개시 전 배우자명의 예금계좌에 입금된 금액 중 피상속인을 대리한 사업상 또는 가사용으로 인정되는 금액은 사전 증여재산에서 제외한다.

(상황2) 만약 위의 재산이 상속재산에 포함된다면 금융재산상속공제(20%)를 받을 수 있는가?

만일 배우자 명의로 예금한 예금계좌가 피상속인의 차명계좌에 해당하는 경우에는 본래의 상속재산으로서 상속재산에 포함된다. 따라서 이렇게 차명계좌에 예금된 금액은 「상증법」 제22조에 따른 금융재산에 해당하므로 금융재산상속공제 대상에 해당한다. 단, 상속세 과세표준 신고기한까지 신고해야 공제를 적용한다.

🔑 Tip

■ 사업자 차명계좌 신고서

'차명계좌'란 사업자 명의 외 타인 명의로 되어 있는 계좌를 말한다. 이러한 차명계좌를 국세청에 신고한 후 그 신고된 차명계좌를 통해 탈루세액이 1천만 원 이상 추징되는 경우 건당 100만 원의 포상금이 지급된다(신고인별 연간 한도는 5천만 원). 다만, 신고대상은 법인 또는 복식부기 의무가 있는 개인사업자가 보유한 차명계좌에 한한다.

사업자 차명계좌 신고서

신 고 자	성　　　　명		주 민 번 호	
	전 화 번 호		이메일(전자우편)	
	주　　　　소			
피신고자	상 호 (법인명)		사업자등록번호	
	성 명 (대표자)		전 화 번 호	
	소 　재 　지			
신 고 내 용	거 래 일 자		거 래 금 액	
	거래한 차명계좌	명 의 인	은 행 명	
		계좌번호		
	거 래 내 용	※ 6하 원칙에 의거 상세하게 작성		
	거 래 증 빙			
접수통지 · 처리결과통지 수령방법	□ 서면 　　　　□ 전자우편 　　　　□ 회신불요			
개인정보 수집 · 이용 동의 (개인정보보호법 제24조)	(수집이용목적) 차명계좌 신고의 처리와 포상금 지급 (보유 · 이용기간) 5년 (수집대상 고유식별번호) 주민등록번호, 외국인등록번호 **상기 내용에 대해 □ 동의함　　□ 동의하지 않음** ※ 동의를 거부할 권리가 있으며, 거부할 경우 포상금 지급이 불가할 수 있습니다.			

※ 작성요령 등 신고안내는 뒷면 참조

년　　　월　　　일

신 고 자　　　　　　(서명 또는 인)

귀하

※ 첨부 : 무통장입금증, 통장사본 등 사업자의 차명계좌에 입금한 증빙

제3절 PCI시스템과 세무조사 리스크 관리법

PCI시스템에 대한 사업자들의 관심도가 점점 높아지고 있다. 이 시스템에 의해 세무조사 대상자로 선정되는 경우가 많기 때문이다. 사업자들이 알아두어야 할 PCI시스템에 의해 파생되는 세무조사 내용을 살펴보자.

1 PCI시스템관련 세무리스크 발생 사례

> **자료**
>
> 1. K씨는 아버지로부터 현금을 증여받아 전세를 살고 있다. 그런데 이번에 전세보증금에 대한 자금출처조사를 받게 되었다. K씨는 어떻게 하여 자금출처조사를 받게 되었을까?
> 2. 서울 강남에서 임대업을 하고 있는 J씨는 신용카드를 사용하는 대신 현금을 주로 사용한다. 왜 그럴까?

위의 상황에 각각 답을 찾아보면 다음과 같다.

① 1의 경우

일단 전세보증금에 대한 자료가 국세청 전산망(NTIS)에 축적되었기 때문이다. 현재 전월세 거래내역이 국토교통부에서 관리되므로 정부부처 간에 이 자료가 공유된다고 볼 수 있다.

② 2의 경우

PCI시스템 의해 세무조사를 받을 수 있기 때문이다. 이 시스템은 '재산증가액과 소비지출액의 합계액'에서 신고한 소득금액을 차감해 탈루혐의금액을 찾아내는 시스템을 말한다.

2 PCI시스템관련 세무리스크 관리법

PCI시스템(Property, Consumption and Income Analysis System) 즉 '소득 – 지출 분석

시스템'은 일정기간의 소득금액과 재산증가액·소비지출액을 비교분석하여 탈루혐의금액을 도출하는 시스템을 말한다. 이 시스템은 현재 다음과 같이 활용되고 있다.

- 기업주의 법인자금 사적사용 여부 검증 → 영리법인의 개인 사주가 회사자금을 임의로 유용하여 사적으로 소비지출·재산증식 하였는지 여부를 검증한다.
- 고액자산 취득 시 자금출처 관리 강화 → 취득능력이 부족한 자(소득이 없는 자·미성년자 등)가 고액의 부동산 등을 취득 시 자금출처 관리에 사용된다.
- 세무조사대상자 선정 시 활용 → 고소득 자영업자 세무조사 대상자 선정 시 분석시스템을 활용하여 신고소득에 비해 재산증가나 소비지출이 큰 사업자를 선정하는 데 활용된다.
- 고액체납자 관리업무에 활용 → 고액체납자의 재산은닉 및 소비지출현황 파악에 활용된다.

🌐 소득－지출 분석시스템 분석사례(국세청)

현금수입업종 사업자들이 소득을 과소신고하는 경우 어떻게 하여 세무조사로 연결되는지 아래 사례를 통해 보자. 참고로 사업자들은 업종에 관계없이 이 시스템이 적용되고 있다.

① 사업자 현황

해당 사업자는 ○○도 ○○시에서 사업을 하면서 최근 5년간 종합소득금액 1억 원을 신고하였으나, ○○구 소재 시가 30억 원 하는 아파트에서 거주하며, 고급승용차를 소유하고, 해외여행 등을 15차례 가는 등 소득에 비해 소비수준이 과다함.

② 최근 5년간 탈루혐의 추정액

- 최근 5년간 신고한 종합소득금액 1억 원
- 재산증가금액 20억 원
  - 부동산 : (취득) 아파트 등 3건   취득가액 31억 원
  - 부동산 : (양도) 아파트 등 3건   양도가액 11억 원

• 소비지출금액 3억 원

③ 혐의사항

현금수입업종을 영위하면서 신고소득에 비해 소비수준이 과다한 것으로 보아 수입금액 누락 혐의가 있고, 00년에 취득한 부동산 31억 원의 자금출처가 불투명한 사례

3 PCI시스템관련 세무리스크 심화 사례

서울 서초구에서 성형외과를 운영하는 김OO씨는 근래 병원소득이 상당히 많았다. 그는 최근에 50억 원짜리 상가건물을 구입하면서 10억 원만큼의 부채를 조달하였다. 이 같은 상황에서 PCI시스템이 작동되어 김씨가 자금출처조사를 받는다면 어떤 식으로 소명을 해야 할까? 단, 20×0년부터 20×4년까지의 사업소득 현황은 다음과 같다.

구분	20×0년	20×1년	20×2년	20×3년	20×4년	계
매출	10억 원	15억 원	15억 원	20억 원	15억 원	75억 원
비용	6억 원	9억 원	9억 원	12억 원	9억 원	45억 원
세금	1억 원	2억 원	3억 원	4억 원	3억 원	13억 원
세후이익	3억 원	4억 원	3억 원	4억 원	3억 원	17억 원

위의 상황에 대해 순차적으로 답을 찾아보자.

(1) 김씨가 당면한 세금문제는?

재산취득금액과 신고한 소득(여기서는 세후 소득을 기준으로 함)의 차이에 대한 것이다. 위의 내용을 보면 재산취득가액은 50억 원인데 반해 최근 5년간의 가처분 소득은 17억 원 정도가 되므로 33억 원 차이가 난다. 따라서 이에 대한 소명을 명쾌하게 해야 사업소득에 대한 세무조사를 피할 수 있게 된다.

(2) 김씨는 문제해결을 어떻게 해야 하는가?

다음과 같은 방식으로 소명하도록 한다. 물론 이때 근거서류를 첨부해야 한다. 만일 추가 소명을 하지 못한 경우에는 사업소득의 탈루가 의심되어 병원에 대한 세무조사로 확대될 수 있다.

총구입액	소명금액	소명부족액	추가 소명금액
50억 원	27억 원*	23억 원	예) 5년 이전 발생한 소득에서 발생한 저축 등

* 부채 10억 원+병원소득 17억 원=27억 원

● PCI시스템에 의한 세무조사 관리법

PCI시스템은 세대원들을 중심으로 적용되므로 다음과 같이 자산과 소득을 관리하도록 한다.

구분	자산증가액+신용카드 등 사용액(①)	신고소득금액(②)	차이(①-②)
A			
배우자			
자녀			
계			

 Tip

■ 사업자의 부동산구입 또는 부채상환과 자금출처조사

사업자들도 부동산을 구입하거나 부채상환을 하면 자금출처조사를 받게 된다. 다음은 증여추정 사례이다(「상증법」 집행기준 45 - 34 - 2).

재산취득 (채무상환)	입증금액	미입증금액	증여추정
8억 원	7억 원	1억 원<Min(① 8억 원×20%, 2억 원)=1.6억 원	제외
9억 원	6.5억 원	2.5억 원≥Min(① 9억 원×20%, 2억 원)=1.8억 원	2.5억 원
15억 원	13.5억 원	1.5억 원<Min(① 15억 원×20%, 2억 원)=2억 원	제외
19억 원	16.5억 원	2.5억 원≥Min(① 19억 원×20%, 2억 원)=2억 원	2.5억 원

제4절 사업체의 상속(공과금, 채무, 상속추정 등)관련 세무리스크 관리법

사업자는 사업체를 가지고 있기 때문에 일반인들과 다르게 상속·증여 관계가 형성된다. 다만, 증여의 경우에는 앞에서 살펴본 자금출처조사 등으로 주제가 한정되기 때문에 이를 별도로 살펴볼 실익이 별로 없다. 따라서 아래에서는 상속을 위주로 살펴보고자 한다.

1 사업체의 상속관련 세무리스크 발생 사례

사업을 하던 H씨가 운명하여 상속이 발생했다. H씨는 사업 중에 금융기관 등에 채무를 부담하고 있었다.

- 상황1 : 상속개시일 전에 발생한 소득세는 공과금으로 인정되는가?
- 상황2 : 금융기관으로부터 차입한 금액 및 거래처 미지급금도 채무공제가 되는가?
- 상황3 : 만일 상속개시 전 발생한 카드미지급금도 채무로서 공제가 되는가?

위의 상황에 순차적으로 답을 찾아보면 다음과 같다.

(상황1) 상속개시일 전에 발생한 소득세는 공과금으로 인정되는가?

당연히 공제가 된다. 여기서 공과금은 상속개시일 현재 피상속인이 납부할 의무가 있는 것으로서 상속인에게 승계된 모든 조세공과금을 말한다. 이에는 종합소득세, 부가가치세, 재산세, 수도·가스·전기사용료 등이 있다.

● 관련 규정 : 「상증법」 집행기준 14-9-1 [상속재산가액에서 차감되는 공과금의 범위]

상속개시일 현재 피상속인이 납부할 의무가 있는 것으로서 상속인에게 승계된 다음의 것은 상속재산가액에서 차감된다.

① 국세, 관세, 임시수입부가세, 지방세

② 공공요금

③ 공과금 : 「국세징수법」의 체납처분의 예에 따라 징수할 수 있는 조세 및 공공요금 이외의 것

④ 피상속인이 사망한 후에 피상속인이 대표이사로 재직하던 법인의 소득금액이 조사·결정됨에 따라 피상속인에게 상여로 처분된 소득에 대한 종합소득세·지방소득세 등

※ 상속개시일 이후 상속인의 귀책사유로 납부 또는 납부할 가산세, 가산금, 체납처분비, 벌금, 과료, 과태료 등은 공과금 등에 포함되지 아니한다.

(상황2) 금융기관으로부터 차입한 금액 및 거래처 미지급금도 채무공제가 되는가?

피상속인(망자)이 개인사업체를 운영하다가 사망한 경우 당해 사업체에 대한 상속재산가액은 상속개시일 현재를 기준으로 「상증법」에 의해 평가한 가액에서 당해 사업체와 관련된 부채를 차감한 가액에 당해 사업체의 영업권상당액을 합한 가액으로 평가한다. 따라서 해당 차입금과 미지급금은 상속채무로 공제가 된다고 볼 수 있다.

● 관련 규정 : 「상증법」 집행기준 14-9-10[사용인의 퇴직금상당액으로서 채무로 인정되는 경우]

피상속인의 사업과 관련하여 고용한 사용인에 대한 상속개시일까지의 퇴직금상당액은 피상속인의 채무로서 상속재산가액에서 차감된다. 이 경우 퇴직금상당액은 「근로자퇴직급여 보장법」 제8조에 따라 지급하여야 할 금액을 말한다.

(상황3) 만일 상속개시 전 발생한 카드미지급금도 채무로서 공제가 되는가?

상속개시 전 피상속인이 사용한 신용카드대금 미지급금을 상속개시 후 상속인이 실제로 부담하는 사실이 확인되는 경우 상속채무공제가 가능하다.

> **사례**
>
> 피상속인이 상속개시 전에 고용한 간병인에게 피상속인이 지급해야 할 의무가 있는 간병비도 공제되는가?
>
> 당연히 상속개시일까지 미지급된 금액은 채무로서 공제가 가능하다. 이를 위해서는 송금 등의 방식으로 이를 입증하도록 한다.

2) 사업체의 상속관련 세무리스크 관리법

사업 중에 상속이 개시된 경우 상속세 신고를 준비할 때 가장 관심을 둬야 할 항목은 바로 상속추정제도[80]이다. 사업자들은 개인 계좌뿐만 아니라 사업용 계좌에 대해서도 이 제도가 적용되기 때문이다. 따라서 입증범위가 일반인들보다 훨씬 더 광범위할 수 있다. 자금거래 빈도수가 훨씬 많기 때문이다. 그 결과 이를 입증하는 과정에서 예기치 못한 다양한

---

80) 상속추정제도는 상속개시일 전 1(2)년 내에 재산처분(인출)한 금액 또는 채무부담액이 2억(5억)원 이상이 경우에 사용처가 입증되지 않으면 일정한 금액을 상속재산가액에 포함시키는 제도를 말한다. 제5장을 참조하기 바란다.

세금문제들이 발생할 수 있다. 예상되는 문제들은 다음과 같다.

① 사업용 계좌에 입금된 금액

- 입금된 금액에 대한 매출신고가 누락되었는가? → 사업체에 대한 세무조사로 연결될 수 있다.
- 입금된 금액이 증여성격으로 입금된 것인가? → 증여세가 부과될 수 있다.

② 사업용 계좌에서 출금된 금액

- 사용처가 불분명한 지출에 해당하는가? → 상속추정제도를 적용받아 상속세가 나올 수 있다.
- 자녀 등에게 증여의 목적으로 출금된 것인가? → 증여세가 부과될 수 있다.

3 사업체의 상속관련 세무리스크 심화 사례

서울 성북동에서 거주하고 있는 사업자인 K씨가 사망하였다. 그의 사업용 계좌에는 다음과 같은 거래가 있었다. 상속추정제도에 의한 상속재산가산액을 계산하라. 단, 상속개시일은 20×4년 12월 31일이다.

거래날짜	예입액	인출액	잔액	거래내역	비고
20×3.5.1.			10억 원		
20×3.6.30.		3억 원	7억 원	현금출금	사용처 불분명
20×4.7.31.		3억 원	4억 원	현금출금	사용처 불분명
20×4.12.30.		4억 원	0원	현금출금	사용처 불분명

위의 상황에 답을 찾아보면 다음과 같다.

상속개시일(20×4.12.31)로부터 1년 이내에 인출한 돈이 10억 원이므로 상속추정제도가 적용된다. 그리고 전액 사용처가 불분명하므로 다음의 금액을 상속재산가액에 합산한다.

⑪ 재산인출/처분 (부담채무)가액	⑫ 사용처소명 금액	⑬ 미소명 금액	⑭ ⑪ 금액의 20%와 2억 원 중 적은 금액	⑮ 상속추정 여부 ⑬>⑭	⑯ 상속추정 재산가액 (⑬-⑭)
10억 원	0원	10억 원	2억 원	여·부	8억 원

이때 인출한 금액이 10억 원이나 이 중 2억 원 만큼은 소명을 하지 않더라도 상속재산가액에 포함되지 않는다.

Tip

■ 인출금 상속재산가액에의 포함 여부

개인사업 회계장부상의 인출금은 사업주가 자신 소유의 사업용 자산인 금원을 사업용 이외의 용도에 사용하기 위해 인출하여 단지 회계장부상으로만 자산으로 남아 있는 것에 불과하고 경제적 실체를 지닌 사업용 자산이라고 할 수 없으므로 이를 2년 이내에 처분한 재산으로 볼 수 없다(심사상속 97-6054. 1997.12.5. 등). → 이는 장부상에 나타난 금액에 대해 바로 상속추정제도를 적용하여 세금을 부과하는 것은 아니라는 것을 말해 주고 있다.

제5절 사업체의 상속(영업권, 가업상속공제 포함) 세무리스크 관리법

사업체가 상속되는 경우에도 상속세가 나온다. 이때 주의할 것은 사업성이 높은 사업체의 경우에는 영업권을 누락해서는 안된다는 것이다. 세무조사를 통해 이에 대해 과세할 수 있기 때문이다. 이러한 영업권문제와 가업상속공제 등에 대해 알아보자.

1 사업체의 상속관련 세무리스크 발생 사례

서울 송파구에 소재한 K기업은 개인기업으로서 유수한 브랜드를 가지고 있다. 어느 날 K기업의 대표인 김OO씨가 사망을 하였다. 그의 재산은 기업과 개인에 걸쳐 상당규모가 되었다.

자료

• 부동산 : 30억 원
• 부채 : 없음.

- 기계장치 등 사업용 자산 : 50억 원
- 세법상 영업권 : 10억 원

- 상황1 : 상속재산가액은 얼마인가?
- 상황2 : 상속공제액은 얼마인가? 일괄공제와 배우자상속공제액은 10억 원이며, 가업을 영위한 기간은 31년으로써 가업상속공제조건을 충족한다.
- 상황3 : 상속세 산출세액은 얼마인가?

위의 상황에 맞춰 답을 찾아보면 다음과 같다.

(상황1) 상속재산가액은 얼마인가?

구분	금액	비고
부동산	30억 원	
기계장치 등	50억 원	사업용 자산도 상속재산가액에 포함
영업권	10억 원	세법상 영업권도 상속재산가액에 포함
계	90억 원	

(상황2) 상속공제액은 얼마인가? 일괄공제와 배우자상속공제액은 10억 원이며, 가업을 영위한 기간은 31년으로써 가업상속공제조건을 충족한다.

개인가업을 이어받은 경우에도 가업상속공제를 받을 수 있다. 가업상속영위기간이 30년을 넘었으므로 100%를 500억 원 한도까지 공제한다. 따라서 사례의 경우 가업상속공제는 50억 원(50억 원 × 100%)이 된다.

- 상속공제액＝10억 원＋50억 원＝60억 원

(상황3) 상속세 산출세액은 얼마인가?

위의 내용에 따라 상속세 산출세액을 계산하면 다음과 같다.

- 상속세 산출세액＝(90억 원－60억 원)×10~50%

  ＝30억 원 × 40%－1억 6천만 원＝10억 4천만 원

2 사업체의 상속관련 세무리스크 관리법

앞에서 본 영업권과 가업상속공제에 대한 규정을 대략적으로 살펴보면 다음과 같다.

(1) 영업권평가

상속개시 당시에 존재하고 또한 당해 영업권의 지속이 예상되는 경우에는 동법의 규정에 의하여 평가한 가액을 상속재산가액에 포함시킨다.

🌐 **관련 규정 : 「상증법」 집행기준 64-59-1 [영업권 평가]**

영업권의 평가액은 평가대상 법인기업 또는 개인기업의 초과이익이 영업권 지속연수(원칙 : 5년) 동안 계속된다는 가정 하에서 산출된 초과이익의 현재가치로 평가하며 다음과 같이 평가한다.

$$영업권 = \sum_{n=1}^{n} \frac{초과이익금액}{(1+r)^n} = 초과이익금액 \times 연금현가계수(n, r)$$

n : 영업권 지속연수, r : 초과이익환원율(10%)

위에서 "초과이익"은 아래와 같이 계산한다. 기타 자세한 내용은 「상증령」 제59조 등을 참조하기 바란다.

[최근 3년간의 순손익액의 가중평균액의 100분의 50에 상당하는 가액 - (평가기준일 현재의 자기자본 × 1년 만기 정기예금이자율을 고려하여 기획재정부령으로 정하는 율 10%)]

(2) 가업상속공제

가업상속공제제도는 중소기업의 창업주가 사망한 경우 가업을 원활히 이어받을 수 있도록 가업상속금액의 100%를 다음의 한도 내에서 공제하는 제도를 말한다. 자세한 내용은 제11장에서 살펴보자.

- 10년 이상 : 200억 원
- 20년 이상 : 300억 원
- 30년 이상 : 500억 원

3 사업체의 상속관련 세무리스크 심화 사례

자료가 다음과 같을 때 상속세를 계산하라.

자료

① 상속재산 : 12억 6천만 원
② 상속채무 : 2억 원(개인채무 1억 원, 사업채무 1억 원)
③ 상속개시일로부터 6개월 전에 개인계좌에서 3억 원을 인출함. 전액 용도입증이 불가능함.
④ 상속개시일로부터 3년 전에 사업용 계좌에서 3억 원을 인출함. 전액 용도입증이 불가능함.
⑤ 장례비용 : 1천만 원
⑥ 상속인 : 배우자, 자녀 2명
⑦ 기타 사항은 무시함.

위의 자료 ②, ③, ④가 상속세에 어떤 식으로 반영되는지 이를 먼저 검토한 후 상속세를 계산해 보자.

- ② 상속채무 공제 여부 → 상속인이 갚을 것으로 확실시 된 것은 상속재산가액에서 차감된다.
- ③ 개인계좌에서 인출한 3억 원에 대한 상속추정제도 적용 여부 → 개인계좌에서 인출한 3억 원에 대해서는 상속추정제도가 적용된다(∵ 1년 내 2억 원 이상 인출).

> 상속추정에 의해 가산해야 할 금액 :
> 3억 원 - (3억 원 × 20%, 2억 원 중 적은 금액) = 2억 4천만 원

- ④ 사업용 계좌에서 인출한 3억 원에 대한 상속추정제도 적용 여부 → 상속추정기간(2년)이 지나 이 제도는 적용되지 않는다.

이제 앞의 내용을 토대로 상속세를 계산해 보자.

구분	금액	비고
본래상속재산	12억 6천만 원	
(+) 간주상속재산가액		
(+) 상속추정액	2억 4천만 원	위에서 계산
(+) 상속개시 전 증여재산가액		
(=) 총 상속재산가액	15억 원	
(−) 공과금 및 채무, 장례비	2억 1천만 원	채무＋장례비용(1천만 원 한도)
(=) 과세가액	12억 9천만 원	
(−) 상속공제	10억 원	
(−) 감정평가수수료공제		
(=) 과세표준	2억 9천만 원	
(×) 세율	20%	
(−) 누진공제	1천만 원	
(=) 산출세액	4,800만 원	

창업자금 사전 증여에 대한 증여세 과세특례제도

창업을 앞두고 있는 예비경영자들이 알아두면 좋을 창업자금에 대한 증여세 과세특례제도를 대략적으로 알아보자. 이에 대한 자세한 내용은 「조특법」 제30조의5 규정을 참조하기 바란다.

사례

경기도 고양시에서 거주하고 있는 오○○씨는 자녀에게 창업자금을 5억 원 정도 증여하려고 한다. 5억 원까지는 증여세가 없다고 들었기 때문이다.

- 상황1 : 오○○씨가 들은 내용은 타당한가?
- 상황2 : 만일 일반적인 증여로 하면 증여세는 얼마가 나오는가?
- 상황3 : 오○○씨가 창업자금 증여 후 10년 후에 사망한 경우 사전 증여한 창업자금은 합산과세에서 배제되는가?

위의 상황에 순차적으로 답을 하면 다음과 같다.

(상황1) 오○○씨가 들은 내용은 타당한가?

그렇다. 세법에서는 요건을 충족한 창업자금에 대해서는 최고 30억 원(창업을 통하여 10명 이상을 신규 고용한 경우에는 50억 원)까지 증여세 과세특례제도를 운영하고 있다.

구분	내용
대상	• 18세 이상인 거주자가 중소기업을 창업할 목적으로 60세 이상의 부모로부터 양도소득세 과세대상이 아닌 자산을 30억 원(50억 원) 한도로 증여받은 경우 • 창업자금을 2회 이상 증여받거나 부모로부터 각각 증여받은 경우에는 합산하여 적용
요건	• 증여받은 날로부터 1년 이내에 창업 • 증여받은 날로부터 3년이 되는 날까지 창업자금을 모두 해당 목적에 사용

(상황2) 만일 일반적인 증여로 하면 증여세는 얼마가 나오는가?

구분	금액	비고
증여금액	5억 원	
− 증여재산공제(성년자)	5천만 원	
= 과세표준	4억 5천만 원	
× 세율(10~50%)	20%	
− 누진공제	1천만 원	
= 산출세액	8천만 원	

(상황3) 오○○씨가 창업자금 증여 후 10년 후에 사망한 경우 사전 증여한 창업자금은 합산과세에서 배제되는가?

그렇지 않다. 창업자금에 대한 증여세 과세특례를 받는 경우 사전 증여시기와 관계없이 상속재산가액에 합산된다.

 **필수 세무상식**

사업체의 상속과 후속업무처리 절차

주○○씨의 모친이 개인사업 중에 운명하였다. 이 경우 자녀가 사업체를 상속받아 계속 운영하려고 하는데 이때 업무절차는 어떻게 될까?

1. 상속세

상속세는 개인이 보유하고 있는 순재산과 사업체의 순재산 그리고 영업권을 더해 상속재산가액을 파악해야 한다.

구분	금액	비고
① 개인 순재산		자산-부채, 사전 증여한 재산 등 포함
② 사업체 순재산		자산-부채
③ 사업체 영업권		「상증법」에서 규정된 방식에 의거 평가
계		

2. 부가가치세

사업자가 사망하여 상속인이 그 사업을 승계한 경우에는 상속관련 증빙을 첨부하여 사업자등록정정신고를 하여 대표자를 변경한다. 사업자등록정정은 상속개시 후 바로 하는 것이 원칙이다. 이때 부가가치세 신고방법을 예를 들어 알아보면 다음과 같다. 단, 피상속인은 일반과세자에 해당한다.

 예

피상속인의 사망일이 5월 1일이고 상속인명의로 사업자등록을 정정신청한 날이 5월 5일인 경우

구분	사업자등록명의	부가가치세 신고기한	비고
1.1.~5.1.	피상속인	7월 25일	1과세기간
5.2.~6.30.	상속인	7월 25일	1과세기간

3. 종합소득세

종합소득세는 매년 1월 1일부터 사망일까지의 소득에 대해 결산을 완료하여 그 상속개시일이 속하는 달의 말일부터 6개월이 되는 날까지 신고해야 한다. 위의 사례를 연장하여 이 문제를 살펴보면 피상속인의 사망일이 5월 1일이므로 5월 31일로부터 6개월인 11월 30일까지 소득세를 신고해야 한다. 물론 관할세무서는 피상속인의 주소지 관할세무서가 된다.

🌐 피상속인의 사업소득 이월결손금을 상속인의 사업소득금액 계산 시 공제 가능할까?

상속인이 사업을 상속받은 경우 피상속인의 사업소득에서 발생한 결손금으로서 피상속인의 소득금액을 계산함에 있어서 공제하고 남은 이월결손금은 당해 상속인의 소득금액을 계산함에 있어서 공제할 수 없다(서면1팀-1575, 2007.11.16).

제**10**장

빌딩임대사업자의
세무리스크 관리법

    상가나 빌딩 등을 소유한 임대사업자들도 개인사업자의 범주에 속한다. 따라서 이들의 상속세나 증여세도 앞의 내용을 바탕으로 다루면 많은 부분들이 해결된다. 물론 법인으로 임대를 하는 경우에는 다음 장을 참조해야 한다. 이번 장에서는 상가나 빌딩을 소유한 개인사업자들의 전반적인 세무리스크를 다뤄보고자 한다.

    본 장에서 살펴볼 핵심 내용들은 아래와 같다.

- 빌딩임대사업자의 주요 세무리스크 유형
- 빌딩의 재산평가관련 세무리스크 관리법
- 빌딩의 구분소유에 따른 재산평가관련 세무리스크 관리법
- 빌딩의 사전 증여관련 세무리스크 관리법
- 토지의 무상임대관련 세무리스크 관리법
- 빌딩의 처분 대 상속 의사결정
- 빌딩임대사업자의 법인전환관련 세무리스크 관리법
- 빌딩임대사업자의 임대보증금관련 세무리스크 관리법

빌딩을 보유한 상태에서 임대업을 하고 있다고 하자. 이러한 사업자들은 대부분 재산가액이 고액인 경우가 상당히 많다. 그 결과 이들은 상속세는 물론이고 증여세, 소득세 등 각종 세금에 노출되는 경우가 상당히 많다. 이러한 관점에서 빌딩임대사업자들이 알아야 할 세무리스크 관리법 등을 알아보자.

1 빌딩임대사업자관련 세무리스크 발생 사례

K씨는 서울 강남에서 10층짜리 빌딩을 보유하고 있다. 이 빌딩을 보유할 때부터 상속이 발생할 때까지 어떤 세금들을 내게 될까?

위에 대한 답변을 그림으로 표현하면 다음과 같다.

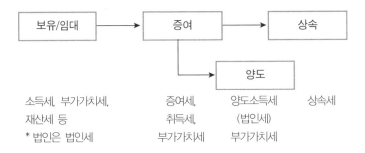

빌딩임대사업자들은 빌딩관련 세금이 상당히 많으므로 사전에 증여나 양도 또는 상속 등에 대한 의사결정에 최선을 다하는 것이 좋을 것으로 보인다.

2 빌딩임대사업자관련 세무리스크 관리법

일반적으로 빌딩부자들이 가장 걱정하는 세금은 크게 소득세와 상속세 정도가 된다. 소득세는 임대소득에 대해 발생하는 세금을, 상속세는 사망 시 부과되는 세금을 말한다. 그렇다면 왜 이러한 세금에 대해 걱정하고 있는지부터 알아보자.

(1) 소득세

소득세는 임대수입에서 경비를 차감한 소득에 6~45%의 세율로 과세하는 직접세를 말한다. 대개 수입을 제대로 신고한 경우라면 필요경비를 어떻게 입증하느냐에 따라 소득세의 크기가 달라진다. 필요경비가 1억 원, 2억 원 등인 경우로 나눠 세금을 예측해 보면 다음과 같다.

수입금액	5억 원	5억 원	5억 원
필요경비	1억 원	2억 원	3억 원
소득금액	4억 원	3억 원	2억 원
세율	6~45%		
산출세액	1억 3,460만 원	9,460만 원	5,660만 원

만일 필요경비가 2억 원이라면 산출세액은 9,500만 원 정도 발생한다. 이 금액의 10%는 지방소득세로 별도 부과되므로 대략 1억 원 정도의 세금이 발생하는 셈이다. 실무적으로 임대업의 필요경비 범위는 다른 업종에 비해 아주 좁다. 따라서 관리를 제대로 하지 못하면 소득세가 크게 나올 수 있다.

(2) 상속세

K씨가 보유한 빌딩의 가액이 100억 원이고 상속공제액이 10억 원이라면 상속세는 대략 다음과 같이 예상된다.

상속세 예상액 = 90억 원 × 50% − 4억 6천만 원(누진공제액) = 40억 4천만 원

그런데 상속세는 상속재산을 어떤 식으로 평가하는지 상속공제를 어떤 식으로 적용받는지에 따라 크기가 달라진다. 예를 들어 앞의 재산에 대해 기준시가로 평가하면 50억 원, 상속공제액이 30억 원이라면 예상되는 세금은 다음과 같다.

상속세 예상액 = (50억 원 − 30억 원) × 40% − 1억 6천만 원(누진공제액) = 6억 4천만 원

앞과 비교하면 무려 34억 원 정도가 줄어든다. 상속세를 대비할 때에는 세금계산 구조를 정확히 이해하는 것이 중요하다.

 Tip

■ 빌딩소유자들의 상속 세무리스크 관리법

• 빌딩에 대한 재산평가를 정확히 하여 상속세를 예측한다.
• 누적합산과세 시기를 감안하여 사전에 증여한다.
• 사전 증여 시 노후대비 등을 고려하여 이전할 재산의 크기를 정한다.

제2절 빌딩의 재산평가관련 세무리스크 관리법

지금까지 내용들을 잘 이해하였다면 임대사업자들이 보유하고 있는 빌딩에 대한 상속세와 증여세 업무도 제대로 진행할 수 있다. 다만, 최근 비주거용 건물에 대한 상속·증여재산 평가방법 등이 변경되면서 세무리스크가 고조되고 있는 바, 이 부분을 정확히 이해하는 것이 급선무이다.

1 빌딩의 재산평가관련 세무리스크 발생 사례

서울에서 거주하고 있는 K씨가 보유하고 있는 빌딩의 임대현황 등은 다음과 같다.

구분	금액	비고
시세	100억 원	객관적으로 확인이 불가능
기준시가	50억 원	
임대보증금	20억 원	
월세	6천만 원 (연 7억 2천만 원)	

- 상황1 : 이 경우 「상증법」상 평가액은 얼마인가?
- 상황2 : 임대료 등 환산가액으로 신고하면 추후 문제가 없는가?
- 상황3 : 앞으로 빌딩은 어떻게 신고하는 것이 좋을까?

위의 상황에 맞게 분석해 보자.

(상황1) 이 경우 「상증법」상 평가액은 얼마인가?

빌딩의 경우 시가를 확인할 수 없으므로 임대료 등을 환산한 가액과 기준시가 중 큰 금액으로 평가한다(물론 저당권이 설정되어 있는 경우에는 담보된 채권액도 포함하여 판단한다). 따라서 사례의 경우 다음 중 큰 금액인 80억 원으로 평가한다.

① 기준시가 : 50억 원
② 임대료 등 환산가액 : 20억 원＋7억 2천만 원/12%＝ 80억 원

(상황2) 임대료 등 환산가액으로 신고하면 추후 문제가 없는가?

아니다. 2020년부터 평가심의위원회의 자문을 거쳐 감정가액으로 경정할 수 있는 제도가 도입되었기 때문이다.

(상황3) 앞으로 빌딩은 어떻게 신고하는 것이 좋을까?

일단 탁상감정을 받아본 후, 임대료 환산가액 등과 비교해 그 차이가 많이 나면 감정을 받아 진행하는 것이 필요하다. 감정은 기준시가가 10억 원 이상이면 2 이상을 받아야 한다.

2 빌딩의 재산평가관련 세무리스크 관리법

빌딩 등 비주거용에 대한 재산평가방법은 매우 중요하다. 이의 크기에 따라 상속세가 달라지고 사전 증여 등의 필요성이 달라지기 때문이다.

(1) 빌딩에 대한 「상증법」상 재산평가방법

임대차계약이 체결된 빌딩의 경우에는 아래 표의 3처럼, 저당권이나 임대차계약이 체결된 재산의 경우에는 1처럼 평가를 한다. 일반적으로 빌딩은 3에 의해 평가하는 경우가 많다.

구분		평가방법
담보가 제공된 재산	1. 저당권이 설정된 재산	다음 둘 중 큰 금액 ① 「상증법」상 평가액(시가 또는 기준시가) ② 해당 재산이 담보하는 채권액
	2. 전세권이 등기된 재산	다음 둘 중 큰 금액 ① 「상증법」상 평가액(시가 또는 기준시가) ② 등기된 전세금
	3. 임대차 계약이 체결된 재산	다음 둘 중 큰 금액 ① 「상증법」상 평가액(시가 또는 기준시가) ② 임대보증금＋연간임대료/12%

(2) 평가심의위원회에서의 경정

2020년 2월 11일 이후 기준시가를 고시하는 분부터 감정평가사 등으로 구성된 평가심의위원회의 심의를 거쳐 건물 등의 가격을 평가해 이를 근거로 상속세나 증여세를 과세할 수 있도록 세법이 개정되었다(「상증령」제49의2조).

이로 인해 건물, 오피스텔, 상업용 건물 등 주로 비주거용 건물을 기준시가로 신고한 경우 평가심의위원회의 자문을 거쳐 감정가액으로 경정될 가능성이 한층 높아지고 있다. 참고로 건물 외에 토지만 증여나 상속하는 경우 이에 대해서도 평가심의위원회에서 감정가액으로 경정할 수 있는지에 대해서는 유권해석을 받아 처리하기 바란다. 다만, 최근의 과세관청의 움직임은 모든 부동산에 대해 이 제도를 적용하는 것으로 입장이 정해진 것으로 보인다(관련 예규 : 상증, 기획재정부 재산세제과-92, 2021.1.27.).

(3) 빌딩 재산평가에 대한 세무리스크 관리법

첫째, 「상증법」상 기준시가와 임대료 환산가액 등으로 평가를 해본다.

둘째, 탁상감정을 받아 감정가액을 확인한다.

셋째, 위 둘의 차이가 큰 경우에는 감정가액을 받아 상속세나 증여세 신고업무를 진행한다. 다만, 기준시가 등으로 신고를 하면 평가심의위원회의 심의를 거쳐 감정가액으로 재산가액이 변경될 수 있기 때문에 가급적 감정가액으로 신고하는 것이 더 나을 수도 있다.

빌딩의 구분소유에 따른 재산평가관련 세무리스크 관리법

상가나 소규모 빌딩은 「상증법」상 평가방법과 감정가액 등으로 상속세나 증여세가 결정될 가능성이 높음을 알 수 있었다. 그런데 상가나 빌딩의 토지 소유자와 건물 소유자가 다른 경우에는 어떤 식으로 평가를 할 것인지 쟁점이 될 수 있다. 이에 대한 세무리스크 관리법 등을 알아보자.

1 빌딩의 구분소유에 따른 재산평가관련 세무리스크 발생 사례

K씨와 그의 자녀는 아래와 같이 빌딩을 소유하고 있다.

> **자료**
>
> • 층 수 : 4층
> • 토지 소유 : K씨
> • 건물 소유 : 1~2층은 장남, 3~4층은 차남
> • 임대보증금 : 1억 원, 연간 임대료 1.2억 원
> • 기준시가 : 토지 5억 원, 건물 5억 원

• 상황1 : 「상증법」상 재산평가액은 얼마인가?
• 상황2 : 토지와 건물의 재산평가액은 얼마인가?
• 상황3 : 만일 토지 소유자는 임대료를 받지 않고 건물 소유자만 임대료를 받은 경우 재산평가는 어떻게 하는가?
• 상황4 : 상황3의 연장선상에서 보면, K씨와 그의 자녀에는 세법상 어떤 문제가 있는가?

위 상황에 맞게 답을 찾아보면 다음과 같다.

(상황1) 「상증법」상 재산평가액은 얼마인가?

기준시가 10억 원과 임대료 환산가액 11억 원 중 큰 금액인 11억 원이 된다. 여기서 임대료 환산가액은 임대보증금 1억 원과 연간임대료를 12%를 나눈 후 이를 합해 계산했다.

(상황2) 토지와 건물의 재산평가액은 얼마인가?

위에서 산정된 총 11억 원을 토지와 건물의 기준시가의 비율로 나누면 토지와 건물의 재산평가액은 각각 5.5억 원씩이 된다.

(상황3) 만일 토지 소유자는 임대료를 받지 않고 건물 소유자만 임대료를 받은 경우 재산 평가는 어떻게 하는가?

이러한 상황이더라도 토지에 대해서도 재산상 가치가 있으므로 임대료를 전체 토지와 건물에 대해 받는 것으로 보아 평가를 한다. 따라서 앞에서 본 방법대로 안분을 해야 한다.

(상황4) 상황3의 연장선상에서 보면, K씨와 그의 자녀에는 세법상 어떤 문제가 있는가?

K씨가 토지를 자녀에게 무상대여를 하면 이에 대해서는 증여세 과세의 문제가 있다. 이 장의 제5절에서 살펴보자.

2 빌딩의 구분소유에 따른 재산평가관련 세무리스크 관리법

(1) 「상증법」상 재산평가

빌딩을 구분 소유하더라도 「상증법」 상의 평가방법을 사용해 재산평가를 해야 한다.

(2) 임대료 환산가액 계산 시 주의할 사항들

첫째, 공실은 평가에서 제외된다(제외된 부분은 기준시가 등으로 평가).

둘째, 토지와 건물의 소유자가 동일한 경우에는 토지 및 건물의 소유자가 임차인으로부터 받은 임대료 등의 환산가액을 토지와 건물의 기준시가로 나누어 계산한 금액을 각각 토지와 건물의 평가가액으로 한다.

셋째, 토지와 건물의 소유자가 다른 경우에는 아래와 같이 처리한다.
① 토지 소유자와 건물 소유자가 제3자와의 임대차계약 당사자인 경우에는 토지 소유자와 건물 소유자에게 구분되어 귀속되는 임대료 등의 환산가액을 각각 토지와 건물의 평가가액으로 한다. 이는 토지 소유자와 건물 소유자가 개별적으로 임대차계약을 맺으므로 평가에 있어 큰 문제는 없다.

② 토지 소유자와 건물 소유자 중 어느 한 사람만이 제3자와의 임대차계약의 당사자인 경우에는 토지 소유자와 건물 소유자 사이의 임대차계약의 존재 여부 및 그 내용에 상관없이 제3자가 지급하는 임대료와 임대보증금을 토지와 건물 전체에 대한 것으로 보아 제3자가 지급하는 임대료 등의 환산가액을 토지와 건물의 기준시가로 나누어 계산한 금액을 각각 토지와 건물의 평가가액으로 한다. 이는 토지 소유자와 건물 소유자 중 한 사람이 임대차계약을 맺은 경우 제3자가 지급하는 임대료 등을 토지와 건물 전체에 대한 것으로 보아 환산을 한다.

(3) 평가심의위원회의 역할에 주의

임대료 환산가액으로 신고한 경우라도 감정가액으로 경정될 수 있음에 유의해야 한다.

제4절 빌딩의 사전 증여관련 세무리스크 관리법

이제 빌딩에 대한 재산평가가 끝났다면 앞에서 공부한 상속세나 증여세의 계산구조를 바탕으로 이들에 대한 세무상 쟁점들을 자유롭게 다룰 수 있다. 빌딩을 사전에 증여함에 따른 세무리스크 관리법을 알아보자.

1 빌딩의 상속 · 증여관련 세무리스크 발생 사례

서울 강남에서 거주하고 있는 K씨가 보유한 빌딩에 대한 자료가 다음과 같다.

> **자료**
>
> • 시가 : 100억 원
> • 기준시가 : 50억 원
> • 임대료 : 연간 6억 원
> • 상속공제액 : 10억 원 가정

- 상황1 : 「상증법」상 평가액은 얼마나 되는가?
- 상황2 : 이 경우 상속세는 얼마나 예상되는가?
- 상황3 : 만일 평가심의위원회에서 70억 원으로 감정하면 상속세는 얼마나 나올까?
- 상황4 : 이 경우 배우자 등에게 증여하면 어떤 효과가 발생할까?
- 상황5 : 만일 빌딩지분의 10%를 배우자한테 증여하면 어떤 결과가 발생할까?

위 상황에 맞게 답을 찾아보면 아래와 같다.

(상황1) 「상증법」상 평가액은 얼마나 되는가?

「상증법」상 기준시가와 임대료 환산가액 중 큰 금액으로 한다. 임대료 환산가액은 50억 원이다. 따라서 이 금액과 기준시가가 동일하므로 50억 원으로 평가된다.

(상황2) 이 경우 상속세는 얼마나 예상되는가?

50억 원에서 10억 원을 공제한 40억 원에 대해 50%의 세율과 4억 6천만 원의 누진공제액을 차감하면 15억 4천만 원 정도의 상속세가 예상된다.

(상황3) 만일 평가심의위원회에서 70억 원으로 감정하면 상속세는 얼마나 나올까?

과세표준 60억 원에 대해 세율을 곱하면 25억 4천만 원으로 앞의 경우와 비교해 볼 때 10억 원이 증가할 것으로 예상된다.

(상황4) 이 경우 배우자 등에게 증여하면 어떤 효과가 발생할까?

일단 위 재산평가액에 대해 증여세와 취득세가 발생하는 대신에 상속세가 줄어들 수 있다. 이외 부가가치세 문제도 검토해야 한다(374페이지 저자 주 참조).

(상황5) 만일 빌딩지분의 10%를 배우자한테 증여하면 어떤 결과가 발생할까?

지분에 해당하는 가액에 대해서는 증여세와 취득세가 부과된다. 예를 들어 재산평가액이 50억 원이고 이 중 5억 원이 증여재산가액이라면 증여세는 없다. 하지만 취득세는 5억 원의 4% 정도 내야 한다. 한편 이렇게 사전에 증여한 재산은 향후 상속재산가액에 합산될 수 있는데 이때에는 10년이 경과하는지의 여부가 중요하다.

- 10년 내에 상속이 발생하면 : 상속재산가액에 합산된다. 따라서 이 경우에는 사전 증여의 효과는 증여일 이후의 가치상승분에서 발생한다. 상속재산가액에 가산되는 사전 증여재산가액은 '증여일 현재'를 기준으로 하고 있기 때문이다.

• 10년 후에 상속이 발생하면 : 상속재산가액에 합산되지 않는다. 따라서 이 경우에는 사전 증여의 효과가 크게 발생한다.

2 빌딩의 상속·증여관련 세무리스크 관리법

빌딩의 사전 증여와 관련하여 알아둬야 할 상식들을 정리해 보자.

첫째, 빌딩의 재산평가방법에 유의해야 한다.

「상증법」상 평가방법으로 신고를 했다고 하더라도 평가심의위원회에서 감정가액으로 신고내용이 바뀔 수도 있기 때문이다.

둘째, 사전 증여에 의한 효과를 분석한다.

자녀 등에게 사전 증여를 하면 일단 증여세와 취득세가 나온다. 물론 나중에 발생할 상속세는 줄어들 것이다. 따라서 사전 증여에 의한 효과를 따지기 위해서는 다음과 같은 식이 충족되어야 할 것이다.[81]

> 사전 증여에 의한 효과 : 줄어드는 상속세 〉 증가되는 세금(취득세＋증여세)

셋째, 10년 합산과세에 대해 유의하자.

사전에 증여한 재산에 대해서는 상속세 누적합산과세기간(10년)에 주의해야 한다. 이는 상속세를 줄이기 위해 사전에 증여한 경우 상속개시일로부터 소급하여 10년 내의 증여재산가액을 상속재산가액에 합산하여 과세하는 것을 말한다.

※ 정확한 분석을 위해서는 증여세와 취득세 유출분에 대한 이자손실분과 사전 증여에 의해 상쇄된 가격상승분에 대한 상속세 절감분도 고려할 필요가 있다.

Tip

■ 빌딩임대사업자들의 절세대안(컨설팅)

빌딩임대사업자들의 주요 세금은 소득세와 상속세이다. 그렇다면 이 두 마리의 토끼를 잡을 수 있는 방법은 없을까? 대안들을 생각해 보자.

---

81) 자녀에게 사전에 증여한 재산이 상속재산가액에 합산되면 상속공제 종합한도가 축소됨에 유의해야 한다. 상속세편을 참조하기 바란다.

- 첫 번째 대안 : 현 상태를 유지하는 것

  현 상황에 만족하는 경우에는 별다른 대책이 필요 없다. 이런 상황은 대부분 지분이 분산되어 있고, 빌딩가격이 낮은 경우이다. 지분이 분산되어 있으면 임대소득세가 줄어들고 법에 따라 평가한 가격이 얼마 되지 않으면 상속세도 비교적 낮게 나오기 때문이다.

- 두 번째 대안 : 빌딩 지분을 조금씩 사전 증여하는 것

  사전에 지분이 분산되어 있지 않은 상황에서 상속세와 임대소득세를 줄일 수 있는 방법에 해당한다. 지분을 분산시키면 일단 임대소득이 분산되므로 소득세가 줄어든다. 그리고 미리 상속을 하므로 상속재산가액이 줄어들게 되어 상속세가 줄어든다. 단, 여기서 주의할 것은 상속세는 10년 합산과세제도를 적용하므로 사전 증여시기를 잘 맞춰야 한다는 점이다. 이 대안은 지금까지 전통적으로 해왔던 방법에 해당한다.

- 세 번째 대안 : 빌딩을 처분한 후 현금을 관리하는 것

  이 대안은 보유한 빌딩을 처분한 후 나온 현금을 금융상품 등에 투자하는 것을 말한다. 보통 대출금 등이 많거나 재산분쟁이 예상되는 경우 등 빌딩을 보유하는 것보다 처분하는 것이 더 좋을 때 채택되는 대안이다. 이렇게 빌딩을 처분하면 일단 양도소득세를 내게 된다. 그리고 더 이상 임대물건이 없으므로 임대소득세도 없다. 그리고 이 돈을 비과세 금융상품으로 운용하면 금융소득에 대한 종합과세도 적용받지 않는다. 한편 상속세는 남아 있는 현금자산에 대해 부과되나, 만일 현금자산이 없다면 상속세는 부과되지 않는다. 물론 상속세를 피하기 위해 은닉을 한 경우라면 세무조사의 대상이 된다. 이 대안은 빌딩 자체가 없어지고 양도소득세가 발생하며, 처분 후 대금에 세무조사가 발생한다는 점에서 별로 추천하고 싶지 않다.

- 네 번째 대안 : 개인사업체를 법인으로 관리하는 것

  이 대안은 개인사업체를 법인으로 전환한 후 관리하는 것을 말한다. 이는 임대수입이 많은 개인사업자들이 우선적으로 고려할 때의 대안이 되는 경우가 많다. 법인으로 전환하면 대표이사의 급여를 비용처리하는 등 경비로 인정받을 수 있는 범위가 넓고, 세율이 낮아 세금이 줄어들 수 있기 때문이다. 현재 소득세는 6~45%로 적용되나 법인세는 10~25%로 적용되고 있다. 물론 법인의 경우 배당 등에 대해서는 추가적인 소득에 대해서는 세금을 내야 하므로 세부적인 검토를 해야 한다. 상속세의 경우에는 큰 영향이 없으나 주식으로 이전되므로 이전 절차가 간단하며, 취득세 등이 나오지 않는 점이 좋다. 요즘 새롭게 등장한 세무리스크 관리법에 해당한다. 이에 대해서는 잠시 뒤에 살펴본다.

- 기타 대안

  이에는 개인임대업을 영위하는 동시에 개인임대용 건물을 관리하는 법인을 만드는 방법, 공익법인 등에 재산을 출연하는 방법, 멸실 후 도시형 생활주택 등을 신축·임대한 후에 양도하는 방법 등이 있다.

제5절

토지의 무상임대관련 세무리스크 관리법

상가나 빌딩의 건물과 토지의 소유자가 다른 경우가 있다. 이때 토지 소유자가 자녀 등 특수관계인에게 이를 무상임대하는 경우의 과세문제를 살펴보자.

1 토지의 무상임대관련 세무리스크 발생 사례

서울 대치동에서 살고 있는 박씨는 건물 소유주로 나이가 80세에 이른다. 박씨는 이 건물에서 보증금 2억 원 외에 월세 1천만 원을 받고 있다. 박씨는 자녀에게 토지를 제외한 건물 부분만을 증여하고자 한다. 이때 보충적 평가방법인 기준시가로 평가하면 토지 가격은 약 8억 원이고, 건물가격은 4억 원 정도가 된다. 「상증법」상 평가특례에 따라 평가하면 15억 원이 된다.

- 상황1 : 위 건물에 대한 「상증법」상의 평가액은 얼마인가?
- 상황2 : 건물의 증여가액은 얼마로 평가되는가?
- 상황3 : 박씨의 자녀가 토지를 무상으로 사용하면 어떤 세금문제가 발생하는가?
- 상황4 : 무상으로 사용함에 따른 증여이익은 얼마인가?
- 상황5 : 이 경우 증여세는 과세되는가?

위의 상황에 따라 순차적으로 답을 찾아보면 다음과 같다.

(상황1) 위 건물에 대한 「상증법」상의 평가액은 얼마인가?

건물에 대한 「상증법」상의 평가는 기준시가와 임대료 환산가액 중 큰 금액으로 평가하는 것이 일반적이다(단, 감정가액으로 결정·경정될 수 있음에 유의). 따라서 사례의 경우 토지와 건물의 기준시가의 합계액이 12억 원이고, 환산가액은 15억 원이므로 15억 원으로 최종 평가된다.

(상황2) 건물의 증여가액은 얼마로 평가되는가?

위 건물의 평가액이 15억 원이므로 이를 토지와 건물의 기준시가 비율로 안분하면 건물의 평가액은 5억 원$\left(15억\ 원 \times \dfrac{4억\ 원}{12억\ 원} \right)$이 된다. 따라서 토지는 10억 원으로 평가된다.

(상황3) 박씨의 자녀가 토지를 무상으로 사용하면 어떤 세금문제가 발생하는가?

먼저 이에 대한 답을 내기 위해서는 「상증법」 제37조에서 규정하고 있는 부동산 무상사용에 따른 이익의 증여규정을 살펴봐야 한다.

> ① 타인의 부동산(그 부동산 소유자와 함께 거주하는 주택과 그에 딸린 토지는 제외한다)을 무상으로 사용함에 따라 이익을 얻은 경우에는 그 무상 사용을 개시한 날을 증여일로 하여 그 이익에 상당하는 금액을 부동산 무상 사용자의 증여재산가액으로 한다. 다만, 그 이익에 상당하는 금액이 대통령령으로 정하는 기준금액[82] 미만인 경우는 제외한다.
> ④ 제1항 및 제2항을 적용할 때 부동산의 무상 사용을 개시한 날의 판단, 부동산 무상사용이익 등은 대통령령으로 정한다.

이 규정은 무상 사용이익이 1억 원 이상인 경우에 한하여 적용된다. 그렇다면 구체적으로 어떤 식으로 이 이익을 계산할까?

이에 대해 「상증령」 제27조 제3항에서는 아래와 같이 계산하도록 하고 있다.

– 각 연도의 무상사용에 따른 이익의 계산

> 부동산 가액(법 제4장에 따라 평가한 가액을 말한다) × 1년 간의 부동산 사용료를 감안하여 기획재정부령으로 정하는 율(2%)

– 위의 이익을 기획재정부령으로 정하는 방법에 따라 환산

$$\frac{\text{각 연도 부동산 무상사용 이익}}{(1 + \frac{10}{100})^n}$$

n : 무상사용 기간은 5년으로 하고, 무상사용 기간이 5년을 초과하는 경우에는 그 무상사용을 개시한 날부터 5년이 되는 날의 다음 날에 새로 해당 부동산의 무상사용을 개시한 것으로 봄.

---

82) "대통령령으로 정하는 기준금액"이란 1억 원을 말한다.

(상황4) 무상으로 사용함에 따른 증여이익은 얼마인가?

위에서 검토한 내용을 가지고 구체적으로 무상사용에 따른 증여이익을 계산해 보자.

① 연간 무상 사용이익

　　연간 무상 사용이익은 부동산가액에 2%를 곱한다. 여기서 부동산가액은 「상증법」상의 평가액을 말한다. 즉 부동산가액은 「상증법」상 평가액(시가 → 간주시가 → 기준시가)으로 정한다. 따라서 토지의 평가액은 앞에서 계산한 것처럼 10억 원이 된다. 한편 2%는 연간 받아야 할 토지사용료를 말한다.

> 연간 무상 사용이익＝10억 원×2%＝2천만 원

② 5년 간의 무상 사용이익

　　5년 간의 무상 사용이익이 증여이익에 해당하는데, 이때 실무에서는 아래와 같은 식을 사용한다.

> 부동산가액 × 2% × 3.79079*
>
> * 3.79079는 5년간의 부동산 무상 사용이익을 현재가치로 할인(할인율 10%로 고시됨)하는 연금현가계수를 말한다.

　　따라서 증여이익은 아래와 같다.

　　＝ 10억 원 × 2% × 3.79079＝75,815,800원

(상황5) 이 경우 증여세는 과세되는가?

위에서 계산된 증여이익이 1억 원 이상 되어야 하므로 증여세는 과세되지 않는다.[83]

2　토지의 무상임대관련 세무리스크 관리법

　일반적으로 제3자 간에는 무상임대나 저가임대가 발생하지 않는다. 하지만 특수관계인 간에는 이러한 행위가 발생할 가능성이 높다. 무상임대하는 경우에 발생하는 세금문제를 임대인과 임차인 측면에서 정리해 보자.

---

83) 개인별로 1억 원 기준을 사용하므로 무상임대에 따른 과세는 상당히 힘들 가능성이 높다.

(1) 무상임대인과 세금

① 부가가치세 과세

무상임대인의 경우에는 최근에 신설된 부가가치세 문제에 주의해야 한다. 특수관계인 간에 무상임대를 하는 경우 시가를 기준으로 부가가치세를 부과하도록 하고 있기 때문이다.

> **사례**

상가를 특수관계인에게 무상임대를 하면 부가가치세를 내야 하는가?

그렇다. 사업자가 특수관계인에게 토지 및 건물 등 부동산을 무상으로 임대하는 경우에도 부가가치세가 과세된다. 이때 유사거래가액을 과세표준으로 하나 유사거래가액이 없는 경우에는 아래와 같이 계산한다.

> 부동산임대 과세표준=[(자산의 시가×50%) − 전세금 등] × 정기예금 이자율(1.2%, 수시 고시)

② 소득세 과세

무상임대에 의해 소득세가 줄어들게 되므로 「소득세법」상 부당행위계산의 부인규정을 적용하여 이를 규제하게 된다. 따라서 이 규정이 적용되면 시가[84]에 의한 금액을 수입금액에 포함하여 소득세를 부과하게 된다. 단, 이 규정이 적용되기 위해서는 시가와의 차이가 난 금액이 3억 원 이상에 해당하거나 시가의 5%에 상당하는 금액 이상인 경우에 해당되어야 한다.

(2) 무상임차인과 세금

무상으로 임대를 받은 임차인은 임대인처럼 부가가치세나 소득세측면에서는 규제를 받지 않는다. 다만, 현행 「상증법」에서는 특수관계인 사이에 부동산을 무상 사용함에 따른 이익이 1억 원 이상인 경우에는 이에 대해 증여세를 부과하고 있다. 이는 앞에서 살펴본 것과 같다.

---

84) 위에서 시가는 제3자와의 거래금액을 말하나. 시가나 감정평가액 등이 없다면 재산 시가의 50%에서 전세보증금을 차감한 금액에 정기예금이자율(1.2%, 수시고시)을 곱한 금액을 말한다.

🌐 무상 사용이익의 증여와 관련되어 알아두면 좋을 사항

- 당해 부동산 소유자와 함께 거주하는 주택에 대해서는 본 규정을 적용하지 않는다.
- 무상임대 후 5년이 되기 전에 무상임대를 그만두는 경우에는 잔여기간에 대한 증여세 해당 분은 경정청구를 하여 돌려받을 수 있다.
- 한편 토지를 무상으로 사용하게 한 것에 대해서는 「소득세법」상 부당행위계산의 부인규정이 적용될 수 있다. → 이는 이중과세에 해당하지 아니한다.

③ 토지의 무상임대관련 세무리스크 심화 사례

서울 강남구 청담동에서 거주하고 있는 김계식씨는 현재 시가 10억 원 상당의 대지 위에 5억 원 정도의 임대용 건물을 소유하고 있다. 그런데 토지를 제외한 건물부분을 별도로 부인에게 증여한 후 공동사업으로 임대사업을 하려고 한다.

- 상황1 : 건물만 증여하여도 세무상 문제는 없는가?
- 상황2 : 임대사업 지분을 5:5로 하면 세무상 어떤 문제가 있는가?
- 상황3 : 임대사업 지분을 100% 배우자 명의로 하면 세무상 어떤 문제가 있는가?

위의 상황에 대해 순차적으로 답을 찾아보면 다음과 같다.

(상황1) 건물만 증여하여도 세무상 문제는 없는가?

그렇다. 토지와 건축물은 별개의 부동산으로 취급되기 때문이다.

(상황2) 임대사업 지분을 5:5로 하면 세무상 어떤 문제가 있는가?

공동사업을 영위함에 있어 정상적인 대가를 지급하고 취득한 출자지분에 대해서는 증여세 문제가 없으나, 그렇지 않은 경우에는 증여세 문제가 있다.

🌐 관련 규정 : 서면1팀-1453, 2005.11.30.

「소득세법」 규정에 의한 공동사업을 영위하는 경우로써 정상적인 대가를 지급하고 취득한 출자지분에 대하여는 증여세가 과세되지 아니하나, 공동사업에 출자한 지분과 다른 손익분배의 비율에 의하여 소득금액을 분배받은 경우에는 그 출자한 지분에 상당하는 소득금액을 초과하여 받은 금액에 대하여는 증여세가 과세되는 것임.

(상황3) 임대사업 지분을 배우자명의로 100% 하면 세무상 어떤 문제가 있는가?

배우자는 토지를 무상으로 사용하는 결과가 된다. 따라서 위에서 본 토지의 무상사용에 따른 이익에 대해서는 증여세를 부과한다. 단, 증여이익이 1억 원을 초과해야 한다.

 Tip

■ 특수관계인 간의 적정임대료 정하는 방법

어떤 법인이 특수관계인 개인사업자에게 공장을 임대한다고 하자. 이때 임대료는 어떻게 책정해야 문제가 없을까?

시가가 있는 경우와 없는 경우로 나눠 답을 찾아보면 다음과 같다.

(1) 시가가 있는 경우

임대료에 대한 시가가 있는 경우에는 이 금액을 기준으로 정하면 된다. 예를 들어 301호의 임대료를 책정할 때 평당 5만 원으로 하였다면 특수관계인 임차인도 똑같이 평당 5만 원으로 하는 식이다. 만일 동일한 건물에서 시가를 찾을 수 없다면 인근 건물의 시가를 찾아 임대료로 정할 수 있다. 공인중개사사무실을 이용하는 것도 하나의 방법이 된다.

(2) 시가가 불분명한 경우

시가가 불분명한 경우에는 다음의 순서에 따라 이 문제를 해결해야 한다.

• 시가가 불분명한 경우에는 감정평가액

• 감정평가액이 없는 경우에는 「상증법」에 의한 평가액(기준시가)

• 위의 가액이 없는 경우

 – [당해 자산의 시가 × 50% – 보증금(전세금)] × 정기예금이자율(1.2%, 수시 고시)

제6절 빌딩의 처분 대 상속 의사결정

상속을 앞둔 집안에서 빌딩 같은 부동산을 언제 처분할까 많은 고민을 한다. 처분시기에 따라 세금이 달라지기 때문이다. 그렇다면 이에 대한 의사결정은 어떻게 내려야 할까? 아래의 사례를 가지고 이를 검토해 보자. 내용이 다소 어렵지만 이번 기회에 알아두면 실력을 업그레이드 시키는 데 많은 도움이 될 것이다.

 사례

서울 영등포구에서 살고 있는 김씨는 주유소를 가지고 있다. 그의 나이는 지금 73세. 아직도 10년은 넘게 살 수 있다는 자신감이 있지만 하루가 다르게 건강이 좋지 않아 상속 걱정이 많다.

주유소가 시가가 꽤 많이 나가고 그에 따라 세금이 상당히 많을 것으로 예상된다. 그런데 이 재산을 둘러싸고 장남은 상속을 통해 나머지 자녀들은 지금 당장 처분하여 증여를 받았으면 하는 속내를 보이고 있다. 장남은 상속을 통해 기여분을 주장하여 상속지분을 더 획득하고픈 생각이 있고, 다른 자녀들은 처분하는 것이 더 많은 지분을 획득할 수 있다고 생각하고 있기 때문이다.

자료가 다음과 같을 때 어떻게 접근하는 것이 좋을까?

> **자료**
>
> 〈주유소 현황〉
> - 주유소 주소 : 서울 OO구 OO동
> - 주유소의 시세 80억 원, 기준시가 40억 원
> - 주유소 취득가액은 알 수 없으며 보유기간은 20년 이상이 되었음.
> - 주유소 사업 : 자녀 중 A사업자의 명의로 사업 중에 있음.
> - 가족현황
>   - 배우자 : 68세
>   - 자녀 : 4명
> - 상속공제 : 15억 원

주유소가 상속되는 경우에는 부동산인 주유소 건물과 사업에 대한 검토를 동시에 해야 한다. 사업에서도 상속세가 발생하기 때문이다. 다만, 사례의 경우 주유소 사업은 자녀가 하고 있으므로 이번 검토사항과는 무관하다.

첫째, 상속세를 예측한다.

① 기준시가로 계산하는 경우

$$
\begin{aligned}
\text{상속세 예상액} &= [40\text{억 원} - 15\text{억 원(상속공제액)}] \times 10\sim50\% \\
&= 25\text{억 원} \times 10\sim50\% = 8\text{억 } 4\text{천만 원}
\end{aligned}
$$

② 시가로 계산하는 경우

$$
\begin{aligned}
\text{상속세 예상액} &: [80\text{억 원} - 15\text{억 원(상속공제액)}] \times 10\sim50\% \\
&= 65\text{억 원} \times 10\sim50\% = 27\text{억 } 9\text{천만 원}
\end{aligned}
$$

이처럼 어떤 금액을 기준으로 하느냐에 따라 세금차이가 무려 약 20억 원이 난다. 그동안 주유소의 경우 기준시가로 상속세 등을 많이 신고했으나, 2020년 이후부터는 평가심의위원회에서 감정평가를 진행해 경정할 수 있으므로 이에 유의해야 한다.

둘째, 세금을 줄일 수 있는 방법을 마련한다.

상속세가 많이 예상된다면 미리 대책을 강구할 필요가 있다. 그렇다면 현실적으로 어떤 식으로 대비해야 할까? 주유소 상속과 관련하여서는 다음과 같은 방법이 있을 수 있다.

① 제3자에게 처분한 대금으로 증여하는 방법
② 자녀들에게 매매하는 방법
③ 상속을 받은 후 각자의 지분대로 처분하는 방법
④ 법인으로 전환하는 방법 등

이러한 방법들을 좀 더 자세히 살펴보자.

① 제3자에게 처분한 대금으로 증여하는 방법

이 방법은 처분대금이 나오기 때문에 재산을 간단히 이전할 수 있는 장점이 있다. 하지만 이 방법에 의할 때에는 양도소득세가 과도할 수 있다. 취득가액은 양도가액의 10%, 장기보유특별공제율은 30%로 가정하고 이를 계산해 보자.

- 양도차익＝80억 원−80억 원×10%(취득가액)＝72억 원
- 과세표준＝72억 원−72억 원×30%＝50억 4천만 원
- 산출세액＝과세표준×6~45%＝약 22억 원(지방소득세 포함 시 약 24억 원)

주유소를 외부에 처분하면 양도소득세가 나오고 세후 현금을 증여하면 증여세가 나온다. 또 증여를 받은 후 10년 내에 상속이 발생하면 이 증여금액이 상속재산에 합산되므로 궁극적으로 상속세가 과세된다. 상속세는 아래와 같이 예상된다.

- 세후 이익 : 80억 원−24억 원＝56억 원
- 상속세 예상

상속재산가액 : 56억 원
- 상속공제 : 15억 원
= 과세표준 : 41억 원
× 세율 : 50%
- 누진공제 : 4억 6천만 원
= 산출세액 : 15억 9천만 원

이처럼 양도소득세와 상속세를 합하면 대략 40억 원이 발생한다.

② 자녀들에게 매매하는 방법

이 방법은 자녀들에게 유상으로 매매하는 것을 말한다. 이렇게 되면 매도자에게는 양도소득세가 그리고 자녀에게는 취득세 등이 부과된다. 이 방법을 선택하려면 우선 자녀들은 자금동원력이 어느 정도 있어야 한다. 그렇지 않으면 증여세를 부담할 수 있다.

🔵 직계존비속 간 매매 시 장 · 단점

• 장점 : 10년 합산과세제도 및 유류분 청구를 피할 수 있다. 따라서 재산분산의 방법으로 증여보다는 매매가 더 좋을 수 있다.
• 단점 : 저가양도 시 양도소득세와 증여세 문제, 자금흐름이 명확하지 않으면 증여세 문제 등이 있다.

③ 상속을 받은 후 각자의 지분대로 처분하는 방법

상속이 임박한 경우에는 상속을 통한 후 재산을 이전받는 것이 저렴할 수 있다. 다만, 이런 방법을 선택할 때에는 기준시가로 신고할 수 있는지 여부가 중요하고 언제 처분하는가가 중요하다.

• 기준시가로 신고가 가능한 경우 : 8억 4천만 원의 상속세 발생
• 시가로 신고를 하는 경우 : 27억 9천만 원의 상속세 발생

이후 양도소득세는 상속세를 어떤 식으로 신고했는지의 여부에 따라 취득가액이 달라진다.

• 기준시가로 신고한 경우 : 상속개시일로부터 6개월 내에 양도하면 양도소득세는 없으나 이 경우에는 상속세가 27억 9천만 원이 발생한다. 6개월 후에 양도하면 아래와 같이 양도소득세가 발생한다.

양도가액 : 80억 원

- 취득가액 : 40억 원

= 양도차익 : 40억 원

- 장기보유특별공제 : 0원

= 과세표준 : 40억 원

× 세율 : 45%

- 누진공제 : 6,540만 원

= 산출세액 : 17억 3,460만 원(지방소득세 포함 시 약 19억 원)

위의 내용을 정리하면 아래와 같다.

구분	기준시가로 상속세 신고한 경우		시가로 상속세 신고한 경우	
	상속 후 6개월 내 양도	6개월 후 양도	상속 후 6개월 내 양도	6개월 후 양도
(당초의 상속세)	8억 4천만 원	8억 4천만 원	27억 9천만 원	27억 9천만 원
경정된 상속세	27억 9천만 원	8억 4천만 원	27억 9천만 원	27억 9천만 원
양도세	0원	17억 3천만 원	0원	0원
계	27억 9천만 원	25억 7천만 원	27억 9천만 원	27억 9천만 원

기준시가로 상속세를 신고하면 상속세를 적게 낼 수 있으나 상속개시일 이후 6개월 내에 양도하면 상속세가 시가로 과세되는 효과가 발생한다.

④ 법인으로 전환하는 방법

이외에도 법인으로 전환하는 방법이 있다. 법인전환에 대해서는 아래의 내용을 참조하기 바란다.

⑤ 공익법인등에 출연하는 방법

비영리법인 중 공익법인등에 출연하는 방법도 있다. 이에 대해서는 제12장을 참조하자.

제7절   빌딩임대사업자의 법인전환관련 세무리스크 관리법

최근 빌딩임대사업자들이 법인전환에 관심을 두는 경우가 상당히 늘어나고 있다. 빌딩 등에 대해 감정가액으로 세금을 내야 하는 상황들에 몰리면서 차라리 법인전환을 통해 임대하면 어떨까 하는 생각을 하기 때문이다. 하지만 법인전환이 마냥 좋을 수는 없다. 막대한 자금 등이 소요될 수 있기 때문이다. 이러한 내용들을 검토해 보자.

1️⃣ 빌딩임대사업자의 법인전환관련 세무리스크 발생 사례

> **자료**
> • 연간 임대료 : 2억 원
> • 「상증법」상 재산평가액 : 30억 원

• 상황1 : 소득세는 얼마인가?
• 상황2 : 법인세는 얼마인가?
• 상황3 : 임대소득에 대해서는 법인세가 저렴한가?
• 상황4 : 상속공제액이 10억 원이라면 상속세는 얼마나 되는가?
• 상황5 : 이를 법인으로 전환한 후에 임대법인으로 관리하면 세금이 줄어들까?

위 상황에 맞게 답을 찾아보면 다음과 같다.

(상황1) 소득세는 얼마인가?

다른 사항들은 무시하고 소득세를 계산하면 아래와 같다.

2억 원 × 38% − 1,940만 원 = 5,660만 원

(상황2) 법인세는 얼마인가?

2억 원의 10%인 2천만 원이 법인세가 된다.

(상황3) 임대소득에 대해서는 법인세가 저렴한가?

법인세만 보면 그렇다. 하지만 법인의 경우에는 세후이익에 대해서는 배당소득세 등이 부과되므로 이 부분도 감안해야 한다. 위 세후이익 1억 8천만 원에 대해 배당소득세가 6~45%로 부과된다고 하자. 참고로 배당소득세는 배당세액공제 등을 고려해야 한다.

> 1억 8천만 원×38% - 1,940만 원 = 4,900만 원

법인의 경우에는 1차적으로 법인세가 과세되고 2차적으로 이러한 세금이 발생하므로 반드시 법인이 더 유리하다고 할 수 없다.

(상황4) 상속공제액이 10억 원이라면 상속세는 얼마나 되는가?

30억 원에서 10억 원을 차감한 20억 원이 상속세 과세표준이 된다. 따라서 이에 40%의 세율과 누진공제 1억 6천만 원을 차감하면 6억 4천만 원이 상속세가 된다.

(상황5) 이를 법인으로 전환한 후에 임대법인으로 관리하면 세금이 줄어들까?

임대소득의 경우, 배당을 하지 않는 한 법인세가 저렴하다. 그렇다면 상속세는 어떨까?

- 개인 상태에서 상속이 발생한 경우 : 기준시가, 임대료 환산가액 등 중 큰 금액이 평가액이 된다. 다만, 최근 평가심의위원회에서 결정된 감정가액으로 과세될 수 있으므로 감정가액에 초점을 맞춰 상속세를 예측하는 것이 좋을 것으로 보인다.

- 법인 전환 후 상속이 발생한 경우 : 법인전환은 통상 감정평가를 통해 진행하므로 개인과 법인의 소유형태는 큰 차이가 없을 것으로 보인다.

이렇게 보면 임대소득에 대해서는 소득세보다 법인세가 다소 유리할 가능성이 높아보고, 상속세의 경우에는 감정가액으로 과세되면 개인이나 법인의 차이가 크지 않을 것으로 보인다.

2 빌딩임대사업자의 법인전환관련 세무리스크 관리법

빌딩임대사업자의 법인전환과 관련해 발생할 수 있는 세무리스크 관리법을 정리해 보자.

(1) 소득세 측면

소득세율은 6~45%가 적용되고 법인세율은 10~25%이므로 외관상 법인세율이 낮아 보인다. 하지만 개인이 지분으로 보유하고 있는 경우에는 소득분산에 의해 소득세가 줄어들 수 있다.

(2) 상속세 측면

빌딩에 대한 재산평가를 감정가액으로 하는 경우 개인으로 보유하고 있으나 법인전환을 통해 보유하고 있으나 상속세의 크기는 동일할 수 있다. 다만, 개인이 보유한 빌딩에 대해 기준시가로 상속이나 증여 등이 가능하면 이 경우에는 법인보다는 저렴하게 상속세 등이 나올 수 있다.

(3) 법인전환 비용측면

일단 개인의 부동산을 법인에 현물출자하면 개인 입장에서는 양도소득세가 과세되고, 법인에게는 취득세가 부과되는 것이 원칙이다. 그러나 현행 세법에서는 법인전환을 쉽게 해주기 위해 법에서 정한 요건을 충족하면 양도소득세는 향후 법인이 처분할 때 내도록 해주고 (이월과세라 함), 취득세는 75% 감면(단, 감면금액의 20%는 농특세가 부과됨)을 해준다. 다만, 주업이 부동산임대업인 경우로서 2020년 8월 12일 이후에 현물출자를 통해 법인전환을 하면 더 이상 취득세 감면을 해주지 않는다. 물론 부동산임대업이 아닌 업종을 영위하면서 보유한 부동산의 현물출자에 대해서는 감면이 적용되고 있다.

(4) 임대법인의 규제측면

첫째, 임대법인에 대해서는 법인세성실신고확인제도가 적용된다.
둘째, 임대법인에 대해서는 접대비와 차량비에 대한 한도가 축소된다.
셋째, 임대법인에 대해서는 각종 조세감면을 하지 않는다.

 Tip

■ 법인전환 의사결정

임대법인에 대한 규제 및 개인임대사업자의 법인전환 의사결정에 대한 상세한 내용은 저자의 『법인부동산 세무리스크 관리노하우』를 참조하기 바란다. 이 책에서는 1인 부동산법인이나 신축판매업 등 부동산에 관련된 다양한 주제들을 다루고 있다.

빌딩임대사업자의 임대보증금관련 세무리스크 관리법

"상속세 측면에서 볼 때 월세와 전세보증금 중 어떤 것으로 임대차계약이 되면 유리할까?"

이에 대해 많은 사람들이 명쾌하게 답을 내리지 못하고 있다. 지금부터 대안별로 이 문제를 살펴보자. 참고로 전세보증금에 대해서는 5%의 수익을 얻을 수 있다고 하자.

- 대안1 : 월세만 연간 6억 원을 받는 경우
- 대안2 : 전세보증금만 120억 원을 받는 경우
- 대안3 : 월세는 연간 3억 원, 전세보증금은 60억 원을 받는 경우

이상과 같은 대안들은 수익측면에서 모두 동일하다. 예를 들어 대안2처럼 전세보증금 120억 원을 받은 경우 이에 대해 5%의 수익률을 적용하면 대안1처럼 연간 6억 원의 수익(월세)이 나온다. 또한 대안3도 마찬가지이다.

그렇다면 상속세 측면에서도 같은 결과를 보일 것인가? 상속세는 우선 재산평가가 중요하므로 이를 기준으로 결론을 내려 보자. 단, 이 건물의 기준시가는 50억 원이라고 하자. 그리고 월세소득이나 이자소득 등을 고려하지 않는다고 하자.

① 대안1의 재산평가액

연간 6억 원의 임대료를 세법에서 정하고 있는 할인율 12%로 환산하면 50억 원의 평가액이 나온다. 따라서 앞에서 가정한 기준시가 50억 원과 동일하므로 대안1에 의한 재산평가액은 최종적으로 50억 원이 된다. 부채는 따로 없으므로 최종 50억 원에 대해 상속세가 부과된다.

② 대안2 : 전세보증금만 120억 원을 받는 경우

대안1처럼 월세가 없으므로 전세보증금 120억 원과 기준시가 50억 원 중 큰 금액이 재산평가액이 된다. 따라서 이 경우에는 전세보증금 120억 원이 재산평가액으로 된다. 참고로 이 금액이 현금으로 그대로 남아 있는 경우에는 현금이 별도로 상속재산

에 포함되며 동시에 부채에 해당하므로 전체 상속재산가액에 별다른 영향을 미치지 않는다. 결국 120억 원에 대해 상속세가 부과된다.

③ 대안3 : 월세는 연간 3억 원, 전세보증금은 60억 원을 받는 경우

이 경우에는 월세에 대해서는 12%로 환산한 금액에 전세보증금을 더해 평가를 해야 한다. 연간 3억 원을 12%로 환산하면 25억 원이 나오고, 이에 전세보증금 60억 원을 더하면 대략 85억 원이 된다. 따라서 대안3의 경우에는 85억 원에 대해 상속세가 부과된다.

구분	평가액	비고
대안1	50억 원	
대안2	120억 원	
대안3	85억 원	

이상과 같이 월세나 보증금의 수수상황에 따라 상속재산가액이 최저 50억 원에서 최고 120억 원까지 변동될 수 있다. 따라서 상속세를 줄인다는 관점에서 보면 재산가액이 축소되는 것이 좋으므로 대안1이 더 낫다고 할 수 있다. 하지만 대안2에서 전세보증금으로 받은 현금이 상속개시 당시에 없다면 상속재산가액이 제로가 되므로 대인2가 더 낫다고 할 수 있다.

● **결국 월세가 좋은지 전세보증금이 더 좋은지는 상황별로 달라진다고 할 수 있다.**

다만, 일반적으로 상가 등을 임대하면서 받은 보증금은 부채에 해당하며 이는 상속재산에서 차감되어 과세표준금액을 이루게 된다. 반면 월세는 부채에 해당되지 않으므로 차감될 것이 없다. 따라서 재산가액이 많은 사람들은 월세보다 보증금을 받으면 부채로 인정받을 수 있어 상속세가 줄어들 수 있다.

Tip

■ 빌딩임대사업자들이 주의해야 할 것들

1. 수입관리 측면
   • 계약서의 내용검토 : 계약서에 대한 세무상 문제점을 검토한다.
   • 세금계산서 발행업무 : 세금계산서가 제대로 발행되고 있는지를 점검한다.
   • 사업용 계좌 확인 : 세법상 의무인 사업용 계좌를 제대로 사용하고 있는지 점검한다.
   • 부가가치세 신고내용 확인 : 부가가치세 신고의무를 제대로 이행하고 있는지 점검한다.

2. 비용관리 측면
   • 주요 계정과목별 적격영수증 구비 여부 : 경비지출 시 적격영수증을 제대로 수취하고 있는지 점검한다.
   • 사적인 비용이나 가공경비 계상 여부 : 개인적으로 사용한 경비가 있는지 가공경비가 있는 지 등을 점검한다.

3. 세부담 절감 측면
   • 공동임대사업 검토 : 공동임대사업의 실익 등을 분석한다. 특히 공동사업 출자금에 대한 차입금 이자에 대해서는 비용처리가 안된다는 점에 유의해야 한다.
   • 사전 증여 : 소득세와 상속세 절감을 위한 사전 증여에 대해 분석한다. 이때 증여는 부담부 증여를 포함하되 매매방식도 포함하여 분석을 진행하는 것이 좋다.
   • 양도세 예측 : 빌딩을 처분할 경우의 예상되는 세금문제를 검토한다.
   • 법인전환 검토 : 임대법인의 실익 등을 분석한다.

⁝⁝ 저자 주

건물을 증여하면 부가가치세가 발생할까?

사업용 건물을 증여하는 경우 「부가가치세법」 제6조에서 규정하는 포괄적 사업양수도에 해당되는 경우를 제외하고는 건물의 증여에 대하여도 부가가치세가 과세된다. 사업양도도 부가가치세 과세대상으로 하고 있기 때문이다. 다만, 사업을 그대로 승계하는 경우에는 부가가치세를 과세하지 않는다. 따라서 임대보증금이나 차입금 등을 빼고 증여하거나, 토지와 건물 중 건물만을 증여하는 경우, 지분의 일부만을 증여하는 경우에는 포괄양수도에 해당하지 않는다. 다만, 사업용 건물의 증여는 무상으로 이전되는 것인 만큼 사업의 양도가 아니므로 이에 대해 부가가치세를 과세하는 것은 문제가 있다고 보인다.

제**5**편

법인(주주포함)의
상속 · 증여
세무리스크 관리법

이 편에서는 법인들이 알아야 할 상속·증여세 문제를 다룬다. 여기서 법인은 영리법인과 비영리법인을 말한다.

먼저 영리법인의 경우 법인자신이 제3자로부터 상속이나 증여를 받을 때 법인세와 주주의 세금문제를 살펴본다. 구체적으로 주식가치증가에 의한 증여세 과세문제, CEO와 법인간 자금거래 시 발생되는 세금문제, CEO의 사망보상금에 대한 상속세과세문제, 주식을 둘러싼 다양한 세금문제 등을 살펴본다.

다음으로 비영리법인의 경우 해당법인이 상속이나 증여를 받는 경우 과세문제를 살펴본다. 비영리법인 중 공익법인은 상속이나 증여를 받아도 증여세가 부과되지 않는데 그 이유 등을 살펴본다. 이외에도 종교단체 등과 관련된 증여세 문제도 살펴본다.

제 **11** 장

영리법인의 상속·증여
세무리스크 관리법

영리법인이 유증을 통한 상속이나 증여를 받은 경우가 종종 있다. 이러한 상속이나 증여에 의한 취득한 자산은 법인의 입장에서 보면 이익이 되어 법인세가 과세된다. 물론 법인세가 과세되었으므로 증여세는 없다. 하지만 세법은 상속이나 증여를 받은 법인의 주주에게 증여세를 부과하는 경우가 있다. 이 장에서는 이러한 점에 유의해서 공부하는 것이 좋다.

본 장에서 살펴볼 핵심적인 내용들은 아래와 같다.

- 영리법인의 상속·증여관련 세무리스크 관리법
- 영리법인에 대한 증여와 세무리스크 관리법
- 개인이 특수관계법인에 부동산을 저가 양도 시의 세무리스크 관리법
- 법인과 대표이사의 자금거래 시 세무리스크 관리법
- 초과배당관련 세무리스크 관리법
- 일감몰아주기관련 세무리스크 관리법
- 비상장주식의 양도와 증여, 상속관련 세무리스크 관리법
- 가업승계를 위한 증여세 과세특례관련 세무리스크 관리법
- 주식명의신탁관련 세무리스크 관리법
- 명의신탁주식 실수요자 반환지원
- 법인들이 주의해야 할 이익의 증여

제 1 절 영리법인의 상속·증여관련 세무리스크 관리법

영리법인(營利法人)은 영리를 목적으로 세워진 법인을 말한다. 통상 이에는 주식회사가 있다. 이러한 법인은 개인이나 법인과의 거래를 통해 다양한 세금관계가 형성되는데, 이에는 상속세와 증여세도 포함되어 있다. 지금부터는 영리법인들이 직면하고 있는 상속세와 증여세에 대한 세금문제를 살펴보고자 한다. 비영리법인(非營利法人)에 대해서는 별도로 살펴본다.

1 영리법인의 상속·증여관련 세무리스크 발생 사례

서울에 본점을 두고 있는 (주)잘나가는 현재 주식회사로 운영 중에 있다. 이 회사의 대주주는 K씨이다.

> **자료**
>
> • (주)잘나가는 현재 세법상 중소기업에 해당함.
> • 대주주가 보유한 주식의 세법상 평가액 : 10억 원

• 상황1 : 대주주인 K씨가 사망하여 해당 주식을 법인에게 상속으로 이전하면 법인이 상속세를 내는가?
• 상황2 : 대주주인 K씨가 해당 주식을 법인에게 증여하면 법인은 증여세를 내는가?
• 상황3 : 위 상황2의 경우, 해당 법인의 주주에게는 증여세가 부과되지 않는가?

위 상황에 맞는 답을 찾아보면 다음과 같다.

(상황1) 대주주인 K씨가 사망하여 해당 주식을 법인에게 상속으로 이전하면 법인이 상속세를 내는가?

법인은 상속세를 내는 것이 아니라 법인세를 내야 한다. 아래 「상증법」 제3조의2 규정을 보면 영리법인은 상속세 납부의무가 없다. 다만, 상속받은 법인의 주주가 상속인이거나 직계비속인 경우 예외적으로 이들이 납부의무자가 된다.

제5편 법인(주주포함)의 상속·증여 세무리스크 관리법

① 상속인(특별연고자 중 영리법인은 제외한다) 또는 수유자(영리법인은 제외한다)는 상속재산(제13조에 따라 상속재산에 가산하는 증여재산 중 상속인이나 수유자가 받은 증여재산을 포함한다) 중 각자가 받았거나 받을 재산을 기준으로 대통령령으로 정하는 비율에 따라 계산한 금액을 상속세로 납부할 의무가 있다.

② 특별연고자 또는 수유자가 영리법인인 경우로서 그 영리법인의 주주 또는 출자자 중 상속인과 그 직계비속이 있는 경우에는 대통령령으로 정하는 바에 따라 계산한 지분상당액을 그 상속인 및 직계비속이 납부할 의무가 있다.

③ 제1항에 따른 상속세는 상속인 또는 수유자 각자가 받았거나 받을 재산을 한도로 연대하여 납부할 의무를 진다.

이 규정을 보면 비영리법인은 상속세 납부의무가 있지만, 영리법인은 없다. 하지만 영리법인 중 주주가 상속인등인 경우에는 상속세 납부의무를 부여하고 있다. 참고로 앞의 제2항에서 "대통령령으로 정하는 바에 따라 계산한 지분상당액"이란 다음 계산식에 따라 계산한 금액을 말한다(「상증령」 제3조 제2항, 산식 일부 수정).

[영리법인이 받은 상속재산에 대한 상속세 상당액 − (영리법인이 받은 상속재산 × 10%)] × 상속인과 그 직계비속의 주식보유 비율

위의 10%는 영리법인이 받은 상속재산에 부과되는 법인세를 계산하기 위한 임의의 세율을 의미한다. 이는 법인세와 상속세의 이중과세를 방지하기 위한 규정에 해당한다.

즉 법인이 유증을 받은 경우 이에 대한 상속세는 면제되는 대신 법인세를 내면 되고, 법인의 주주가 상속인이나 그 직계비속에 해당하면 이들이 상속세를 내야 한다. 따라서 법인은 자산수증익에 대해 법인세를 내고, 법인의 주주는 상속세를 내게 되므로 이중과세가 될 수 있어 이를 조정할 필요가 있다.

참고로 상속세를 낸 법인의 주주가 향후 이 주식을 양도할 때에는 다음의 금액을 취득가액에 합산한다(「소득세법 시행령」 제163조 제10항). 초보자 입장에서는 다소 어려운 내용이 될 수 있으므로 세무사 등 세무전문가와 상의하기 바란다.

영리법인이 유증받은 상속재산 × 상속인 또는 그 직계비속의 지분율

이러한 규정으로 보건대 일반 영리법인에게 상속하는 일은 현실적으로 많이 발생하지 않는다고 볼 수 있다.

(상황2) 대주주인 K씨가 해당 주식을 법인에게 증여하면 법인은 증여세를 내는가?

아니다. 법인이 일단 자산을 증여받으면 법인의 순자산을 증가시키기 때문에 법인세가 부과된다. 이처럼 법인세가 과세되면 이중과세의 방지를 위해 증여세를 부과하지 않는 것이 원칙이다. 아래 「상증법」 제4조의2 제3항을 참조하자.

> ③ 제1항의 증여재산에 대하여 수증자에게 「소득세법」에 따른 소득세 또는 「법인세법」에 따른 법인세가 부과되는 경우에는 증여세를 부과하지 아니한다. 소득세 또는 법인세가 「소득세법」, 「법인세법」 또는 다른 법률에 따라 비과세되거나 감면되는 경우에도 또한 같다.

(상황3) 위 상황2의 경우, 해당 법인의 주주에게는 증여세가 부과되지 않는가?

원칙적으로 그렇다. 다만, 「상증법」 제4조의2의 제4항에 따르면 일부의 규정에 대해서는 주주에게 증여세가 과세될 수 있다. 아래 규정을 참조하자.

> ④ 영리법인이 증여받은 재산 또는 이익에 대하여 「법인세법」에 따른 법인세가 부과되는 경우 해당 법인의 주주등에 대해서는 제45조의3부터 제45조의5까지의 규정에 따른 경우를 제외하고는 증여세를 부과하지 아니한다.

위에서 언급된 조항들은 아래를 말한다. 이 중 제45조의5가 자주 발생하는데 이에 대한 자세한 내용은 아래에서 살펴보자.

- 제45조의3 특수관계법인과의 거래를 통한 이익의 증여의제
- 제45조의4 특수관계법인으로부터 제공받은 사업기회로 발생한 이익의 증여의제
- 제45조의5 특정법인과의 거래를 통한 이익의 증여의제

② 영리법인의 상속 · 증여관련 세무리스크 관리법

법인이 상속이나 증여를 받은 경우 과세는 어떤 식으로 되는지 알아보자.

(1) 법인의 세금

영리법인이 상속재산을 받는 경우에는 순자산증가설에 따라 법인세를 과세하며, 상속세나 증여세를 과세하지 않는다. 다만, 비영리법인의 경우에는 상속세나 증여세를 과세하는 것이 원칙이다. 무상 취득자별로 법인세 등의 과세 여부를 나타내면 다음과 같다.

무상 취득자		법인세 또는 소득세	상속세 또는 증여세
법인	영리법인	○	×
	비영리법인	×	○
개인	사업관련	○	×
	사업무관	×	○

(2) 주주의 세금

1) 법인의 상속에 따른 주주의 세금

법인이 상속을 받을 때 해당법인의 주주가 상속인이거나 그의 직계비속인 경우에는 상속세 납부의무가 있다. 이는 상속세보다 저렴한 법인세로 과세되는 것을 방지하기 위한 취지가 있다. 이외에는 법인세만 부과되며 상속세는 부과되지 않는다는 점도 알아두도록 하자.

2) 법인의 증여에 따른 주주의 세금

법인이 증여를 받은 경우에는 법인에게는 법인세가 과세되므로 법인이 증여세를 부과당하는 일은 없다. 그런데 증여세는 10~50%이고 법인세는 10~25%이다 보니 법인세만 과세하면 과세형평상 문제가 발생할 수 있다. 그래서 「상증법」 제4조의2에서는 아래와 같은 조항에 대해서는 주주에게도 증여세를 별도로 부과하고 있다.

- 제45조의3 특수관계법인과의 거래를 통한 이익의 증여의제
- 제45조의4 특수관계법인으로부터 제공받은 사업기회로 발생한 이익의 증여의제
- 제45조의5 특정법인과의 거래를 통한 이익의 증여의제

Tip

■ 특정법인과의 거래를 통한 이익의 증여의제(「상증법」 제45조의5)

실무에서 자주 등장하는 특정법인과의 거래를 통해 주주가 1억 원 이상의 이익을 보면 주주에게 증여세가 부과될 수 있다. 여기서 특정법인이란 주식보유비율이 30% 이상인 법인을 말한다. 아래의 내용은 「상증법」 제45조의5 중 중요한 내용만 발췌한 것이다. 실무에서는 세무전문가와 함께 하기 바란다.

① 지배주주와 그 친족(이하 "지배주주등"이라 한다)이 직접 또는 간접으로 보유하는 주식보유비율이 100분의 30 이상인 법인(이하 "특정법인"이라 한다)이 지배주주의 특수관계인과 다음 각 호에 따른 거래를 하는 경우에는 거래한 날을 증여일로 하여 그 특정법인의 이익에 특정법인의 지배주주등의 주식보유비율을 곱하여 계산한 금액을 그 특정법인의 지배주주등이 증여받은 것으로 본다.
  1. 재산 또는 용역을 무상으로 제공받는 것
  2. 재산 또는 용역을 통상적인 거래 관행에 비추어 볼 때 현저히 낮은 대가로 양도·제공받는 것
  3. 재산 또는 용역을 통상적인 거래 관행에 비추어 볼 때 현저히 높은 대가로 양도·제공하는 것
  4. 그 밖에 제1호부터 제3호까지의 거래와 유사한 거래로서 대통령령으로 정하는 것
② 제1항에 따른 증여세액이 지배주주등이 직접 증여받은 경우의 증여세 상당액에서 특정법인이 부담한 법인세 상당액을 차감한 금액을 초과하는 경우 그 초과액은 없는 것으로 본다.
③ 제1항에 따른 지배주주의 판정방법 등은 대통령령으로 정한다.

위에서 대통령령은 「상증령」 제34조의5를 말하는데 이를 나열하면 아래와 같다.

---

④ 법 제45조의5 제1항에서 "특정법인의 이익"이란 제1호의 금액에서 제2호의 금액을 뺀 금액을 말한다(이하 생략).

⑤ 법 제45조의5 제1항을 적용할 때 특정법인의 주주등이 증여받은 것으로 보는 경우는 같은 항에 따른 증여의제이익이 1억 원 이상인 경우로 한정한다.

⑥ 생략

⑦ 법 제45조의5 제1항 제2호 및 제3호에서 "현저히 낮은 대가" 및 "현저히 높은 대가"란 각각 해당 재산 및 용역의 시가와 대가(제6항 제2호에 해당하는 경우에는 출자한 재산에 대하여 교부받은 주식 등의 액면가액의 합계액을 말한다)와의 차액이 시가의 100분의 30 이상이거나 그 차액이 3억 원 이상인 경우의 해당 가액을 말한다. 이 경우 금전을 대부하거나 대부받는 경우에는 법 제41조의4를 준용하여 계산한 이익으로 한다.

⑧ 제7항을 적용할 때 재산 또는 용역의 시가는 「법인세법 시행령」 제89조에 따른다.[85]

⑨ 생략

:: 저자 주

「상증법」 제45조의5는 법인의 주주를 대상으로 증여세가 과세될 수 있는 아주 중요한 규정에 해당한다. 하지만 이 규정에 따라 증여세가 과세되기 위해서는 각 주주별로 증여받은 금액이 1억 원 이상이 되어야 한다. 따라서 주주가 많은 상태에서 증여로 받은 이익이 1억 원에 미달하면 증여세가 나오지 않게 된다. 이러한 내용 때문에 현실적으로 이 규정에 의해 증여세가 과세되는 경우가 드문 것으로 평가되고 있다.

---

85) 제3장 '필수 세무상식'에서 살펴보았다.

영리법인에 대한 증여관련 세무리스크 관리법

주식회사와 같은 영리법인이 증여를 받는 경우가 있다. 이 경우 과세문제는 어떻게 될지 궁금할 수 있다. 이에 대해 정리를 해보자.

1 영리법인에 대한 증여관련 세무리스크 발생 사례

서울 성동구 성수동에 위치한 K법인은 대주주이자 대표이사인 N씨의 아버지로부터 현금 5억 원을 증여받고자 한다.

- 상황1 : 위 5억 원에 대해 법인세는 얼마나 과세될까? 단, K법인의 올해 사업연도소득 금액은 2억 원이 넘을 것으로 예상된다.
- 상황2 : 만약 K법인에 5억 원 만큼의 공제가능한 이월결손금이 있는 경우라면 법인세 는 과세되는가? 이 경우 N씨에 대한 증여세 문제는 없는가?
- 상황3 : 만약 K법인이 10억 원 만큼의 흑자법인이라면 법인세는 과세될 수 있다. 이 경우 N씨에 대한 증여세 문제는 없는가?

위의 상황에 대해 순차적으로 답을 찾아보면 다음과 같다.

(상황1) 위 5억 원에 대해 법인세는 얼마나 과세될까? 단, K법인의 올해 사업연도소득금 액은 2억 원이 넘을 것으로 예상된다.

법인세는 법인세 과세표준에 10~25%의 세율로 과세되며, 과세표준 2억~200억 원까지 는 20%의 세율이 적용된다. 따라서 K법인은 이미 소득금액이 2억 원이 되었으므로 추가되 는 5억 원에 대해 20%의 세율로 법인세가 과세되므로 1억 원의 법인세가 추가 예상된다.

(상황2) 만약 K법인에 5억 원 만큼의 공제가능한 이월결손금이 있는 경우라면 법인세는 과세되는가? 이 경우 N씨에 대한 증여세 문제는 없는가?

이월된 결손금이 5억 원이고 이번에 증여받은 금액이 5억 원이므로 과세표준은 0원이 된 다. 따라서 법인세는 발생하지 않는다. 그렇다면 이러한 상황에서 대주주인 N씨에게는 어떤 세금문제가 있을까? 세법은 이처럼 법인의 최대주주(주식을 가장 많이 보유하고 있는 특수관계집단을 말함)가 이익을 본 다음의 금액에 대해 증여세를 과세한다(「상증법」 제41조의5).

> 증여이익=당해 법인이 얻은 증여재산가액×(당해주주의 주식/총 발행주식)

참고로 이렇게 계산된 증여이익이 주주 1명당 1억 원에 미달하면 과세의 실익이 없어 증여세를 부과하지 않는다. 이처럼 증여이익이 개인별로 계산되므로 수증자를 늘리게 되면 세부담 없이 증여를 할 수 있게 된다.

(상황3) 만약 K법인이 10억 원 만큼의 흑자법인이라면 법인세는 과세될 수 있다. 이 경우 N씨에 대한 증여세 문제는 없는가?

2020년 이후부터는 특정법인이 결손법인인지 아닌지 이와 무관하게 앞에서 본 것과 같이 이익을 본 주주에게 증여세를 부과한다.

2 영리법인에 대한 증여관련 세무리스크 관리법

영리법인과 관련된 상속·증여세 쟁점들을 정리하면 다음과 같다.

(1) 개인이 법인에 상속·증여로 재산을 이전하는 경우

① 개인이 법인에 상속·증여를 하면 영리법인은 자산수증익으로 보아 법인세를 내야 한다.
② 상속받은 법인의 주주가 상속인 등에 해당하면 해당 주주 등이 상속세를 내야 한다.
③ 증여받은 법인의 주주가 증여자와 특수관계에 해당하면 그 법인의 주주에 대해 증여세가 부과될 수 있다.

(2) 법인이 개인에 이익을 분여하는 경우

법인이 합병이나 증자 등 자본거래나 손익거래 등을 통해 개인에게 이익을 분여하면 법인에게는 부당행위계산의 부인제도를, 개인에게는 증여세제도 등을 적용한다.

(3) 법인이 법인에 이익을 분여하는 경우

특수관계법인 간에 일감을 몰아주어 주주 등에게 부를 이전시키는 경우 그 수혜법인의 주주에게 증여세를 부과한다.

⬥「상증법」집행기준 2-0-5 [증여세를 부과하지 않는 경우]

특수관계에 있는 법인으로부터 저가로 재산을 취득하거나 고가로 양도한 것에 대하여 부당행위계산의 부인규정에 따른 법인세를 과세하고, 저가 취득자 또는 고가양도자에게 배당 등으로 소득처분되어 소득세가 과세되는 경우에는 저가 취득자 또는 고가양도자에게 증여세를 과세하지 않는다(이중과세 조정).

3 영리법인에 대한 증여관련 세무리스크 심화 사례

서울 강동구 풍납동에서 살고 있는 김현철씨의 아버지가 5억 원의 자금을 준비해 두고 회사의 대표를 맡고 있는 김씨에게 이를 증여하고자 한다. 이를 개인에게 증여하여 회사로 입금시키는 것이 좋을지 법인에 직접 증여하는 것이 좋을지 세금 측면에서 의사결정을 내려 보자. 김씨는 이 회사의 주식 100%를 소유하고 있고, 이 법인의 올해 당기순이익은 1억 원이며 법인세율은 10~25%이다.

앞에서 본 내용들을 토대로 답을 순차적으로 찾아보면 다음과 같다.

(1) 쟁점분석

김씨가 운영하고 있는 법인이 직접 증여를 받는 것이 유리한지 개인이 증여를 받아 차입금 형태로 입금시키는 것이 좋을지 알아보자.

(2) 증여세와 법인세 비교

구분	개인수증	법인수증
세목	증여세	법인세
증여가액	5억 원	5억 원
공제금액	5,000만 원	0
과세표준	4억 5,000만 원	5억 원
세율	20%(누진공제 1천만 원)	10~25%
산출세액	8,000만 원 (4억 5천만 원 × 20% - 1천만 원)	8,000만 원 (2억 원 × 10% + 3억 원 × 20%)
평균세율(산출세액/증여가액)	16.0%	16.0%

(3) 결론

이 사례를 보면 일차적으로 개인이 증여받는 것과 법인이 증여받는 것의 세금의 크기는 동일하다. 하지만 법인의 경우에는 다음과 같이 세금문제가 추가된다.

① 주식가치 증가에 대한 증여세

법인이 증여를 받은 경우 주식가치 증가에 따른 주주의 증여세 문제가 있다. 「상증법」 제45조의5에서는 지배주주와 그 친족이 직접 또는 간접으로 보유하는 주식보유비율이 100분의 30 이상인 법인(특정법인)이 지배주주의 특수관계인과 다음 각 호에 따른 거래를 하는 경우에는 거래한 날을 증여일로 하여 그 특정법인의 이익에 특정법인의 지배주주등의 주식보유비율을 곱하여 계산한 금액을 그 특정법인의 지배주주등이 증여받은 것으로 하고 있다.

- 재산 또는 용역을 무상으로 제공받는 것
- 재산 또는 용역을 통상적인 거래 관행에 비추어 볼 때 현저히 낮은 대가로 양도·제공받는 것
- 재산 또는 용역을 통상적인 거래 관행에 비추어 볼 때 현저히 높은 대가로 양도·제공하는 것 등

② 이익잉여금에 대한 배당소득세

법인에게 증여한 재산가액은 자산수증익이 되고 궁극적으로 잉여금에 해당하므로 이에 대해서는 배당소득세(14%)가 추가로 부과될 수 있다.

따라서 사례의 경우에는 법인으로 증여받는 경우가 더 불리할 가능성이 높다.

 Tip

■ 법인에 사전 증여한 재산과 상속세 과세가액 합산(「상증법」 집행기준 13 - 0 - 5)

① 상속개시 전 10년 이내에 상속인이 피상속인으로부터 재산을 증여받고, 상속개시 후 「민법」상 상속포기를 하는 경우에도 당해 증여받은 재산을 상속세 과세가액에 합산한다.

② 피상속인이 상속개시 전 5년 이내에 영리법인에게 증여한 재산가액 및 이익은 상속인 외의 자에게 증여한 재산가액으로 상속재산에 포함된다. 동 재산가액 및 이익에 대한 「상증법」에 따른 증여세 산출세액 상당액은 상속세 산출세액에서 공제한다. → 법인에 사전 증여한 금액에 대해서는 5년 상속합산과세제도가 적용된다.

③ 증여세 과세특례가 적용된 창업자금과 가업승계한 주식의 가액은 증여받은 날부터 상속개시일까지의 기간이 상속개시일로부터 10년 이내인지 여부와 관계없이 상속세 과세가액에 합산한다.

대표이사 등 개인이 특수관계에 있는 법인에게 주택 등 부동산을 저가로 양도하는 경우가 있다. 이렇게 하는 것이 본인한테 득이 되는 경우가 많기 때문이다. 예를 들어 개인이 주택 수를 줄여 양도소득세 비과세를 받거나 양도차익에 대해 법인세로 내는 것이 유리할 수 있다. 하지만 저가거래를 하는 경우에 개인과 법인 그리고 주주 등에게 다양한 세무리스크가 발생할 수 있다. 이하에서 사례를 들어 이의 관리법 등에 대해 알아보자.

1 개인이 법인에게 저가양도 시의 세무리스크 발생 사례

K씨는 ㈜부동산의 대표이사에 해당한다. 이번에 자신이 보유한 주택을 법인에 양도하고자 한다. 이때 세부담을 최소화하는 방안을 추진하고 있다.

> **자료**
>
> • 시가 5억 원(취득가액 3억 원)
> • 기준시가 3억 원
> • 위 물건은 양도소득세 중과세 물건으로 양도 시 70% 정도의 세부담 예상됨.

• 상황1 : 현 상태에서 이를 양도하면 세금은 얼마나 예상되는가?
• 상황2 : 양도소득세를 최소화하기 위해 이 주택을 법인에 3억 원에 양도하고 이후 법인이 5억 원에 양도하는 경우의 세부담 관계는?
• 상황3 : 위 상황2는 세법상 문제가 없는가?
• 상황4 : 세법상 문제가 없으려면 거래금액은 어떻게 정해야 하는가?

위 상황에 대한 답을 찾아보자.

(상황1) 현 상태에서 이를 양도하면 세금은 얼마나 예상되는가?

양도가액에서 취득가액을 차감한 양도차익에 70%를 적용하면 대략 1억 4천만 원의 양도소득세가 예상된다.

(상황2) 양도소득세를 최소화하기 위해 이 주택을 법인에 3억 원에 양도하고 이후 법인이 5억 원에 양도하는 경우의 세부담 관계는?

이 경우 양도소득세는 0원이 되고, 법인은 취득가액의 12% 정도의 취득세를 낸다. 따라서 법인의 취득단계에서는 3,600만 원 정도의 취득세가 발생하며, 향후 법인이 이를 5억 원에 양도하면 법인세가 발생하게 된다. 이때 법인세는 일반법인세 외에 주택양도차익에 대해 20%로 과세되는 법인세가 추가로 발생한다. 따라서 아래와 같은 총 법인세를 예상해볼 수 있다. 단, 법인에서 일반비용 1억 원이 추가로 발생했다고 하자.

구분	일반법인세	추가법인세	계
이익	2억 원	2억 원	
일반관리비	1억 원	0원	
과세표준	1억 원	2억 원	
세율	10~25% 중 10%	20%	
산출세액	1천만 원	4천만 원	5천만 원

법인이 주택을 취득해 이를 양도하면 개인이 직접 양도하는 경우에 비해 세부담이 줄어들 수 있다. 따라서 이러한 상황에서는 법인에게 양도한 후에 거래에 나서는 것이 더 좋을 수가 있다. 다만, 법인의 세후 이익을 주주에게 배당하면 배당소득세가 나올 수 있으므로 실익이 다소 줄어들 수는 있다.

(상황3) 위 상황2는 세법상 문제가 없는가?

개인이 특수관계법인에게 부동산을 저가로 양도하면 개인과 법인, 그리고 주주측면에서 세무상 쟁점을 검토해야 한다. 세법은 이러한 거래를 비상적인 거래로 보고 다양한 규제를 할 가능성이 높기 때문이다.

① 개인

개인이 특수관계인에게 저가로 양도하여 조세부담을 회피한 경우 「소득세법」 제101조에서 규정하고 있는 부당행위계산의 부인제도가 적용될 수 있다. 이 제도가 적용되면 시가로 소득금액을 계산하게 된다. 다만, 무조건 이 제도를 적용하는 것이 아니라 시가와 거래가액의 차액이 3억 원 이상 나거나 시가의 5% 이상 차이가 나게 거래하는 등의 요건을 충족해야 한다.

② 법인

법인은 이 거래를 통해 세부담이 줄어들지 않았다. 따라서 「법인세법」 제52조에서 규정하고 있는 부당행위계산의 부인제도를 적용받지 아니한다. 결국 저가로 양수한 법인은 향후 처분이익이 발생하면 이에 대해서 법인세를 내면 그만이다.

③ 법인의 주주

개인이 특수관계법인에게 부동산을 저가로 양도하는 경우에는 「상증법」 제45조의5(특정법인과의 거래를 통한 이익의 증여의제) 규정을 검토해야 한다. 이 규정에 의하면 특수관계에 있는 법인(특정법인)과 시가와 거래가액의 차액이 3억 원 이상 나거나 시가의 30% 이상 나게 저가로 양도하면 그 특정법인의 주주가 증여받은 것으로 본다(단, 특정법인의 이익이 1억 원 이상인 경우에 한함). 참고로 여기서 시가는 「법인세법 시행령」 제89조에 의한다.

(상황4) 세법상 문제가 없으려면 거래금액은 어떻게 정해야 하는가?

이상의 내용을 살펴보면 개인이 법인에게 저가로 부동산을 양도하면 우선 「소득세법」상 부당행위계산의 부인규정을 적용받게 되므로 「소득세법」상 시가부터 잘 검토해야 한다. 여기서 시가는 「상증령」 제49조 등에서 규정하고 있는 유사매매사례가액 등을 준용한다. 따라서 양도일 전후 3개월 내의 매매사례가액이나 감정가액 등이 있는 경우 이를 기준으로 매매계약을 체결하면 될 것이다. 만약 이에 대한 시가를 알기 힘든 경우에는 보충적 평가방법인 기준시가도 시가에 해당될 수 있으므로 이를 기준으로 매매계약을 체결해도 이론상 문제는 없다고 보인다(단, 평가기간 밖의 매매가액 등도 인정될 수 있음에 유의. 「상증령」 제49조 단서 조항 참조).

2 개인이 법인에게 저가양도 시의 세무리스크 관리법

법인과 특수관계에 있는 개인이 법인에게 부동산을 저가로 양도할 때 발생할 수 있는 세무리스크를 관리하는 방법을 알아보자.

(1) 부당행위계산의 부인제도 적용 여부 검토

개인이나 법인이 특수관계인과의 저가 양도나 고가 양수 등을 통해 세부담을 줄이는 경우 「소득세법」이나 「법인세법」에서 부당행위계산의 부인제도를 적용한다. 따라서 특수관계인와의 거래를 할 때에는 시가를 확인한 후에 시가와 거래금액의 차액이 3억 원 이상이거나 거래금액이 시가의 5%를 벗어나지 않도록 해야 한다. 참고로 여기서 시가는 「소득세법」의 경우 「상증법」상의 평가규정을 준용하고 있다. 「법인세법」의 경우에는 동법 시행령 제89조에서 정하고 있다.

(2) 증여세과세제도 적용 여부 검토

개인이 특수관계법인에게 부동산을 저가로 양도하는 상황에서 그 법인의 주주가 이익을 얻은 경우에는 주주에게 증여세가 과세될 수 있다. 다만, 「상증법」 제45조의5 규정에 의한 현저한 이익의 분여 및 특정법인의 이익 등의 요건을 충족해야 한다.

(3) 적정 거래금액 결정

개인이 특수관계법인에게 저가로 양도하는 경우 개인과 법인의 주주에게 과세문제가 발생할 수 있다. 따라서 사전에 「소득세법」상의 시가를 확인하고 이를 기준으로 매매금액을 정하도록 한다. 매매사례가액은 국토부의 홈페이지 등을 통해 확인해야 한다. 만약 양도일 전후 3개월 동안 매매사례가액 등이 발견된 경우로써 이 금액을 받아들이기 힘든 경우에는 감정평가를 받아 이를 기준으로 계약을 해도 된다. 이때 감정평가액은 해당 부동산의 기준시가가 10억 원 이하인 경우에는 1개의 것도 인정한다. 감정평가는 양도일 전후 3개월 내에 가격산정이 됨과 동시에 평가서가 작성되어야 한다.

 Tip

■ 개인과 법인 간에 재산을 양수도하는 경우의 증여배제

「상증법」 제35조 제3항에서는 개인과 법인 간에 재산을 양수하거나 양도하는 경우로서 그 대가가 「법인세법」 제52조(부당행위계산의 부인규정) 제2항에 따른 시가에 해당하여 그 법인의 거래에 대하여 같은 법 제52조 제1항이 적용되지 아니하는 경우에는 「상증법」 제35조 제1항 및 제2항을 적용하지 아니하도록 하고 있다. 이는 「법인세법」의 관점에서 볼 때 시가로 거래하면 「상증법」 제35조에 따른 증여규정을 적용하지 않겠다는 것을 의미하고 있다. 다만, 거짓이나 그 밖의 부정한 방법으로 상속세 또는 증여세를 감소시킨 것으로 인정되는 경우에는 그러하지 아니하다.

법인과 대표이사의 자금거래 시 세무리스크 관리법

법인의 대표이사(CEO)는 우월적인 지위에 서있기 때문에 회사와 다양한 자금거래를 할 수 있다. 지금부터는 법인의 CEO들이 상속·증여 등과 관련하여 주의해야 할 자금거래에 대해 살펴보자.

1 대표이사와 자금거래 시의 세무리스크 발생 사례

K법인의 대표이사인 김용수사장은 회사의 자금사정이 좋지 않자 수억 원을 회사자금으로 사용하였다. 이렇게 사용한 흔적이 이 회사의 재무제표에 반영되었다. 최근 김사장의 건강이 좋지 않아 상속세가 걱정된다.

- 상황1 : 김사장이 회사로부터 받아야 하는 채권은 상속재산에 포함되는가?
- 상황2 : K법인은 현재 자본잠식 상태에 있다. 이러한 상황에서 김사장이 채권회수를 포기하는 약정서를 제출하면 상속재산에서 제외될 수 있는가?
- 상황3 : 김사장이 가지고 있는 주식은 결손법인이라 사실상 가치가 없다. 이러한 상황에서 주식은 상속재산에서 제외되는가?

위의 상황에 순차적으로 답을 찾아보면 다음과 같다.

(상황1) 김사장이 회사로부터 받아야 하는 채권은 상속재산에 포함되는가?

상속개시일 현재 피상속인에게 귀속되는 채권은 「상증법」 제7조의 규정에 의해 당연히 상속재산에 포함된다. 다만, 상속개시일 현재 회수불가능한 것으로 인정되는 경우에는 그 가액은 상속재산가액에 산입하지 아니한다.

🌐 **관련 규정 : 서면4팀-1609, 2006.6.7.**

상속개시일 현재 피상속인에게 귀속되는 채권은 「상증법」 제7조의 규정에 의한 상속재산에 포함되는 것이나 당해 채권의 전부 또는 일부가 상속개시일 현재 회수불가능한 것으로 인정되는 경우에는 그 가액은 상속재산가액에 산입하지 아니하는 것임. 귀 질의의 경우 상속개시일 현재 회수불가능한 채권에 해당하는지 여부에 대하여는 채무자의 재산상황 등 구체적인 사실을 확인하여 판단할 사항임.

(상황2) K법인은 현재 자본잠식 상태에 있다. 이러한 상황에서 김사장이 채권회수를 포기하는 약정서를 제출하면 상속재산에서 제외될 수 있는가?

피상속인이 채권을 회수하지 않겠다는 약정서만으로는 상속개시일 현재 회수불가능한 채권으로 인정하기 어렵다. 또한 법인이 자본잠식이란 이유만으로는 회수불능채권으로 보기 어렵다.

(상황3) 김사장이 가지고 있는 주식은 결손법인이라 사실상 가치가 없다. 이러한 상황에서 주식은 상속재산에서 제외되는가?

비상장주식에 대한 「상증법」상 평가는 1주당 순손익가치와 순자산가치를 각각 3과 2(부동산과다보유법인의 경우에는 2와 3)의 비율로 가중평균한 가액으로 한다. 그러나 3년간 계속하여 「법인세법」상 결손금이 있는 법인의 주식은 순자산가치로만 평가한다. 이때 순자산가치는 시가기준 '자산 - 부채'로 평가한 금액을 주식발행수로 나눠 평가한다. 따라서 부채가 더 많은 경우에는 주식가치가 0원이 되어 상속재산가액에 영향을 주지 않는다.

② 대표이사와 자금거래 시의 세무리스크 관리법

법인의 주주 겸 CEO들이 법인과의 자금거래를 할 때 주의해야 할 이유를 몇 가지로 정리하면 다음과 같다.

첫째, 생전에는 PCI시스템에 의한 자금출처조사가 진행될 수 있다.

이 제도는 대표이사로 근무하면서 최근 5년간 신고한 근로소득금액(연봉 - 근로소득공제)과 부동산 및 신용카드 사용액 등을 비교해 소득에 비해 소비수준이 과다한 경우 법인자금을 부당하게 유출하지 않았는지를 조사할 수 있도록 한다.

둘째, 상속 시에는 상속추정제도가 적용될 수 있다.

이 제도는 상속세 부담을 부당히 감소시키기 위해 소유 재산을 처분하여 상속인들에게 미리 분할하거나 현금 등 세무관서에서 포착하기 어려운 재산형태로 전환하여 상속하는 것을 방지하기 위해, 피상속인이 재산을 처분하거나 부담한 채무의 합계액이

• 상속개시일 전 1년 이내에 2억 원 이상인 경우와

• 상속개시일 전 2년 이내에 5억 원 이상인 경우로써

용도가 객관적으로 명백하지 아니한 경우에는 이를 상속인이 상속받은 것으로 추정하고 있다.

셋째, 상속 시에는 가지급금과 가수금에 대한 상속세처리문제가 있다.
① 가지급금과 상속
• 가지급금은 이를 법인에 갚아야 하는 CEO의 입장에서는 채무가 된다. 따라서 상속재산가액에서 이를 차감할 성질의 것이 된다.
• 회사장부상의 가지급금 등이라도 이를 상속개시일 이후 상속인이 승계하는 실질적인 채무이어야 채무로써 공제를 받을 수 있다.
• 이때 채무로서 공제되는 가지급금은 피상속인이 사용처 불명일 때 상속추정 대상에 해당한다. 따라서 상속개시 전 1~2년 동안의 자금거래에 대해 주의해야 한다.

② 가수금과 상속
• 가수금은 법인으로부터 이를 받아야 하는 CEO의 입장에서는 채권이 된다. 따라서 상속재산가액에 이를 포함하는 것이 원칙이다.
• 다만, 당해 채권의 전부 또는 일부가 상속개시일 현재 회수불가능한 것으로 인정되는 경우에는 그 가액은 상속재산가액에 산입하지 아니한다(서면4팀-1609, 2006.6.7).
• 가수금 채권을 포기한다는 각서가 있는 경우에도 이를 상속재산가액에 합산하는 것이 원칙이다.
• 장부상에 가수금 반제하는 경우 이에 대해서도 상속추정제도가 적용될 수 있다. 가수금반제라는 것은 법인이 자금을 빌린 CEO에게 이를 상환하는 것을 말하는데, 이 돈이 사용처 불명에 해당하면 상속추정제도가 적용된다는 것이다.

● **CEO와 관련된 상속재산가액 파악법**
• 가지급금이 있는 경우 → 가지급금은 상속채무에 해당할 수 있다.
• 가수금이 있는 경우 → 가수금은 상속재산가액에 포함되는 것이 원칙이다.
• 주식을 보유하고 있는 경우 → 세법상 평가액을 상속재산가액에 포함해야 한다. 가업을 상속하는 경우 최고 500억 원까지 가업상속공제를 받을 수 있다.
• 유족보상금이 주어지는 경우 → 대표이사는 근로자로 취급되지 않으므로 이의 사망으로 받은 보험금은 상속재산에 포함된다(단, 소득세는 비과세됨).

• 퇴직금이 있는 경우 → 퇴직금도 상속재산가액에 포함된다.

3 대표이사와 자금거래 시의 세무리스크 심화 사례

서울에 소재한 K법인의 대표이사인 박○○씨가 운명했다. 그의 상속세 과세를 위한 자료가 다음과 같을 때 상속재산가액은 얼마나 될까?

자료

구분	세법상 평가금액	비고
개인 부동산	10억 원	주택 등
가지급금	2억 원	업무와 관련된 가지급금
가수금	3억 원	전액 박사장이 입금한 금액임이 확인됨(증빙 있음). 참고로 상속개시일 전에 1억 원 상당액을 가수금반제되었음이 장부상 나타남.
법인주식	0원	세법상 주식가치는 없음.
유족보상금	2억 원	회사에서 유족들에게 지급
법정 퇴직금	1억 원	임원퇴직급여규정에 의함.

위의 자료를 토대로 세법상 평가액을 계산하면 다음과 같다.

구분	세법상 평가금액	비고
개인 부동산	10억 원	
가지급금	0억 원	업무와 관련된 가지급금은 개인이 책임질 금액은 아님.
가수금	3억 원	상속개시 전 출금 금액 1억 원은 다른 건의 인출된 금액과 합하여 상속추정제도를 적용함. 별도로 검토할 사안임.
법인주식	0원	
유족보상금	2억 원	CEO의 경우 유족보상금은 상속재산에 포함
법정 퇴직금	1억 원	상속재산에 포함됨.
계	16억 원	

※ 위 사례의 경우 회사에 자금을 빌려준 것은 채권이 발생한 것이 되고, 자금을 회수(회사에서는 대표이사 가수금을 반제한 것으로 처리)한 것은 재산(채권)을 처분한 것으로 된다. 따라서 회사에서 가수금을 반제처리한 것에 대해서는 그 금액의 사용처를 밝혀야 상속재산에서 제외될 수 있다.

→ 사후적으로 세금문제를 관리하기 위해서는 법인의 대표자가 법인과 금전거래를 하는 경우에는 평소에 자금의 조달과 사용에 대한 증빙을 철저히 갖추어 놓아야 한다.

Tip

■ 퇴직금 등과 상속재산 포함 여부

① 상속재산으로 보는 퇴직금 등
- 피상속인에게 지급될 퇴직금 · 퇴직수당 · 공로금 · 연금이 피상속인의 사망으로 인하여 지급되는 경우
- 퇴직급여지급규정 등에 의하여 지급받는 금품 등

② 상속재산으로 보지 않는 퇴직금 등
- 「국민연금법」, 「공무원연금법」, 「사립학교교직원연금법」, 「군인 연금법」, 「산업재해 보상보험법」, 「별정우체국법」에 따라 지급되는 유족연금, 유족일시금 등
- 「근로기준법」 등을 준용하여 사업자가 그 근로자의 유족에게 지급하는 유족보상금 또는 재해보상금 등

원래 각자가 보유한 주식비율에 맞게 배당금을 수령하는 것이 원칙이다. 하지만 자신의 몫을 초과하여 배당을 받는 경우도 있는데 이를 '초과배당'이라고 한다. 그렇다면 이에 대해 세법은 어떤 식으로 과세하고 있을까?

1 초과배당관련 세무리스크 발생 사례

K법인은 비상장법인으로써 '대표자(70%), 배우자(10%), 자녀(10%), 기타(10%)'로 주주가 구성되어 있다. 이번에 아래와 같이 배당을 계획하고 있다.

자료

구분	대표이사	배우자	자녀	기타	계
지분율	70%	10%	10%	10%	100%
현금배당	1억 원	3억 원	5억 원	1억 원	10억 원
초과배당	△6억 원	2억 원	4억 원	−	

- 상황1 : 상법상의 배당은 어떤 식으로 받아야 하는가?
- 상황2 : 배당에 대해 소득세가 부과되는 경우 증여세는 부과되지 않는가?
- 상황3 : 위와 같이 배당을 하는 경우 세법상 어떤 문제가 있을까?

위의 상황에 대해 순차적으로 답을 찾아보자.

(상황1) 상법상 배당은 어떤 식으로 받아야 하는가?

법인이 보유하고 있는 이익잉여금은 주주총회 결의에 따라 배당금 등으로 처분할 수 있다.

(상황2) 배당에 대해 소득세가 부과되는 경우 증여세는 부과되지 않는가?

이중과세를 조정하기 위해서 「상증법」제2조 제2항에서 증여재산에 대해 수증자에게

「소득세법」에 따른 소득세 등이 부과되는 경우에는 증여세를 부과하지 아니하고 있다.

(상황3) 위와 같이 배당을 하는 경우 세법상 어떤 문제가 있을까?

위처럼 자기지분율과 다르게 배당을 받은 경우 배당을 포기하는 자와 배당을 초과하여 받은 자의 입장에서 세무상 쟁점이 발생한다.

첫째 배당을 포기한 주주는 이렇다.

① 포기한 주주가 개인인 경우

이 경우에는 세법상 문제가 없다. 이자와 배당소득에 대해서는 부당행위계산의 부인 제도 등이 적용되지 않기 때문이다.

② 포기한 주주가 법인인 경우

「법인세법」 제52조 부당행위계산의 부인규정을 적용받아 포기한 금액을 법인의 수입 금액에 가산해야 한다. 사례의 경우에는 이와 무관하다.

둘째, 배당을 초과하여 받은 주주에 대한 세무상 쟁점을 알아보자.

원래 정관 등의 규정에 따라 균등한 조건에 의하여 지급받을 배당금을 초과하는 금액은 증여세 과세대상인 증여에 해당한다(「상증법」 제2조 2항). 다만, 증여재산에 대해 소득세 등이 부과되면 증여세는 별도로 부과되지 않는다(「상증법」 제4조의2 제2항). 따라서 이러한 규정으로 인해 그동안 초과배당에 대해서는 소득세만 내는 경우가 많았다. 하지만 이 규정이 조세회피를 하는데 사용되자 정부는 2016년 이후부터 발생한 초과배당에 대해서는 증여세를 부과하도록 하는 규정을 신설하기에 이르렀다.

🌐 초과배당에 대한 증여세 과세(「상증법」 제41조의2)

최대주주 등의 특수관계인이 최대주주 등이 포기한 배당금을 본인의 보유지분을 초과하여 받은 경우 이를 증여받은 것으로 보아 아래의 금액에 대해 증여세를 부과한다.

- 초과배당금액 = 특정주주[1]의 (배당금액 − 균등배당액[2])

$$\times \frac{\text{특정주주와 특수관계가 있는 최대주주 등의(균등배당액 − 배당금액)}}{\text{과소배당 받은 주주 전체의(균등배당액 − 배당금액)}}$$

[1] 최대주주 등의 특수관계인인 주주
[2] 보유지분에 따라 받을 배당금액

다만, 이때 초과배당금액에 대한 증여세액이 초과배당금액에 대한 소득세 상당액보다 적은 경우에는 이 규정을 적용하지 아니한다(증여세 > 소득세인 경우만 이 규정을 적용함). 그런데 2021년 1월 1일부터는 소득세 외에 앞의 초과배당금액에서 소득세 상당액을 차감한 금액을 증여재산가액으로 보아 이에 대해 증여세를 부과한다. 그리고 실제 소득세액을 별도로 계산해 최종적으로 증여세를 정산한다(추가 납부 또는 환급 가능). 이처럼 소득세액을 차감해 증여세를 계산하는 이유는 이중과세를 방지하는 취지가 있다.

참고로 여기서 "소득세 상당액"은 「소득세법」에 의해 산출된 소득세가 아니라, 「상증령」 제31조의2 제3항에서 규정한 대로 초과배당금액에 「상증칙」 제10조의3에서 정한 율(다음 페이지 참조)을 곱해 계산된 소득세를 말한다. 따라서 이 부분을 혼동하지 않아야 실무처리를 할 수 있다.

2 초과배당관련 세무리스크 관리법

비상장법인을 중심으로 많이 시행되고 있는 초과배당에 대한 세무리스크를 관리하는 방법에 대해 알아보자.

첫째, 초과배당에 대한 증여세 과세요건을 파악하자.

초과배당에 대한 세무리스크는 증여자인 최대주주 등이 배당을 포기 또는 과소로 받은 한편 수증자인 그 최대주주 등의 특수관계인이 배당을 받을 때 발생한다. 그런데 이러한 초과배당을 받으면 2021년 이후부터는 초과배당액에 대해 「상증법」 제41조의2에 따라 증여세, 「소득세법」에 따라 소득세를 동시에 부과하는 식으로 세법이 개정되었다. 따라서 앞으로는 가급적 주주지분에 따른 균등배당을 받는 것이 좋을 것으로 보인다.

둘째, 초과배당에 따른 증여세 산출세액을 계산하는 방법을 이해해야 한다.

초과배당액에 대해서는 아래와 같은 식으로 증여세를 계산해 납부한 후, 실세 소득세액을 초과배당액에서 차감해 증여세를 계산하여 이를 최종적으로 정산하는 구조로 되어 있다. 실제 소득세액 계산방법은 「상증법」 제41조의2 제2항 등을 참조하기 바란다.

> [(초과배당액 – 소득세 상당액 + 기 증여 받은 증여재산) – 증여재산공제
> = 과세표준 × 세율 = 산출세액] – [기 납부한 합산증여재산의 산출세액] = 산출세액

위에서 '기 증여 받은 증여재산가액'도 초과배당액에 합산하는데 이렇게 되면 증여세 산출세액이 크게 증가될 수 있다. 따라서 사전에 증여받은 재산가액이 많은 경우에는 주의할 필요가 있다. 참고로 이때 가산할 기 증여받은 재산가액은 동일인으로부터 10년 이내의 것에 한한다(법령해석재산 – 0157, 2016.8.19. 등). 한편 위에서 소득세 상당액에 대한 세율은 아래와 같이 별도로 되어 있다.

초과배당금액	율
5,220만 원 이하	초과배당금액 × 100분의 14
5,220만 원 초과 8,800만 원 이하	731만 원 + (5,220만 원을 초과하는 초과배당금액 × 100분의 24)
8,800만 원 초과 1억 5천만 원 이하	1,590만 원 + (8,800만 원을 초과하는 초과배당금액 × 100분의 35)
1억 5천만 원 초과 3억 원 이하	3,760만 원 + (1억 5천만 원을 초과하는 초과배당금액 × 100분의 38)
3억 원 초과 5억 원 이하	9,460만 원 + (3억 원을 초과하는 초과배당금액 × 100분의 40)
5억 원 초과 10억 원 이하	1억 7,460만 원 + (5억 원을 초과하는 초과배당금액 × 100분의 42)
10억 원 초과	3억 8,460만 원 + (10억 원을 초과하는 초과배당금액 × 100분의 45)

셋째, 초과배당금액을 자녀가 아닌 직계비속이 수령하는 경우에는 세대생략 할증과세가 적용된다.

자녀가 있는데 이를 건너뛰어 손자·손녀에게 직접 증여하는 경우 이러한 규정이 적용된다. 산출세액의 30%(4%)가 가산된다. 2018년 1월 1일 이후에 증여받은 분부터 적용한다.

넷째, 배당소득의 귀속은 이익잉여금 처분결의일이 속하는 연도가 된다.

예를 들어 이익잉여금 처분 결의를 2021년 3월에 한 경우 2021년의 배당소득에 해당한다는 것이다. 이의 지급시점에서는 지급금액의 15.4% 상당액을 소득세와 지방소득세로 원천징수해야 한다.

3 초과배당관련 세무리스크 심화 사례

위의 사례에서 배우자와 자녀가 초과배당에 따른 세금을 어떤 식으로 부담해야 하는가?

사례의 배우자가 초과배당을 통해 받은 증여금액은 2억 원에 불과하므로 증여세가 산출되지 않는다. 배우자간의 증여재산공제가 6억 원까지 적용되기 때문이다. 따라서 배우자는 소득세법에 의한 소득세만 납부하면 될 것으로 보인다. 그런데 자녀의 경우에는 5천만 원 초과한 금액에 대해서는 증여세가 발생한다. 초과배당액 4억 원에서 소득세 상당액 1억 3,460만 원과 증여공제 5천만 원을 차감한 1억 6,540만 원에 20%(누진공제 1천만 원)를 적용하면 증여세는 3,308만 원이 된다. 그리고 실제 소득세액을 계산해 위와 같은 방식으로 증여세를 계산해 먼저 납부한 증여세를 최종 정산을 하게 된다. 참고로 앞의 소득세 상당액은 초과배당액 4억 원에 대해 앞 페이지의 세율을 적용해 계산했다.

제6절 일감몰아주기관련 세무리스크 관리법

법인간의 일감몰아주기를 통해 수혜를 입은 법인의 주주가 증여세를 신고해야 하는 경우가 있다. 법인간의 일감몰아주기를 통해 이익을 얻으면 이에 대해 증여세를 과세할 수 있기 때문이다. 하지만 법인간에 일감을 몰아주어 이익을 얻었다고 해서 무조건 과세되는 것은 아니다. 세법에서 정한 과세대상이나 과세요건 등에 부합해야 하기 때문이다.

1 일감몰아주기관련 세무리스크 발생 사례

서울에 소재하고 있는 A법인은 건설업을 영위하며 최근 3년 평균매출은 대략 50억 원이 된다. 이 기업의 지분은 부 40%, 모 20% 등이 보유하고 있다. 한편 수혜법인도 건설업을 영위 중에 있으며 평균매출은 10억 원 정도 되며, 이 기업의 지분은 자1 30%, 자2 25%, 부 20% 등으로 구성되어 있다.

- 상황1 : 일감을 몰아주면 무슨 세금이 나오는가?
- 상황2 : 일감몰아주기에 대한 증여세 과세대상자는?

- 상황3 : 증여세가 부과되는 요건은?
- 상황4 : 사례의 경우 증여세가 부과되는가?

위의 상황에 대한 답을 찾아보자.

(상황1) 일감을 몰아주면 무슨 세금이 나오는가?

현행 「상증법」 제45조의3에서는 특수관계에 있는 법인으로부터 일감을 받은 수혜법인이 영업이익을 발생시킨 경우 이 수혜법인의 주주에게 증여세를 과세한다. 따라서 기본적으로 특수관계가 성립하지 않거나 일감몰아주기를 통해 영업이익이 발생하지 않으면 이 제도를 적용하지 않는다. 참고로 여기서 특수관계는 수혜법인의 지배주주(가족 등 포함) 등이 30% 이상 출자하고 있는 법인 등에 해당되어야 한다. 따라서 사례의 경우는 이러한 특수관계법인에 해당한다. 세부적인 특수관계법인의 범위에 대해서는 「상증령」 제2의2 제1항을 참조하자.

(상황2) 일감몰아주기에 대한 증여세 과세대상자는?

일감을 받은 법인(수혜법인)의 주주 중 주식보유비율이 중소기업인 경우 10%(중견기업 10%, 일반기업 3%)를 초과한 개인 주주에 대해 과세한다. 따라서 수혜법인의 주주가 이 비율 이하로 보유하고 있다면 과세하지 않는다. 결국 이 규정에 따라 과세가 되려면 10%(중소기업) 이상 주식을 보유하고 있어야 할 것으로 보인다.

(상황3) 일감몰아주기에 대해 증여세가 부과되는 요건은?

수혜법인의 매출액 중 특수관계법인과의 매출액이 차지하는 비율이 50%(중견기업은 40%, 일반기업은 30%)을 초과하는 경우에 증여세가 부과된다. 따라서 이 비율 이하는 정상적인 거래라 보고 이 규정을 적용하지 않는다. 그런데 이때 비율을 계산할 때 중소기업인 수혜법인과 중소기업인 특수관계법인 간에 발생한 매출액은 제외한다. 여기서 중소기업은 「조특법」 제2조 등에서 규정하고 있는 중소기업을 말하므로 이 부분을 점검하면 좋을 것으로 보인다. 중소기업에 해당하면 이 규정을 적용하지 않을 가능성이 높기 때문이다. 참고로 앞의 특수관계법인과의 거래비율은 아래와 같이 계산한다.

(특수관계법인에 대한 매출액 − 과세제외매출액)/(수혜법인의 사업연도 매출액 − 과세제외매출액) × 100

(상황4) 사례의 경우 증여세가 부과되는가?

사례의 경우 수혜법인과 특수관계법인이 영위하는 건설업은 모두 「조특법」상 중소기업에 해당한다. 따라서 특수관계에 있는 법인과 거래를 통해 발생한 매출액은 제외하고 거래비율을 정해야 한다. 그 결과 특수관계법인과의 매출이 전혀 없고 이 비율이 50%에 미달되므로 수혜법인의 주주들은 본 규정에 의한 증여세를 내지 않아도 된다.

2 일감몰아주기관련 세무리스크 관리법

일감몰아주기를 통해 주주간의 부가 이전되는 경우에는 증여세가 부과될 수 있다. 이하에서는 이와 관련된 세무리스크 관리법을 알아보자.

첫째, 과세대상을 정확히 파악하자.

일단 과세대상이 되기 위해서는 두 개의 법인이 존재해야 한다. 그리고 이러한 상황이라도 수혜를 입은 법인의 주식을 간접지분을 포함해서 중소·중견기업 10%(일반기업 3%) 넘게 보유하고 있어야 한다. 따라서 이러한 요건을 충족하지 못한 소액주주는 위 규정을 적용하지 않는다. 참고로 일감을 몰아주는 기업이 개인기업이고 수혜를 입은 쪽은 법인인 경우에도 이 규정이 적용되지 않는다. 이 규정은 일감을 몰아준 법인의 주주가 일감을 받은 법인의 주주에게 부를 이전하는 것에 대해 과세하는 규정이기 때문이다.

둘째, 과세요건 파악도 중요하다.

일단 과세대상자가 되었다고 하더라도 무조건 과세되는 것이 아니라 세법에서 정하고 있는 과세요건을 충족해야 한다. 이 중 중요한 것은 수혜법인의 총 매출액 중 일감을 몰아준 특수관계법인과의 매출액이 중소기업 50%·중견기업 40%·일반기업 30%을 초과하는지의 여부이다. 이 비율이 50% 등 이하가 되면 역시 과세대상에서 제외되기 때문이다. 따라서 특수관계법인간 매출액이 중소기업은 50%, 중견기업은 40%, 일반기업은 30%이 초과하면 이의 규정이 적용될 수 있으므로 이 비율 이하가 되도록 관리하는 것이 좋다. 다만, 이때 참고할 것은 두 개의 법인이 모두 「조특법」상 중소기업에 해당하면 이의 매출을 제외하고 거래비율을 산정한다는 것이다. 따라서 중소기업 간의 일감몰아주기는 세법상 문제가 없다고 봐도 될 것으로 보인다.

셋째, 증여이익 계산은 이렇게 한다.

이상의 내용을 확인한 결과 위 규정이 적용된다고 하자. 이 경우에는 과세가 진행되므로 증여금액을 정확히 계산하는 것이 중요하다. 실무적으로 아래와 같이 증여이익을 계산한다.

> 증여의제금액＝세후영업이익×{특수관계법인간 거래비율－중소 50%(중견 20%・일반 5%)}×{주식보유비율－중소 10%(중견 5%)}

이 식을 보면 수혜법인의 세후영업이익을 계산한 다음 특수관계법인간 거래비율과 과세대상자의 주식보유비율을 곱해 증여금액을 계산한다. 그런데 특수관계법인간 거래비율을 계산할 때 중소기업 50%・중견기업 20%・일반기업 5%를 차감하며, 주식보유비율에서는 중소기업은 10%, 중견기업은 5%를 차감한다. 이렇게 거래비율 등에서 일정률을 차감해주기 때문에 실제 증여세가 과세되는 이익이 상당히 많이 축소되는 효과가 발생한다.

넷째, 신고・납부방법 등에 유의하자.

이렇게 계상된 증여이익은 수혜법인의 각 사업연도 종료일이 증여시기가 되며, 수혜법인의 법인세 신고기한이 속하는 달의 말일부터 3개월이 되는 날까지 증여세를 신고・납부해야 한다. 따라서 12월말 법인의 경우 다음 해 6월 말일까지 신고 및 납부를 해야 한다. 참고로 이 규정에 의해 증여가 된 경우 해당 금액은 다른 증여재산에 합산되지 않고 그대로 과세가 종결된다. 즉 증여세 10년 합산규정이 적용되지 않는다.

Tip | 일감몰아주기관련 세무플로우

일감몰아주기에 따른 증여이익은 다음과 같은 절차를 따라 구체적으로 계산할 수 있다
(국세청 자료). 앞의 내용들과 대조해서 보기 바란다.

| 1단계 | • **지배주주의 확정**
　① 수혜법인의 주주 중 최대주주 등 그룹 선정
　② 그 중 직·간접 주식보유 지분이 가장 큰 개인주주 확정 |

$\downarrow$

| 2단계 | • 특수관계법인과의 **매출액 비율** 50%(40%, 30%) **초과** 여부 확인
　① 수혜법인의 매출처 중 지배주주와 특수관계에 있는 법인 파악
　② 그 법인들에 대한 매출액 합계액이 총 매출액에서 차지하는 비율이
　　50%(40%, 30%)를 초과하는지 여부 확인 |

50%(40%, 30%) 초과　　　이하 → 과세 제외

| 3단계 | • **수증자 확정**
　① 수혜법인의 지배주주와 그 친족 확인
　② 그들 중 직·간접 주식보유비율이 10%(3%)를 초과하는 개인주주 확정 |

10%(3%) 초과　　　이하 → 과세 제외

| 4단계 | • **증여의제이익 산정**
　- 증여의제 이익 : ① × ② × ③
　　① 세후 영업이익
　　② 특수관계법인들과의 거래비율 - 50%(20%, 5%)
　　③ 수증자의 직·간접 주식보유비율 - 10%(5%, 0%)
　- 주식 직·간접 보유분 별로 구분하여 계산 (㉠ + ㉡)
　　㉠ 주식 직접보유분 관련 이익
　　㉡ 주식 간접보유분 관련 이익(간접출자법인과의 거래분 조정) |

Tip

■ 일감떼어주기에 대한 증여세 과세(「상증법」 제45조의4, 특수관계법인으로부터 제공받은 사업기회로 발생한 이익의 증여의제)

이 제도는 앞의 일감몰아주기와는 달리 일정한 법인으로부터 사업기회를 제공받은 법인이 이익을 본 경우 이 수혜법인의 지배주주 등에게 증여세를 부과하는 제도를 말한다. 여기서 사업기회란 특수관계법인이 직접 수행하거나 다른 사업자가 수행하고 있던 사업기회를 임대차계약, 입점계약 등 기획재정부령으로 정하는 방법(임대차계약, 입점계약, 대리점계약 및 프랜차이즈계약 등 명칭 여하를 불문한 약정을 말함)으로 제공받는 경우를 말한다.

제7절 비상장주식의 양도와 증여, 상속관련 세무리스크 관리법

비상장 중소기업의 주식을 보유하고 있는 상황에서 이를 자녀 등에게 이전하는 방법에는 양도와 증여 그리고 상속 등이 있다. 지금부터는 비상장 중소기업의 주식과 관련된 세법상 쟁점들과 세무리스크 관리법 등을 살펴보도록 하자.

1 비상장주식관련 세무리스크 발생 사례

경기도 평택시에 소재한 K법인은 비상장법인에 해당한다. 이 법인의 대주주인 K씨는 그가 보유한 주식 1만 주를 성년인 자녀 3명에게 균등하게 직접양도 또는 증여를 하고자 한다. 자료가 다음과 같을 때 양도소득세와 증여세를 비교하여 유리한 결과를 도출하라.

 자료

- 「상증법」상 1주당 평가액 : 30,000원(총 3억 원)
- 1주당 취득가액 : 5,000원(총 5천만 원)
- 양도소득세 계산 시 기본공제 등은 무시

위의 자료를 가지고 먼저 양도소득세와 증여세를 비교하면 다음과 같다.

구분	양도소득세	증여세
산출세액	2,500만 원(지방소득세 포함 시 2,750만 원)	1,500만 원
계산근거	(1억 원－5천만 원×1/3)×10%×3명	(1억 원－5천만 원)×10%×3명

위의 결과를 보면 양도소득세는 총 2,500만 원(지방소득세 포함 시 2,750만 원)이나 증여세는 1,500만 원에 불과하다. 이렇게 증여세가 양도소득세보다 저렴한 것은 양도가액에서 차감되는 취득가액 5천만 원보다 증여재산공제 1억 5천만 원(1명당 5천만 원)이 더 크기 때문이다.

 추가분석

위의 사례에서 증여하고자 하는 가액이 총 9억 원이라면 위의 결과는 어떻게 달라질까?

구분	양도소득세	증여세
산출세액	8,500만 원(지방소득세 포함 시 9,350만 원)	1억 2천만 원
계산근거	(3억 원－5천만 원×1/3)×10%×3명	[(3억 원－5천만 원)×20%－1천만 원]×3명

그런데 위의 결과는 앞의 결과와 반대로 증여세가 더 많이 나왔다. 공제금액은 전과 동일하나 증여세율이 20%로 증가되었기 때문이다.

● 비상장 중소기업주식에 대한 양도소득세 세율

일반기업의 대주주가 1년 미만 보유 후 양도 시는 30%, 중소기업주식은 20%(과세표준 3억 원 초과분은 25%), 그 밖의 경우에는 20%로 과세하고 있다.

2 비상장주식관련 세무리스크 관리법

(1) 비상장주식의 평가

비상장주식은 「상증령」 제54조에 따라 평가하는 것이 원칙이다. 이하에서는 이 규정의

골격 정도만 보고 자세한 것들은 세무전문가를 통해 확인해 보자.

---

① 법 제63조 제1항 제1호 나목에 따른 주식등(이하 이 조에서 "비상장주식등"이라 한다)은 1주당 다음의 계산식에 따라 평가한 가액(이하 "순손익가치"라 한다)과 1주당 순자산가치를 각각 3과 2의 비율[부동산과다보유법인(「소득세법」 제94조 제1항 제4호 다목에 해당하는 법인을 말한다)의 경우에는 1주당 순손익가치와 순자산가치의 비율을 각각 2와 3으로 한다]로 가중평균한 가액으로 한다. 다만, 그 가중평균한 가액이 1주당 순자산가치에 100분의 80을 곱한 금액보다 낮은 경우에는 1주당 순자산가치에 100분의 80을 곱한 금액을 비상장주식 등의 가액으로 한다.
- 1주당 가액 = 1주당 최근 3년간의 순손익액의 가중평균액 ÷ 3년 만기 회사채의 유통수익률을 감안하여 기획재정부령으로 정하는 이자율

② 제1항의 규정에 의한 1주당 순자산가치는 다음의 산식에 의하여 평가한 가액으로 한다.
- 1주당 가액 = 당해 법인의 순자산가액 ÷ 발행주식총수(이하 "순자산가치"라 한다)

위의 내용을 요약하면 일반법인의 비상장주식의 주식평가는 다음과 같이 한다. 즉 순손익가치와 순자산가치를 3와 2의 비율(부동산가액이 50% 이상인 경우는 2와 3의 비율)로 가중평균하여 이를 계산한다.

일반법인의 1주당 평가액

$$= \frac{1주당\ 순손익가치 \times 3 + 1주당\ 순자산가치 \times 2}{5}$$

---

(2) 할증평가

2020년 이후부터는 중소기업의 주식에 대해서는 할증평가를 하지 않으며, 그 외 일반기업의 주식에 대해서만 최대주주에 한해 20% 상당액을 할증평가한다.

(3) 비상장주식의 이전 시 주의할 것들

비상장주식을 양도나 상속 그리고 증여 등을 통해 이전할 때에는 앞에서 본 「상증법」상 시가와 차이가 나는 경우에는 다양한 규제가 뒤따르게 된다는 점에 주의해야 한다.

3 비상장주식관련 세무리스크 심화 사례

경기도 고양시에 위치한 Y법인의 대표이사인 김영중씨는 본인이 보유한 주식 중 1,000주를 미성년자인 자녀에게 매매나 증여를 통해 이전하려고 한다.

자료

① Y법인의 주식거래내역

날짜	금액(1주당)	거래 내역
20×4년 3월 1일	10,000원	증여금액
20×4년 5월 31일	20,000원	제3자간에 매매한 가액
20×4년 7월 1일	30,000원	제3자간에 매매한 가액

② 양도 또는 증여 예정일 : 20×4년 8월 1일

- 상황1 : 세법상 가격은 얼마로 책정해야 할까?
- 상황2 : 증여세 과세표준은 얼마인가?
- 상황3 : 만일 20×4년 7월 1일에 거래된 주식변동내역을 법인세 신고할 때 누락하였다면 어떤 불이익이 있는가?

위의 상황에 순차적으로 답을 하면 다음과 같다.

(상황1) 세법상 가격은 얼마로 책정해야 할까?

증여 또는 양도를 하고자 하는 경우 증여일 등을 기준으로 3개월 전의 매매사례가액이 시가가 된다. 따라서 20×4년 3월 1일과 7월 1일이 모두 매매사례가액에 해당하나, 이 중 증여일 등과 가까운 7월 1일의 가격이 증여가액 등이 된다. 따라서 세법상 적정가격은 다음과 같이 결정된다.

세법상 적정가격＝1,000주 × @30,000원＝3천만 원

(상황2) 증여세 과세표준은 얼마인가?

미성년자의 경우 10년간 2천만 원을 공제하므로 1천만 원이 증여세 과세표준이 된다.

(상황3) 만일 20×4년 7월 1일에 거래된 주식변동내역을 법인세 신고할 때 누락하였다면 어떤 불이익이 있는가?

주식이동이 된 경우 이러한 내용은 법인세신고할 때 주식등변동상황명세서상에 기록이 되어야 한다. 만일 이를 누락한 경우에는 미기재된 금액의 1% 상당액을 가산세로 부과한다.

주식변동조사대상자의 선정(상증세사무처리규정 제33조)

지방국세청장(조사담당국장) 또는 세무서장(재산세과장)은 다음 각 호의 어느 하나에 해당되면 주식변동과 관련한 각종 세금을 누락한 혐의에 대하여 수시로 주식변동조사 대상자로 선정할 수 있다.

- 탈세제보, 세무조사 파생자료, 정보자료 등에 따라 주식변동조사가 필요한 경우
- 법인세조사(조사사무처리규정 제50조 제1항에 따른 법인세 등의 통합조사를 포함한다) 중 해당 법인에 대한 주식변동조사가 필요한 경우
- 상속세 및 증여세를 조사 결정함에 있어 상속 또는 증여받은 주식과 관련하여 해당 법인에 대한 주식변동조사가 필요한 경우
- 주식변동과 관련한 각종 세금을 누락한 혐의가 발견되어 해당 법인에 대한 주식변동조사가 필요한 경우

🔑 Tip

■ 비상장 중소기업주식에 대한 절세전략

- 비상장 중소기업의 주식을 양도하면 양도소득세율이 10~25%가 된다.
- 따라서 주식을 자녀 등에게 이전시킬 때에는 증여나 상속보다는 매매방식을 통해 이전하는 것을 검토하도록 한다.
- 다만, 이때 양도가액이 세법상 평가액과 차이가 나면 안 되며, 주식인수자가 대금을 정확히 지급해야 함에 주의해야 한다.

제8절 가업승계를 위한 증여세 과세특례관련 세무리스크 관리법

가업승계의 목적으로 부모가 운영하고 있는 중소기업의 주식을 미리 증여받을 수 있다. 이때 세법은 가업승계를 원활히 해주기 위해 증여세 과세특례제도(「조특법」 제30조의6)를 운영하고 있는데, 이의 적용과 사후관리측면에서 주의해야 할 것들이 있다. 이와 관련된 세무리스크 발생 사례 및 이에 대한 관리법을 살펴보자.

1 가업승계를 위한 증여세 과세특례관련 세무리스크 발생 사례

K법인의 대주주인 김영민씨는 현재 이 법인의 회장으로 재직하고 있다. 그는 보유하고 있는 주식을 자녀에게 미리 상속하고자 한다.

> **자료**
>
> • 현재 20년 이상 중소기업으로 운영 중
> • 김씨의 보유주식 지분율 : 50%
> • 김씨의 자녀는 현재 가업에 종사하고 있으며, 5년 내에 대표이사로 취임할 예정임.

• 상황1 : 가업승계를 위해 미리 주식을 증여받으면 증여세를 어떤 식으로 내는가?
• 상황2 : 증여자는 증여 당시 반드시 대표이사로 재직하고 있어야 하는가?
• 상황3 : 사례의 경우 증여세 특례를 받을 수 있는가?
• 상황4 : 주식가액은 어떻게 평가하는가?
• 상황5 : 주식에 대한 증여세를 내면 향후 상속세는 과세되지 않는가? 만일 상속세가 과세되면 가업상속공제를 적용받을 수 있는가?

위의 상황에 대한 답을 찾아보면 다음과 같다.

(상황1) 가업승계를 위해 미리 주식을 증여받으면 증여세를 어떤 식으로 내는가?

원래 증여세는 증여재산가액에서 증여재산공제(5천만 원 등)를 한 과세표준에 10~50%의 세율을 적용하나, 가업승계를 위한 증여세 특례에서는 증여재산가액에서 5억 원을 공제한 금액에 대해 10%(과세표준 30억 원을 초과 시는 20%)을 적용한다. 이 제도는 최대 100억 원까지 적용된다. 다만, 이러한 특례를 적용받기 위해서는 증여자가 증여일로부터 소급하여 10년 이상 계속하여 경영을 해야 하고, 특수관계인의 지분율을 포함하여 10년 이상 50%(상장은 30%) 이상 지분율을 계속 유지하여야 한다. 한편 수증자는 수증일로부터 5년 이내에 대표이사에 취임해야 하는 등의 조건을 충족해야 한다.

(상황2) 증여자는 증여 당시 반드시 대표이사로 재직하고 있어야 하는가?

그렇지 않다. 증여자는 대표이사로 재직하지 않아도 실제 경영에 참여하고 있으면 족하다. 참고로 이렇게 증여세 특례를 받은 경우에는 상속이 개시되어 가업상속공제(최대 500억 원 공제)를 적용할 때 피상속인에 대해서는 대표이사 재직요건을 적용하지 않는다(세법의 배려).

(상황3) 사례의 경우 증여세 특례를 받을 수 있는가?

사례의 경우 10년 이상 가업을 운영하고 있고 증여자는 실제 경영에 참여하고 있고 지분율 조건도 충족하고 있다. 한편 수증자는 향후 5년 이내에 대표이사로 임명될 예정이므로 이 특례가 적용된다고 할 수 있다.

(상황4) 주식가액은 어떻게 평가하는가?

세법에서 정한 방법으로 주식을 평가해야 한다. 상장주식은 증여일 전후 2개월간의 종가 평균, 비상장주식은 순손익가치와 순자산가치를 2:3 등의 비율로 가중평균한다.

(상황5) 주식에 대한 증여세를 내면 향후 상속세는 과세되지 않는가? 만일 상속세가 과세되면 가업상속공제를 적용받을 수 있는가?

그렇지 않다. 증여세 과세특례를 받은 주식은 향후 상속개시시점과 무관하게 상속재산에 무조건 합산해서 상속세로 정산해야 한다. 이때 합산되는 가액은 증여당시의 가액이 된다. 따라서 이 제도는 주식가치가 상승할 가능성이 높은 상황에서 적용하면 좋다. 한편 증여세 특례를 받은 후 향후 상속이 발생하면 증여재산가액에 대해서도 가업영위기간에 따라 최대 200~500억 원까지 가업상속공제를 적용받을 수 있다(「상증법」 제18조).

참고로 기납부 증여세액은 상속세액에서 차감되나, 기납부 증여세액이 큰 경우 그 차액은 환급되지 않는다(조특법 제30의6 ③). 따라서 주가가 하락할 가능성이 높은 경우에는 이 특례제도의 유용성이 줄어들 가능성이 높다.

2 가업승계를 위한 증여세 과세특례관련 세무리스크 관리법

「조세특례제한법」제30조의6의 규정에 따라 증여세 과세특례를 받기 위해서는 아래와 같은 내용들에 대해 주의해야 한다.

첫째, 가업요건부터 확인하자.

해당 가업은 「상증법」시행령 별표1에 해당하는 업종으로서 중소기업 및 중견기업(매출 3천억 원 이하)에 해당되어야 한다. 한편 증여자인 부모가 10년 이상 계속하여 경영한 기업에 해당되어야 한다.

둘째, 증여자의 요건은 이렇다.

증여자는 60세 이상의 부모(부모 사망 시 조부모 포함)에 해당되어야 한다. 또한 한편 증여자는 해당 기업의 주식을 특수관계인 지분율 포함하여 10년 이상 50%(상장 30%) 이상 계속 유지하여야 한다. 이때 증여자는 가업경영에 참여를 하고 있어야 한다. 대표이사직과는 무관하다.

셋째, 수증자의 요건은 이렇다.

수증자는 18세 이상인 거주자로서 증여세 과세표준 신고기한까지 가업에 종사해야 하고 증여일부터 5년 이내에 대표이사에 취임해야 한다. 한편 수증자가 가업을 승계받지 못하는 상황에서는 그의 배우자도 요건을 충족하면 특례를 적용한다. 이외 수증자가 공동대표이사가 된 경우에도 적용 가능하며, 이 경우에는 수증자 1인에 대해서만 이 제도가 적용된다.[86] 그리고 수회에 걸쳐 증여를 하더라도 이의 합산한 증여가액이 100억 원 이하이면 족하며 두 개의 기업의 주식을 증여한 경우 이를 합해 100억 원까지 이 제도를 적용한다.

넷째, 사후관리 요건에 주의해야 한다.

주식을 증여받은 자가 가업승계 후 주식등을 증여받은 날부터 7년 이내에 정당한 사유 없이 다음 각 호의 어느 하나에 해당하게 된 경우에는 그 주식가액에 대하어 증여세를 부과한다.

1. 가업에 종사하지 아니하거나 가업을 휴업하거나 폐업하는 경우
2. 증여받은 주식 등의 지분이 줄어드는 경우

---

86) 다만, 2020년 이후부터는 수증자가 2인 이상인 경우에도 이 규정을 적용한다. 이때 주식등을 증여받고 가업을 승계한 거주자가 2인 이상인 경우에는 각 거주자가 증여받은 주식등을 1인이 모두 증여받은 것으로 보아 증여세를 부과한다. 이 경우 각 거주자가 납부하여야 하는 증여세액은 대통령령으로 정하는 방법에 따라 계산한 금액으로 한다(「조특법」제30조의6 제2항).

앞의 1호의 경우 수증자(수증자의 배우자 포함)가 주식 등의 증여일부터 5년 이내에 대표이사로 취임하지 아니하거나 7년까지 대표이사직을 유지하지 아니하는 경우, 가업의 주된 업종을 변경하는 경우(단, 매출액이 사업연도 종료일을 기준으로 전체 매출액의 100분의 30 이상인 경우는 제외), 가업을 1년 이상 휴업(실적이 없는 경우를 포함한다)하거나 폐업하는 경우 등을 말한다.

한편 2호의 경우는 수증자가 증여받은 주식등을 처분하는 경우 등을 말하나, 상장규정의 상장요건을 갖추기 위하여 지분을 감소시킨 경우 등은 제외한다. 참고로 이 특례제도에서는 가업상속공제와는 달리 종업원 고용유지 의무를 두고 있지 않다.

다섯째, 가업상속공제제도와의 관계에도 주의해야 한다.

증여세 특례대상인 주식등을 증여받은 후 상속이 개시되는 경우 주식증여분은 상속재산가액에 포함된다. 다만, 상속개시일 현재 다음 각 호의 요건을 모두 갖춘 경우에는 「상증법」 제18조 제2항 제1호에 따른 가업상속으로 보아 가업상속공제 등을 적용한다.

1. 「상증법」 시행령 제15조 제3항에 따른 가업에 해당할 것. 다만, 「상증법」 시행령 제15조 제3항 제1호 나목은 적용하지 아니한다(즉 피상속인의 대표이사 재직요건은 적용하지 않는다).

2. 수증자가 증여받은 주식등을 처분하거나 지분율이 낮아지지 아니한 경우로써 가업에 종사하거나 대표이사로 재직하고 있을 것

 Tip

■ 가업승계에 대한 증여세 과세특례 요약

자녀 등이 다음의 요건을 충족한 상태에서 주식을 증여받으면 증여세 과세가액에서 5억 원을 공제하고 증여세 세율 10%를 적용한다. 최고 100억 원까지 주식을 증여받을 수 있다. 다만, 사전에 증여받은 주식은 상속세 계산 시 무조건 정산되며, 이에 대해서는 가업상속공제(500억 원 한도)도 적용된다.

구분	내용
대상	18세 이상인 거주자가 가업을 10년 이상 계속하여 경영한 60세 이상의 부모로부터 해당 가업의 승계를 목적으로 주식을 증여받고 가업을 승계받은 경우
요건	증여세 신고기한까지 가업에 종사하고 증여일로부터 5년 이내에 대표이사에 취임
신청	증여세 과세표준 신고기한까지 가업승계 주식등 증여세 과세특례적용신청서를 납세지관할세무서장에게 제출해야 한다. 만일 이를 신청하지 않으면 특례를 적용하지 아니한다.

제9절 주식명의신탁관련 세무리스크 관리법

알게 모르게 남의 명의로 주식을 보유한 일들이 많다. 이러한 주식을 명의신탁주식이라고 하는데, 이는 탈세를 위해 시도되는 경우가 많아 세법은 이에 대해 증여세를 부과하는 식으로 대응하고 있다(「상증법」 제45조의2). 주식명의신탁과 관련된 세무리스크 발생 사례 및 이에 대한 관리법에 대해 알아보자.

1 주식명의신탁관련 세무리스크 발생 사례

경기도 화성에 위치한 (주)승리는 1992년도에 설립되었다. 당시 상법상 주주는 7인 이상이 되어야 법인설립이 가능하였는 바 이때 친인척명의를 빌려 주식을 명의신탁하고 자본금 5천만 원짜리 법인을 설립하였다(주주 구성비율 대표이사 40%, 대표이사 동생 20%, 나머지 5인에게 40%를 명의신탁).

- 상황1 : 명의신탁주식에 대한 증여세는 누가 부담하는가?
- 상황2 : 명의신탁주식에 대한 증여세가 과세되기 위한 요건은?
- 상황3 : 위 사례에서 명의신탁주식을 환원하면 증여세가 나오는가?

위의 상황에 대해 순차적으로 답을 찾아보자.

(상황1) 명의신탁주식에 대한 증여세는 누가 부담하는가?

2019년 이전에는 명의를 수탁한 자가 증여세를 부담했지만, 이후에는 실제 소유자가 납세의무자가 된다.

(상황2) 명의신탁주식에 대한 증여세가 과세되기 위한 요건은?

위의 명의신탁된 주식이 「상증법」상 명의신탁주식에 해당되어 증여의제가 되기 위해서는 우선 '조세회피목적'이 있어야 한다. 헌법재판소 판례(2004헌바40, 2005.6.30.)에서는 ⓐ 증여세 조세회피 목적 ⓑ 주식소유를 분산하여 주식배당합산과세 회피 ⓒ 명의신탁을 이용하여 주식을 미리 상속인에게 이전하여 상속세 회피 ⓓ 지방세법에 의하여 취득세 회피 ⓔ 과점주주에 대한 누진적 양도소득세 부담을 경감 ⓕ 명의신탁을 통하여 제2차 납세의무자가 되지 않도록 하거나 지분율을 줄여 조세회피 또는 경감하는 행위 등을 조세회피목적이 있는 경우로 예시하고 있다.

🔵 명의신탁재산 증여의제 과세요건(「상증법」 집행기준 45의2-0-3)

① 등기·등록·명의개서 등을 요하는 자산이어야 한다.
② 실지소유자와 명의자가 달라야 한다.
③ 조세회피목적이 있어야 한다.

(상황3) 위 사례에서 명의신탁주식을 환원하면 증여세가 나오는가?

명의신탁해지를 통해 실제 소유자인 위탁자 명의로 환원된 주식에 대해서는 증여세가 부과되지 않는다. 실소유자로 반환되었기 때문이다. 다만, 당초 수탁자에게 명의신탁된 주식에 대해서는 증여세를 과세하는 것이 원칙이다. 그런데 사례의 경우 당초 5명에게 명의신탁된 주식은 법인설립 당시 7인의 발기인이 필요해 명의신탁한 것에 해당하므로 조세회피목적과는 거리가 멀다. 따라서 「상증법」상 주식명의신탁에 따른 증여의제규정은 적용되지 않는다. 참고로 명의신탁주식을 실소유자로 환원 시 명의신탁약정서, 배당금 수령내역, 주금납입사실 증명 및 증자대금의 출처 등 객관적인 증빙자료 등으로 이 사실을 확인한다.

> **사례**

만일 위의 (주)승리가 조세회피목적으로 주식을 명의신탁했다면 이에 대해서는 증여세가 부과될까?

조세회피목적으로 주식을 명의신탁한 경우로써 국세부과 제척기간 내에서 이 사실이 적발되면 증여세를 과세하는 것이 원칙이다. 이때 명의신탁에 따른 증여세부과 제척기간은 통상 15년(은닉재산 가액의 합계액이 50억 원을 초과하는 경우 당해 재산의 상속·증여가 있음을 안 날부터 1년 내 등)이 적용된다. 그런데 여기서 쟁점은 증여의제시기를 언제로 보느냐 하는 것이다. 이에 따라 제척기간 기산일이 달라지기 때문이다. 이에 세법은 명의자로 명의개서한 날 등을 원칙적인 증여의제시기로 본다. 다만, 장기간 명의개서하지 않은 주식 등의 증여의제시기는 아래와 같이 정하고 있음에 유의할 필요가 있다(「상증법」 집행기준 45의2-0-11).

미명의개서 주식의 구분	증여의제시기
① 2002.12.31 이전 취득한 경우에는 2003.1.1. 취득한 것으로 의제	소유권취득일이 속하는 연도의 다음 연도 말일의 다음날 → 2005.1.1 증여의제 시기
② 2003.1.1. 이후 취득한 경우	소유권취득일이 속하는 연도의 다음 연도 말일의 다음날

따라서 사례의 경우, 위 표 ①에 의해 2005.1.1.이 증여의제시기가 되므로 증여세 신고·납부 기한의 다음 날부터 15년 내인 2020.4.1.(15년+3개월) 내에 이 사실이 적발되면 당초 명의 신탁분에 대해서는 증여세가 부과될 가능성이 높다.

2 주식명의신탁관련 세무리스크 관리법

명의신탁된 주식을 보유하고 있는 경우 위와 같은 증여세 과세문제가 있을 뿐만 아니라, 소유권을 두고 분쟁이 일어나거나 제2차 납세의무문제 등으로 다툼이 일어나는 등의 예기 치 못한 일들이 발생할 수 있다. 이외에도 주식의 양도나 상속, 증여 등의 행위 시마다 다양 한 세무상 쟁점들이 발생하는 경우가 많아 이래저래 세무리스크가 증가되는 경우가 많다. 이하에서 주식명의신탁관련 세무리스크를 관리하는 방법들을 알아보자.

첫째, 조세회피목적이 있는지의 여부를 확인한다.

주식명의신탁과 관련된 세무리스크를 피하기 위해 가장 좋은 방법은 명의신탁을 하지 않 는 것이다. 다만, 이미 일이 벌어진 경우에는 조세회피목적이 있었는지 여부부터 확인하는 것이 좋다. 앞에서 본 것처럼 회사설립 시 발기인 수를 채우기 위해 부득이하게 명의신탁한 경우 등은 해당 규정을 적용하지 않기 때문이다. 하지만 이러한 경우를 제외하고는 대부분 조세회피의 목적(제2차 납세의무 회피 등)이 있는 것으로 볼 가능성이 높음에 유의해야 한 다. 실무적으로 명의신탁 증여의제 규정을 적용함에 있어 조세회피목적은 추정되며, 조세 회피목적이 있는지 여부에 대한 입증책임은 납세자(명의자)에게 있음도 알아둬야 한다(「상 증법」 제45조의2 제3항).

둘째, 국세부과 제척기간을 확인한다.

명의신탁한 주식을 실제 소유자인 위탁자 명의로 환원하는 경우에 그 환원된 주식은 증 여로 보지 않는다. 하지만 당초 명의신탁한 주식에 대해서는 증여세를 과세하는 것이 원칙 이나, 이내 국세부과 제척기간(통상 15년) 내인지의 여부를 확인하는 것이 중요하다. 이 기 간을 벗어난 경우에는 원칙적으로 과세할 수 없기 때문이다. 이때 주의할 것은 명의신탁에 의한 증여의제시기를 언제부터 볼 것인가이다. 이에 대해서는 앞에서 본 기준(소유권취득 일이 속하는 연도의 다음 연도 말일의 다음날 등)을 사용함에 유의해야 한다.

참고로 국세부과 제척기간은 앞에서 정해진 증여일이 속하는 달의 말일부터 3개월의 다 음날부터 기산한다.

셋째, 명의를 환원할 것인지 등을 결정한다.

이런 저런 사유로 주식을 명의신탁했다면 이를 환원할 것인지, 다른 대안이 있는지 등을 점검해야 한다. 이때 예상되는 추징세금의 크기를 검토해야 한다. 증여세를 계산할 때 증여재산가액은 증여일 현재의 시가에 의하되, 시가를 산정하기 어려운 경우에는「상증법」상 보충적 평가방법에 따라 평가한다.

한편 증여세 무신고에 따른 가산세는 통상 부정무신고가산세율(40%)이 적용된다. 이외에 명의신탁증여의제로 증여세가 과세되는 경우, 2004.1.1일 이후 증여하는 분부터는 직계존비속 및 친족공제 등 증여재산공제가 적용되지 않음에도 유의해야 한다.

넷째, 보유하고 있는 명의신탁주식이 과거 법인설립 시 상법상 발기인 규정으로 인해 부득이하게 보유하고 있으나 이 사실을 입증하기 어렵거나 세금부담 등을 염려하여 실제소유자 명의로 환원하지 못하고 있는 경우에는 국세청이 운영하고 있는「명의신탁주식 실제소유자 확인제도」를 활용하는 것도 좋다. 이는 다소 증빙서류가 미비하더라도 신청서류와 국세청 보유자료 등을 활용하여 간소한 절차로 명의신탁주식의 환원이 이루어지도록 하는데 그 취지가 있다(구체적인 신청요건 등은「상증세 사무처리규정」제9조의2 참조).

3 주식명의신탁관련 세무리스크 심화 사례

경기도 화성에 위치한 (주)승리는 1992년도에 설립되었다. 당시 상법상 주주는 7인 이상이 되어야 법인설립이 가능하였는데, 이때 친인척명의를 빌려 주식을 명의신탁하고 자본금 5천만의 법인이 설립되었다(주주 구성비율 대표이사 40%, 대표이사 동생 20%, 나머지 5인에게 40%를 명의신탁).

(주)승리의 오너이자 대표이사인 F씨는 명의신탁한 사람 5인에게 명의신탁확인서, 명의신탁해지약정서를 작성하여 공증을 받아 두고 대표이사명의로 신탁한 40%의 주식을 되찾아온다면 대표이사의 지분은 80%가 되는데 21년 전에 명의신탁한 주식에 대해 증여세는 과세되지 않을지 궁금하다. 물론 그 당시 주금납입 금융증빙은 확인할 수 없다.

위에 대한 상황에 대해 순차적으로 답을 찾아보자.

(1) 쟁점은?

위의 명의신탁된 주식이 「상증법」상 명의신탁주식에 해당되어 증여의제가 되기 위해서는 '조세회피목적'이 있어야 한다. 따라서 이에 대한 목적이 없었어야 함이 입증되어야 한다.

(2) 사례의 경우 조세회피목적이 있는가?

(주)승리는 법인설립 당시 7인의 발기인이 필요해 주식을 명의신탁하였으므로 조세회피목적이 없다. 따라서 앞의 규정은 적용되지 않는다.

(3) 결론은?

사례에 대해 결론을 내려 보자.

- 당초 21년 전에 명의신탁된 주식은 조세회피목적이 없었으므로 이에 대해서는 증여세 문제는 없다.
- 명의신탁해지를 통해 실제 실제소유자 명의로 환원된 주식에 대해서도 증여세를 부과하지 않는다.

참고로 앞에서 (주)승리가 조세회피목적으로 주식을 명의신탁했다면 명의신탁된 주식에 대해서는 증여세가 과세될까?

아니다. 1992년에 주식을 명의신탁한 사실이 입증되어 관할세무서장이 이를 인정하는 경우 주식 명의신탁 증여의제 부과제척기간은 10년(1993년 세법 「국세기본법」 제26조의2 제1항)이라고 한다(현재는 15년). 따라서 부과제척기간의 기산일은 증여세 신고기한의 다음날부터이므로 21년 전에 명의신탁한 것임이 입증되는 경우라면 부과제척기간은 10년이므로 제척기간이 만료된 것으로 보고 있다.

※ 명의신탁주식에 대한 국세부과제척기간을 판단할 때 증여일을 어떻게 보는지 이에 대한 판단이 상당히 까다롭다. 세무전문가들로부터 확인해 보기 바란다.

 Tip

■ 주식의 명의신탁관련 「상증법」 집행기준

주식의 명의신탁과 관련된 「상증법」 집행기준을 확대하여 살펴보자. 참고로 현재 국세청에서는 중소기업이 보유하고 있는 명의신탁주식에 대해서는 「명의신탁주식 실제소유자 확인제도」

를 시행하여 간소한 절차로 명의신탁주식의 실제소유자 환원을 지원하고 있으니 이 제도를 적극적으로 활용하는 것도 도움이 될 것으로 보인다(아래 참조).

1. 명의신탁(45의2 – 0 – 1)

   명의신탁은 실정법상의 근거 없이 판례에 의하여 형성된 신탁행위의 일종으로 수탁자에게 재산의 명의가 이전되지만 수탁자는 외관상 소유자로 표시될 뿐이고 적극적으로 그 재산을 관리·처분할 권리의무를 가지지 아니하는 신탁이다.

2. 명의신탁재산 증여의제 과세요건(45의2 – 0 – 3)

   ① 등기·등록·명의개서 등을 요하는 자산이어야 한다.

   ② 실지소유자와 명의자가 달라야 한다.

   ③ 조세회피목적이 있어야 한다.

3. 토지·건물의 명의신탁(45의2 – 0 – 6)

   1995.7.1.부터 「부동산 실권리자 명의등기에 관한 법률」이 시행됨에 따라 토지 또는 건물의 명의신탁에 대하여 등기자체가 무효가 되므로 명의신탁재산 증여의제 규정은 적용하지 아니하나 동 법에 따라 과징금 등이 부과될 수 있다.

4. 취득무효와 명의신탁재산 증여의제와의 관계(45의2 – 0 – 7)

   명의신탁재산 증여의제에 의하여 증여세를 과세한 후 원인무효에 의하여 취득무효판결이 나면 그 재산상의 권리가 말소되므로 이미 부과한 증여세는 취소한다.

5. 명의신탁재산의 원칙적 증여의제 시기(45의2 – 0 – 9)

   명의자로 등기·등록·명의개서 한 날을 증여의제 시기로 보며 명의개서를 한 날은 「상법」에 의하여 취득자의 주소와 성명을 주주명부(「자본시장과 금융투자업에 관한 법률」에 의한 실질주주명부 포함)에 기재한 때를 말한다.

   ※ 장기간 명의개서하지 않은 주식 등의 증여의제 시기(45의2 – 0 – 11)

미명의개서 주식의 구분	증여의제시기
20×2.12.31. 이전 취득한 경우 → 2003.1.1. 취득 의제	소유권취득일이 속하는 연도의 다음 연도 말일의 다음날 → 2005.1.1. 증여의제시기
20×3.1.1. 이후 취득한 경우	소유권취득일이 속하는 연도의 다음 연도 말일의 다음날

6. 명의신탁재산을 신탁해지 하는 경우(45의2 – 0 – 13)

   명의신탁한 재산을 해지하여 그 재산의 실질상 소유자인 위탁자 명의로 환원하는 경우에는 증여로 보지 아니한다. → 다만, 당초의 명의신탁에 대해서는 증여세를 과세하는데, 이때 국세부과제척기간(통상 15년)이 지났으면 과세할 수 없다(실무상 중요한 내용이므로 반드시 세무전문가의 확인을 요한다).

 필수 세무상식

명의신탁주식 실소유자 반환지원(국세청)

1. 시행 배경

- 과거 일정 인원 이상 발기인 요건*이 충족된 경우에만 법인 설립을 허용하였던 상법 규정으로 인해 부득이하게 보유주식 일부를 가족, 친인척, 지인 등 타인명의로 등재한 사례가 빈번함.

● 상법 제288조 【발기인】 개정 연혁

'96.9.30.까지	'96.10.1. ~ '01.7.23.	'01.7.24. 이후
7인 이상	3인 이상	제한없음

- 그러나, 명의신탁기간의 장기화 등으로 입증서류가 미비하여 명의신탁주식을 실제소유자에게 환원하는 경우에도 이를 인정받지 못하여 실제소유자에게 증여세가 부과되는 등 비정상을 정상화하는 과정에서 많은 어려움이 있는 것으로 파악되고 있음.

- 한편, 종전 과세관청 중심의 접근방식이 아닌 납세자의 입장에서 불편사항을 발굴·개선하기 위해 국세청·대한상공회의소가 공동으로 공신력 있는 리서치 기관(한국갤럽)을 통해 설문조사한 바, 「국민이 바라는 10대 세정개선 과제」중 하나로 선정되었음.

2. 실제소유자 확인신청 및 처리절차

- 주주명부에 실명으로 명의개서(전환)한 자는 「명의신탁주식 실제소유자 확인신청서」를 주소지 관할세무서(재산세과)에 제출하여 실제소유자 확인을 받을 수 있고, 또한 사전에 신청 구비서류, 처리절차 등에 대한 상담을 받을 수 있음.

- 확인신청 시에는 중소기업 등 기준검토표, 주식발행법인이 발행한 주식 명의개서 확인서, 신청인(실제소유자) 및 명의수탁자의 명의신탁 확인서 또는 진술서를 첨부해야 하고,
  - 금융증빙, 신탁약정서, 법인설립 당시의 정관 및 주주명부 등 명의신탁임을 실질적으로 입증할 수 있는 서류는 형식이나 종류에 관계없이 추가적으로 제출하면 실제소유자 확인에 도움이 됨.

- 일정한 요건이 충족되는 경우에는 통일된 절차와 기준에 따라 간편하게 실제소유자 여부를 확인하고, 실제소유자 여부가 불분명하거나 허위신청 혐의가 있는 경우에는 현장확인 및 실지조사 등 정밀검증을 통하여 판단할 것임.
  - 또한, 각 세무서 내에 경력직원들로 구성된 자문위원회를 설치하여 업무처리의 객관성, 공정성 및 투명성을 높이도록 할 계획임.

- 다만, 이 제도에 의해 실제소유자로 확인받은 경우에도 당초 명의신탁에 대한 증여세 납세의무 등이 면제되는 것은 아님.

🔵 확인신청 대상 요건

【상속세 및 증여세 사무처리규정 제9조의2】
아래 각 호의 요건을 모두 충족해야 함.
1. 주식발행법인이 「조특법」 시행령」 제2조에서 정하는 중소기업에 해당할 것.
2. 주식발행법인이 2001년 7월 23일 이전에 설립되었을 것.
3. 실제소유자와 명의수탁자(실명전환 전 주주명부 등에 주주로 등재되어 있던 자를 말한다)가 법인설립 당시 발기인으로서 법인설립 당시에 명의신탁한 주식을 실제소유자로 환원하는 경우일 것.
4. 실제소유자별·주식발행법인별로 실명전환하는 주식가액의 합계액이 30억 원 미만일 것.
   * 주식가액
   - 비상장법인 : 실명전환일 직전사업연도 1주당 순자산가액 × 실명전환주식수
   - 상장법인 : Max(실명전환일 이전 2월간 종가평균액, 1주당순자산가액) × 실명전환주식수

3. 기대효과

- 세무대응능력이 부족하여 주식명의신탁 사실 입증에 어려움을 겪고 있는 중소기업에 대하여 복잡한 세무 검증절차를 거치지 아니하고 통일된 절차와 기준에 따라 간편하게 실제 소유자 여부를 확인하도록 개선함으로써,
  - 실제소유자 환원에 따른 납세자의 과도한 불편과 부담을 해소하고, 명의신탁 입증 및 불복청구 등에 따른 납세협력비용이 감소하는 등 중소기업의 원활한 가업승계와 안정적인 기업경영 및 성장에 도움을 줄 것으로 예상됨.

● 가업상속공제 및 가업승계 주식에 대한 증여세 과세특례

【「상증법」 시행령 제15조, 「조특법」 시행령 제27조의6】

현행 상속세 및 증여세법상 가업상속공제, 가업승계 주식에 대한 증여세 과세특례를 적용받기 위한 '가업'은 중소기업 등을 영위하는 법인의 최대주주인 경우로써 그와 친족 등 특수관계에 있는 자의 주식등을 합하여 해당 법인의 발행주식총수의 50%(상장법인 30%) 이상을 보유하는 경우이어야 하므로, 불가피하게 명의신탁하여 과세특례 요건을 충족하지 못하는 중소기업은 이번 제도 시행으로 간소한 절차로 실제소유자 환원을 인정받음으로써 가업상속공제 등 대상이 되는 경우 최고 500억 원의 상속공제 혜택 등을 받을 수 있음.

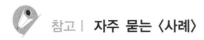 참고 | 자주 묻는 〈사례〉

과거 상속세 및 증여세법을 개정하여 '97년~'98년 2년간 유예기간에 실제소유자 환원하는 경우 증여세를 과세제외하였는데, 이번에도 동일한 수준의 혜택을 주는 것인지?

'97년~'98년 당시 유예기간 제도는 법령 규정에 의한 한시적 특례제도인 반면, 이번 제도는 세정지원 차원에서 국세청 내부지침으로 실제소유자 환원 여부를 간편하게 확인해 주기 위한 행정적 절차로서 당초 명의신탁에 따른 증여세 납세의무 등이 면제되는 것은 아님.

실제소유자 확인신청은 어떻게 하는지?

신탁자(실제소유자)가 실제소유자 확인신청서를 작성하여 중소기업 등 기준검토표, 주식명의개서 확인서 및 실제소유자 확인 관련 증빙서류*를 구비하여 주소지 관할세무서(재산세과)에 신청서를 접수함.

* 증빙서류 : 신탁약정서, 법인설립 당시 정관 및 주주명부, 법인등기부등본 및 기타 진술서·확인서 등
  (주식대금납입 또는 배당금 수령에 관한 금융증빙이 있는 경우 관련 증빙)

대기업 집단에 속하는 중소 법인도 신청대상이 되는지?

「조세특례제한법」 시행령 제2조 제1항 3호의 독립성 기준인 「독점규제 및 공정거래에 관한 법률」 제14조 제1항에 따른 상호출자제한기업집단에 속하는 회사는 신청대상이 아님.

실제소유자가 2회 이상 나누어 확인신청하는 경우 간편확인대상자인지?

과거 법인설립시 부득이 타인명의로 등재한 주식 전체를 실제소유자에게 일괄 환원하는 경우 간소한 절차로 확인해 주는 제도로서 2회 이상으로 나누어 신청하는 경우 간편확인대상자에 해당하지 않는 것임.

실제소유자가 수탁자 甲 명의로 등재된 A법인 주식 10만주(20억 원), 수탁자 乙 명의로 등재된 A법인 10만주(20억 원)을 실명전환하는 경우 신청대상이 되는지(타요건은 모두 충족한다고 가정)?

신청요건은 甲과 乙의 주식을 모두 일괄환원하여야 하며, 실제소유자별·주식발행법인별로 실명전환하는 주식가액이 30억 원 미만이어야 함.

  - 사례의 경우 A법인의 환원주식 합계액이 40억 원으로 주식발행법인별로 30억 원

이상에 해당하여 신청대상이 아님.

실제소유자로 인정 통지를 받은 경우 당초 명의신탁 증여세, 금융소득 종합과세 등의 후속 처리는?

실제소유자가 실명전환한 것으로 인정받더라도 당초 명의신탁에 대한 부과제척기간 경과 여부, 조세회피목적 등 과세요건을 검토하여 명의신탁 증여의제에 대한 과세여부와 배당한 사실이 있는 경우 금융소득 종합과세 여부 등을 검토하여 처리함.

신청대상 요건에 해당되어 확인신청하였으나 불인정 통지 받은 경우 어떻게 처리되는지?

명의개서가 실제소유자의 실명전환이 아닌 것으로 확인되었으므로 「상속세 및 증여세 사무처리규정」에서 정하는 절차에 따라 해당 명의개서의 거래 목적과 실질 등 사실관계를 확인하여 양도소득세 또는 증여세 등의 과세여부를 검토하여 처리함.

자문위원회 구성 및 의결방법은?

각 세무서에 위원장(세무서장)을 포함한 7명~10명 이내의 경력직원을 위원으로 구성하며 재적위원 전원의 출석으로 개의하고 출석위원의 과반수 의견으로 의결함.

법인들이 주의해야 할 이익의 증여

이하에서는 법인들이 주의해야 할 「상증법」상의 증여에 대한 규정을 살펴보자. 물론 자세한 내용은 앞의 본문의 내용과 해당 법조문 등을 참조해야 한다.

제33조 신탁이익의 증여

신탁계약에 의하여 위탁자가 타인을 신탁의 이익의 전부 또는 일부를 받을 수익자(受益者)로 지정한 경우로서 각 호의 어느 하나에 해당하는 경우에는 원본(元本) 또는 수익(收益)이 수익자에게 실제 지급되는 날 등 대통령령으로 정하는 날을 증여일로 하여 해당 신탁의 이익을 받을 권리의 가액을 수익자의 증여재산가액으로 한다.

제34조 보험금의 증여

생명보험이나 손해보험에서 보험사고(만기보험금 지급의 경우를 포함한다)가 발생한 경우 해당 보험사고가 발생한 날을 증여일로 하여 다음 각 호의 구분에 따른 금액을 보험금 수령인의 증여재산가액으로 한다.

제35조 저가 양수 또는 고가 양도에 따른 이익의 증여

특수관계인 간에 재산을 시가보다 낮은 가액으로 양수하거나 시가보다 높은 가액으로 양도한 경우로서 그 대가와 시가의 차액이 대통령령으로 정하는 기준금액 이상인 경우에는 해당 재산의 양수일 또는 양도일을 증여일로 하여 그 대가와 시가의 차액에서 기준금액을 뺀 금액을 그 이익을 얻은 자의 증여재산가액으로 한다.

제36조 채무면제 등에 따른 증여

채권자로부터 채무를 면제받거나 제3자로부터 채무의 인수 또는 변제를 받은 경우에는 그 면제, 인수 또는 변제를 받은 날을 증여일로 하여 그 면제 등으로 인한 이익에 상당하는 금액(보상액을 지급한 경우에는 그 보상액을 뺀 금액으로 한다)을 그 이익을 얻은 자의 증여재산가액으로 한다.

제37조 부동산 무상사용에 따른 이익의 증여

① 타인의 부동산(그 부동산 소유자와 함께 거주하는 주택과 그에 딸린 토지는 제외한다. 이하 이 조에서 같다)을 무상으로 사용함에 따라 이익을 얻은 경우에는 그 무상 사용

을 개시한 날을 증여일로 하여 그 이익에 상당하는 금액을 부동산 무상 사용자의 증여재산가액으로 한다. 다만, 그 이익에 상당하는 금액이 대통령령으로 정하는 기준금액 미만인 경우는 제외한다.

② 타인의 부동산을 무상으로 담보로 이용하여 금전 등을 차입함에 따라 이익을 얻은 경우에는 그 부동산 담보 이용을 개시한 날을 증여일로 하여 그 이익에 상당하는 금액을 부동산을 담보로 이용한 자의 증여재산가액으로 한다. 다만, 그 이익에 상당하는 금액이 대통령령으로 정하는 기준금액 미만인 경우는 제외한다.

제38조 합병에 따른 이익의 증여

대통령령으로 정하는 특수관계에 있는 법인 간의 합병(분할합병을 포함한다)으로 소멸하거나 흡수되는 법인 또는 신설되거나 존속하는 법인의 대통령령으로 정하는 대주주등이 합병으로 인하여 이익을 얻은 경우에는 그 합병등기일을 증여일로 하여 그 이익에 상당하는 금액을 그 대주주등의 증여재산가액으로 한다. 다만, 그 이익에 상당하는 금액이 대통령령으로 정하는 기준금액 미만인 경우는 제외한다.

제39조 증자에 따른 이익의 증여

법인이 자본금을 증가시키기 위하여 새로운 주식 또는 지분[이하 이 조에서 "신주"(新株)라 한다]을 발행함으로써 각 호의 어느 하나에 해당하는 이익을 얻은 경우에는 주식대금 납입일 등 대통령령으로 정하는 날을 증여일로 하여 그 이익에 상당하는 금액을 그 이익을 얻은 자의 증여재산가액으로 한다.

제39조의2 감자에 따른 이익의 증여

법인이 자본금을 감소시키기 위하여 주식등을 소각(消却)하는 경우로써, 일부 주주등의 주식등을 소각함으로써 다음 각 호의 구분에 따른 이익을 얻은 경우에는 감자(減資)를 위한 주주총회결의일을 증여일로 하여 그 이익에 상당하는 금액을 그 이익을 얻은 자의 증여재산가액으로 한다. 다만, 그 이익에 상당하는 금액이 대통령령으로 정하는 기준금액 미만인 경우는 제외한다.

1. 주식등을 시가보다 낮은 대가로 소각한 경우 : 주식등을 소각한 주주등의 특수관계인에 해당하는 대주주등이 얻은 이익
2. 주식등을 시가보다 높은 대가로 소각한 경우 : 대주주등의 특수관계인에 해당하는 주식등을 소각한 주주등이 얻은 이익

제39조의3 현물출자에 따른 이익의 증여

현물출자(現物出資)에 의하여 다음 각 호의 어느 하나에 해당하는 이익을 얻은 경우에는 현물출자 납입일을 증여일로 하여 그 이익에 상당하는 금액을 그 이익을 얻은 자의 증여재산가액으로 한다.

1. 주식등을 시가보다 낮은 가액으로 인수함으로써 현물출자자가 얻은 이익
2. 주식등을 시가보다 높은 가액으로 인수함으로써 현물출자자의 특수관계인에 해당하는 주주등이 얻은 이익

제40조 전환사채 등의 주식전환 등에 따른 이익의 증여

전환사채, 신주인수권부사채(또는 그 밖의 주식으로 전환·교환하거나 주식을 인수할 수 있는 권리가 부여된 사채(이하 "전환사채등"이라 한다)를 인수·취득·양도하거나, 전환사채등에 의하여 주식으로 전환·교환 또는 주식의 인수(이하 이 조에서 "주식전환등"이라 한다)를 함으로써 다음 각 호의 어느 하나에 해당하는 이익을 얻은 경우에는 그 이익에 상당하는 금액을 그 이익을 얻은 자의 증여재산가액으로 한다. 다만, 그 이익에 상당하는 금액이 대통령령으로 정하는 기준금액 미만인 경우는 제외한다.

제41조의3 주식 등의 상장 등에 따른 이익의 증여

기업의 경영 등에 관하여 공개되지 아니한 정보를 이용할 수 있는 지위에 있다고 인정되는 다음 각 호의 어느 하나에 해당하는 자(이하 이 조 및 제41조의5에서 "최대주주등"이라 한다)의 특수관계인이 제2항에 따라 해당 법인의 주식등을 증여받거나 취득한 경우 그 주식등을 증여받거나 취득한 날부터 5년 이내에 그 주식등이 「자본시장과 금융투자업에 관한 법률」 제8조의2 제4항 제1호에 따른 증권시장으로서 대통령령으로 정하는 증권시장(이하 이 조에서 "증권시장"이라 한다)에 상장됨에 따라 그 가액이 증가한 경우로써 그 주식등을 증여받거나 취득한 자가 당초 증여세 과세가액(제2항 제2호에 따라 증여받은 재산으로 주식등을 취득한 경우는 제외한다) 또는 취득가액을 초과하여 이익을 얻은 경우에는 그 이익에 상당하는 금액을 그 이익을 얻은 자의 증여재산가액으로 한다. 다만, 그 이익에 상당하는 금액이 대통령령으로 정하는 기준금액 미만인 경우는 제외한다.

1. 제22조 제2항에 따른 최대주주 또는 최대출자자
2. 내국법인의 발행주식총수 또는 출자총액의 100분의 25 이상을 소유한 자로서 대통령령으로 정하는 자

제41조의4 금전 무상대출 등에 따른 이익의 증여

타인으로부터 금전을 무상으로 또는 적정 이자율보다 낮은 이자율로 대출받은 경우에는 그 금전을 대출받은 날에 다음 각 호의 구분에 따른 금액을 그 금전을 대출받은 자의 증여재산가액으로 한다. 다만, 다음 각 호의 구분에 따른 금액이 대통령령으로 정하는 기준금액 미만인 경우는 제외한다.

1. 무상으로 대출받은 경우 : 대출금액에 적정 이자율을 곱하여 계산한 금액
2. 적정 이자율보다 낮은 이자율로 대출받은 경우 : 대출금액에 적정 이자율을 곱하여 계산한 금액에서 실제 지급한 이자 상당액을 뺀 금액

제41조의5 합병에 따른 상장 등 이익의 증여

최대주주등의 특수관계인이 각 호의 어느 하나에 해당하는 경우로써 그 주식등을 증여받거나 취득한 날부터 5년 이내에 그 주식등을 발행한 법인이 대통령령으로 정하는 특수관계에 있는 주권상장법인과 합병되어 그 주식 등의 가액이 증가함으로써 그 주식등을 증여받거나 취득한 자가 당초 증여세 과세가액(증여받은 재산으로 주식등을 취득한 경우는 제외한다) 또는 취득가액을 초과하여 이익을 얻은 경우에는 그 이익에 상당하는 금액을 그 이익을 얻은 자의 증여재산가액으로 한다. 다만, 그 이익에 상당하는 금액이 대통령령으로 정하는 기준금액 미만인 경우는 제외한다.

제42조 재산사용 및 용역제공 등에 따른 이익의 증여

재산의 사용 또는 용역의 제공에 의하여 다음 각 호의 어느 하나에 해당하는 이익을 얻은 경우에는 그 이익에 상당하는 금액(시가와 대가의 차액을 말한다)을 그 이익을 얻은 자의 증여재산가액으로 한다. 다만, 그 이익에 상당하는 금액이 대통령령으로 정하는 기준금액 미만인 경우는 제외한다.

1. 타인에게 시가보다 낮은 대가를 지급하거나 무상으로 타인의 재산(부동산과 금전은 제외한다)을 사용함으로써 얻은 이익
2. 타인으로부터 시가보다 높은 대가를 받고 재산을 사용하게 함으로써 얻은 이익
3. 타인에게 시가보다 낮은 대가를 지급하거나 무상으로 용역을 제공받음으로써 얻은 이익
4. 타인으로부터 시가보다 높은 대가를 받고 용역을 제공함으로써 얻은 이익

제42조의2 법인의 조직 변경 등에 따른 이익의 증여

주식의 포괄적 교환 및 이전, 사업의 양수·양도, 사업 교환 및 법인의 조직 변경 등에 의하여 소유지분이나 그 가액이 변동됨에 따라 이익을 얻은 경우에는 그 이익에 상당하는 금액(소유지분이나 그 가액의 변동 전·후 재산의 평가차액을 말한다)을, 그 이익을 얻은 자의 증여재산가액으로 한다. 다만, 그 이익에 상당하는 금액이 대통령령으로 정하는 기준금액 미만인 경우는 제외한다.

제42조의3 재산 취득 후 재산가치 증가에 따른 이익의 증여

직업, 연령, 소득 및 재산상태로 보아 자력(自力)으로 해당 행위를 할 수 없다고 인정되는 자가 다음 각 호의 사유로 재산을 취득하고 그 재산을 취득한 날부터 5년 이내에 개발사업의 시행, 형질변경, 공유물(共有物) 분할, 사업의 인가·허가 등 대통령령으로 정하는 사유(이하 이 조에서 "재산가치증가사유"라 한다)로 인하여 이익을 얻은 경우에는 그 이익에 상당하는 금액을 그 이익을 얻은 자의 증여재산가액으로 한다. 다만, 그 이익에 상당하는 금액이 대통령령으로 정하는 기준금액 미만인 경우는 제외한다.

1. 특수관계인으로부터 재산을 증여받은 경우
2. 특수관계인으로부터 기업의 경영 등에 관하여 공표되지 아니한 내부 정보를 제공받아 그 정보와 관련된 재산을 유상으로 취득한 경우
3. 특수관계인으로부터 차입한 자금 또는 특수관계인의 재산을 담보로 차입한 자금으로 재산을 취득한 경우

제45조의2 명의신탁재산의 증여의제

권리의 이전이나 그 행사에 등기등이 필요한 재산(토지와 건물은 제외한다. 이하 이 조에서 같다)의 실제소유자와 명의자가 다른 경우에는 「국세기본법」 제14조에도 불구하고 그 명의자로 등기등을 한 날에 그 재산의 가액을 실제소유자가 명의자에게 증여한 것으로 본다. 다만, 다음 각 호의 어느 하나에 해당하는 경우에는 그러하지 아니하다.

1. 조세 회피의 목적 없이 타인의 명의로 재산의 등기등을 하거나 소유권을 취득한 실제 소유자 명의로 명의개서를 하지 아니한 경우

제45조의3 특수관계법인과의 거래를 통한 이익의 증여의제

법인이 제1호에 해당하는 경우에는 그 법인(이하 "수혜법인"이라 한다)의 지배주주와

그 지배주주의 친족이 대통령령으로 정하는 보유비율(이하 이 조에서 "한계보유비율"이라 한다)을 초과하는 주주에 한정한다]이 제2호의 이익(이하 "증여의제이익"이라 한다)을 각 각 증여받은 것으로 본다.

제45조의4 특수관계법인으로부터 제공받은 사업기회로 발생한 이익의 증여의제

지배주주와 그 친족(이하 "지배주주등"이라 한다)이 직접 또는 간접으로 보유하는 주식 보유비율이 100분의 30 이상인 법인(이하 "수혜법인"이라 한다)이 지배주주와 대통령령으로 정하는 특수관계에 있는 법인(대통령령으로 정하는 중소기업과 그 밖에 대통령령으로 정하는 법인은 제외한다)으로부터 대통령령으로 정하는 방법으로 사업기회를 제공받는 경우에는 그 사업기회를 제공받은 날이 속하는 사업연도의 종료일에 그 수혜법인의 지배주주 등이 다음 계산식에 따라 계산한 금액(이하 "증여의제이익"이라 한다)을 증여받은 것으로 본다.

제45조의5 특정법인과의 거래를 통한 이익의 증여의제*

지배주주와 그 친족(이하 "지배주주등"이라 한다)이 직접 또는 간접으로 보유하는 주식 보유비율이 100분의 30 이상인 법인(이하 "특정법인"이라 한다)이 지배주주의 특수관계인 과 다음 각 호에 따른 거래를 하는 경우에는 거래한 날을 증여일로 하여 그 특정법인의 이 익에 특정법인의 지배주주등의 주식보유비율을 곱하여 계산한 금액을 그 특정법인의 지배 주주등이 증여받은 것으로 본다.

* 상당히 중요한 규정에 해당하므로 법조문을 통해 관련 내용을 파악하기 바란다.

제**12**장

비영리법인의 상속·증여
세무리스크 관리법

비영리법인은 일반 회사처럼 이익을 추구하지 아니하고 공익을 목적으로 사업을 하는 법인을 말한다. 따라서 세법은 이들 법인들이 설립목적에 맞게 운영되도록 각종 세제지원을 해주고 있다. 하지만 이들이 고유목적사업과 무관하게 수익사업을 하거나 또는 출연받은 재산을 목적 외로 사용하는 경우에는 세금을 과세하는 것이 맞다.

이 장에서는 이러한 관점에서 비영리법인의 상속·증여세 등에 대한 세무리스크 관리법을 알아본다.

본 장에서 살펴볼 핵심 내용들은 다음과 같다.

- 비영리법인의 과세체계와 납세의무
- 비영리법인의 상속·증여 과세체계와 납부의무
- 비영리법인과 공익법인, 법인으로 보는 단체의 구분
- 상속재산의 비영리법인에의 출연과 세무리스크 관리법
- 공익법인등이 출연받은 재산관련 세무리스크 관리법
- 종교단체가 출연받은 재산관련 세무리스크 관리법
- 종중이 출연받은 재산관련 세무리스크 관리법
- 종중의 토지양도관련 세무리스크 관리법
- 일반협동조합과 사회적 협동조합의 비교

제1절 비영리법인의 과세체계와 납부의무

앞에서 살펴본 영리법인은 「상법」 등에 따라 영리목적을 위해 설립된 회사에 해당한다. 이에 반해 비영리법인은 영리목적이 아닌 공익활동을 위해 설립된 법인을 말한다. 따라서 이러한 법인들에 대해서는 설립목적을 달성할 수 있도록 세제지원을 해주는 것이 옳은 방향이다. 하지만 이들이 설립목적과 무관한 사업을 하거나 출연받은 재산을 목적 외로 운영하면 세제지원을 중단하는 것이 옳다. 비영리법인의 과세체계와 납부의무부터 살펴보자.

1 비영리법인의 과세체계

비영리법인을 설립한 이후부터 발생할 수 있는 과세체계를 나열하면 다음과 같다.

구분	내용
고유번호와 사업자등록	• 비영리내국법인이 수익사업을 개시할 경우 사업자등록을 해야 함. • 만일 수익사업을 영위하지 않을 경우 사업자등록증이 아닌 고유번호증을 교부받도록 되어 있음(고유번호증을 교부받은 경우 법인세, 부가세 신고의무는 없음).
재산출연을 받은 경우	• 일반 비영리법인 : 증여세 납부의무가 있음(재재산-549, 2010.6.11.). • 공익법인 : 증여세 면제됨(단, 출연 받은 날로부터 3년 이내에 정관상 고유목적사업에 사용하거나 또는 수익용으로 사용해야 함).
부가가치세	• 비영리법인이 부가가치세가 면제되는 용역을 제공하는 경우에는 계산서를 발급해야 함. • 부가가치세기 면제되는 사업을 영위하는 비영리법인은 수취한 세금계산서에 대하여 해당 다음 해 2월 10일까지 매입처별계산서합계표를 제출해야 함. • 부가가치세가 과세되는 사업의 경우 과세기간 다음 월 25일 이내에 매입처별 세금계산서합계표를 제출해야 함.

법인세	• 비영리법인도 수익사업에 대해 법인세를 부담해야 함. 다만, 고유목적사업준비금제도를 통해 법인세 부담을 회피할 수 있음. → 비영리법인에 대해 법인세를 과세하면 목적사업의 취지를 달성하기 힘들기 때문에 이러한 제도를 두고 있음.

▼

기타	• 원천징수의무 : 고유번호가 있는 비영리법인의 경우 「소득세법」 제127조 제1항에 해당하는 소득을 지급하는 경우 소득세를 원천징수해야 함. • 원천징수이행상황신고 및 납부, 지급명세서(원천징수영수증) 등을 제출해야 함.

2 비영리법인의 부가가치세와 법인세 납부의무

(1) 비영리법인이 수익사업을 하는 경우

비영리법인이 임대업 등 수익사업[87]을 영위하면 이에 대해서는 부가가치세, 법인세 등이 부과된다. 다만, 이의 재원을 고유목적사업용에 사용하는 경우에는 세금을 감면하는 제도를 두고 있다. 고유목적사업준비금제도를 말한다.

(2) 비영리법인이 수익사업을 하지 않는 경우

부가가치세와 법인세 납세의무가 없다.

3 비영리법인의 상속세 또는 증여세 납부의무

비영리법인도 영리법인처럼 상속이나 증여를 받을 수 있다. 따라서 이들은 출연받은 재산에 대해 아래와 같이 납부의무가 있다.

---

87) 수익사업의 범위는 아래와 같다.
- 사업소득
- 이자 및 배당소득
- 주식, 신주인수권 또는 출자지분의 양도로 인한 수입
- 고정자산의 처분으로 인한 수입(단, 고유목적사업에 3년 이상 직접 사용하는 고정자산의 처분수입은 제외)
- 양도소득세 과세대상자산인 부동산에 관한 권리와 기타자산의 양도로 인한 수입
- 채권매매익

(1) 상속세 납부의무

「상증법」제3조의2에서 아래와 같이 비영리법인의 상속세 납부의무를 부여하고 있다.

> ① 상속인(특별연고자 중 영리법인은 제외한다) 또는 수유자(영리법인은 제외한다)는 상속재산(제13조에 따라 상속재산에 가산하는 증여재산 중 상속인이나 수유자가 받은 증여재산을 포함한다) 중 각자가 받았거나 받을 재산을 기준으로 대통령령으로 정하는 비율에 따라 계산한 금액을 상속세로 납부할 의무가 있다.

따라서 비영리법인이 수유자로 되어 있는 경우 상속세를 내야 한다. 다만, 해당 비영리법인이 공익법인등에 해당하면 상속세를 면제받을 수 있다.

(2) 증여세 납부의무

「상증법」제4조의2에서 비영리법인에 대한 증여세 납부의무를 아래와 같이 두고 있다.

> ① 수증자는 다음 각 호의 구분에 따른 증여재산에 대하여 증여세를 납부할 의무가 있다.
>   1. 수증자가 거주자(본점이나 주된 사무소의 소재지가 국내에 있는 비영리법인을 포함한다)인 경우 : 제4조에 따라 증여세 과세대상이 되는 모든 증여재산
>   2. 수증자가 비거주자(본점이나 주된 사무소의 소재지가 외국에 있는 비영리법인을 포함한다)인 경우 : 제4조에 따라 증여세 과세대상이 되는 국내에 있는 모든 증여재산

(3) 비영리법인의 상속세와 증여세 과세 제외

위의 내용을 보면 비영리법인이 상속이나 증여를 받으면 상속세와 증여세를 부과받을 수 있다. 하지만 이러한 세금을 부과하면 비영리법인의 설립취지를 훼손하므로 가급적 이들 세금을 면제하는 것이 좋을 것이다. 다만, 세법은 모든 비영리법인에게 이러한 혜택을 부여하는 것이 아니라, 비영리법인들 중 공익성이 큰 공익법인등에게만 이러한 혜택을 부여하고 있다. 따라서 이러한 혜택을 받고자 하는 경우에는 공익법인등의 범위와 면제요건 그리고 사후관리에 대해 관심을 둘 필요가 있다.

이에 대한 자세한 내용들은 순차적으로 살펴보자.

제2절 비영리법인의 상속·증여세 과세체계와 납부의무

앞에서 대략적으로 보았지만 비영리법인도 상속세나 증여세를 내야 한다. 물론 공익성이 큰 비영리법인에 대해서는 상속이나 증여에 따른 출연재산에 대해 이들 세금을 면제한다. 물론 무조건 면제를 하는 것이 아니라 출연요건이 있으며 그리고 사후관리 요건이 있다.

1 비공익법인에 대한 상속·증여세 과세체계

공익성이 약한 일반 비영리법인이 상속이나 증여를 받으면 상속세와 증여세를 내야 한다. 이들에 대해서는 혜택을 부여할 이유가 없기 때문이다.

(1) 비공익법인과 상속세

비공익법인이 상속을 받으면 상속세 납부의무가 있다.

(2) 비공익법인과 증여세

비공익법인이 증여를 받으면 증여세 납부의무가 있다.

2 공익법인에 대한 상속·증여세 과세체계

공익법인은 공익성이 강하므로 아래와 같은 식으로 세금혜택을 부여하는 대신 각종 사후관리 요건을 두고 있다.

(1) 출연자의 경우

공익법인등에 재산을 출연하는 자는 상속세를 면제받을 수 있다.

(2) 출연받은 공익법인의 경우

상속이나 증여재산을 출연받은 공익법인등은 법인세가 과세되지 않으나 다양한 협력의무가 있다. 자세한 내용은 순차적으로 살펴보자.

Tip | **공익법인의 과세체계**

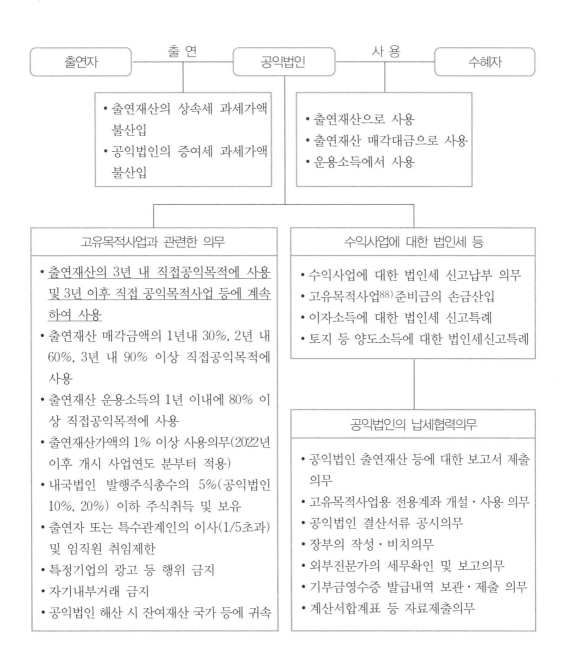

| 출연자 | ──출 연── | 공익법인 | ──사 용── | 수혜자 |

출연자 / 공익법인:
- 출연재산의 상속세 과세가액 불산입
- 공익법인의 증여세 과세가액 불산입

공익법인 / 수혜자:
- 출연재산으로 사용
- 출연재산 매각대금으로 사용
- 운용소득에서 사용

고유목적사업과 관련한 의무
- 출연재산의 3년 내 직접공익목적에 사용 및 3년 이후 직접 공익목적사업 등에 계속하여 사용
- 출연재산 매각금액의 1년내 30%, 2년 내 60%, 3년 내 90% 이상 직접공익목적에 사용
- 출연재산 운용소득의 1년 이내에 80% 이상 직접공익목적에 사용
- 출연재산가액의 1% 이상 사용의무(2022년 이후 개시 사업연도 분부터 적용)
- 내국법인 발행주식총수의 5%(공익법인 10%, 20%) 이하 주식취득 및 보유
- 출연자 또는 특수관계인의 이사(1/5초과) 및 임직원 취임제한
- 특정기업의 광고 등 행위 금지
- 자기내부거래 금지
- 공익법인 해산 시 잔여재산 국가 등에 귀속

수익사업에 대한 법인세 등
- 수익사업에 대한 법인세 신고납부 의무
- 고유목적사업[88] 준비금의 손금산입
- 이자소득에 대한 법인세 신고특례
- 토지 등 양도소득에 대한 법인세신고특례

공익법인의 납세협력의무
- 공익법인 출연재산 등에 대한 보고서 제출 의무
- 고유목적사업용 전용계좌 개설·사용 의무
- 공익법인 결산서류 공시의무
- 장부의 작성·비치의무
- 외부전문가의 세무확인 및 보고의무
- 기부금영수증 발급내역 보관·제출 의무
- 계산서합계표 등 자료제출의무

---

88) 고유목적사업 : 법령 또는 정관에 규정된 설립목적을 직접 수행하는 사업을 말한다.

● 공익법인의 전용 전용계좌 개설·사용의무

공익법인은 해당 공익법인의 직접 공익목적사업과 관련하여 받거나 지급하는 수입과 지출을 다음의 직접 공익목적사업용 전용계좌를 사용하여 관리해야 한다.

① 다음의 요건을 모두 갖춘 계좌
　　가. 「금융실명거래 및 비밀보장에 관한 법률」에 해당하는 금융기관에 개설한 계좌일 것
　　나. 공익법인등의 공익목적사업의 용도로만 사용할 것
② 공익법인별로 2 이상 개설할 수 있음.
③ 공익법인은 해당 과세기간 또는 사업연도별로 전용계좌를 사용하여 수입과 지출, 실제 사용한 금액 및 미사용 금액을 구분하여 기록·관리해야 함.

● 전용계좌의 개설 등 의무가 없는 공익법인

종교의 보급 기타 교화에 현저히 기여하는 사업을 영위하는 공익법인은 전용계좌를 개설·사용하지 않아도 된다.

제3절 비영리법인과 공익법인, 법인으로 보는 단체의 구분

앞에서 보면 비영리법인은 영리법인과 구분되고, 비영리법인은 공익법인과 비공익법인으로 구분됨을 알 수 있었다. 그리고 이 중 공익법인에게 세제혜택이 집중됨을 알았다. 따라서 앞으로 논의를 전개하기 위해서는 공익법인의 범위를 제대로 이해할 필요가 있다.

1 비영리법인의 범위

비영리법인은 영리를 목적으로 하지 않고 사회공중을 위해 사업을 하는 법인을 말한다. 학술·종교·자선·기예(技藝)·사교 기타 영리 아닌 사업을 목적으로 하는 사단 또는 재단으로 주무관청의 허가를 얻어 설립된다(「민법」 제32조). 비영리법인은 내국법인 가운데 다음 어느 중 하나의 법인을 말한다.

① 「민법」 제32조에 따라 설립된 법인

② 사립학교법이나 그 밖의 특별법에 따라 설립된 법인으로서 민법 제32조에 규정된 목적과 유사한 목적을 가진 법인. 다만, 조합법인 등이 아닌 법인으로서 그 주주나 사원 등에게 이익을 배당할 수 있는 법인은 제외한다. 따라서 농협이나 수협 등은 배당과 관계없이 무조건 비영리법인으로 본다.

③ 「국세기본법」에 따른 법인으로 보는 단체

이러한 비영리법인이 수익사업을 하면 법인세 신고 및 납부의무가 발생하며, 상속세나 증여세 납부의무가 있다.

2 공익법인등의 범위

공익법인등은 위 비영리법인 중 학술·종교 등 공익성이 강한 법인을 말한다. 이에 대한 구체적인 범위는 「상증령」 제12조에서 규정하고 있는데 이를 요약하면 아래와 같다.

① 종교의 보급 기타 교화에 현저히 기여하는 사업
② 「초·중등교육법」 및 「고등교육법」에 의한 학교, 「유아교육법」에 따른 유치원을 설립·경영하는 사업
③ 「사회복지사업법」의 규정에 의한 사회복지법인이 운영하는 사업
④ 「의료법」 또는 「정신보건법」의 규정에 의한 의료법인 또는 정신의료법인이 운영하는 사업
⑤ 「공익법인의 설립·운영에 관한 법률」의 적용을 받는 공익법인이 운영하는 사업
⑥ 예술 및 문화에 현저히 기여하는 사업중 영리를 목적으로 하지 아니하는 사업으로서 관계행정기관의 장의 추천을 받아 기획재정부장관이 지정하는 사업
⑦ 공중위생 및 환경보호에 현저히 기여하는 사업으로서 영리를 목적으로 하지 아니하는 사업
⑧ 공원 기타 공중이 무료로 이용하는 시설을 운영하는 사업
⑨ 「법인세법」상의 공익법인 등 및 「소득세법」상 공익단체가 운영하는 고유목적사업 등. 다만, 회원의 친목 또는 이익을 증진시키거나 영리를 목적으로 대가를 수수하는 등 공익성이 있다고 보기 어려운 고유목적사업을 제외한다.

위에서 「법인세법」상 공익법인 등은 다음을 의미한다. 자세한 것은 「법인세법 시행령」 제39조를 참조하자.

- 「사회복지사업법」에 의한 사회복지법인
- 「유아교육법」에 따른 유치원・「초・중등교육법」 및 「고등교육법」에 의한 학교, 「근로자직업능력 개발법」에 의한 기능대학, 「평생교육법」 제31조 제4항에 따른 전공대학 형태의 평생교육시설 및 같은 법 제33조 제3항에 따른 원격대학 형태의 평생교육시설
- 정부로부터 허가 또는 인가를 받은 학술연구단체・장학단체・기술진흥단체
- 정부로부터 허가 또는 인가를 받은 문화・예술단체(「문화예술진흥법」에 의하여 지정을 받은 전문예술법인 및 전문예술단체를 포함한다) 또는 환경보호운동단체
- 종교의 보급, 그 밖에 교화를 목적으로 「민법」 제32조에 따라 문화체육관광부장관 또는 지방자치단체의 장의 허가를 받아 설립한 비영리법인(그 소속 단체를 포함한다)
- 「의료법」에 의한 의료법인 등

3 일반공익법인과 성실공익법인을 공익법인으로 통합

2021년 1월 1일부터는 공익법인이 출연받은 주식에 대한 상속세・증여세 면제 한도를 계산할 때 일반공익법인과 성실공익법인을 공익법인으로 통합하여 10%로 한다. 종전의 경우에는 일반공익법인은 5%를 적용하였다(「상증법」 제16조・제48조, 「상증령」 제41조의2 등 참조).

4 법인으로 보는 단체의 범위

비영리법인들은 대부분 설립등기를 통해 설립되나 사실상 비영리법인에 해당하나 설립등기를 하지 않은 단체들이 있다. 이에 대해 「국세기본법」 제13조에서 규정하고 있다.

① 법인이 아닌 사단, 재단, 그 밖의 단체(이하 "법인 아닌 단체"라 한다) 중 다음 각 호의 어느 하나에 해당하는 것으로서 수익을 구성원에게 분배하지 아니하는 것은 법인으로 보아 이 법과 세법을 적용한다.
  1. 주무관청의 허가 또는 인가를 받아 설립되거나 법령에 따라 주무관청에 등록한 사단, 재단, 그 밖의 단체로서 등기되지 아니한 것
  2. 공익을 목적으로 출연(出捐)된 기본재산이 있는 재단으로서 등기되지 아니한 것

이는 법인설립등기는 안 되어 있지만 실질적으로 법인에 해당하므로 이를 법인으로 의제하는 것을 의미한다.

② 제1항에 따라 법인으로 보는 사단, 재단, 그 밖의 단체 외의 법인 아닌 단체 중 다음 각 호의 요건을 모두 갖춘 것으로서 대표자나 관리인이 관할 세무서장에게 신청하여 승인을 받은 것도 법인으로 보아 이 법과 세법을 적용한다. 이 경우 해당 사단, 재단, 그 밖의 단체의 계속성과 동질성이 유지되는 것으로 본다.

1. 사단, 재단, 그 밖의 단체의 조직과 운영에 관한 규정(規程)을 가지고 대표자나 관리인을 선임하고 있을 것
2. 사단, 재단, 그 밖의 단체 자신의 계산과 명의로 수익과 재산을 독립적으로 소유·관리할 것
3. 사단, 재단, 그 밖의 단체의 수익을 구성원에게 분배하지 아니할 것

이는 종중이나 교회 등 임의단체가 대표자의 신청을 거쳐 법인으로 할 수 있다는 것을 의미한다. 이때 종중이나 교회 등은 비영리법인에 해당하며, 교회 등 종교단체는 비영리법인 중 공익법인등에 해당한다. 만일 법인으로 보지 않으면 1거주자에 해당한다(「소득세법」 적용).

 Tip

■ 비영리법인의 설립 절차 및 법인설립 신고

비영리법인은 아래와 같이 설립 등기를 통해 탄생한다.

구분	내용
재산의 출연 및 정관 작성	
▼	
주무관청의 설립 허가	각부처별 '비영리법인 설립 및 감독에 관한 규칙' 및 설립근거법에 따라 설립 절차 진행
▼	
설립 등기	
▼	
고유번호 또는 사업자등록 번호 부여	
▼	
법인설립신고 또는 사업자등록	

제4절 상속재산의 비영리법인에의 출연과 세무리스크 관리법

비영리법인 중 공익법인이 상속재산을 출연받으면 출연자에 대해서는 상속세를 부과하지 않는다. 한편 출연을 받은 공익법인은 증여세 납부의무 등이 있을 수 있지만 공익사업을 위해 증여세를 면제한다.

주로 상속세 면제와 관련된 내용을 살펴보고, 증여세 면제규정은 바로 뒤의 절에서 살펴보자.

1 상속재산의 비영리법인에의 출연과 상속세 과세가액 불산입

「상증법」제16조에서는 요건을 갖춘 상속재산을 출연받으면 상속세 과세에서 제외하는 혜택을 주고 있다. 이 규정을 살펴보자.

> ① 상속재산 중 <u>피상속인이나 상속인이</u> 종교·자선·학술 관련 사업 등 공익성을 고려하여 대통령령으로 정하는 사업을 하는 자(이하 "공익법인등"이라 한다)에게 출연한 재산의 가액으로서 신고기한[89]까지 출연한 재산의 가액은 상속세 과세가액에 산입하지 아니한다.
>
> ② 제1항에도 불구하고 내국법인의 의결권 있는 주식 또는 출자지분(이하 이 조에서 "주식등"이라 한다)을 공익법인등에 출연하는 경우로써 출연하는 주식등과 제1호의 주식등을 합한 것이 그 내국법인의 의결권 있는 발행주식총수 또는 출자총액의 제2호에 따른 비율을 초과하는 경우에는 그 초과하는 가액을 상속세 과세가액에 산입한다.
> 1. 주식등 : 다음 각 목의 주식등
>   가. 출연자가 출연할 당시 해당 공익법인등이 보유하고 있는 동일한 내국법인의 주식등
>   나. 출연자 및 그의 특수관계인이 해당 공익법인등 외의 다른 공익법인등에 출연한 동일한 내국법인의 주식등
>   다. 상속인 및 그의 특수관계인이 재산을 출연한 다른 공익법인등이 보유하고 있는 동일한 내국법인의 주식등[90]
> 2. 비율 : 100분의 10
>
> ③ 제2항에도 불구하고 다음 각 호의 어느 하나에 해당하는 경우에는 그 내국법인의 발행주식총수등의 같은 항 제2호에 따른 비율을 초과하는 경우에도 그 초과하는 가액을

상속세 과세가액에 산입하지 아니한다.

　1. 생략

　2. 생략

④ 제1항부터 제3항까지의 규정에 따라 공익법인등에 출연한 재산의 가액을 상속세 과세가액에 산입하지 아니한 경우로써 다음 각 호의 어느 하나에 해당하는 경우에는 대통령령으로 정하는 가액을 상속세 과세가액에 산입한다.

　1. 상속세 과세가액에 산입하지 아니한 재산과 그 재산에서 생기는 이익의 전부 또는 일부가 상속인(상속인의 특수관계인을 포함한다)에게 귀속되는 경우

　2. 생략

⑤ 제1항부터 제4항까지의 규정에 따른 상속재산의 출연방법 등은 대통령령으로 정한다(규정 수정함).

위의 규정 중 주식과 관련된 제2항과 제3항은 논외로 하고 제1항과 제4항, 제5항을 위주로 보자.

(1) 제1항 분석

첫째, 피상속인이나 상속인이 출연할 것을 요구하고 있다.

통상 피상속인(사망자)의 경우에는 유증을 통해, 상속인들은 협의분할을 통해 출연결정을 한다.

둘째, 공익법인등에게 출연해야 한다.

여기서 '등'의 의미는 비영리법인으로 설립된 법인 이외에 법인으로 보는 단체도 해당됨을 의미한다. 개인에 대한 공익법인등에 해당 여부는 아래의 예규를 통해 확인하기 바란다.

---

89) 법령상 또는 행정상의 사유로 공익법인등의 설립이 지연되는 등 대통령령으로 정하는 부득이한 사유가 있는 경우에는 그 사유가 없어진 날이 속하는 달의 말일부터 6개월까지를 말한다.

90) 다만, 다음 각 목의 어느 하나에 해당하는 경우에는 다음 각 목의 구분에 따른 비율(2020.12.22. 개정)

　가. 다음의 요건을 모두 갖춘 공익법인등(나목 또는 다목에 해당하는 공익법인등은 제외한다)에 출연하는 경우 : 100분의 20

　　1) 출연받은 주식등의 의결권을 행사하지 아니할 것

　　2) 자선·장학 또는 사회복지를 목적으로 할 것

　나. 「독점규제 및 공정거래에 관한 법률」 제14조에 따른 상호출자제한기업집단과 특수관계에 있는 공익법인등 : 100분의 5

　다. 제48조 제11항 각 호의 요건을 충족하지 못하는 공익법인등 : 100분의 5

셋째, 원칙적으로 상속세 신고기한 내에 출연이 완료되어야 한다.

여기서 완료란 등기 등의 절차가 완료된 경우를 말한다. 다만, 법령 등에 의해 출연이 완료되지 못한 경우에는 6개월이 연장될 수 있다.

(2) 제4항 분석

상속세 과세가액에 산입하지 아니한 재산과 그 재산에서 생기는 이익의 전부 또는 일부가 상속인(상속인의 특수관계인을 포함한다)에게 귀속되는 경우에는 상속세를 부과함에 유의해야 한다.

(3) 제5항 분석

「상증령」 제13조 제2항에서는 공익법인등에 출연한 재산의 가액을 상속세 과세가액에 산입하지 아니하기 위해서는 다음 각 호의 요건을 모두 갖추도록 하고 있다. 기타 내용들은 관련 규정을 참조하기 바란다.

① 상속인의 의사(상속인이 2명 이상인 경우에는 상속인들의 합의에 의한 의사로 한다)에 따라 상속받은 재산을 상속세 신고기한까지 출연할 것[91]
② 상속인이 제1호에 따라 출연된 공익법인등의 이사 현원(5명에 미달하는 경우에는 5명으로 본다)의 5분의 1을 초과하여 이사가 되지 아니해야 할 것
③ 이사의 선임 등 공익법인등의 사업운영에 관한 중요사항을 결정할 권한을 가지지 아니할 것

2 적용 사례

서울 강남구 압구정동에서 살고 있는 K씨 집안에서 상속개시 후 상속인들이 모여 상속재산 중 시가 100억 원 상당의 빌딩을 공익법인에 출연하고자 한다.

- 상황1 : 이 출연재산에 대해서는 상속세가 면제되는가?
- 상황2 : 만일 출연받은 재산에서 발생한 이익을 상속인이 가져가면 어떤 문제가 발생할까?

---

91) 등기·등록 등을 요하는 재산의 경우에는 등기·등록 등에 의하여 공익법인에게 소유권이 이전되어야 한다.

• 상황3 : 만일 출연받은 재산에서 발생한 이익을 상속인의 특수관계인이 가져가면 어떤
　　　　　 문제가 발생할까?

위 상황에 대한 답을 찾아보자.

(상황1) 이 출연재산에 대해서는 상속세가 면제되는가?
부동산의 경우 제한없이 상속세가 면제된다.

(상황2) 만일 출연받은 재산에서 발생한 이익을 상속인이 가져가면 어떤 문제가 발생할까?
생기는 이익의 전부 또는 일부가 상속인에게 귀속되는 경우에는 상속세가 추징된다.

(상황3) 만일 출연받은 재산에서 발생한 이익을 상속인의 특수관계인이 가져가면 어떤
　　　　　 문제가 발생할까?
이 경우에도 상속세가 추징될 수 있다.

 Tip

■ 개인도 공익법인등에 해당하는가?

　일반적으로 공익법인은 법인설립등기를 한 비영리법인을 말한다. 한편 법규정에서 언급되는 '공익법인등'은 설립등기가 안된 법인을 주로 말한다. 그렇다면 법인이 아닌 개인들은 이에 포함될까? 일단 "등"의 개념을 볼 때에는 개인도 포함한다고 할 수 있으나, 무조건 이를 포함하는 것은 아님에 유의해야 할 필요가 있다. 공익사업을 법인으로 국한하는 경우가 있기 때문이다. 예를 들어 개인 병의원의 경우에는 「의료법」에 따른 의료법인이 운영하는 사업만 공익법인으로 분류를 하고 있다. 다만, 종교단체의 경우에는 예규(재산-274,'11.6.7.)를 통해 법인등록 여부와 관계없이 고유목적사업으로 공익법인등의 해당 여부 판단하도록 하고 있다. 아래의 예규를 참조하기 바란다.

● 개인 교회가 공익법인등에 해당하는지의 여부(재산-274, 2011.6.7.)

[제목]
　종교의 보급 기타 교화에 현저히 기여하는 사업을 운영하는 종교단체는 공익법인등에 해당하는 것이며, 종교단체가 공익법인등에 해당하는지 여부는 법인으로 등록했는지에 관계없이 당해 종교단체가 수행하는 정관상 고유목적사업에 따라 판단함.

[질의]

(사실관계)

- 당 교회는 기독교 신앙교육 및 기독교 교양 교육과 찬양을 통하여 올바른 신앙 정서에 기여함을 목적으로 설립된 종교단체로서 (사)한국독립교회·선교단체연합회 소속이며 거주자로 보는 종교단체인 교회임.
- 당 교회는 금번에 원주시 소재 ○○연수원의 토지와 건축물을 증여받고자 함.

(질의내용)

- ○○연수원 소유의 모든 부동산을 대한예수교장로회 ○○교회에 증여할 경우 거주자로 보는 종교단체인 교회가 상속세및증여세법 시행령 제12조 제1항에 따른 공익법인등에 해당하는지 여부

[회신]

「상증령」 제12조 제1호의 규정에 의하여 "종교의 보급 기타 교화에 현저히 기여하는 사업"을 운영하는 종교단체는 공익법인등에 해당하는 것이며, 이 경우 종교단체가 공익법인등에 해당하는지 여부는 법인으로 등록했는지에 관계없이 당해 종교단체가 수행하는 정관상 고유목적사업에 따라 판단하는 것임.

제5절 공익법인등이 출연받은 재산관련 세무리스크 관리법

공익법인도 비영리법인에 해당하므로 원래 재산을 증여받으면 이에 대해 증여세를 내야한다. 하지만 이들의 공익목적사업을 위해 일정한 조건하에 증여세를 면제한다. 공익법인이 출연받은 재산에 대한 증여세 면제 시 주의해야 할 점 등을 위주로 살펴보자.

1 공익법인등이 출연받은 재산에 대한 과세가액 불산입

「상증법」 제48조에서는 공익법인등이 출연받은 재산에 대한 증여세 과세가액 불산입을 규정하고 있다. 그런데 이 조항은 11개의 항으로 구성되어 있는데 내용이 상당히 복잡하다. 따라서 이 중 일부만 살펴보자.

① 공익법인등이 출연받은 재산의 가액은 증여세 과세가액에 산입하지 아니한다(단서 규정은 생략).

② 세무서장등은 제1항 및 제16조 제1항에 따라 재산을 출연받은 공익법인등이 다음 제1호부터 제4호까지, 제6호 및 제8호의 어느 하나에 해당하는 경우에는 그 사유가 발생한 날에 대통령령으로 정하는 가액을 공익법인등이 증여받은 것으로 보아 즉시 증여세를 부과하고, 제5호 및 제7호에 해당하는 경우에는 제78조 제9항에 따른 가산세를 부과한다.[92]

  1. 출연받은 재산을 직접 공익목적사업 등[93]의 용도 외에 사용하거나 출연받은 날부터 3년 이내에 직접 공익목적사업 등에 사용하지 아니하거나 3년 이후 직접 공익목적사업 등에 계속하여 사용하지 아니하는 경우. 다만, 직접 공익목적사업 등에 사용하는 데에 장기간이 걸리는 등 대통령령으로 정하는 부득이한 사유가 있는 경우로써 제5항에 따른 보고서를 제출할 때 납세지 관할세무서장에게 그 사실을 보고하고, 그 사유가 없어진 날부터 1년 이내에 해당 재산을 직접 공익목적사업 등에 사용하는 경우는 제외한다.

  2. 출연받은 재산(그 재산을 수익용 또는 수익사업용으로 운용하는 경우 및 그 운용소득이 있는 경우를 포함한다) 및 출연받은 재산의 매각대금(매각대금에 의하여 증가한 재산을 포함하며 대통령령으로 정하는 공과금 등에 지출한 금액은 제외한다)을 내국법인의 주식등을 취득하는 데 사용하는 경우 등

  3. 출연받은 재산을 수익용 또는 수익사업용으로 운용하는 경우로써 그 운용소득을 직접 공익목적사업 외에 사용한 경우

  4. 출연받은 재산을 매각하고 그 매각대금을 매각한 날부터 3년이 지난 날까지 대통령령으로 정하는 바에 따라 사용하지 아니한 경우

  5. 제3호에 따른 운용소득을 대통령령으로 정하는 기준금액에 미달하게 사용하거나 제4호에 따른 매각대금을 매각한 날부터 3년 동안 대통령령으로 정하는 기준금액에 미달하게 사용한 경우

  6. 제16조 제2항 제2호 가목에 따른 요건을 모두 충족하는 공익법인등이 같은 목 1)을 위반하여 출연받은 주식 등의 의결권을 행사한 경우

  7. 공익법인등(자산 규모, 사업의 특성 등을 고려하여 대통령령으로 정하는 공익법인등은 제외한다)이 대통령령으로 정하는 출연재산가액에 100분의 1(제16조 제2항

---

92) 다만, 불특정 다수인으로부터 출연받은 재산 중 출연자별로 출연받은 재산가액을 산정하기 어려운 재산으로서 대통령령으로 정하는 재산은 제외한다. 여기서 "대통령령으로 정하는 재산"이란 제12조 제1호에 따른 종교사업에 출연하는 헌금(부동산 및 주식등으로 출연하는 경우를 제외한다)을 말한다(「상증령」 제38조).
93) 직접 공익목적사업에 충당하기 위하여 수익용 또는 수익사업용으로 운용하는 경우를 포함한다. 예를 들어 장학사업을 하기 위해 임대하는 경우 등을 말한다.

제2호 가목에 해당하는 공익법인등이 발행주식총수등의 100분의 10을 초과하여 보유하고 있는 경우에는 100분의 3)을 곱하여 계산한 금액에 상당하는 금액에 미달하여 직접 공익목적사업(「소득세법」에 따라 소득세 과세대상이 되거나 「법인세법」에 따라 법인세 과세대상이 되는 사업은 제외한다)에 사용한 경우

8. 그 밖에 출연받은 재산 및 직접 공익목적사업을 대통령령으로 정하는 바에 따라 운용하지 아니하는 경우

③ 이하 생략

위의 내용 중 중요한 내용만 자세히 살펴보자.

(1) 공익법인이 증여받은 재산에 대한 증여세 면제

제1항을 보면 공익법인등이 출연받은 재산의 가액은 증여세 과세가액에 산입하지 아니한다. 단, 주식에 대해서는 제1항의 단서 규정을 별도로 살펴보아야 한다.

(2) 사후관리 요건 위반 시 증여세 추징

아래 사유가 발생하면 공익법인등에게 증여세를 부과한다.

① 출연받은 재산을 직접 공익목적사업 등의 용도 외에 사용하거나 출연받은 날부터 3년 이내에 직접 공익목적사업 등에 사용하지 아니하는 경우
② 출연받은 재산 및 출연받은 재산의 매각대금을 내국법인의 주식등을 취득하는 데 사용하는 경우 등
③ 출연받은 재산을 수익용 또는 수익사업용으로 운용하는 경우로써 그 운용소득을 직접 공익목적사업 외에 사용한 경우
④ 출연받은 재산을 매각하고 그 매각대금을 매각한 날부터 3년이 지난 날까지 대통령령으로 정하는 바에 따라 사용하지 아니한 경우

● 출연받은 재산을 매각하는 경우의 증여세 추징 여부

3년 내 매각	3년 후 매각
• 원칙 : 증여세 추징 • 예외 : 3년 내에 매각대금의 90% 이상 을 공익목적사업용에 사용 시 추징안함.	증여세 추징 안함.

(3) 사후관리 요건 위반 시 가산세 부과

아래 사유가 발생하면 공익법인등에게 미사용 금액 등의 10%의 가산세를 부과한다. 구체적인 내용들은 법령을 참조하자.

① 운용소득을 대통령령으로 정하는 기준금액에 미달하게 사용하거나 매각대금을 매각한 날부터 3년 동안 대통령령으로 정하는 기준금액에 미달하게 사용한 경우
② 공익법인등이 출연받은 주식 등의 의결권을 잘못 행사한 경우
③ 공익법인등이 대통령령으로 정하는 출연재산가액에 대통령령으로 정하는 비율을 곱하여 계산한 금액에 상당하는 금액에 미달하여 직접 공익목적사업에 사용한 경우
④ 그 밖에 출연받은 재산 및 직접 공익목적사업을 대통령령으로 정하는 바에 따라 운용하지 아니하는 경우

2 적용 사례1

경기도 안양시에서 거주하고 있는 천수답씨는 본인이 소유하고 있는 시가 1억 원 상당의 토지를 의료법인에 증여하고자 한다. 이 경우 의료법인은 어떤 세금을 내는가?

원래 비영리법인이 출연 받은 재산은 증여세 납세의무가 있다. 다만, 「상증령」 제12조의 공익법인등이 출연 받은 재산에 대해서는 증여세 납부의무가 없다. 사례의 경우에 이에 해당한다.

- 「상증법」상 공익법인등이 아니라면 → 증여세 납부의무 있음.
- 「상증법」상 공익법인등에 해당하면 → 증여세 납부의무 없음.

3 적용 사례2

서울 강남구 역삼동에서 살고 있는 K씨 집안에서 상속인들이 모여 상속재산 중 시가 10억 원 상당의 부동산을 공익법인에 출연하고자 한다. 그런데 해당 부동산에는 임차인에 대한 보증금부채 3억 원이 포함되어 있다.

- 상황1 : 이 경우 상속세는 부과되는가?

- 상황2 : 상속부동산을 출연할 때 해당 부채 3억 원도 같이 출연한다면 이 부채에 대해서는 유상양도에 해당되어 양도소득세가 부과될까?
- 상황3 : 출연받은 재산을 수익을 얻기 위한 용도(예 : 임대업)로 사용하면 문제가 되는가?
- 상황4 : 만일 출연받은 재산을 3년 내에 처분한 경우에는 어떤 문제가 있을까?

위의 상황에 순차적으로 답을 찾아보면 다음과 같다.

(상황1) 이 경우 상속세는 부과되는가?

의료법인은 공익법인에 해당하므로 상속세가 면제된다.

(상황2) 상속부동산을 출연할 때 해당 부채 3억 원도 같이 출연한다면 이 부채에 대해서는 유상양도에 해당되어 양도소득세가 부과될까?

공익법인이 상속인들로부터 재산을 출연받은 것은 증여에 해당한다. 물론 이에 대해서는 증여세를 부과하지 않는다. 그런데 당해 재산에 설정된 채무를 공익법인이 수증하는 경우에는 세법은 이를 양도한 것으로 보아 증여자에게 양도소득세를 부과한다(부담부 증여). 이때 납세의무자는 재산을 출연한 상속인이 된다.

(상황3) 출연받은 재산을 수익을 얻기 위한 용도(예 : 임대업)로 사용하면 문제가 되는가?

공익법인이 재산을 출연받아 그 출연받은 날부터 3년 이내에 직접 공익목적사업에 사용하는 경우에는 증여세가 과세되지 아니한다. 이때 직접 공익목적사업에 사용할 돈을 마련하기 위해 출연받은 재산을 수익용 또는 수익사업용으로 운용하는 경우에도 직접 공익목적사업에 사용한 것으로 본다.

(상황4) 만일 출연받은 재산을 3년 내에 처분한 경우에는 어떤 문제가 있을까?

출연받은 재산을 출연받은 날로부터 3년 이내에 매각한 경우로써 그 매각대금을 매각일이 속하는 사업연도 종료일로부터 1년 이내에 30%, 2년 이내에 60%, 3년 이내에 90%를 직접 공익목적사업에 사용하는 경우에는 증여세가 과세되지 아니하나, 그렇지 않은 경우에는 증여세가 과세된다.

교회나 사찰 등 종교단체에게 부동산 등을 증여하는 경우가 있다. 이때 교회 등은 세법상 공익법인등에 해당되어 앞에서 본 증여세 면제를 받을 수 있다. 이렇게 혜택을 받은 경우에는 그에 따른 각종 협력의무를 이행해야 한다. 종교단체의 출연재산과 관련된 세무리스크 관리법 등을 알아보자.

1 종교단체가 출연받은 재산관련 세무리스크 발생 사례

서울 양천구 목동에서 살고 있는 박영달씨가 교회에 토지를 증여하려고 한다. 해당 토지는 박씨가 2010년에 매입한 대지로 취득당시의 취득세과세표준액은 1억 원 상당액이 되었다.

• 상황1 : 교회는 증여세를 면제받을 수 있는가?
• 상황2 : 교회는 법인으로 등록해야 증여세를 면제받을 수 있는가?
• 상황3 : 교회가 증여를 받은 토지를 제3자에게 양도하면 어떤 세금을 내야 하는가?

위의 상황에 순차적으로 답을 찾아보면 다음과 같다.

(상황1) 교회는 증여세를 면제받을 수 있는가?

공익법인에 해당하는 종교단체가 재산을 출연받아 그 출연 받은 날부터 3년 이내에 직접 공익목적사업(공익사업을 위한 경비조달을 위한 수익사업 포함)에 사용하는 경우에는 증여세가 과세되지 아니한다. 만약 출연받은 재산을 직접 공익목적사업 외에 사용하거나 출연받은 날로부터 3년 이내에 직접 공익목적사업 등에 사용하지 아니하는 경우에는 공익법인등에게 증여세가 과세된다(단, 부득이한 사유가 인정되는 경우에는 그 사유가 없어진 날로부터 1년 내에 공익목적사업에 사용하면 증여세를 면제함).

(상황2) 교회는 법인으로 등록해야 증여세를 면제받을 수 있는가?

종교단체가 공익법인등에 해당하는지 여부는 법인으로 등록했는지에 관계없이 당해 종교단체가 수행하는 정관상 고유목적사업에 따라 판단한다. 즉 등록여부를 불문한다.

(상황3) 교회가 증여를 받은 토지를 제3자에게 양도하면 어떤 세금을 내야 하는가?

교회가 출연받은 재산을 양도하는 경우에는 원칙적으로 등록법인이면 법인세가, 등록법인이 아니면 양도소득세가 나온다. 다만, 이중 등록법인이 증여받은 부동산을 공익목적사업용(예 예배당)으로 3년 이상 사용한 후 양도하면 이에 대해서는 비과세를 적용한다. 이는 비영리법인에 대한 조세특례제도에 해당한다. 그런데 만일 교회가 세법상의 법인에 해당되지 않으면 이러한 혜택을 주지 않고 개인이 양도하는 것으로 보아 양도소득세를 부과하는 것이 원칙이다. 즉 교회가 「소득세법」상 1거주자에 해당하는 경우, 고유목적사업에의 사용 여부와 관계없이 토지 또는 건물의 양도로 인하여 발생하는 소득에 대하여 양도소득세가 과세된다(주의!).

● 출연받은 재산을 매각하는 경우의 법인세 또는 양도소득세 과세 여부

구분	매각시점	고유목적사업용(예배당)	수익사업용(임대)
법인	3년 내	• 원칙 : 법인세 과세	• 원칙 : 좌동
	3년 후	• 원칙 : 법인세 비과세	• 원칙 : 좌동
개인94)	3년 내	• 원칙 : 양도소득세 과세	• 원칙 : 좌동
	3년 후	• 원칙 : 양도소득세 과세	• 원칙 : 좌동

● 서면인터넷방문상담4팀-1814, 2006.6.16.

[제목]

개인명의로 취득하고 양도한 교회재산의 양도소득세 과세 여부

[요지]

교회가 개인인 경우 토지 또는 건물의 양도로 인하여 발생하는 소득에 대하여는 과세됨.

[회신]

공익을 목적으로 출연된 기본재산이 있는 재단으로서 등기되지 아니한 것과 주무관청에 등록한 재단 또는 기타 단체로서 등기되지 아니한 것은 「국세기본법」 제13조 제1항에 의거 법인으로 보는 것이나, 재단법인인 종교단체와는 회계 등 모든 운영이 독립된 산하지역의 교회는 별도의 허가를 받아 세법적용상 재단설립된 경우를 제외하고는 개인으로 보는 것이

---

94) 개인인 종교단체가 재산을 출연받으면 증여세는 안낼 수 있지만 이를 양도하는 경우에는 양도소득세를 내야 함에 유의해야 한다. 법인과 차이가 나는 대목이다.

며, 교회가 개인인 경우 토지 또는 건물의 양도로 인하여 발생하는 소득에 대하여는 국세인 양도소득세가 과세됨.

2 종교단체가 출연받은 재산관련 세무리스크 관리법

종교단체가 설립등기에 의해 법인으로 등록되었다면 이는 대부분 공익법인에 해당되어 앞에서 본 세금혜택을 누릴 수 있다. 하지만 법인에 해당하지 않는 개인 종교단체가 재산을 출연받은 경우가 있다. 이때 주의해야 할 점들을 정리해 보자.

(1) 공익법인등에 해당되는지의 여부

종교단체의 경우에는 법인등록 여부와 무관하게 고유목적사업을 영위하느냐에 따라 공익법인등의 해당 여부를 산정하게 된다. 따라서 개인이 고유목적사업을 영위하는 경우에는 「상증법」상의 공익법인에 해당한다.

(2) 출연받은 재산에 대한 증여세 면제

개인 종교단체도 공익법인등에 해당하므로 당연히 증여세를 면제받는다.

(3) 출연받은 재산에 대한 협력의무

개인 종교단체가 공익법인등에 해당되어 출연받은 재산에 대해 증여세를 면제받았다면 세법에서 징하고 있는 각종 협력의무를 이행해야 한다. 이를 위배하면 증여세와 가산세가 부과될 수 있다. 앞의 제5절을 참조하기 바란다.

(4) 출연받은 재산의 양도소득 관리법

① 개인

개인은 양도소득세를 내야 한다.

② 법인

비영리법인은 출연받은 재산을 3년 이상 고유목적사업에 사용한 후 매각하면 법인세를 면제받을 수 있다. 이때 공익사업용 자금을 만들기 위한 수익사업용 부동산도 마찬가지의 혜택을 누릴 수 있다. 그런데 비영리법인이 출연받은 부동산을 3년 내에 처분하면 처분이익에 대해 법인세가 과세된다.[95] 다만, 이 경우에는 소득금액의 50%까지 고유목적사업준비금을 쌓아 손비처리하면 법인세를 줄일 수 있다. 물론 이 준비금은 향후 5년 이내에 고유목적사업에 사용해야 된다. 다만, 종중의 경우에는 이러한 혜택을 배제하고 있다.

● 참고 사례(서이46012-10632, 2001.11.30.)

[제목]

「국세기본법」의 규정에 의해 법인으로 보는 단체로 승인받은 종중은 고유목적사업준비금을 설정하여 손금에 계상할 수 없는 것임.

[질의]

종중단체가 「국세기본법」 제13조 제2항의 요건을 갖추어 법인으로 보는 단체로 승인을 받고 수익사업인 부동산임대업을 영위하고 있으며, 수익사업에서 발생한 소득을 목적사업준비금으로 적립한 후 종중고유의 목적사업(회원명부 발간, 선조묘사 및 위업승계사업 등)을 수행하기 위해 비영리회계부분으로 금전을 인출하는 경우 납세의무

《갑 설》 배당소득에 해당됨.
《을 설》 배당소득에 해당되지 아니함.

[회신]

「국세기본법」 제13조의 규정에 의해 법인으로 보는 단체로 승인받은 종중은 「법인세법 시행령」 제56조 제1항 각호의 규정에 해당하지 아니하므로 같은법 제29조 제1항(1998.12.28. 법률 제5581호로 개정된 것)의 규정에 의해 고유목적사업준비금을 설정하여 손금에 계상할 수 없는 것이며, 당해 단체의 수익사업에서 발생한 소득을 같은법 시행령 제36조 제3항에서 규정하는 고유목적사업비로 지출한 금액은 이를 지정기부금으로 보아 같은법 제24조 제1항에서 규정한 금액의 범위 내에서 각 사업연도에 손금에 산입하는 것임.

---

95) 비영리법인이 양도한 부동산에 대한 법인세신고방법에 대해서는 「법인세법」 제62조의2를 참조하기 바란다.

제7절 종중이 출연받은 재산관련 세무리스크 관리법

백과사전에 의하면 종중(宗中)은 공동 선조의 후손 중 성년이면 성별 구분 없이 구성원이 되어 공동 선조의 분묘 수호와 봉제사 및 종중원 상호간의 친목을 목적으로 하는 자연적종족집단체라고 정의된다. 그렇다면 종중은 세법상 비영리법인에 해당하는지 등이 중요하다. 종중을 둘러싼 다양한 세무리스크 관리법 등을 알아보자.

1 종중이 비영리법인 등에 해당하는지의 여부

비영리법인들은 대부분 설립등기를 통해 설립되어 사실상 비영리법인에 해당하나 설립등기를 하지 않은 단체들이 있다. 이에 대해 「국세기본법」 제13조에서는 법인으로 의제 또는 승인하는 경우가 있다. 이를 다시 한 번 보자.

(1) 무조건 법인으로 보는 경우

법인이 아닌 사단, 재단, 그 밖의 단체 중 다음 각 호의 어느 하나에 해당하는 것으로서 수익을 구성원에게 분배하지 아니하는 것은 법인으로 보아 이 법과 세법을 적용한다.

- 주무관청의 허가 또는 인가를 받아 설립되거나 법령에 따라 주무관청에 등록한 사단, 재단, 그 밖의 단체로서 등기되지 아니한 것
- 공익을 목적으로 출연(出捐)된 기본재산이 있는 재단으로서 등기되지 아니한 것

(2) 신청을 받아 승인하는 경우

다음의 요건을 모두 갖춘 것으로서 대표자나 관리인이 관할 세무서장에게 신청하여 승인을 받은 것도 법인으로 보아 이 법과 세법을 적용한다.

- 사단, 재단, 그 밖의 단체의 조직과 운영에 관한 규정(規程)을 가지고 대표자나 관리인을 선임하고 있을 것
- 사단, 재단, 그 밖의 단체 자신의 계산과 명의로 수익과 재산을 독립적으로 소유·관리할 것

• 사단, 재단, 그 밖의 단체의 수익을 구성원에게 분배하지 아니할 것

(3) 종중이 비영리법인에 해당하는 경우

종중이 비영리법인에 해당하는 경우에는 3가지 방법이 있다.

첫째, 설립등기를 하는 방법
둘째, 법인으로 간주되는 방법
셋째, 신청을 하여 법인이 되는 방법

2 종중이 공익법인에 해당하는지의 여부

종중은 「상증법」에서 규정하고 있는 공익사업을 목적으로 하는 단체가 아니므로 「상증법」상의 공익법인과는 관계가 없다. 다만, 비영리법인에는 해당한다.

3 종중관련 세무리스크 관리법

(1) 종중이 재산을 출연받은 경우

종중이 재산을 출연받은 경우 이에 대해서는 증여세가 부과된다. 종중은 공익법인등에 해당하지 않기 때문이다.

● 관련 예규 : 재산-697(2010.9.15.)
공익법인에 해당하지 않는 종중 단체간에 재산을 증여하는 경우 증여받은 종중은 증여세를 납부할 의무가 있는 것임.

(2) 종중이 출연받은 부동산을 양도하는 경우

종중이 출연받은 재산을 양도하면 원칙적으로 양도소득세나 법인세가 부과될 수 있다. 다만, 종중이 「상증법」상 비영리법인에 해당하는 경우 3년 이상 고유목적사업에 해당 부동산을 운용한 경우 양도차익에 대한 법인세를 부과하지 않는다(비사업용 토지일 때 토지등 양도소득에 대한 법인세는 납부해야 함).

(3) 종중이 부동산 양도한 대금을 종중원들에게 분배하는 경우

종중원에게 분배하는 경우 증여세 과세의 문제가 발생한다. 다만, 명의신탁된 재산을 환원하는 경우에는 증여세가 과세되지 않는다. 이에 대해서는 아래 예규를 참조하자.

● **서면4팀-2979, 2007.10.17.**

종중이 종중원으로부터 토지를 증여받은 경우 그 종중은 증여세를 납부할 의무가 있는 것이나, 종중원 명의로 등기되어 있는 종중재산을 명의신탁 해지하여 실질소유자인 종중명의로 환원하는 때에는 증여세가 과세되지 않는 것임. 귀 질의의 경우는 종중명의로 소유권을 이전하고자 하는 토지가 처음부터 종중이 소유한 재산인지 아니면 종중원 개인이 소유한 재산을 종중명의로 이전하는 것인지 여부 등 구체적인 사실을 확인하여 증여세 과세 여부를 판단할 사항임.

4 종중관련 세무리스크 발생 사례

K씨는 30여년 전부터 종중토지를 개인명의로 등기하여 보유하고 있다. 만일 이 토지를 종중명의로 무상으로 소유권을 이전하는 경우에 어떤 세금문제가 발생할까?

위의 상황에 대한 답을 찾아보자.

(1) 세법규정은?

종중이 종중원으로부터 부동산을 증여받은 경우 그 종중은 등기접수일을 증여재산의 취득시기로 하여 증여세를 납부할 의무가 있다(∵ 비영리법인 또는 거주자에 해당하기 때문). 다만, 종중원 등 명의로 등기되어 있는 종중재산을 명의신탁해지하여 실질소유자인 종중명의로 환원하는 때에는 증여로 보지 아니한다. 한편 종중이 명의신탁으로 보유한 부동산은 「부동산실명법」의 위반에 해당하지 아니한다.

(2) 결론

이 사례의 경우 종중명의로 소유권을 이전등기하는 부동산이 처음부터 종중 소유재산인지 아니면 실질소유자인 종중원으로부터 증여받은 재산으로 종중 명의로 이전등기한 것인지 여부 등 구체적인 사실을 확인하여 증여세 과세 여부를 판단한다.

Tip

■ 고유번호신청과 사업자등록의 관계

종중이나 기타 비영리단체 등이 관할 세무서에 고유번호를 신청하는 경우가 있다. 과세관청의 입장에서는 과세자료의 효율적 처리를 위하여 부여한 고유번호를 등록받고 있다. 한편 고유번호를 부여받은 후 사업을 영위하고자 하는 경우에는 사업자등록 신청을 하고 납세의무를 성실히 이행해야 하며, 미이행 시 가산세부과 등의 불이익을 받을 수 있다.

사업자등록 신청서(개인사업자용)
(법인이 아닌 단체의 고유번호 신청서)

접수번호		처리기간	3일(보정기간은 불산입) * 2020.7.1. 신청분부터 2일

1. 인적사항

상호(단체명)		연락처	(사업장 전화번호)
성명(대표자)			(주소지 전화번호)
주민등록번호			(휴대전화번호)
			(FAX 번호)

사업장(단체) 소재지			층　　　　호

사업장이 주소지인 경우 주소지 이전 시 사업장 소재지 자동 정정 신청	([　]여, [　]부)

2. 사업장 현황

업 종	주업태		주종목		주생산 요소		주업종 코드	개업일	종업원 수
	부업태		부종목		부생산 요소		부업종 코드		

사이버몰 명칭		사이버몰 도메인	

사업장 구분	자가 면적	타가 면적	사업장을 빌려준 사람 (임 대 인)			임대차 명세			
			성 명 (법인명)	사업자 등록번호	주민(법인) 등록번호	임대차 계약기간	(전세) 보증금	월 세 (차 임)	
	㎡	㎡				· · · ~ · · ·	원	원	

허 가 등 사업 여부	[　]신고　　[　]등록 [　]허가　　[　]해당 없음	주류면허	면허번호	면허신청
				[　]여　[　]부

개별소비세 해 당 여 부	[　]제조 [　]판매 [　]입장 [　]유흥	사업자 단위 과세 적용 신고 여부	[　]여　　[　]부

사업자금 명세 (전세보증금 포함)	자기자금	원	타인자금	원

간이과세 적용 신고 여부	[　]여　　[　]부	간이과세 포기 신고 여부	[　]여　　[　]부

전자우편주소		국세청이 제공하는 국세정보 수신동의	[　]문자(SMS) 수신에 동의함(선택) [　]전자우편 수신에 동의함(선택)

그 밖의 신청사항	확정일자 신청 여부	공동사업자 신청 여부	사업장소 외 송달장소 신청 여부	양도자의 사업자등록번호 (사업양수의 경우에만 해당함)
	[　]여 [　]부	[　]여 [　]부	[　]여 [　]부	

210mm×297mm[백상지(80g/㎡) 또는 중질지(80g/㎡)]

고 유 번 호 증

(수익사업을 하지 않는 비영리법인 및 국가기관 등)

고유번호 :

단 체 명 :

대표자 성 명 :   생 년 월 일 :

(법 인 등 록 번 호)

소 재 지 :

발 급 사 유 :

공 동 대 표 :

(유의사항)

(1) 이 고유번호증의 부여로 인해 고유번호증상의 대표자가 정당한 대표자임을 증명하지 않으며, 「민법」기타 특별법에 따른 법인격이 부여되는 것은 아닙니다.

(2) 수익사업을 하고자 하는 경우에는 비영리법인의 수익사업 개시신고서(「법인세법」 시행규칙 별지 제75호의4)를 제출하고 납세의무를 이행해야 하며, 미이행시 가산세 등의 세무상 불이익을 받을 수 있습니다.

년   월   일

세 무 서 장 ㊞

고 유 번 호 증

고유번호 :

단 체 명 :

대표자 성명 :　　　　　　　　생년월일 :

소 재 지 :

교 부 사 유 :

공 동 대 표 :

(유의사항)

① 이 「고유번호증」은 사업자가 아닌 법인 아닌 단체 또는 개인에게 과세자료의 효율적 처리를 위하여 부여한 고유번호 등록사실에 대한 증명일 뿐, 고유번호증상의 대표자가 정당한 대표자임을 증명하는 것은 아닙니다.

② 고유번호를 부여받은 후 사업을 영위하고자 하는 경우에는 사업자등록 신청을 하고 납세의무를 성실히 이행해야 하며, 미이행 시 가산세부과 등의 불이익을 받을 수 있습니다.

년　　　월　　　일

세 무 서 장 ㊞

제8절 **종중의 토지양도관련 세무리스크 관리법**

종중은 「상증법」상 비영리법인에 해당할 수 있고, 해당되지 않을 수 있다. 이러한 상황에서 종중이 보유하고 있는 사업용 토지에 해당하는 농지나 기타 비사업용 토지를 양도하는 경우 과세는 어떻게 될까? 실제 이와 관련된 과세판단은 매우 복잡하다. 따라서 자세한 것은 세무전문가들한테 맡기고 아래에서는 대략적인 과세형태 정도만 살펴보자.

1 사업용 토지인 농지의 양도

(1) 법인이 아닌 상태에서 양도하는 경우

실제 농사를 짓고 있는 종중 소유의 농지를 양도하는 경우에는 양도소득세를 내게 된다.

첫째, 양도소득세는 종중을 한 개인으로 보고 계산한다.
종중을 「소득세법」상 1거주자로 보고 양도소득세를 계산하도록 하고 있다.

둘째, 양도소득세 납세의무자는 대표자가 된다.

셋째, 8년 자경농지에 대한 감면을 받을 수 있다.
이 제도는 개인이 8년 이상 재촌자경하는 경우에 적용된다.

⊕ 서면4팀-2066, 2007.7.4.
[제목]
종중 소유농지를 종중의 책임 하에 종중 구성원이 8년 이상 자경한 경우 감면 규정이 적용되나, 종중 구성원의 책임 하에 농지를 경작하고 종중에게 대가를 지불하는 대리경작인 경우 자경농지에 해당하지 않음.

[질의]
(사실관계)
- 종중 재산인 농지를 종중원 명의로 등기하여 자경해오던 중 등기상 명의자인 종중원이 사망하여 다른 종중원 명의로 소유권이전등기를 하였음.

(질의내용)

– 종중 재산인 농지를 종중원이 자경한 경우 8년 자경 감면 규정을 적용받을수 있는지 여부

[회신]

종중 소유농지를 종중의 책임하에 종중구성원이 8년 이상 당해 농지의 소재지에서 거주하면서 경작한 사실이 있는 양도일 현재의 농지인 경우에는 8년 자경 농지로 보는 것이나, 종중과의 약정에 따라 종중 구성원의 책임하에 농지를 경작하고, 경작에 따른 대가를 종중에 지불하는 것은 대리경작으로 보아 8년 자경농지에 해당하지 아니하는 것임.

(2) 법인인 상태에서 양도하는 경우

종중이 「국세기본법」상 법인에 해당하는 경우에는 법인으로 과세된다.

첫째, 법인인 종중이 부동산을 양도하면 법인세가 과세되는 것이 원칙이다. 이때 과세방식은 두 가지가 있다.

- 법인세로 납부하는 방법
- 양도소득세 계산규정을 준용하여 납부하는 방법

둘째, 고유목적사업용으로 사용하는 경우에는 법인세를 면제받을 수 있다.

이 경우에는 3년 이상 고유목적사업용으로 사용해야 한다. 예를 들어 교회의 경우 예배당이 해당된다. 물론 고유목적사업을 위한 재원마련용 부동산도 법인세를 면제받을 수 있으나 실무에서는 이에 대한 판단이 쉽지가 않다. 반드시 세무전문가를 통해 이 부분을 확인하는 것이 좋다.

셋째, 8년 자경농지에 대한 감면은 받을 수 없다.

이 제도는 개인에게 적용되기 때문이다(법인세과-602, 2009.5.22. 등).

2 비사업용 토지의 양도

세법상 비사업용 토지를 양도하는 경우의 과세방식은 아래와 같다.

(1) 법인이 아닌 상태에서 양도하는 경우

양도소득세가 부과된다. 이때 개인이 이를 양도하면 토지에 대한 중과세제도가 적용된다. 토지 중과세는 6~45%에 10%p가 가산된다. 장기보유특별공제는 받을 수 있다.

(2) 법인인 상태에서 양도하는 경우

일반법인세와 추가법인세가 과세된다. 일반법인세는 법인의 이익에 대해 10~25%의 세율, 추가법인세는 양도차익의 10%를 부과하는 것을 말한다. 만일 3년 이상 고유목적사업에 이용한 경우에는 전자의 법인세는 비과세 받을 수 있으나, 후자의 법인세는 비과세 받을 수 없다.

 Tip

■ 사업용 토지에 해당하는 농지의 범위

「법인세법 시행령」 제92조의5 제3항에서는 아래와 같은 농지를 사업용 토지로 보고 있다.

---

③ 법 제55조의2 제2항 제1호 가목 단서에서 "대통령령으로 정하는 농지"란 다음 각 호의 어느 하나에 해당하는 농지를 말한다.
  1. 「농지법」 제6조 제2항 제2호·제6호·제10호 가목 또는 다목에 해당하는 농지
  2. 「농지법」 제6조 제2항 제7호에 따른 농지전용허가를 받거나 농지전용신고를 한 법인이 소유한 농지 또는 같은 법 제6조 제2항 제8호에 따른 농지전용협의를 완료한 농지로서 당해 전용목적으로 사용되는 토지
  3. 「농지법」 제6조 제2항 제10호 라목부터 바목까지의 규정에 따라 취득한 농지로서 당해 사업목적으로 사용되는 토지
  4. 종중이 소유한 농지(2005년 12월 31일 이전에 취득한 것에 한한다)
  5. 제사·종교·자선·학술·기예 그 밖의 공익사업을 목적으로 하는 「지방세법 시행령」 제22조에 따른 비영리사업자가 그 사업에 직접 사용하는 농지
  6. 「농지법」 그 밖의 법률에 따라 소유할 수 있는 농지로서 기획재정부령이 정하는 농지

일반협동조합과 사회적 협동조합의 비교
(근거 법령 협동조합기본법, 12.12.1. 시행)

협동조합은 영리법인에 해당하며, 사회적 협동조합은 비영리법인에 해당한다. 따라서 이러한 법인에 증여 등이 발생한 경우에는 앞에서 본 내용들을 그대로 적용하면 된다.

구분	(일반)협동조합	사회적 협동조합
법인격 (기본법 제4조)	영리법인	비영리법인
사업분야 제한	업종 및 분야제한 없음.	동법 제93조에서 명시한 공익사업 40% 이상 수행(금융 및 보험업 불가)
배당가능 여부	배당 가능	배당 금지
기타 사항	• 청산 : 정관에 따라 처리 • 감독 : 관련내용 없음(상법 등에서 준용) • 법정적립금 : 자기자본 3배에 이를 때까지 10/100 이상 적립	• 청산 : 유사한 비영리법인, 국고 등 귀속 • 감독 : 필요시 관계부처 장에게 서류, 장부 등 검사, 인가요건 위반 시 인가 취소 • 법정적립금 : 자기자본 3배에 이를 때까지 30/100 이상 적립
최소 설립요건	5인 이상 서로 상이한 이해관계자의 설립동의자가 필요(협동조합 및 사회적 협동조합)	

|저|자|소|개|

■ 신 방 수 세무사

- 연락처: 02) 554 – 6438
- 이메일: shintaxpia@hanmail.net
- 카 페: 신방수세무아카데미(네이버)

[학력 및 경력]
- 1991년 2월 한양대학교 경영학과 졸업
- 2015년 2월 연세대 법무대학원 조세법 전공
- 1991년 7월~1996년 8월 쌍용자동차(주) 회계부, 경영관리부
- 2001년 9월 제38회 세무사시험 합격
- 2002년 6월~2003년 6월 세무법인 진명 근무
- 2003년 11월~2004년 3월 법무법인 대유 근무
- 2004년 4월~2004년 11월 세무회계사무소 운영
- 2005년 3월 세무법인 정상 창립
- 2021년 9월 현재 세무법인 정상 근무

[주요 활동]
- 전) 세무법인 정상 대표이사
- 전) 한국세무사회 연수원 교수
- 현) 세무법인 정상(www.toptax.co.kr) 이사/세무사
- 현) 매일경제 전문세무상담위원
- 현) 현대카드 자문위원단
- 현) 건설기술교육원 세법 전담 교수

[강의]
- 오프라인 강의 처 : 한국생산성본부, 중앙일보 조인스랜드 부동산아카데미, 매일경제 부동산아카데미, 경기대 사회교육원, 중소기업 진흥원, MBC아카데미·현대백화점·삼성플라자·GS백화점·롯데백화점 문화센터, 건설기술교육원, 대한건설협회, 한국여신분석사회, 대한상공회의소, 중소기업연수원, LIG화재보험, 삼성생명, 대한생명, 신한오렌지라이프, 뮌헨재보험한국지점, 무역협회, 대한주택보증, 삼일인포마인 등
- 온라인 강의 처(동영상 강의) : 휴넷, 삼성SDS, 이패스코리아, 유비온, 신용보증기금, 이나우스에듀, 부동산써브, 매경인터넷 등

개정증보판   상속·증여 세무리스크 관리노하우

2020년 5월 20일 초판 발행
2021년 8월 25일 2판 2쇄 발행

저 자 신   방   수
발 행 인 이   희   태
발 행 처 **삼일인포마인**

저자협의
인지생략

서울특별시 용산구 한강대로 273 용산빌딩 4층
등록번호 : 1995. 6. 26. 제3-633호
전   화 : (02) 3489-3100
F A X : (02) 3489-3141
I S B N : 978-89-5942-994-3 93320

♣ 파본은 교환하여 드립니다.   정가 50,000원